KARADIMA

MARÍA OLIVIA MÖNCKEBERG

KARADIMA
EL SEÑOR DE LOS INFIERNOS

Karadima, el señor de los infiernos

Primera edición: abril de 2011
Segunda edición: mayo de 2011
Tercera edición: junio de 2011
Cuarta edición: julio de 2011
Quinta edición: octubre de 2011
Sexta edición: abril de 2015

© 2010, María Olivia Mönckeberg Pardo
© 2015, Penguin Random House Grupo Editorial, S.A.
Merced 280, piso 6, Santiago de Chile
Teléfono: 22782 8200
www.megustaleer.cl

Printed in Chile – Impreso en Chile

ISBN: 978-956-8410-54-4
RPI: 203.216

Diagramación interior y diseño de portada: Amalia Ruiz Jeria
Impreso en C&C Impresores Ltda.

Penguin
Random House
Grupo Editorial

Morir sería aún más difícil si supiéramos que subsistimos, pero obligados a guardar silencio.

ELIAS CANETTI, *LA PROVINCIA DEL HOMBRE*

ÍNDICE

Capítulo I
UN E-MAIL INESPERADO

Estimada María Olivia:

Sin duda debe ser una sorpresa el que le escriba pero en un ejercicio de asociación libre entre queridos recuerdos y derroteros de vida me he tomado esta libertad.

Me encantaría poder contactarla y conversar con usted acerca de vivencias que quisiera compartir.

Su búsqueda incesante de la verdad y la seriedad en su trabajo me dan la confianza para acudir a usted.

Muchos saludos y recuerdos,

JAMES HAMILTON SÁNCHEZ

No habría podido imaginar todo lo que vendría tras ese e-mail del 25 de marzo de 2010. El mensaje que llegó solo unas semanas después del terremoto, procedía de un pasado muy lejano, cargado de recuerdos. De amigos y gente cercana de épocas pretéritas. ¿Por qué me escribía?

Pensé que James quería saber algo de su propia historia o, mejor dicho, de la de sus padres, que yo tan bien conocía. De sus desencuentros y de la tragedia que afectó a su familia. Creí que podría preguntarme sobre los años jóvenes de su madre. De la separación de ellos… Casi medio siglo había pasado desde todo eso. Cuatro décadas hacía que no veía a ningún integrante de su familia. Les perdí la pista, inmersa en otros afanes. Solo sabía que este hijo mayor del abogado James Hamilton Donoso y de la

13

paisajista Consuelo Sánchez Roig era un destacado médico cirujano. En efecto, la casilla del correo electrónico dejaba esa huella: «Doctor James Hamilton Sánchez».

Con cierta curiosidad mezclada con un lejano afecto por el niño que conocí desde la cuna y que de chico iba a los primeros cumpleaños de mis hijos, le respondí amistosamente, aunque el encuentro se atrasó. Intercambiamos más correos y pactamos una conversación que al final se concretó tres semanas después.

El mismo lunes 12 de abril, horas antes de que yo le confirmara la reunión, me encontré en mi computador con un texto que no alcancé a procesar. No concluí entonces que el firmante de este nuevo correo electrónico era una de las principales víctimas de esta cruda historia de poder, sometimiento y abuso psicológico y sexual que estremecería a la Iglesia Católica chilena y al país entero:

Estimada María Olivia:

Quisiera darte algunos antecedentes previos. Durante veinte años participé en una parroquia de Santiago donde su cura párroco de manera sistemática abusó de muchas personas, de manera física y psicológica, las edades fluctúan entre los cincuenta y algo más y adolescentes actuales.

Ya al menos cuatro personas hemos hecho denuncias repetidas de los hechos ante la Iglesia y, como es costumbre, sin respuesta; sin embargo, a raíz de un proceso canónico de nulidad se inició una investigación paralela, que por motivos a detallar en nuestra conversación, siguió adelante. Son estos algunos de los motivos que han hecho que Bertone esté en Chile y que están generando una crisis de magnitudes al centro de la Iglesia.

En este momento existen decenas de personas afectadas y parte de la Conferencia Episcopal está involucrada en el círculo de protección.

Sé que es de no creer, pero ya hemos acumulado algunas pruebas y sobre todo los testimonios de personas honestas que necesitan que esto se detenga para sanar y liberar a otros.

Un abrazo y gracias,

JIMMY

James Hamilton Sánchez me esperaba en mi casa el lunes 12 de abril cuando llegué de la universidad. Afectuoso, se levantó a saludar apenas me vio entrar. Buenmozo, rubio, grandes ojos azules de mirada intensa, ese hombre alto y amable me recordó de inmediato al niño que conocí. En la actualidad, tiene cuarenta y cinco años, la misma edad de mi hijo mayor, con quien fue compañero de curso cuando entraron al colegio Saint George en 1971, el año siguiente al asesinato del general René Schneider y a la llegada de Salvador Allende al gobierno.

Su bisabuelo, Charles Hamilton, fue el fundador de ese colegio, que traspasó después a la Congregación de Santa Cruz, la Holy Cross. La misma de la que el sacerdote Fermín Donoso, quien en 2009 se hizo cargo de la investigación canónica de este caso, fue superior en Chile hasta hace pocos años.

Pero James Hamilton no continuó sus estudios en el Saint George. En medio de las tormentas familiares, él y su hermano Philip fueron trasladados a la Alianza Francesa, donde continuó la enseñanza básica y media. Ya egresado, estudió un año de Tecnología Médica y luego Medicina en la Universidad de Chile, donde se tituló en los ochenta.

«Yo fui abusado»

Esa tarde de abril, el doctor James Hamilton vestido de sport cargaba una mochila roja —en la que lleva su notebook— de la que no se suele desprender.

Desde el primer instante la conversación fue cordial. Me explicó por qué me había contactado. Era una mezcla —dijo— de esos recuerdos de su primera infancia, cuando me veía como amiga de sus padres, y de un aprecio profesional a la distancia. Le inspiraba confianza, me señaló. Puso su Blackberry en silencio, pero la miraba cada cierto rato. Cuatro pacientes operados entre ese día y el anterior podían requerir alguna consulta. Sin anestesia, el cirujano gástrico fue acercándose poco a poco a la confesión, motivo de su visita.

«Yo fui abusado… pertenecía a un movimiento religioso en una parroquia de Santiago y fui abusado por el cura», espetó. «De manera sistemática, abusó de muchas otras personas. Viví en ese infierno cerca de veinte años y no me atrevía a dejarlo.»

Quedé atónita. Mientras escuchaba sus primeras palabras de denuncia y la referencia al movimiento religioso en una parroquia de Santiago, una idea fugaz pasó por mi cabeza. Como un rayo, antes de que él lo pronunciara, se me cruzó el nombre del cura de El Bosque, del que tanto había escuchado hablar desde mi juventud. Tras recobrar el aliento, atiné a preguntar:

—¿Por qué no te atrevías a dejarlo?

—Por miedo…

—¿Quién es el abusador?

—Fernando Karadima.

Cuando Jimmy Hamilton lanzó el nombre, sentí una mezcla de estupor y coherencia. Desde el primer momento tuve una fuerte percepción de que la acusación tenía sentido.

Siendo estudiante de colegio, en varias ocasiones concurrí a la misa de las once o doce los domingos a esa iglesia colorada con su característico torreón. Otras tantas, pasé frente a su fachada o la divisé a lo lejos. Me tocó asistir después a matrimonios y ceremonias fúnebres, y desde hace décadas escuché versiones que con entusiasmo hablaban de la oratoria y el carisma del cura Karadima. Sobre todo entre la gente de derecha. Desde otra mirada, ya hacia fines de los sesenta se veía a esa iglesia como un enclave conservador, en tiempos en que los aires progresistas posteriores al Concilio Vaticano II impregnaban a la Iglesia Católica chilena. Interesada en los nexos entre los movimientos religiosos y el poder económico y político, observé más adelante el crecimiento de ese grupo que llegó a manifestarse en la existencia de medio centenar de sacerdotes y cinco obispos integrantes de la Pía Unión del Sagrado Corazón. Así es conocida la red sacerdotal constituida en torno a Fernando Karadima y la iglesia El Bosque, que tras el veredicto del Vaticano formulado por la Congregación para la Doctrina de la Fe el 16 de enero y conocido el 18 de febrero, sería sometida a «visita apostólica», lo que equivale a una investigación especial.

Todos los miembros de la Pía Unión integran al clero diocesano y pertenecían —y pertenecen— a diversas parroquias de la Región Metropolitana. Algunos incluso tienen altos cargos en la curia. Este movimiento no tenía réplica en otros países como las demás congregaciones.

Más de alguna vez conversé con sacerdotes conocidos sobre este curioso movimiento distinto de otros grupos conservadores como el Opus Dei o los Legionarios de Cristo, pero que se percibía cada vez más fuerte en la Iglesia chilena o, más precisamente, santiaguina. Sin duda, Karadima era un personaje influyente desde hace muchos años, que proyectaba un innegable poder en la sociedad local. Y su fama como «forjador de vocaciones» llegaba hasta el Vaticano, donde tuvo los suficientes contactos para que sus discípulos fueran consagrados obispos.

Círculo de protección

El rostro de Jimmy Hamilton refleja una mezcla de impotencia y fuerza. Asegura que son muchas las personas que han sufrido de abuso físico y psicológico en las últimas cuatro décadas. Y por miedo seguramente no lo confesarán. Las víctimas serían desde niños de doce o quince años hasta hombres de algo más de cincuenta, reitera. «¡Y eso sigue ocurriendo hasta hoy!» Esto es posible, a su juicio, porque «un grupo influyente del episcopado está involucrado en el círculo de protección».

En esa primera oportunidad, Jimmy Hamilton me relató algunos escabrosos detalles de lo vivido mientras estaba «embrujado» por el cura, aunque en esa conversación surgieron solo algunos de los titulares de su dramática historia. Me habló del abuso experimentado, de su matrimonio dominado por el «director espiritual», que también absorbió bajo su influencia a su mujer, de su proceso de nulidad religiosa, de las denuncias y de sus inquietudes del presente.

Tras más de dos horas de conversación, quedé tan impactada que ni siquiera era capaz de hacer preguntas. Durante días y noches rondaban por mi cabeza todas las interrogantes que no formulé.

Los casi cuarenta años de experiencia periodística y los horrores conocidos en dictadura no fueron suficientes para atenuar la impresión que me provocó esta conversación. Era uno de los testimonios más brutales que me había tocado escuchar.

Aunque había leído sobre abusos sexuales de curas en diferentes países, era distinto saber que estas cosas ocurrían aquí en Chile, en Santiago, en la tradicional parroquia de El Bosque. Y que una persona que está sentada frente a ti, a quien conociste de niño, haya sido ¡durante veinte años! víctima de abusos por parte de un poderoso cura que dentro de los círculos católicos era admirado y entre sus amigos proclamado «santo», con cientos de seguidores... Que este personaje fuera a la vez el principal impulsor de «vocaciones religiosas» en el país, en tiempos en que estas habían menguado en forma considerable... Todo era inaudito.

El gran predicador, el carismático y convincente orador, el famosísimo sacerdote forjador de obispos y de medio centenar de curas, el que abogaba por una moral rígida, era un hombre de doble vida, un abusador.

¿Dudas? Debo reconocer que no las tuve. Desde aquel primer momento en que conversé con Jimmy Hamilton sentí que mi interlocutor era veraz. Su tono de voz y su forma de mirar directo a los ojos. La expresión corporal, el movimiento de sus manos y los gestos que acompañan su hablar. La emoción y la firmeza, todo a la vez hacía verosímil el insólito relato. Las preguntas y las contrapreguntas que fui haciendo en las sucesivas conversaciones que tuvimos me llevaron a la convicción de que decía la verdad. ¿Con qué fin alguien podría aparecer con una historia de esta índole? El doctor James Hamilton, un médico prestigioso, padre de tres hijos, con una buena posición económica y respetado en su medio, solo podría tener mucho que perder y nada que ganar en lo personal con este brutal testimonio.

Después fui conociendo a los otros acusadores y a una serie de personas con las que he conversado directamente, con muchos de ellos más de una vez. Tras los chequeos y verificaciones de antecedentes, no he percibido ni detectado mentiras, contradicciones ni exageraciones. Solo las voces —cada vez menos y con menos fuerza— de los defensores más cercanos al ex cura párroco de El Bosque, sostienen que los hechos denunciados nunca ocurrieron. Y que todo sería una maquinación o una versión antojadiza motivada por extraños fundamentos.

Las semanas y los meses de investigación periodística, y el seguimiento de los pasos dados por el fiscal regional Xavier Armendáriz, así como las indagaciones canónicas, respaldaban esta percepción inicial después de conocer los testimonios de las víctimas.

Historia de mentiras y abusos

Ya antes de conocer el fallo del Vaticano, al leer, revisar, cruzar y analizar los testimonios entregados a la justicia civil y algunos documentos vinculados a la causa religiosa que han logrado traspasar las cortinas del silencio eclesial, mi conclusión era nítida: Karadima es un personaje perverso que hizo de su vida sacerdotal una historia de mentiras y abusos. Las víctimas son muchas y los daños que les ha provocado, profundos. Todo apuntaba en la misma línea. Salvo, claro, cuestiones jurídicas que aparecían más bien formales, como la eventual prescripción de los hechos denunciados por haber sucedido en tiempo pasado. O el precipitado cierre del proceso por parte del juez suplente del Décimo Juzgado del Crimen, Leonardo Valdivieso, sin que siquiera aceptara carear a Karadima con los acusadores. O las tensiones internas, dudas y demoras que tuvo la jerarquía de la Iglesia Católica para investigar y dar a conocer el resultado de sus investigaciones.

Hubo signos elocuentes que fueron dando progresivamente más respaldo a las denuncias iniciales: el testimonio del canciller del Arzobispado, Hans Kast, ex integrante de la Pía Unión de El Bosque, que marcó un hito en la investigación del fiscal Xavier Armendáriz; las declaraciones de otros sacerdotes, como Eugenio de la Fuente, anterior vicario de la parroquia El Bosque, y los hermanos Andrés y Fernando Ferrada, integrantes de la Pía Unión; la división generada dentro de esa organización sacerdotal; la posterior intervención de la parroquia y de la asociación por parte del Arzobispado de Santiago, mientras el ex cardenal Francisco Javier Errázuriz —después de casi siete años— enviaba en 2010 los antecedentes sobre Karadima al Vaticano; el desenlace del juicio de nulidad matrimonial de James Hamilton que consideró atendible el argumento del «abuso por parte de su director espiritual». Todo eso formaba una cadena de hechos irrefutables. Un puzle donde todo encajaba.

Y cuando ya los querellantes parecían perder la paciencia y la esperanza ante la justicia antigua, tras el sobreseimiento decretado por parte del joven juez Leonardo Valdivieso en noviembre de 2010, apareció, en pleno febrero recién pasado, la voz de María Loreto Gutiérrez, la fiscal de la Corte de Apelaciones, que en la misma línea argumental de Xavier Armendáriz recomendaba a la Corte de Apelaciones proseguir la investigación en la justicia criminal.

El informe de la fiscal solicitaba todo lo que hasta ese momento se le había negado al fiscal regional cuando debió dejar sus indagaciones.

Tras un concienzudo análisis de la documentación, María Loreto Gutiérrez planteó a la Corte una amplia serie de catorce diligencias que incluyen acceso al proceso de la Iglesia, nuevos interrogatorios, careos, citaciones al tribunal para los obispos de la Pía Unión y al abogado del defensor Juan Pablo Bulnes, y hasta pedir a la brigada de delitos sexuales de la Policía de Investigaciones (PDI) que tome cartas en el asunto. En otras palabras, la rapidez del sobreseimiento dictaminado por Valdivieso, que parecía ser uno de los pocos signos contradictorios en un caso que cada vez tomaba más cuerpo, quedaba en entredicho dentro de la propia Corte.

Pero la gran sorpresa vino a la semana siguiente, cuando en conferencia de prensa el 18 de febrero de 2011, el nuevo arzobispo de Santiago, Ricardo Ezzati, con voz solemne y acento italiano, leyó el fallo del Vaticano: «Sobre la base de las pruebas adquiridas, el reverendo Fernando Karadima Fariña es culpable de los delitos mencionados en precedencia, y en modo particular, del delito de abuso de menor en contra de más víctimas, del delito contra el sexto precepto del Decálogo cometido con violencia, y de abuso de ministerio a norma canon 1389 del CIC [Catecismo de la Iglesia Católica]».

Más adelante, Ezzati indicó que «en consideración a la edad y del estado de salud del reverendo Fernando Karadima Fariña se considera oportuno imponer al inculpado retirarse a una vida de oración y de penitencia, también en reparación a las víctimas de abusos». Puntualizó también que el arzobispo de Santiago evaluaría el lugar de residencia «dentro o fuera de la diócesis, de tal modo de evitar absolutamente el contacto con sus ex parroquianos o con miembros de la Unión Sacerdotal o con personas que se hayan dirigido espiritualmente por él».

El arzobispo Ezzati especificó, asimismo, que se imponía a Karadima «la pena expiatoria de prohibición perpetua del ejercicio público de cualquier acto de ministerio, en particular la confesión y la dirección espiritual de toda categoría de personas». Además se le impuso la «prohibición de asumir cualquier encargo en la Unión Sacerdotal del Sagrado Corazón». Y advirtió el arzobispo que «en caso de no observar las medidas indicadas, el inculpado podría recibir penas más graves, no excluida la dimisión del estado clerical».

Aunque Karadima siga negando todo, pocos argumentos le quedan incluso a sus más fanáticos y fieles seguidores para continuar defendiendo su inocencia. La apelación que decidieron presentar parece poco más que un «saludo a la bandera» en esta hora de la verdad.

La visita de Bertone

Ese lunes de abril, cuando sostuve la primera de una larga serie de conversaciones con James Hamilton, estaba en Chile el secretario de Estado del Vaticano Tarcisio Bertone[1]. El día antes, Bertone había pronunciado las quemantes palabras que daban vuelta al mundo, al relacionar la pedofilia con la homosexualidad, en medio de las denuncias sobre abusos de curas en diferentes partes de Europa y Estados Unidos. «Han demostrado muchos psicólogos, muchos siquiatras, que no hay relación entre celibato y pedofilia, pero muchos otros han demostrado, y me han dicho recientemente, que hay relación entre homosexualidad y pedofilia. Esto es verdad, este es el problema», sentenció Bertone, el hombre más importante del Papado después de Benedicto XVI, en conferencia de prensa en Santiago[2].

---

[1] El secretario de Estado Vaticano, Tarcisio Bertone, estuvo en Chile entre el 6 y el 14 de abril de 2010, en una visita que según medios de prensa era la más significativa después de la venida del papa Juan Pablo II en 1986.

[2] *El Mercurio*, 26 de abril de 2010. «Cardenal Bertone afirma que pedofilia carece de vínculo con el celibato.»

Mientras sus afirmaciones eran rebatidas por amplios sectores tanto en Chile como en Europa, sus dichos eran relativizados incluso en diversos sectores de la Iglesia Católica que, sumida en la ola de denuncias en el mundo, tenía que admitir que la relación efectuada por el secretario de Estado había sido desafortunada.

Según James Hamilton, uno de los motivos principales de la visita de Bertone habrían sido las acusaciones que pesaban sobre Fernando Karadima. El médico había denunciado en 2009 el abuso por parte de su director espiritual como causal en el juicio de su nulidad de matrimonio religioso. Esto se sumaba a las denuncias efectuadas ante la Iglesia por su ex mujer Verónica Miranda, por el mismo Hamilton, por Juan Carlos Cruz y antes por José Andrés Murillo.

El caso Karadima explotó en Chile cuando el escenario internacional estaba cargado de acusaciones por abusos de sacerdotes católicos y cuando desde la cúpula romana se empezaban a pronunciar palabras de sentencia seguidas de algún *mea culpa* en un tono diferente al «histórico». Se anunciaban nuevas formas de encarar los abusos, con más preocupación por las víctimas.

Inquietud en el Vaticano

Los ánimos estaban sensibles. El caso del fundador de los Legionarios de Cristo, Marcial Maciel, y su escandalosa doble vida ocultada por años, había despertado interés en Chile, donde esa congregación mantiene colegios, una universidad y estrechas conexiones con el empresariado y sectores políticos de derecha. Al entonces arzobispo de Concepción y vicepresidente de la Conferencia Episcopal, el salesiano Ricardo Ezzati, le había caído la responsabilidad, encomendada por Roma, de ser uno de los investigadores del caso del cura mexicano.

Poco a poco —globalización mediante— se abrían las compuertas del secretismo de la Iglesia Católica y las experiencias ocurridas en otros lugares eran conocidas en Chile. Acusaciones y reacciones corrían por el mundo en forma instantánea.

El año 2010 se había iniciado con la manifestación de una fuerte preocupación del Vaticano por los abusos de sacerdotes en distintos países. La ola de denuncias ocurrida en Estados Unidos y después en Irlanda, Alemania, España, Austria, Holanda y Bélgica, llevó al Vaticano a difundir por primera vez un documento en el que modificó sus directrices sobre el tratamiento de estas situaciones.

El 19 de marzo de 2010, el papa Benedicto XVI dirigió una carta a la Iglesia de Irlanda que fue leída en las misas de Dublín. Era el primer escrito pontificio dedicado en forma exclusiva a la pedofilia, la candente palabra que alude a los abusos sexuales contra menores. El texto incluyó una guía de «tolerancia cero» frente a estos casos, como ya se había instaurado años antes en Estados Unidos. La carta se orientó, además, a otros países europeos, donde durante los últimos años se han venido destapando situaciones de abuso que involucran incluso a obispos.

No obstante, mientras el Papa mostraba inéditos signos de preocupación, circuló también en los medios de todo el planeta una carta escrita en 1985 por el entonces cardenal Joseph Ratzinger, a quien se le responsabilizaba por haber defendido a un sacerdote acusado en la década de los ochenta en California. La Santa Sede reclamó al respecto, argumentando que la misiva había sido sacada de contexto, y precisó que la suspensión de un sacerdote cuestionado es competencia del obispo local y no de la Congregación para la Doctrina de la Fe, dirigida por Ratzinger antes de ser Papa.

Un mes después de la carta a los irlandeses, el 17 de abril, cuando cumplía cinco años como máximo jefe de la Iglesia Católica, Benedicto XVI lloró en un encuentro en la isla de Malta ante ocho personas que le relataron sus traumáticas experiencias. Aunque no usó el término «abuso», les dijo sentir «vergüenza y pena», y les prometió justicia[3].

---

[3] *La Tercera*, 19 de abril de 2010. «Papa tiene primera reunión con víctimas tras inicio de crisis por casos de abusos.» Se trata de huérfanos del orfanato San José quienes le relataron que en 2003 acusaron a los sacerdotes ante los tribunales y que, después

Palabras del Episcopado

El otro motivo que se le atribuye a la visita de Bertone es el análisis de la situación antes de designar al nuevo arzobispo de Santiago. Originalmente se preveía que ese nombramiento sería para junio, dado que el cardenal Francisco Javier Errázuriz ya había sobrepasado los setenta y cinco años. Sin embargo, pasó julio y agosto, y también septiembre, octubre y noviembre, hasta que solo en diciembre se anunció el nombre del nuevo arzobispo, el salesiano Ricardo Ezzati, quien poco antes había sido elegido por los obispos presidente de la Conferencia Episcopal.

Monseñor Ezzati nació en Italia y pertenece a la congregación salesiana, tal como el cardenal Raúl Silva Henríquez, quien fue uno de sus maestros, y como el propio Tarcisio Bertone. Tiene sesenta y dos años y es una de las figuras gravitantes de la jerarquía chilena. Hasta ese momento estaba a cargo de la Arquidiócesis de Concepción y asumió en Santiago el 15 de enero de 2011. Sobre sus manos cayó al día siguiente —según se supo después— el quemante fallo de la Congregación de la Doctrina de la Fe, basado en las investigaciones de los procuradores eclesiásticos Eliseo Escudero y Fermín Donoso.

La demora en la designación del nuevo titular, el reconocimiento eclesiástico a la causal de presentación del juicio de nulidad matrimonial de Hamilton, así como la investigación efectuada por el procurador eclesiástico Fermín Donoso que fue enviada finalmente por el cardenal Errázuriz al Vaticano, son muestras elocuentes de que Roma había puesto el foco en lo ocurrido en torno a Fernando Karadima. La importancia que el ex párroco de El Bosque tenía en la Iglesia chilena justifica tan alta preocupación.

Justo después de la visita del secretario de Estado Vaticano, Tarcisio Bertone, la Conferencia Episcopal chilena —que hasta ese momento nada había dicho sobre este asunto— preparó su propia declaración: «Reconstruir desde Cristo la mesa para todos».

---

de siete años, hasta ese momento no había veredicto. En Malta hay más de cuarenta sacerdotes acusados de abusos sexuales.

En el documento elaborado en la 99ª Asamblea Plenaria realizada la semana anterior en Punta de Tralca, en una casa de retiro junto al mar, los obispos señalaron que «existen cinco sacerdotes condenados, otros cinco son investigados y diez con denuncias». El entonces presidente de la Conferencia Episcopal Alejandro Goic, al dar a conocer el documento, llamó a la ciudadanía «a denunciar con responsabilidad los abusos frente al promotor de justicia». Y afirmó: «No hay lugar en el sacerdocio para quienes abusan de menores, y no hay pretexto alguno que pueda justificar este delito (…) Es total nuestro compromiso de velar incesantemente porque estos graves delitos no se repitan».

Agregaron los obispos: «Sobre el complejo y delicado tema de los abusos sexuales a menores por parte de sacerdotes, queremos adherir a las claras y firmes orientaciones del Papa, a quien expresamos nuestra adhesión ante las injustas y falsas acusaciones que ha recibido».

Más adelante, el texto expresa: «Los obispos hemos meditado acerca del modo en que hemos enfrentado, como pastores y como Iglesia, los casos que se han denunciado en nuestro país. También hemos analizado la forma en que estos delitos nos desafían a valorar aún más la fidelidad de los presbíteros y consagrados a su misión apostólica, los procesos de discernimiento vocacional y de acompañamiento espiritual a los sacerdotes. En esta reunión hemos actualizado nuestra manera de aplicar la normativa canónica, que nos obliga a actuar con rigor frente a eventuales denuncias, aplicación que ya habíamos establecido en mayo de 2003»[4].

Cinco de los obispos integrantes de la Conferencia Episcopal habían sido formados por Fernando Karadima. El texto no

---

[4] Los casos de sacerdotes condenados, de acuerdo a ese documento de los obispos, son: José Andrés Aguirre Ovalle: doce años por abusos a diez menores; Jorge Galaz Espinoza: quince años de cárcel por violación de dos menores; Víctor Hugo Carrera: quinientos cuarenta días de presidio remitido, por abuso de un niño; Jaime Low: ochocientos días de pena remitida por delitos contra un menor; Eduardo Olivares M.: cinco años con libertad vigilada, por estupro y abuso sexual a cuatro menores; dos curas tuvieron salidas alternativas, como suspensiones del proceso; cinco están bajo investigación; siete han sido absueltos, sobreseídos o sus causas fueron desestimadas. Fuente: *La Tercera* y *El Mercurio*, 21 de abril de 2010.

menciona al ex párroco de El Bosque, pero por esas extrañas coincidencias, justo el 21 de abril, cuando en los diarios apareció el documento episcopal, reventó en los medios el caso Karadima.

Antiguas acusaciones

Que la jerarquía de la Iglesia Católica chilena tomara cartas en el asunto no había sido un proceso fácil. Por lo que se ha podido establecer, las primeras señales de que algo extraño ocurría en El Bosque las dio en 1983 un grupo de jóvenes, entre los que estaba Francisco Javier Gómez Barroilhet, hoy publicista de cuarenta y ocho años. En una carta dirigida al entonces arzobispo de Santiago, Francisco Javier Fresno, los firmantes hablaban de anomalías en el trato del cura de El Bosque. Pero sus palabras fueron a dar al canasto de los papeles. Según supo años después Gómez, el hoy obispo castrense Juan Barros Madrid, integrante de la Pía Unión Sacerdotal, era el secretario de Fresno. Y él se habría encargado de hacer desaparecer la acusación.

Más de veinte años después —en 2005—, José Andrés Murillo, angustiado por lo que había vivido en la década del noventa, recurrió al arzobispo y cardenal Francisco Javier Errázuriz. Tampoco sus palabras tuvieron acogida. Incluso posteriormente visitó al actual arzobispo Ricardo Ezzati en 2005 y al obispo auxiliar de Santiago Andrés Arteaga Manieu. Las denuncias continuaron en años siguientes por parte de James Hamilton y su ex mujer Verónica Miranda. Más tarde, hizo lo propio Juan Carlos Cruz Chellew. Los oídos de la jerarquía seguían sordos. Al menos, no había ninguna señal que dijera lo contrario.

Tras esperar por un largo tiempo el resultado de la investigación eclesiástica y ante la falta de acción del ex arzobispo de Santiago, cardenal Francisco Javier Errázuriz, el médico James Hamilton, el periodista Juan Carlos Cruz, el filósofo José Andrés Murillo y el abogado Fernando Batlle se pusieron en contacto con el abogado Juan Pablo Hermosilla para evaluar las posibilidades de iniciar algún tipo de acción legal.

Sorpresa gigantesca

En la primera conversación que sostuvimos, Jimmy Hamilton me habló de su escepticismo frente a la acción de la Iglesia y me contó de una primera reunión «de diagnóstico» con Hermosilla. También me anticipó que se estaba elaborando un reportaje para el programa *Informe Especial* de Televisión Nacional para la temporada que se iniciaría en junio. Pero él aún no había sido entrevistado. Antes de hacerlo, quería conversar con sus tres hijos —los dos mayores, ya adolescentes— para explicarles lo vivido y prepararlos para su aparición en la televisión. Tampoco había certeza de que el canal difundiera el reportaje.

Durante abril continuamos el contacto por e-mail y teléfono. Quedamos de vernos de nuevo la semana siguiente. El encuentro sería el miércoles 21. Pero ese día, una filtración, en apariencia de fuentes cercanas al propio Arzobispado, publicada a través del diario *La Tercera*, cambió de manera abrupta la agenda de los denunciantes. Los acontecimientos se anticiparon.

Esa mañana, *La Tercera* fue la primera en sacar al ruedo el caso Karadima: el sacerdote aparecía acusado por abusos, pero no se identificaba a las víctimas. Fue una gigantesca sorpresa para quienes nada sabían de esta historia. La información bajo el título «Iglesia investiga a ex párroco de El Bosque por abusos reiterados», venía al lado de la referida al documento episcopal: «Obispos piden perdón y llaman a denunciar abusos de sacerdotes». La noticia señalaba que en la visita de Tarcisio Bertone —entre el 6 y el 14 de abril— se había abordado la situación de Karadima y que el representante del Papa había conversado el asunto con algunos obispos.

En la tarde, *La Segunda* dedicó en su portada un titular en el que Juan Pablo Bulnes Cerda, abogado del cura, sostenía: «La denuncia no tiene fundamento». Una fotografía de Fernando

Karadima ilustraba el llamado. Y adentro un artículo a dos páginas donde, con nombre y apellido, se mostraba al doctor James Hamilton, también con foto a todo color. Y añadía una serie de descalificativos sin fuentes, intentando anular su denuncia. «Creo que detrás de esto hay un interés de esta persona en un lavado de su imagen, porque él ha tenido otros problemas, varios problemas», sostenía Bulnes Cerda.

En el interior, el vespertino sumaba voces de apoyo a Karadima. «En la misa de El Bosque algunos feligreses lo defendieron a viva voz», destacaba en otro titular. Mientras Juan Esteban Morales Mena, el párroco y discípulo del acusado, hacía una férrea defensa de su mentor: «Él es un hombre de Iglesia, conoció personalmente al padre Hurtado[5], toda su vida ha sido de trabajo y fidelidad a la voz del Papa; una vida muy transparente, todos sabemos quién es, dónde está y qué hace», alegaba. «Estoy con él absolutamente», concluía[6].

La Segunda recogió también la opinión del diputado de la Unión Demócrata Independiente (UDI), Alejandro García Huidobro, quien, según el diario, «se formó espiritualmente al lado del sacerdote» y lo conocía hace más de cuarenta años. «Simplemente no lo puedo creer… Es nuestro padre espiritual. Es una persona que lo único que nos inculcaba eran valores (…) Para mí es algo imposible de creer. Acá puede haber otro tipo de intenciones… desprestigiar a la Iglesia», comentó el atónito parlamentario.

Su testimonio se sumaba al del general de Ejército en retiro Eduardo Aldunate, quien también aseguró al vespertino de Agustín Edwards que conoció a Karadima hace cuarenta años, cuando estaba en la Escuela Militar. «Me casó a mí, conoce a mi familia, ha generado un movimiento de mucho cariño a la Iglesia.» Por lo mismo, reiteró Aldunate: «Me ha causado mucho dolor y extrañeza esta acusación. Es un sacerdote tremendamente dedicado a su vocación. Insisto, jamás vi en todos los años que lo conozco, nada».

---

[5] Se refiere al sacerdote jesuita Alberto Hurtado Cruchaga, el segundo santo chileno, canonizado por el papa Benedicto XVI el 23 de octubre de 2005.

[6] *La Segunda*, miércoles 21 de abril de 2010.

En los medios

La reacción no se hizo esperar y el abogado Juan Pablo Hermosilla concurrió hasta la Fiscalía Oriente esa misma tarde para presentar ante la justicia civil las denuncias del doctor James Hamilton Sánchez, el periodista Juan Carlos Cruz Chellew, el filósofo José Andrés Murillo y el abogado Fernando Batlle. El caso quedó en manos del fiscal regional Xavier Armendáriz, quien asumió la investigación en persona.

Dos días después, el diario *The New York Times* impactaba desde Estados Unidos con un reportaje donde aparecían entrevistados Hamilton y Juan Carlos Cruz. Ambos acusaron al influyente sacerdote de abuso sexual y psicológico. Sus palabras recorrieron el mundo y rebotaron en Chile.

El martes siguiente, Televisión Nacional, tras un intenso trabajo de una semana para poner al día su investigación iniciada unos meses antes, difundió uno de los más impactantes programas periodísticos que se hayan visto en el país. El entonces director de prensa Jorge Cabezas y la editora Pilar Rodríguez apoyaron el reportaje realizado por la periodista Paulina de Allende Salazar y lograron difundirlo antes de que las presiones se hicieran sentir.

El abogado Luis Ortiz Quiroga, connotado penalista de la plaza, quien ese mismo día asumió la defensa del sacerdote, intentó evitar la transmisión del programa a través de un recurso de protección. Pero mientras el requerimiento legal cumplía su trámite, ya el programa estaba en el aire.

Es posible especular que si todo eso no hubiera sucedido, distinta sería la suerte que correría Fernando Miguel Salvador Karadima Fariña. La valentía y decisión de las víctimas fue acompañada del golpe del diario estadounidense que por cierto logró romper barreras que hasta ese momento parecían inexpugnables para los acusadores. La magnitud del impacto generado por el reportaje de TVN con sólidas entrevistas e impecables imágenes, provocó una fuerte reacción entre los chilenos. La verosimilitud de los testimonios hizo posible ganar una batalla contra los muchos intentos por ocultar los hechos.

«Un gran actor»

Esa noche, la vida de los denunciantes empezó a cambiar. Al comienzo fue el desconcierto por encontrarse al desnudo ante miles y millones de personas. Fueron días tremendamente difíciles, aseguran, mientras algunos cercanos a Karadima los descalificaban bajo variados argumentos.

«Jimmy Hamilton es un gran actor, debería irse a Hollywood», fue la reacción ante las cámaras de Canal 13 de Pilar Capdevila, la señora de Eliodoro Matte, el dueño de la Compañía Manufacturera de Papeles y Cartones, uno de los principales benefactores del cuestionado cura de El Bosque.

A la salida de la misa de doce, al día siguiente del programa *Informe Especial*, el sucesor de Karadima en la parroquia El Bosque, Juan Esteban Morales, manifestó: «Estoy con él absolutamente. Esta es una cosa infundada, nosotros lo vamos a apoyar y creemos que esto va a esclarecerse con el favor de Dios, por mientras rezamos por él (…) Nunca recibí una presión de mi padre espiritual, nunca recibí una presión para que fuera sacerdote ni lo contrario, de manera que estoy con él».

La incondicionalidad de Morales se ha mantenido desde entonces tanto en los medios como en sus declaraciones en el proceso judicial. Cuando tras el fallo del Vaticano, Karadima fue confinado en el convento de las Siervas de Jesús de la Caridad, en la calle Bustamante, logró un permiso del arzobispo para visitarlo. Y de su boca no ha salido, al menos en términos públicos, ni una palabra de duda.

El empresario José Said, accionista principal de la Embotelladora Andina, del Parque Arauco y la Isapre Cruz Blanca, alegaba: «Me parece inconcebible que se desprestigie a un sacerdote que ha hecho tanto por la Iglesia, sin haber concluido las investigaciones y sin un juicio justo»[7].

Más lejos llegó el alcalde de Puente Alto y vicepresidente de Renovación Nacional, Manuel José Ossandón, también asiduo feligrés de El Bosque, quien no trepidó en aseverar: «Acá hay manos negras que pretenden lavar la imagen de alguna parte de la Iglesia a costa de un hombre inocente, que más encima no puede defenderse».

Incluso en ese primer momento, Ossandón se mostró enojado con el cardenal arzobispo de Santiago Francisco Javier Errázuriz, por haber decidido al final efectuar una investigación canónica, pese a que para muchos —y desde luego para las víctimas— esto había sido demasiado tarde.

Dos meses después, cuando Errázuriz envió los antecedentes ante el Vaticano, el alcalde Ossandón se arrepintió de sus dichos. Y en esa oportunidad, tras respaldar al cardenal, admitió: «Si existiera alguna víctima y se sintió atacada o poco comprendida por mí, yo le pido disculpas, porque no era mi idea, yo dije y he dicho siempre que voy a ser el más duro si es culpable»[8].

Tras el fallo de Roma, Ossandón fue consecuente con sus palabras anteriores, y suspendió sus vacaciones en la carretera Austral para pronunciarse: «Estoy satisfecho, porque fue un juicio justo y que marcará un precedente para este caso y para el futuro de la investigación criminal. Lo único claro y lo que me tiene tranquilo es que Karadima empezará a pagar sus delitos», dijo a *La Tercera*[9]. Incluso agregó que debería dimitir de su cargo de sacerdote porque «él es una vergüenza para la Iglesia y para quienes confiaron en él. Y me refiero a toda la gente que fue engañada por una persona que mostraba una cara amable, pero que en el fondo estaba escondiendo uno de los peores delitos de la humanidad».

Y cuando le preguntaron si el caso debía verse en la justicia civil, su respuesta fue: «Por supuesto, una pena de delito sexual debe ser

---

[7] Agencia AFP, 25 de abril de 2010.

[8] *La Nación*, 19 de junio de 2010.

[9] *La Tercera*, 20 de febrero de 2011. «Fui uno de los engañados y eso me hizo cometer errores y pedí perdón.» Entrevista de María José Pavez.

pagada con cárcel. Por eso, digo que la justicia civil debe reabrir este caso con los elementos que la Iglesia ya recabó. Hablar de prescripción cuando hay menores involucrados es una falta de respeto».

«Toda mi confianza»

Las denuncias se conocieron públicamente menos de un mes después de que el cardenal Errázuriz afirmara que en Chile solo había «poquitos casos» de abuso sexual por parte de sacerdotes. No muchos se habrían imaginado que entre esos «poquitos» había uno de tal envergadura.

Pero la habitual cautela del cardenal Errázuriz se mantuvo durante 2010, exasperando los ánimos de quienes seguían el caso, pero muy en particular de las víctimas que no sentían ningún gesto de aproximación por parte de las autoridades eclesiásticas. Incluso, cuando el 21 de abril el entonces arzobispo admitió que había decidido iniciar una investigación eclesiástica, se preocupó de aclarar: «Muchas veces [las investigaciones] pueden tocar a un sacerdote que se le conoce como una persona muy meritoria, que ha formado a muchos. Entonces hay que proceder con cuidado. (…) Teniendo presente que una persona, desde su dolor, le parece necesario hacer una denuncia y teniendo el cuidado de no herir el buen nombre de otra persona de la cual nadie supone que podría haber sido causante de ese dolor»[10], señalaba el prelado.

Pero mientras el cardenal Errázuriz reconocía la existencia de una investigación, uno de sus lugartenientes, el obispo auxiliar de Santiago y vicegrancanciller de la Pontificia Universidad Católica, Andrés Arteaga, manifestó con hechos y palabras su total respaldo al cuestionado cura. Arteaga, desde 1989 director de la Pía Unión Sacerdotal, acompañó a Karadima junto al párroco de El Bosque Juan Esteban Morales en la misa de la tarde ese miércoles 21. Y ante el templo repleto de feligreses,

---

[10] *La Tercera*, 22 de abril de 2010. «Cardenal confirma indagación a sacerdote y caso llega a la fiscalía.» Portada, interior a dos páginas.

Arteaga expresó rotundo: «El padre Karadima tiene toda mi confianza».

El sacerdote jesuita Antonio Delfau, director de la revista *Mensaje,* manifestaba en alusión a las expresiones del obispo Arteaga: «Me parece de la máxima gravedad que el vicegrancanciller de la Universidad Católica, que de alguna manera representa al Papa, tome esta postura tan fuerte, antes de que el proceso siga su curso. El hecho de que un grupo de obispos blinde al padre Fernando Karadima, incluso si es inocente, a mí me parece de la máxima gravedad».

Algo más tenue en su apoyo, el obispo de Talca, Horacio Valenzuela, también integrante de la Pía Unión y discípulo de Karadima, declaraba: «Nunca he visto nada extraño. Espero que sea una gravísima equivocación»[11].

Otro de los integrantes de la Pía Unión, el ex rector del Seminario Mayor y actual vicedecano de la Facultad de Teología de la Universidad Católica (UC), Rodrigo Polanco, juzgó duramente a los denunciantes con palabras que dieron el título a una entrevista en *El Mercurio*: «Es una calumnia sin fundamento y grosera»[12].

Polanco, quien vivió con el sacerdote acusado en la parroquia El Bosque, y fue su vicario entre 1990 y 1994, argumentaba: «Conozco al padre Karadima hace treinta y cinco años. También mis padres, hermanos, primos y sobrinos, y jamás vi u oí algo siquiera sospechoso».

Según el vicedecano de Teología de la UC, «todo en su vida es transparente. La casa parroquial es abierta y a él le gusta que todos la sientan como su casa. No hay puertas con llave, es una comunidad, una fuente de mucha vida espiritual y oración». Con posterioridad al fallo del Vaticano, el incondicional Polanco guardó silencio.

---

[11] Ídem.

[12] *El Mercurio*, 22 de abril de 2010. «Es una calumnia sin fundamento y grosera.»

El mismo día aparecía en el matutino una carta firmada por el abogado Andrés Söchting Herrera, quien indicaba que fue contactado por uno de los denunciantes para incorporarse al grupo que acusaría a Karadima. Ex miembro de la Acción Católica y cercano al hoy castigado sacerdote, Söchting aparece mencionado en otros testimonios y fue citado a declarar en la indagatoria del fiscal Xavier Armendáriz, donde negó cualquier situación anómala.

Indica Söchting en su carta pública que hizo ver a los otros denunciantes «las graves consecuencias morales y jurídicas que una calumnia de esa naturaleza comportaba». Y en alusión a James Hamilton, escribió: «Por el conocimiento personal que tengo del denunciante principal, llego a la conclusión de que esta acusación persigue otros fines, como por ejemplo, lavar su imagen, ya que su alejamiento de la parroquia se debió a graves problemas personales»[13].

Agrega el hoy abogado del BBVA: «Soy testigo de cómo el padre Fernando vivió su vocación de manera ejemplar, de cara a Dios y a todos los jóvenes que lo acompañábamos. Fue siempre muy delicado en su trato, cuidándose de nunca estar solo, sino acompañado de dos o más personas (nunca niños)». Söchting tiene un hermano sacerdote ligado a la parroquia El Bosque, que vivía junto a Karadima, a Juan Esteban Morales y a Diego Ossa Errázuriz, cuando estalló el escándalo.

Con el correr de los días, más voces se sumaron a un debate que se daba en diferentes espacios privados y públicos. «Los sacerdotes autores de abusos sexuales deben ser de inmediato expulsados. Los procedimientos para juzgarlos al interior de la Iglesia deben ser rápidos y transparentes. El secreto pontificio dispuesto el 2001 constituye una evidente aberración», reclamaba en carta a *El Mercurio* el abogado y ex diputado Hernán Bosselin.

Y agregaba: «Las autoridades eclesiásticas deben actuar sin temor de ninguna especie, exponiendo los hechos a la opinión pública.

---

[13] *El Mercurio*, 22 de abril de 2010. Carta al director de Andrés Söchting Herrera.

Los católicos debemos ver que las autoridades eclesiásticas verdaderamente han dado un golpe de timón. Los infractores deben ser sancionados. Los laicos no podemos guardar silencio. Este, en materias de tanta trascendencia, se convierte en complicidad».

Las cartas a los diarios y los blogs se transformaron en una sutil vitrina de la inédita polémica que se suscitaba en el país. La Iglesia Católica, tan dura en sus juicios morales hacia los laicos en los denominados «temas valóricos», aparecía envuelta en un escándalo mayúsculo, donde el eje del conflicto detonaba en medio de la elite conservadora. Y el protagonista era uno de los sacerdotes más influyentes de ese sector.

El mismo cardenal Errázuriz, en la esperada carta que se leyó en las iglesias el fin de semana del 24 y 25 de abril, destacó la labor «fecunda y generosa» de Karadima en la parroquia El Bosque: «Dios se ha valido del padre Karadima para despertar numerosas vocaciones al sacerdocio, al episcopado y a la vida consagrada».

«Una acusación contra su persona tenía que remecer a la Iglesia», admitió Errázuriz, y justificando la demora del proceso eclesial, señaló: «Casos de esta naturaleza son tan excepcionales, que consideramos necesario consultar a peritos de la Santa Sede en este campo».

«Un prócer de la Iglesia, tentado por el demonio», como diría meses después la ex directora de la Junta de Jardines Infantiles (Junji), Ximena Ossandón. La frase, lanzada por el twitter de la supernumeraria del Opus Dei y hermana del alcalde de Puente Alto, fue una de las famosas creaciones verbales de quien debió dejar el gobierno de Sebastián Piñera en diciembre de 2010 tras calificar de «reguleque» su sueldo de más de tres millones setecientos mil pesos. Pero, en el fondo, Ximena Ossandón dijo lo que muchos de quienes seguían a Karadima sentían y quizás algunos sigan sintiendo: Karadima había sido una figura gravitante, un personaje central en las vidas de generaciones de católicos desde que se instaló en 1958 en El Bosque. Y, como el mismo cura les enseñó, «hay que cuidarse del demonio porque está siempre al acecho y mete su cola en los lugares más insospechados». ¿Por qué no en la propia parroquia El Bosque?

Lo que no les dijo Karadima en ese entonces, es que si había que imaginar una representación viva del «señor de los infiernos», la mejor era él mismo.

Capítulo II

LA IGLESIA COLORADA

Después del remezón que implicaron las denuncias y las primeras conversaciones con los protagonistas principales, volví al escenario donde se originó gran parte de esta historia. Buscaba imaginar «en terreno» lo que pudo suceder en esa iglesia y sus dependencias. Percibida como un respetable templo, orgullosa y altanera, ahora estaba en el epicentro de una increíble historia.

La avenida Eliodoro Yáñez, conocida hasta hace unos años como Las Lilas, corta en dos una gran extensión de áreas verdes que lleva su antiguo nombre. Esta vía de la comuna de Providencia atraviesa uno de los barrios más tradicionales de Santiago, que se extiende entre cuatro avenidas principales: Carlos Antúnez por el norte, Pocuro por el sur, Tobalaba por el oriente y avenida El Bosque por el poniente. El paisaje se observa muy distinto al de aquellos años que saltaban a mi memoria.

Sus calles interiores —aunque con menos tránsito— mantienen el ajetreo propio de un día de semana. Dando la forma a un gran rectángulo verde, está el parque Las Lilas, comprendido entre las calles Las Hortensias, República de Cuba, Juan de Dios Vial y Carlos Silva Vildósola. Resulta un respiro entre tacos y bocinazos de los alrededores. Un pequeño letrero metálico negro, medio oculto por el follaje de los árboles, identifica el espacio que se extiende entre Eliodoro Yáñez y Las Hortensias: plaza Loreto Cousiño, se alcanza a leer.

En los cafés del sector se observa a mujeres con sus niños, jóvenes que podrían ser profesionales, uno que otro con aspecto de estudiante universitario y a señoras de la denominada «tercera edad» impecablemente vestidas. Lucen bien peinadas, algunas con blancas melenas, otras mantienen el color castaño y no pocas ese clásico rubio ceniza que suele acompañar a muchas con los años. Fueron jóvenes de aquella década del cuarenta, cuando se construyó la iglesia El Bosque, y es probable que la conozcan desde entonces. O de los cincuenta, cuando Las Lilas era uno de los barrios preferidos de la aristocracia capitalina. Más de alguna debe haber sido antigua feligresa y quizá conoció de cerca al admirado monseñor. Es posible.

Al costado sur de la plaza están los juegos para los niños. Hay estructuras metálicas de color azul por donde trepan alegres. En sus alrededores, hombres y mujeres de entre treinta y cuarenta años trotan, pasean a sus perros, caminan por los senderos de maicillo y cuidado pasto, a la sombra de los árboles. Pocos adolescentes transitan por la plaza. Solo se divisan algunos alumnos del San Ignacio, el colegio jesuita ubicado a unas seis cuadras, en Pocuro con El Bosque.

La vida continúa en este espacio público a las espaldas de la iglesia colorada.

Un polémico edificio

La arquitectura del sector sin duda ha variado. Edificios modernos de poca altura, incluso algunos *loft*, colindan con unas casonas y casas de uno y dos pisos que van quedando aisladas entre las construcciones más nuevas.

El cambio más radical en el panorama se observa en el sitio que ocupaba el tradicional cine Las Lilas, al otro lado de Eliodoro Yáñez. Los residentes del sector se sintieron orgullosos durante años de pertenecer a uno de los pocos barrios que había logrado conservar los antiguos teatros con funciones de matiné, vermut y noche. Como antes. Pero al final, el signo del mercado se hizo presente, dejando algunas ganancias para los antiguos dueños con su venta y una secuela de nostalgias.

Hubo un hecho que determinó que las cosas no fueran más lejos. En 2004, la amenaza de un megaproyecto de la inmobiliaria Penta, controlada por uno de los más poderosos grupos económicos del país —de Carlos Alberto Délano y Carlos Eugenio Lavín—, movilizó a los vecinos. Se formó el movimiento ciudadano «Defendamos la plaza Las Lilas», que buscó por todos los medios impedir que se levantaran dos torres en la manzana comprendida entre Eliodoro Yáñez, Juan de Dios Vial, Marcel Duhaut y El Bosque.

Los residentes no pudieron evitar la demolición del teatro, pero el movimiento logró que se rediseñara el proyecto original. Con el apoyo de conocidos personajes del espectáculo que vivían en el barrio, captaron la atención de los medios de comunicación y consiguieron que se redujera en siete pisos la altura del edificio más elevado. La batalla ciudadana permitió dejar sin efecto, además, la construcción de un centro comercial y de un nuevo cine subterráneo. A pesar de eso, el resultado no luce una estética destacable ni guarda armonía con el entorno.

Dos torres —A y B, de dieciséis y nueve pisos respectivamente— conforman el proyecto inmobiliario Plaza Las Lilas que cumplió el trámite de recepción por la Municipalidad de Providencia en 2008. En el lugar exacto donde se encontraba el cine, hay una especie de plazoleta de pastelones con seis árboles, dispuestos en estricto orden en maceteros de cemento. Una pileta rectangular, algunas plantas en jardineras alrededor y unos bancos completan este acceso común a los edificios.

Comprando departamentos

El valor de los departamentos fluctúa entre las cuatro y siete mil Unidades de Fomento (UF), y tienen dos a tres dormitorios con servicios. Los de los pisos altos que miran hacia el norte tienen vista hacia la parroquia de El Bosque. Según cuenta una de las ejecutivas de venta de la inmobiliaria, gran parte de sus propietarios son separados o incluso personas solas que viven en departamentos de hasta tres habitaciones, además de los matrimonios jóvenes.

Unos meses después de esa «visita a terreno», apareció en el sitio electrónico *Ciper* —que ha seguido la pista al caso desde poco después que aparecieran las denuncias públicas— que el 22 de agosto de 2009 el sacerdote Fernando Karadima llegó hasta el nuevo condominio en Eliodoro Yáñez 2831, esquina El Bosque. «Lo acompañaban cinco sacerdotes y un laico, que constituyen hoy su núcleo más íntimo», señaló.

En esa visita estaban —según *Ciper*— el párroco Juan Esteban Morales Mena, el vicario parroquial Diego Ossa Errázuriz, el obispo auxiliar de Santiago Andrés Arteaga Manieu, y otros sacerdotes hasta ese momento directivos de la Pía Unión Sacerdotal: José Tomás Salinas Errázuriz y Antonio Fuenzalida Besa. Además, en el grupo iba otro infaltable miembro del séquito de Karadima, el ingeniero y presidente de la denominada Acción Católica, Francisco Costabal González[1].

La información tenía sentido: todos los mencionados han sido hombres de confianza de Karadima en los últimos años.

Cuenta *Ciper* que el grupo visitó el departamento piloto, revisó los planos y, cuatro días después, consumó la compra del departamento 801 de la torre A, además de dos estacionamientos y una bodega. El precio, según la publicación, fue de casi siete mil quinientas Unidades de Fomento. «El departamento, sin embargo, no quedó a nombre de Karadima. Se inscribió a nombre de la Unión Sacerdotal del Sagrado Corazón de Jesús.»

Pero ese no era el primer departamento que adquirió la Pía Unión en el condominio Plaza Las Lilas. Antes había comprado uno similar «en verde», el 801 de la Torre B. Tampoco fue el último. En septiembre de 2009, el grupo adquirió otros dos departamentos —el 701 y el 1201— en la Torre A del moderno conjunto habitacional, además de cuatro estacionamientos y otras

---

[1] *Ciper Chile*, reportaje «Los secretos del imperio financiero que controla el sacerdote Fernando Karadima», Mónica González, Juan Andrés Guzmán y Gustavo Villarrubia, 13 de agosto de 2010.

dos bodegas. «Los cancelaron con un vale vista por 15.158 UF», afirma *Ciper*. Pero quedaron a nombre del sacerdote Antonio Fuenzalida Besa, «consejero y pieza clave de la estructura financiera de la Unión Sacerdotal».

El reportaje sobre las propiedades controladas por Karadima consigna, asimismo, que la Pía Unión es dueña de dos departamentos en la comunidad Los Apóstoles, frente a la parroquia, y de otra casa en la calle Carlos Antúnez.

Bienes terrenales

Con posterioridad tuve acceso al informe[2] realizado por la Brigada Criminal de Providencia de la Policía de Investigaciones de Chile (PDI), el 18 de octubre de 2010. Entre las cerca de treinta personas que declararon en el procedimiento investigativo dispuesto por el fiscal regional Xavier Armendáriz —a propósito de los pagos a personal de la parroquia— figura la corredora de propiedades María Josefina Echaurren Meyerholz[3].

Ella había llegado a El Bosque en 1996, «cuando escuché desde mi departamento las campanas de esa iglesia Sagrado Corazón, por lo que decidí concurrir hasta dicho establecimiento a ver lo que sucedía». Ahí conoció al padre Juan Esteban Morales, «con quien compartí muchos temas espirituales, fue entonces que me fui integrando a las distintas instancias en la iglesia.

---

[2] Informe Policial N° 2943.701099, Providencia, 18 de octubre de 2010. Policía de Investigaciones de Chile, Brigada de Investigación Criminal Providencia ACB. El informe lleva las firmas de la subcomisaria Analy Contreras Bello y del detective Sebastián Ríos Valenzuela, ambos «oficiales diligenciadores». En las instrucciones, el fiscal regional Xavier Armendáriz solicitó a la PDI «todas las diligencias que sean pertinentes y/o necesarias (…) a fin de determinar si en la causa que se siguió en esa Fiscalía Regional Metropolitana Oriente RUC N° 100365310-8 por abuso sexual, existieron pagos o prestaciones económicas a presuntos testigos y/o víctimas, y en su caso, beneficiarios, montos de los dineros respectivos, motivo razón de efectuarlos, quién los habría efectuado, forma de realizarlos, y en general toda la información relativa a tales eventuales pagos o prestaciones económicas».

[3] Declaración de María Josefina Echaurren Meyerholz ante la Brigada Criminal de la Policía de Investigaciones (PDI), 1 de septiembre de 2010.

Posteriormente el padre Fernando Karadima me ofreció trabajo para hacerme cargo de los inmuebles de la parroquia». Desde hace cinco años ella se dedica al corretaje de propiedades, según declaró.

Josefina Echaurren advirtió a la PDI en agosto de 2010: «Debo señalar que en una reunión con el consejo de la parroquia hace dos meses, estando en presencia del señor Francisco Costabal, el abogado Juan Pablo Bulnes y el párroco y representante legal de la parroquia Juan Esteban Morales Mena, me señalaron que solamente exhibiera los documentos de arrendamiento, sin hacer entrega o dejar copia de ellos».

En la entrevista policial, Josefina Echaurren explicó que en ese momento tenía «cuatro propiedades con mi cliente la parroquia Sagrado Corazón de El Bosque». Todas están en arriendo. La primera, según declara, la tiene desde 2005 y está ubicada en avenida El Bosque N° 915, departamento 602. Figura como propietaria de este y los demás bienes inmuebles mencionados por la corredora, «la Unión Sacerdotal del Amor Misericordioso»; ese sería el nombre oficial de la conocida como Pía Unión Sacerdotal de El Sagrado Corazón, o Pía Unión de El Bosque.

Llama la atención que el Rut 82.415.700 es el mismo de la parroquia El Bosque y ambas tienen como representante legal al párroco Juan Esteban Morales Mena. La arrendataria de ese inmueble es María Josefina Bertolone Jara.

La segunda propiedad mencionada por la corredora es el departamento N° 702 del edificio de avenida El Bosque 957, cuyo contrato de arriendo data del 1 de enero de 2010. Está arrendado a Inversiones Rayen S.A. La misma Unión Sacerdotal del Amor Misericordioso figura como dueña del departamento 801 en la Torre A de Eliodoro Yánez 2831. Este, según Josefina Echaurren en su declaración a la PDI, está arrendado a César Augusto Gómez Viveros, quien pagaría por él 550 mil pesos mensuales.

El cuarto inmueble mencionado por la corredora es una casa ubicada en la calle Carlos Antúnez N° 2072, también en la comuna de Providencia, a pocas cuadras de la parroquia. «Se celebró el contrato el 12 de abril de 2010, pero comenzó a regir el 1 de mayo de 2010, entre la Unión Sacerdotal del Amor Misericordioso Rut 82.415.700-6, representada por don Juan Esteban Morales [párroco], y se arrendó al señor Ricardo Esteban Pizarro Ramírez, cuyo canon de arrendamiento es de setecientos mil pesos».

Pero el valor de esos bienes —aunque se le sumen los que figuran a nombre de otros sacerdotes del movimiento, como es el caso de Antonio Fuenzalida— no da la medida del verdadero poder que alcanzó a tener Karadima y su Unión Sacerdotal. Aun si se considera que el terreno que ocupa la iglesia El Bosque y sus dependencias hoy podría tener un valor comercial del orden de los veinte millones de dólares, de acuerdo a estimaciones de mercado.

Su influencia trasciende los millones de pesos —o de dólares— de esas pertenencias. Su dominio va mucho más allá de las propiedades que figuran a nombre de la Pía Unión o de algunos de sus integrantes. Y sus redes de influencia y protección sobrepasan todo eso.

El regalo de doña Loreto

Más que el parque o el desaparecido teatro Las Lilas, lo que desde hace décadas marca una impronta del barrio es su iglesia colorada. Varios metros antes de llegar se divisa el imponente campanario de la parroquia del Sagrado Corazón de Jesús.

El terreno en el que se instaló tiene cerca de quince mil metros cuadrados. Fue donado por Loreto Cousiño Goyenechea, viuda de Ricardo Lyon Pérez, al sacerdote Alejandro Huneeus, quien fue el brazo derecho del arzobispo de Santiago José María Caro, el primer cardenal chileno[4].

---

[4] El cardenal José María Caro Rodríguez, nacido en 1866, fue arzobispo de Santiago desde 1939 hasta 1958, cuando murió. Fue designado cardenal en mayo de 1946, por el papa Pío XII. Actualmente es «Siervo de Dios» de la Iglesia Católica y se encuentra en proceso de beatificación.

La iglesia, edificada en 1944 con planos del arquitecto Carlos Bresciani, ocupa solo un cuarto de esa superficie; el resto se reparte entre salas de reunión, edificios que incluyen habitaciones, oficinas, corredores, patios y jardines.

Prominente figura de la Iglesia Católica chilena de mitad del siglo XX, Alejandro Huneeus Cox nació en Santiago el 21 de enero de 1900, estudió en el colegio San Ignacio y Teología en Roma. Fue ordenado sacerdote en 1924. Fue párroco del Asilo del Carmen, en el sector Santiago Centro, y de la Asunción, en la plaza Pedro de Valdivia, una de las más concurridas parroquias de Providencia en aquella época. Huneeus fue también rector del Seminario, canónico de la Catedral y secretario general del Arzobispado entre 1959 y 1960. Posteriormente, fue fundador y primer párroco de El Bosque[5].

La Pía Unión Sacerdotal del Amor Misericordioso fue fundada por Huneeus y un grupo de destacados sacerdotes en 1928. Pero Loreto Cousiño Goyenechea, quien también donó los terrenos de la iglesia de Nuestra Señora de los Ángeles en el Golf, en 1943, hizo posible la construcción de la iglesia El Bosque y su torreón. Y junto al templo, un recinto que diera alojamiento a sacerdotes diocesanos y en especial a curas mayores. En esa época, la parroquia como tal aún no existía. Fue creada el 13 de junio de 1945, por decreto del Arzobispado de Santiago, y los edificios se levantaron en 1946.

Loreto Cousiño era una de las hijas de Luis Cousiño e Isidora Goyenechea, dueños de las en ese entonces prósperas minas de carbón en Lota que había fundado Matías Cousiño. Se casó en París con Ricardo Lyon Pérez, quien llegó a ser uno de los personajes más poderosos de Chile a comienzos del siglo pasado.

Nacido en 1863, Ricardo Lyon «fue un hábil y próspero negociante que compró fundos y chacras en Providencia, y Las Condes —Lo Bravo, Los Leones y San Luis en Providencia y Lo

---

[5] Datos del *Diccionario Biográfico de Chile*. Edición de 1981. El presbítero Alejandro Huneeus Cox figura con residencia en avenida El Bosque 822.

Herrera en Las Condes—, con lo que llegó a ser el mayor y más poderoso propietario de tierras de Santiago, para luego venderlas en paños y parcelas», señala un artículo del Museo de Historia Natural de Valparaíso.[6] Lyon fue asimismo diputado y alcalde de Providencia. Murió en 1932; hoy, una de las principales avenidas de la comuna, precisamente donde estaba su fundo Los Leones, lleva su nombre, mientras que un salón del Club Providencia y la plaza en el parque Las Lilas recuerdan a Loreto Cousiño.

El reino de Karadima

En la avenida El Bosque N° 822 se encuentra la entrada principal de la iglesia, que durante años destacó por ser una de las más concurridas de Santiago. Tres elevados arcos estilo neorrománico dan el marco a tres puertas —la central, elaborada en metal con relieves— que conforman la entrada principal del templo. Sobre los pórticos se extiende una gran pintura de Jesucristo rodeado por cuatro apóstoles, evocando su ascensión a los cielos después de la resurrección. «Padre nuestro que estás en los cielos», se lee sobre la imagen.

La estructura de la iglesia forma una cruz con su nave central, desde donde nacen dos laterales. En medio de ellas se ubica el altar, en el cual el ex párroco Fernando Karadima Fariña celebró miles de misas y predicó innumerables homilías durante medio siglo. El altar con sus gradas se eleva sobre el resto de la planta. Detrás se ubican unos bancos en forma de semicírculo, donde se sientan algunos feligreses y los jóvenes de la Acción Católica.

Sobre un crucifijo de madera y un mural con imágenes de santos se alza imponente y vigilante la imagen de Dios: podría ser un sabio de pelo blanco y larga barba del mismo color, con una túnica elevada por el aire. O quizás un Dios de cuentos infantiles, con semblante serio, algo severo. Un Dios al que hay que temer para no perder su gracia.

---

[6] Museo Historia Natural de Valparaíso, www.mhnv.cl

Delante de este escenario, más cerca de los feligreses, una Virgen se levanta sobre un gran arreglo floral de frescas rosas blancas, en el costado izquierdo de la nave central de la iglesia. Alumbra su rostro desde los pies una suave luz. Instalada en un lugar privilegiado, seguramente por instrucción del ex dueño y señor de El Bosque, que proclamaba su devoción a María, se ve algo misteriosa esta guardiana que observa a los feligreses con su mirada atenta.

En la parte alta del templo, frente al altar, se ubica un gran órgano. Confeccionado en madera y boquillas de viento metálicas que llegan hasta el techo, este instrumento medieval —en perfecto estado— marca los tiempos de la Eucaristía. Un joven dirigente de la Acción Católica, Francisco Márquez, oficia de cantor en la ceremonia, acompañado de las armónicas notas del órgano. En su tiempo cumplió ese rol Juan Barros Madrid, el actual obispo castrense, uno de los más cercanos de Karadima, como recuerdan antiguos feligreses.

Los grupos juveniles con guitarras y alegres cantos populares que se instalaron en las iglesias católicas desde los años sesenta no caben en la solemnidad que inunda la iglesia del Sagrado Corazón. Lo sacro pareciera estar en el alma de El Bosque, dentro de una estética un tanto lúgubre que se extiende a los pasillos y corredores que unen el templo con la residencia parroquial.

La iglesia es oscura, con sus altos muros de un rojizo terracota —como su exterior—, tapizados con pinturas de distintos pasajes de la Biblia del chileno fray Pedro Subercaseaux. Las ventanas, pequeñas y orientadas hacia el cielo, dejan apenas pasar unos tenues rayos de sol en las mañanas.

La tumba y la sacristía

En el ala sur de la iglesia se han reunido por años los jóvenes de la Acción Católica, además de los más cercanos y devotos feligreses.

A Karadima —cuentan— le gustaba la denominación «Acción Católica» porque evoca a la agrupación homónima que a principios de la década del cuarenta impulsó con fuerza en todo el país Alberto Hurtado Cruchaga, el santo chileno, en calidad de asesor nacional de ese movimiento. No obstante, poco o nada parece tener el sentido de la Acción Católica, en cuanto orientación al trabajo social que dio el padre Hurtado, con este conjunto de jóvenes formados décadas después bajo la guía espiritual y los designios de Karadima.

Dos espacios integran este sector de la parroquia: el sagrario y, más atrás, la sacristía. Casi una hora antes de empezar la misa, comienzan a instalarse en los bancos del altar que guarda las hostias, personas de diferentes edades. A las misas de ocho de la mañana y de mediodía asisten más ancianos y adultos. En la de las ocho de la tarde son los jóvenes quienes se toman el lugar.

Pinturas de encendidos colores que recrean el nacimiento de Jesús cubren los muros de esta pequeña capilla. Aquí llegan también algunos feligreses que buscan pasar más inadvertidos, como el presidente de Renovación Nacional y actual senador, Carlos Larraín, supernumerario del Opus Dei, quien frecuentaba durante 2010 al mediodía la misa de El Bosque. Pero el abogado evitaba cualquier contacto con sus visitantes.

Justo al lado del sagrario, a mano derecha de la nave central, está la tumba de la benefactora Loreto Cousiño y su marido Ricardo Lyon. Resulta impactante la sepultura de mármol blanco con las fechas de nacimiento y muerte de ambos en números romanos, evocando las antiguas tumbas de señores del medioevo europeo. El reservado lugar está resguardado por una reja negra, siempre cerrada. Es un sitio de oración constante. Cada vez que los jóvenes de El Bosque pasan ante este sitio, bajan sus cabezas y se persignan. Es el trayecto obligado desde el templo para llegar a la sacristía.

Un pasillo lateral lleva al sector donde ellos y los sacerdotes se preparan antes de empezar cada liturgia. Sus paredes están cubiertas de madera color caoba, al igual que un gran mesón y las sillas.

Esta sacristía, antes y después de cada misa, era el lugar de encuentro entre el cura y los fieles. Ahí Karadima, instalado en un gran confesionario dispuesto en la esquina, los atendía, confesaba a unos, impartía «dirección espiritual» a otros y sostenía conversaciones con algunos feligreses.

A un costado de la sacristía, un ventanal la conecta con un hall interior rodeado de ventanales arqueados con pequeños cuadrados, donde hay otra Virgen con alfombra de flores iluminada desde sus pies.

Recorrido por la manzana

En la cuadra de avenida El Bosque, entre Eliodoro Yáñez y Las Hortensias, hay otras dos puertas que dan al interior del amplio recinto. Una lleva al estacionamiento del Centro Médico El Bosque, que tiene su acceso por Eliodoro Yáñez 2530. Sus dependencias ocupan casi todo el lado sur del terreno. La parroquia lo arrienda a un grupo de médicos de distintas especialidades y constituye un importante ingreso para sus arcas.

Por El Bosque, pasado Eliodoro Yáñez hacia Las Hortensias, se llega a la numeración 888, un pequeño portón negro anunciado con el mismo distintivo que las demás puertas de la parroquia: un cuadrito de mosaico con la imagen de San José. Mirada desde la calle, esta sólida construcción de tres pisos pareciera estar deshabitada. No se advierte movimiento. Cuatro altos pilares y una puerta color celeste componen la entrada visible, lo que le da un aspecto de mausoleo. Su destino original era para hospedar a religiosas.

Una reja negra con latones impide la vista hacia el interior de ese antejardín, pero se advierte que hay un conjunto de olivos. Otra reja y un cerco verde separan este lugar del patio de acceso a la iglesia. Hacia el frontis, entre árboles y arbustos de diversos tipos, se aprecia uno que —al finalizar el invierno— destaca por sobre los demás: un magnolio de flores blancas con púrpura.

Una puerta con rejas lleva a uno de los sectores más frecuentados de la iglesia. Un patio de piedrecillas con bancos de plaza funciona como una especie de sala de espera abierta para quienes van a la parroquia o requieren alguna información. Mientras en la semana son señoras mayores quienes deambulan por este espacio, los domingos se convierte en sitio de reunión de niños y jóvenes. El corredor que lo circunda, al que dan las oficinas parroquiales ubicadas a la entrada, continúa su camino hasta las puertas de la iglesia. Las oficinas parroquiales se conectan a su vez con la sacristía.

Hacia el otro lado, un extenso jardín con pequeños arbustos plantados uno al lado de otro, bordea, por Las Hortensias, el costado norte del recinto. En medio de ellos hay una estatua de San José con el niño Jesús en los brazos. Unos metros más allá está otra de las entradas a la iglesia, que lleva a una pequeña nave, a un lado del altar.

Después de conocerse el fallo del Vaticano, fui un día de marzo a dar una vuelta por la manzana de la iglesia El Bosque. Luis Riquelme Sepúlveda es uno de los jardineros encargados de mantener en orden los prados y arbustos. Estaba trabajando junto a la estatua de San José. Hace tres años desempeña esas labores junto a su hermano Hugo Hernán para una empresa contratista que le presta el servicio de mantención del jardín a la parroquia. Tuvo que ir a declarar a la Policía de Investigaciones por el asunto de los pagos a los empleados.

Aparte de su sueldo de 250 mil pesos que le cancela la firma, «la parroquia nos da aportes de dinero en las fiestas del Sagrado Corazón, Fiestas Patrias y Navidad, que ascienden a la suma de entre treinta a cincuenta mil pesos», declaró a la PDI. Indicó también que habló con Francisco Costabal —el presidente de la Acción Católica y asesor de la gestión económica de El Bosque— para pedirle un préstamo, porque su mujer había sido operada de hernia, lo que le significó más de cuatrocientos cincuenta mil pesos. Por esa razón —dice—, «el señor Costabal me entregó esa suma en efectivo, en el sector de las piezas de los empleados»[7].

---

[7] Declaración de Luis Humberto Riquelme Sepúlveda ante la Brigada Criminal de la Policía de Investigaciones, el 17 de agosto de 2010.

Luis Riquelme siente que lo ocurrido en los últimos meses ha sido muy duro, pero se mantiene leal a Karadima, a quien considera que le debe mucho. Es más, «el padre —dice— tenía como costumbre saludarlo todos los días —no como otros curas— y darles esas gratificaciones extra de vez en cuando». Se le llenan los ojos de lágrimas cuando recuerda que «el padre mandó pagar la cuenta cuando su mujer fue operada». Y, por eso, manifiesta que es capaz de pelear con quien se le cruce en el camino que hable en contra de Karadima. No cree en su culpabilidad ni en el fallo del Vaticano, e incluso dice que no le gusta el papa Benedicto XVI.

Por esos mismos patios transitan jóvenes altos, impecablemente vestidos un jueves por la mañana, antes y después de la misa diaria del mediodía. Y lo hacen rodeados de mujeres que sobrepasan los sesenta años y hombres que se escapan de sus horarios de oficina para rezar. Todos se van rápido, porque la iglesia cierra. Solo permanece abierta poco antes de cada misa.

El jardinero dice que «ya nada es como antes; esto ha cambiado mucho desde que pasó lo que pasó».

Piezas y pasillos

Por la calle Juan de Dios Vial se puede ver la parte trasera de la parroquia. Al lado de la iglesia, hacia Las Hortensias, un elevado muro blanco impide la vista hacia el interior. En ese sector se encuentra la casona sacerdotal. En el segundo piso está el pabellón que alberga las habitaciones de los curas y jóvenes que residen ahí. Muchas de ellas están vacías. Hacia el final del largo pasillo, con una pequeña ventana hacia la calle, está la pieza de Fernando Karadima Fariña. Un lugar donde durante años el ex párroco recibía por las noches a los jóvenes de la Acción Católica, que solían quedarse hasta altas horas de la madrugada. Un sitio donde protagonizó muchas de las escenas de abuso sexual que lo llevaron a ser condenado por el Vaticano.

En el primer piso de esa construcción están el comedor, otra de las salas donde transcurría parte importante de esta vida oculta de la parroquia, y la cocina. Los jóvenes elegidos por el sacerdote solían quedarse a comer después de participar en la misa vespertina. En especial los miércoles, Karadima congregaba a sus discípulos en torno a su mesa. Por esas salas y pasillos semioscuros, tras la caída de la tarde se vivía el extraño ambiente que hoy describen las víctimas y que en esos tiempos les parecía tan natural.

El edificio está conectado por dentro con el resto de las dependencias parroquiales. Si se llega por la parroquia, se accede al salón principal. Y hacia el fondo, al amplio comedor y a la cocina, caminando desde el templo por el gran pasillo que colinda con el jardín interior. Todo un laberinto de salas, corredores, patios y jardines. Quienes frecuentan El Bosque saben hasta dónde pueden pasar. Incluso los jardineros tienen prohibido entrar al «patio de la Virgen», en el interior del recinto, salvo el día que tienen que hacer sus labores, cuando les abren las puertas para después cerrarlas con llave de nuevo.

Otra vez en la calle Juan de Dios Vial, llegando a Eliodoro Yáñez, se ven unas casas de color blanco que tienen dos numeraciones, 955 y 959, además de una entrada y salida de vehículos que da al estacionamiento del recinto parroquial, con el número 957.

En Juan de Dios Vial 959 vivió la madre del cura, Elena Fariña, hasta su muerte en 1997. Ahí también residió su hermano Jorge Karadima. La otra, más hacia Eliodoro Yáñez, es la casa que el ex párroco le cedía a su hermana Patricia hasta que fue desalojada en enero por orden del Arzobispado.

Un hombre anciano riega el pasto de la orilla que da a la calle. Contesta con monosílabos cuando le intento hacer alguna pregunta. Y solo responde que lleva muchos años trabajando en la parroquia y que las casas están deshabitadas. En la esquina se elevan dos altísimos pinos con anchos troncos que muestran su longevidad. Mudos testigos de lo que ocurría en este reino de Karadima.

La orquesta azul

Durante el invierno y la primavera de 2010, los procesos ante la justicia civil y eclesiástica que involucran al ex párroco estaban en marcha. No obstante, el ritual de sus jóvenes discípulos se mantenía riguroso. Es lo que se podía observar durante ese tiempo al visitar la iglesia. El párroco Juan Esteban Morales y el entonces vicario Diego Ossa Errázuriz oficiaban las misas. En algunas oportunidades aparecía Rodrigo Polanco, el vicedecano de la Facultad de Teología, en las eucaristías de la tarde. Ya Karadima había sido alejado de las celebraciones en público, aunque todavía no caían sobre él las estrictas prohibiciones que llegaron después del fallo del Vaticano.

El siguiente es el relato de lo que pudimos ver en ese período, con la colaboración de la periodista Andrea Domedel, quien se transformó para los efectos de este libro en una asidua feligresa.

Quienes están acostumbrados a las iglesias de barrio tradicionales, a las capillas de colegio o a las catedrales de ciudad de diversa importancia, todo el movimiento y la estructura que se observaba en El Bosque llaman la atención. Pero quizá lo más notable era observar en acción a sus «acólitos»: no son esos típicos niños —uno o dos— vestidos con túnica blanca que acompañan al sacerdote que uno vio desde siempre ayudando en las misas. Acá son jóvenes y algunos adultos vestidos todos con chaquetas de color azul marino, corbata azul o color burdeos y pantalones beige.

Aunque dependiendo del horario y del día de la misa, se podría ver a hasta treinta jóvenes ubicados detrás del cura para la celebración del mes del Sagrado Corazón de Jesús en junio. Se mantiene el «perfil ABC1» entre los miembros de la Acción Católica, aunque no son todos de ojos claros y tan «pintosos» y altos, como recuerdan quienes conocen la parroquia desde hace años.

La infaltable chaqueta azul, como la formalidad en sus vestimentas, movimientos y gestos, son sus características comunes. Nadie se sale del estricto protocolo establecido. Todos muestran saber al dedillo lo que deben hacer, cuándo y cómo ejecutarlo.

Las conversaciones de pasillo antes de cada misa son escasas. Prima el recogimiento. La naturalidad es algo que se guarda para los espacios fuera del templo, como las reuniones con los jóvenes en los patios interiores. Se ve a algunas mujeres que también participan del movimiento parroquial, pero tienen mucho menos protagonismo, y no se ciñen al ritual que se les exige a los hombres. Ellas tienen solo la misión de pedir la colecta en la misa del domingo, cuando la concurrencia aumenta considerablemente, llegando a unas quinientas personas.

Las edades de los integrantes de esta «orquesta azul» van entre los quince y hasta más allá de los treinta años. Quien parece actuar de maestro de ceremonias es uno de los que más destaca dentro del grupo. De ojos azules y pelo castaño casi rubio, Francisco Márquez es el encargado de abrir la misa con un cántico, después de iniciada la melodía del órgano.

El lugar establecido en el altar para este personaje de alrededor de treinta años es a un costado de la tarima donde se lee el Evangelio, junto a un pilar. Desde allí está atento a cada uno de los movimientos del resto.

Un joven muy alto, robusto, moreno y de anteojos, de entre veinte y veinticinco años, tiene la misión de sostener y mover el incensario cuando se trata de misas solemnes.

Llama la atención también un hombre de alrededor de cuarenta años, que luce en su cabeza algunas canas. Pese a que no tiene una labor tan específica, es, junto con los anteriores, uno de los responsables de retirar las hostias del sagrario y entregar la comunión. No todos los jóvenes pueden hacer esto, ya que algunos permanecen tras el altar.

La lectura del Evangelio no recae en uno solo, pero hay jóvenes que cumplen esa misión con mayor frecuencia que el resto. Es el caso de un integrante de esta «orquesta azul» que bordea los dieciocho o veinte años y sobresale por su gran formalidad. Tiene un frondoso cabello castaño oscuro peinado hacia un lado y su postura es siempre de recogimiento; camina con las piernas bien juntas con pasos muy cortos. Sus ojos claros miran siempre hacia arriba en cada oración del sacerdote. Él también es uno de los que debe llevar las hostias y el cáliz con el vino al celebrante, así como el paño que utiliza para secar sus manos.

Dos jóvenes se sitúan a cada lado del cura, en las sillas especialmente dispuestas para ese momento de la misa durante la lectura del Evangelio. Los mayores son quienes en general ocupan ese lugar.

Los menores casi siempre deben repiquetear las campanillas durante la consagración, mientras el sacerdote levanta el pan y el vino.

Cada cierto rato, y en distintas partes de la misa, todos se deslizan en perfecto orden como piezas en un ajedrez. Cambian sus posiciones hacia delante y atrás, entre grupos de a tres. Se mueven alrededor del altar según los tiempos definidos.

A veces la formalidad de la vestimenta del grupo se ve alterada por algunos jóvenes que suben al altar con ropa corriente. Pero los más antiguos o claves dentro del grupo muy rara vez dejan la chaqueta azul. Son los que tienen las tareas de mayor responsabilidad.

Las miradas de cada uno de los miembros de Acción Católica presentes en la Eucaristía son casi exclusivas para el sacerdote, y casi nunca giran para observar a un compañero o menos para hablar con el del lado. Se sienten protagonistas del rito en estricto silencio.

Cuando se aproxima el momento de la Eucaristía, los encargados de dar la comunión enfilan hacia el sagrario y regresan con varios copones llenos de hostias consagradas.

Durante toda la ceremonia sus rostros se ven siempre muy serios: no hay sonrisas, solo concentración absoluta. Es difícil imaginarlos en otras actividades con más interacción dentro de la parroquia. Más bien parecen buscar la contemplación y la espiritualidad.

Al observar a estos jóvenes, la imaginación vuela en el tiempo hacia el pasado, cuando Jimmy Hamilton, Juan Carlos Cruz, José Andrés Murillo, Fernando Batlle, Luis Lira y tantos otros que aún no han contado sus vivencias, estuvieron en ese lugar. Cuando vestían esas chaquetas. Cuando con ese recogimiento en busca de su vocación seguían religiosamente los consejos e instrucciones de Fernando Karadima Fariña. Cuando él, en nombre de Dios, guiaba y dominaba sus vidas.

La «orquesta azul» permaneció en El Bosque durante todo el invierno de 2010. Allí estuvo presente en junio para el día del Sagrado Corazón, principal festividad de la parroquia, aunque habían pasado dos meses desde que sobrevinieran las denuncias públicas que afectan al ex párroco Fernando Karadima.

Después de la intervención de la Pía Unión y de que —en septiembre— el cuestionado sacerdote se viera obligado a abandonar El Bosque, el panorama era algo distinto. En muchas misas ya no abundaban los jóvenes ayudantes. Aunque no había aún veredicto final de la justicia ni del tribunal eclesiástico, algo había cambiado.

Al día siguiente de conocerse el veredicto de la Congregación de la Doctrina de la Fe, la «orquesta azul» estuvo ausente.

Capítulo III

EN AMBIENTE DICTATORIAL

Cuando surgen los primeros recuerdos de Luis Lira Campino en torno a la parroquia El Bosque, Fernando Batlle Lathrop, el más joven de los denunciantes de Fernando Karadima, no había nacido. Tampoco había llegado al mundo José Andrés Murillo, el filósofo y ex seminarista jesuita, que nació en 1975. Y James Hamilton y Juan Carlos Cruz apenas entraban al colegio Saint George, a principios de los setenta.

Aunque Luis Lira no presentó denuncia, concurrió voluntariamente a declarar como testigo ante el fiscal Xavier Armendáriz, cuando supo que Hamilton y Cruz habían planteado sus acusaciones. Por la misma razón, con el objetivo de aportar antecedentes sobre lo que él vio y vivió años antes, accedió a figurar en el programa *Informe Especial* de Televisión Nacional. Fue a partir de eso que conoció a los demás.

Simpático, abierto y con sentido del humor, pelo largo y canoso, Lucho Lira —como le dicen sus amigos—, hoy de cincuenta y tres años, evoca más la figura de un hippie de los años sesenta que de un ex seminarista formado en El Bosque. Él sabía de la existencia de Fernando Karadima «desde siempre».

Su abuela paterna, María Montt, vivía en el barrio, en la misma calle La Brabanzón, a una cuadra de la manzana que ocupa la iglesia colorada y su torreón. Los Lira Campino iban a almorzar todos los domingos donde la abuela y escuchaban hablar de Karadima, quien por ese entonces era vicario de la parroquia.

Cuenta que el fundador de El Bosque, monseñor Alejandro Huneeus, había sido «compañero de curso del padre Alberto Hurtado y de mi abuelo».

Hasta séptima preparatoria, Lucho estudió en el colegio San Ignacio, en la avenida El Bosque con Pocuro. Después, sus padres lo trasladaron al Tabancura, adonde entró a séptimo año. Perteneció así a la segunda generación de ese «liceo» —como se le llamó originalmente— ligado al Opus Dei, que partió con enseñanza media en 1970.

El país experimentaba en esa época cambios fundamentales: era el último año de la Presidencia de Eduardo Frei Montalva y en septiembre fue elegido el socialista Salvador Allende, quien asumió en noviembre. En los colegios particulares se vivían fuertes tensiones, debido a la posición progresista, comprometida con los cambios sociales adoptada por los obispos y la mayor parte de los movimientos católicos.

Aunque la familia de Luis Lira no pertenecía al Opus Dei, tampoco miraba con simpatía a las congregaciones más conocidas de aquellos tiempos. «A mi papá no le gustó la mezcla que hacían los jesuitas de traer alumnos de escasos recursos, ni el estilo "Machuca"[1] que también instauró el Saint George», comenta Lira.

Llegó así al Tabancura, que se nutrió de alumnos que provenían precisamente del Saint George —donde se generó una división entre los padres de familia—, del San Ignacio, del Verbo Divino y de los Sagrados Corazones de Manquehue.

Su padre, Luis Lira Montt, es abogado y corredor de Bolsa, socio principal de la firma Luis Lira y Compañía, fundada por el abuelo Luis Lira Vergara. Y «mi madre, cuando le iba mal a mi papá en la Bolsa, hacía bufetes de matrimonios», cuenta el hijo. Él es el cuarto de seis hermanos. La mayor, María Josefina, ingeniera comercial, es hoy la gerenta de la corredora de Bolsa.

---

[1] Se refiere a la película *Machuca,* dirigida por el cineasta Andrés Wood, que da cuenta del sistema de integración de estudiantes de sectores populares en el colegio. Andrés Wood era vecino de James Hamilton en Vitacura, entraron juntos al colegio Saint George y son amigos hasta hoy.

«Yo quería ser monje»

Según Lucho Lira, su papá y su familia «son muy momios. Para ellos Pinochet era estupendo. A mi casa llegaba solo *El Mercurio* y antes, *El Diario Ilustrado*, hasta que desapareció. Mis fuentes de información eran absolutamente sesgadas». Pero él no tenía conflicto con sus padres. Sí una profunda inquietud religiosa que lo hacía soñar con ser monje, quizás en algún lejano país.

En 1974, cuando cursaba tercero medio, se comenzó a acercar a El Bosque. Tenía dieciséis años. Iba solo, sin nadie de su curso. «No era un asunto de amigos ni invitaba yo a alguien a la parroquia, sino que me acerqué por mi cuenta. Otros iban del San Ignacio, del Verbo Divino y algunos del Saint George.»

Cuando egresó del Tabancura en 1975, «era una persona muy ignorante de lo que pasaba en el mundo, muy inmaduro, diría. Aunque afectivamente siempre he sido bastante independiente, muy autónomo», confiesa Lira hoy. En ese tiempo se acercó más a El Bosque. El párroco de la iglesia de El Sagrado Corazón era el padre Daniel Iglesias Beaumont, un cura «muy tradicional, muy callado, no se metía mucho». Fernando Karadima, como vicario parroquial, ya era un hombre fuerte en El Bosque.

Lucho Lira se entusiasmaba con las charlas de Karadima, «con el ambiente de oración que había en la parroquia, con las chiquillas que eran bien bonitas. Y todo eso me atraía».

En paralelo, entró a estudiar Ingeniería en la Universidad de Chile. Estuvo dos años en la facultad de la calle Beaucheff, pero no le gustó y se cambió a Diseño, en la misma universidad. Recuerda con cierta opresión el ambiente de fines de los setenta con la universidad intervenida. «Todo el mundo estudiaba, todos calladitos y nadie levantaba un lápiz, nada. Esa presencia intimidatoria era una cosa espantosa.»

Continuaban las dudas sobre lo que quería hacer de su vida. «Me daba cuenta de que no era mi vocación ni la ingeniería ni el diseño. Yo en primera instancia quería ser monje. Me atraía la espiritualidad, soy creyente hasta el día de hoy y confundí una religiosidad muy fuerte con una vocación sacerdotal.»

Fernando Karadima era su confesor y director espiritual desde 1977. «Yo me decía: a lo mejor tengo vocación de monje, más que de cura. Y se lo dije a Karadima.» Pero él le indicó: «No, ándate al Seminario mejor», cuenta Lira.

En esos tiempos en que las vocaciones sacerdotales habían disminuido en forma crítica, para Karadima era importante contribuir a su «producción». Dentro de su lógica, que lo llevó décadas después a la notable cifra de «cincuenta sacerdotes y cinco obispos», de los que se enorgullecía y con los que ostentaba poder, le interesaba más un cura que un monje. Por eso, no suenan extrañas las palabras que recuerda Lira. «Me respondió sin indagar ni reflexionar, sino que era como un hecho de la causa que no me podía ir a otro lugar sino al Seminario», comenta Lira, quien en ese momento aceptó sin chistar el veredicto de su director espiritual.

Dejó la carrera de Diseño y partió al Seminario Pontificio Mayor, cuyo rector era el sacerdote de Schoenstatt Benjamín Pereira.

Los compañeros obispos

Por esos años, Fernando Karadima mandaba a otros jóvenes al Seminario. Entre sus compañeros había varios de los que décadas después llegaron a ser «los obispos de El Bosque»: Andrés Arteaga, el obispo auxiliar de Santiago, estaba en su curso; lo mismo que el hoy párroco de Lo Barnechea, Cristóbal Lira. Y entre los mayores, unos cursos más arriba, estaban Juan Barros Madrid, el obispo castrense; Horacio Valenzuela, obispo de Talca; y Juan Debesa, actual párroco de la iglesia María Madre de la Misericordia, en La Dehesa. «Él era discriminado por Karadima, porque era gordito, con anteojos», afirma Lira.

Describe al cura como «una persona muy dominante». Insistía en «la obediencia como una virtud del alma, pero se trata de una obediencia hacia él, pues no toleraba que se le cuestionara, menos que se le contradijera». Y reitera lo que dejó escrito en su declaración ante el fiscal Armendáriz: «Solo se debía hacer lo que él disponía para no incurrir en su cólera»[2].

—¿Cuándo empezaste a captar cosas raras?

—Es que yo era muy ingenuo. Hay cosas que pasaba por alto, que no las ponderaba, así es que no me daba cuenta de nada especial. De manera que cuando empecé a tener problemas con mi vocación, comenzaron las dificultades con el cura. Porque yo le decía que tenía dudas, que había cosas que para mí eran importantes y que yo no podía asumir, como era el tema del celibato.

Explica Lucho Lira que según el modo de pensar de Karadima, «yo no podía predicar la pureza sexual si es que no me la podía. Y eso me causaba un conflicto tremendo. ¿Cómo iba a estar predicando algo que ni siquiera yo era capaz de hacer? Y ese fue mi conflicto siempre».

—Te atraían sus prédicas. ¿De qué hablaba?

—Tiene mucha labia. Hablaba de acercarse a Dios, del padre Hurtado, de la nación, ese tipo de cosas. Pero, visto hoy, no tenía un compromiso social ni mucho menos.

—¿Nunca mostró nada en esa línea?

—No, nunca, jamás. Ni compromiso con los pobres, como ha dicho después. Cero. Yo creo que el padre Hurtado era su tarjeta de presentación, pero no debe haber tenido mayor vinculación con él.

El amigo Sergio Rillón

Pero si hay dudas sobre los verdaderos alcances de la amistad de Fernando Karadima con el padre Hurtado, no las hay con otros personajes del escenario político-religioso chileno de los años setenta y ochenta. Entre los conspicuos feligreses y amigos de Karadima, destaca uno que desde el golpe militar tuvo un papel

---

[2] Declaración de Luis Antonio Lira Campino, ante el fiscal regional Xavier Armendáriz, Santiago, 2 de mayo de 2010.

privilegiado como consejero civil del general Augusto Pinochet y que fue durante un largo período el encargado de las relaciones del gobierno militar con la Iglesia Católica: el abogado Sergio Rillón Romaní, hermano gemelo del que fuera actor, Andrés Rillón.

El 28 de junio de 2010, dos meses después de que estallaran las denuncias contra Fernando Karadima, y cuando ya avanzaban las investigaciones eclesiásticas y civiles, Sergio Rillón escribió una carta al director de *El Mercurio* que finaliza con una manifestación de incondicionalidad a toda prueba: «Soy parroquiano de la iglesia del Sagrado Corazón del Bosque desde 1976 y siempre he tenido gran admiración y afecto por el sacerdote hoy "en capilla"; siempre lo he tenido por un profundo varón de Dios e incondicional devoto de la Purísima Virgen. Esta convicción no la cambiaré, cualesquiera sean las resultas de los enjuiciamientos en marcha»[3].

La adhesión que Rillón —marino y abogado— expresa hacia Karadima puede ser comparable a la que manifestó por el ex dictador, a quien conoció pocas horas después del golpe militar y acompañó hasta su muerte como consejero cercano.

«El 12 de septiembre de 1973, el almirante José Toribio Merino decidió hacer una pausa y almorzar en uno de los comedores del Ministerio de Defensa. Junto a Merino estaban el almirante Federico Vio Valdivieso, auditor general de la Armada, y otros seis oficiales. Entre ellos se encontraba Sergio Rillón, un abogado de cuarenta y tres años que por esos días ocupaba, con el grado de capitán de navío, el cargo de auditor de la Subsecretaría de Marina», relata un reportaje especial de *La Tercera* publicado en agosto de 2003, bajo el título «Diez episodios desconocidos del golpe»[4].

En esa oportunidad, Rillón acometió la primera misión importante en el nuevo régimen. A lo largo del tiempo «se convertiría en el principal y más discreto consejero civil de Pinochet», señala el reportaje.

---

[3] *El Mercurio*, lunes 28 de junio de 2010.

[4] *La Tercera*, 3 de agosto de 2003. «Diez episodios desconocidos del golpe.» Disponible en internet: Archivos Salvador Allende, www.salvador-allende.cl

Ya años antes, en el libro *La historia oculta del régimen militar*, los periodistas Ascanio Cavallo, Óscar Sepúlveda y Manuel Salazar aludieron a esa reunión en la cual surgió la idea de levantar un acta de instalación del nuevo gobierno, y el almirante José Toribio Merino le encargó al auditor de la Armada, Rodolfo Vio, que redactara el borrador. El auditor a su vez «traspasó sobre la marcha el encargo al capitán de navío Sergio Rillón».

El texto de una carilla, elaborado directamente en una máquina de escribir por Rillón, incluía los considerandos y un artículo único por el cual «los comandantes en jefe se constituían como Junta para asumir el Mando Supremo de la Nación ("el poder total" fue la instrucción que recibió Rillón), con el compromiso de "restaurar la chilenidad, la justicia y la institucionalidad quebrantada"», como se lee en *La historia oculta…*[5].

Pero esa tarea del abogado fue solo la primera de una larga lista. Tras el asesinato de Orlando Letelier en Washington en 1976, Sergio Rillón prestó su asesoría al Ministerio de Relaciones Exteriores ante la aguda polémica internacional por los atropellados derechos humanos en Chile.

En la salita del nuncio

Por ese entonces, Sergio Rillón frecuentaba ya la iglesia El Bosque. Poco tiempo después se convirtió en una pieza fundamental en las relaciones entre la dictadura chilena y el Vaticano. En 1977 llegó a Santiago el nuncio Angelo Sodano, quien estuvo en el país como embajador de la Santa Sede hasta 1987. Fueron diez años clave para generar un cambio en los altos mandos de la jerarquía católica chilena, como lo buscaba el gobierno militar.

Durante ese tiempo, las relaciones entre la Iglesia chilena y el gobierno eran tensas; sin embargo, las que sostenía Sergio Rillón

---

[5] Ascanio Cavallo, Óscar Sepúlveda, Manuel Salazar, *La historia oculta del régimen militar*, Editorial Sudamericana 1998. La primera versión de este libro fue entregada durante 1989, en el diario *La Época*, a través de reportajes especiales semanales. Los tres autores eran editor general, editor político y editor nacional, respectivamente.

con el nuncio Sodano eran cada vez más estrechas. Un gran logro para el abogado marino en momentos en que la Iglesia Católica, encabezada por el cardenal Raúl Silva Henríquez, era «la voz de los sin voz» y defendía con energía los pisoteados derechos humanos.

Entre las iniciativas que emprendió Rillón estuvo el intento de instaurar el sistema de «patronato» para la designación de los obispos, esto significaba que las autoridades eclesiásticas contaran con el beneplácito del gobierno. Para ello, montó una operación que incluyó un *dossier* de cada uno de los obispos que llevó al Vaticano, como relatan Cavallo, Sepúlveda y Salazar en su libro. Aunque esa «moción» no fructificó, y poco a poco las designaciones episcopales fueron cambiando el perfil de la jerarquía chilena.

Angelo Sodano y Sergio Rillón solían reunirse con Fernando Karadima en la parroquia de El Bosque. Con el correr de los años, la presencia de Sodano fue tan constante, que sacerdotes y jóvenes de la Acción Católica conocían una de las habitaciones del lugar como «la salita del nuncio», precisamente porque allí recibía Karadima al representante del Papa.

James Hamilton, quien había llegado a El Bosque en 1980 y fue uno de los más cercanos a Karadima durante veinte años, fue testigo directo de esos encuentros. En más de una conversación, cuando hablamos del ambiente que se vivía y de figuras públicas que tenían nexos con el cuestionado sacerdote, el médico recordó a Rillón y al nuncio.

«Karadima era ultrapinochetista. Era amigo de Sergio Rillón, de Rodrigo Serrano, que había sido de Fiducia. Rillón se juntaba con Karadima y con el nuncio Angelo Sodano e iban definiendo qué obispos iban a ser los nuevos obispos de la Iglesia chilena. Ese nivel de influencia tenía», sostiene el médico.

—¿Te consta eso?

—Me consta, y de hecho había una salita dentro de la parroquia, que la llamábamos la «salita del nuncio». Hasta ahí llegaba Angelo Sodano a conversar con Karadima, quien le iba diciendo los «pecadillos» de ciertos sacerdotes para que no fueran nombrados obispos. Lo principal que hacía él era vetar personas.

Según Hamilton, durante todo el tiempo que Sodano fue nuncio existieron esas reuniones. «Por algo llamábamos así a la salita. Es la que está al lado de la capilla de adentro, en la casa parroquial. En ese mismo lugar Andrés Arteaga y todo el resto de los curas nos agarraban a nosotros para decirnos que estábamos con "la maña" y con el demonio, porque el padre alegaba que ya no rezábamos, que estábamos alejados», agrega.

Cuentos de reyes

En 1980 apareció por la parroquia de El Bosque Juan Carlos Cruz Chellew, un joven de dieciséis años, cuyo padre acababa de morir. Era el mayor de los tres hijos del economista Roberto Cruz Serrano, quien se casó con Lorraine Chellew Vergara, ambos de veintiún años. Tuvieron tres hijos: Juan Carlos, Felipe y Roberto. Y en tiempos de la Unidad Popular se fueron a vivir a España.

Desde España, los Cruz Chellew viajaron por toda Europa y después, ya en el régimen de Augusto Pinochet, el padre se vino de representante de lo que era en ese momento el Banco de Vizcaya —antecesor del actual Banco Bilbao Vizcaya Argentaria, BBVA—, a abrir el banco en Argentina y Chile, «ayudado un poco por el gobierno de la época, en tiempos del boom económico, en 1978».

Los tres hijos volvieron al colegio Saint George, donde Juan Carlos había cursado kínder y primero básico. Al regreso, en el establecimiento particular intervenido —«aunque ya estaba Hugo Montes de rector, no el capitán de la FACH»— recuerda que «teníamos que hacer los actos cívicos a cada rato. Pero en ese tiempo, por influencia de mi casa, creía que Pinochet era la salvación de Chile. Mi familia es muy conservadora, muy de derecha», cuenta Juan Carlos. «Después, por mis propios medios me di cuenta de que no era así y fui antiPinochet y todo lo que representa», señala.

Periodista y hoy director de comunicaciones de la empresa Manpower, Juan Carlos Cruz vive en Milwaukee, sede de la compañía, pero ha estado viniendo a Chile periódicamente en los últimos meses. En estas visitas tuvimos varias oportunidades para conversar en profundidad sobre lo vivido por él en la parroquia de El Bosque y sobre ese submundo del que formó parte. Recuerda también haber visto a esas influyentes amistades de Karadima. «Cuando iban a cambiar al cardenal Raúl Silva Henríquez, estaba toda la pelea porque Pinochet quería un arzobispo momio. Por esos días, vi mucho a Rillón por El Bosque y se rumoreaba también que Rodrigo Serrano quería ser el embajador en el Vaticano», señala Cruz. «Por esa época, tenían mucho contacto con Sodano. El nuncio se confesaba con el padre Daniel Iglesias, que era el párroco anterior a Karadima.»

Juan Carlos Cruz recuerda a Rodrigo Serrano Bombal como visitante frecuente. «Era jefe de gabinete del entonces ministro de Justicia, Jaime del Valle, quien había sido vicerrector de la Universidad Católica, y después fue ministro de Relaciones Exteriores de Pinochet.»

A Serrano —cuenta— le decían «el rey pequeño, porque a Karadima le decían el santo o el rey. Tommy Koljatic, el actual obispo de Linares, le decía rey». Y, según Cruz, «se comentaba que "el rey pequeño" tenía unos contactos increíbles en el gobierno, y Karadima gozaba con eso, porque se encerraban a elucubrar tácticas».

Sistema controlador

De profesión psicólogo y licenciado en filosofía, Rodrigo Juan Serrano Bombal tiene sesenta y un años y es secretario general de la Bolsa de Comercio de Santiago. Conoce al padre Fernando Karadima «aproximadamente desde 1980, cuando participaba activamente en la Acción Católica de la parroquia, lo que hice durante unos veinte años», ratificó ante el fiscal Xavier Armendáriz cuando lo llamó a declarar en junio de 2010. Durante ese período iba varios días de la semana a misa y los miércoles a las reuniones de la Acción Católica, «en las cuales participaban unas ciento veinte personas», agregó[6].

En muchas oportunidades —dice Serrano en su declaración—, después de la misa, «participaba de una cena que tenía lugar con un grupo más reducido del círculo más cercano al padre (unas diez personas). También asistían a estas cenas seminaristas de la misma parroquia. Los temas tratados variaban, ya que se trataba de reuniones de camaradería».

Confirma Rodrigo Serrano que «parte importante del discurso del padre se enfoca en la finalidad de obtener vocaciones». Aunque él se alejó de El Bosque —según expresa—, porque «mi intención era conocer otros enfoques pastorales». Afirma que «durante todo el período en que fui cercano al padre, jamás escuché, vi, y ni siquiera sospeché sobre alguna conducta indebida de él. Más aún, mi experiencia fue muy satisfactoria y enriquecedora en lo espiritual».

Admite sí que «el padre tenía un gran ascendiente en su comunidad religiosa, cosa que se reflejaba en su grupo más cercano, ya que gustaba de tener un control sobre ellos». Y agrega: «Quiero decir, que aun cuando yo no estaba de acuerdo con su sistema controlador, me parece que es un método legítimo para sus fines de conducir a sus dirigidos a Dios».

Por último —indica Serrano—, «debo decir que todo esto resulta para mí un gran misterio, ya que conozco a los señores Hamilton, Lira y al padre Kast, los cuales me parecen personas razonables, equilibradas y, por cierto, normales, y no puedo explicarme por qué actuarían injusta y arbitrariamente en un tema tan delicado como este».

---

[6] Declaración de Rodrigo Juan Serrano Bombal, ante el fiscal regional Xavier Armendáriz, Santiago, 2 de junio de 2010.

Ballerino y González Errázuriz

En 1987, el mismo año de la visita de Juan Pablo II a Chile, el nuncio Angelo Sodano dejó el país para asumir en Roma como secretario de Estado Vaticano, el más alto cargo después del Papa.

La amistad de Karadima con Sodano y la proliferación de «vocaciones» fueron factores determinantes para afianzar la posición de Fernando Karadima en la parroquia de El Bosque y para explicar los nombramientos de obispos de la confianza del hoy acusado párroco. Cuando Sodano se fue de Chile, pasó a ser el hombre de máxima confianza de Juan Pablo II durante el resto su mandato. Diferentes testimonios de víctimas en diversos países del mundo católico lo señalan hoy como un personaje decisivo en la política de secretismo de Roma frente a los abusos sexuales de sacerdotes. Sin ir más lejos, el ex secretario del Vaticano aparece mencionado en el caso de Marcial Maciel en México[7], como consigna la periodista mexicana Carmen Aristegui en su reciente libro *Marcial Maciel. Historia de un criminal*.

El trato especial que recibía Karadima de la jerarquía católica se manifestaba en diversas situaciones. El solo hecho de que nunca haya salido de El Bosque desde que se ordenó sacerdote en 1958, marca una diferencia notable con el resto de los diocesanos que constantemente son cambiados de destino.

La influencia de Rillón fue paralelamente en aumento en La Moneda durante la dictadura. En 1984, Pinochet le ofreció ser ministro secretario general de Gobierno, pero ante su negativa nombró en el cargo a un joven abogado considerado discípulo del marino: Francisco Javier Cuadra, quien después de dejar el gabinete fue enviado como embajador al Vaticano y estuvo en Roma hasta el término del régimen militar, entre noviembre de 1987 hasta marzo de 1990.

---

[7] *Marcial Maciel. Historia de un criminal*, Carmen Aristegui, Debate, febrero de 2011, Chile.

La oficina de Asuntos Especiales, encargada de las relaciones con la Iglesia que dirigía Sergio Rillón, funcionaba a mediados de los ochenta en La Moneda, al alero del Ministerio de la Presidencia, cuyo titular era el general Jorge Ballerino.

Otro de los grandes amigos de Sergio Rillón es Ricardo García Rodríguez, ministro del Interior de Pinochet entre 1985 y 1990, quien desde el inicio de la transición a la democracia en 1990 hasta hoy tiene uno de sus centros de operación en la presidencia de la privada Universidad Mayor.

Después de asumir Patricio Aylwin la Presidencia del país, Augusto Pinochet permaneció como comandante en jefe del Ejército y Sergio Rillón continuó como colaborador del comité asesor de la Comandancia en Jefe, que encabezaba Ballerino.

En agosto de 2000, *La Tercera* señalaba, refiriéndose a Rillón: «Es uno de los consejeros y amigos más cercanos al general (R) Pinochet, quien se ha caracterizado por el trabajo constante de mantener al tanto de la contingencia al senador vitalicio. Cuando este recién se encontraba detenido en Londres, Rillón asistía a las sesiones del Congreso y tomaba apuntes sobre la actividad parlamentaria para después enviárselos a Inglaterra. Tiene acceso "estratégico" a las oficinas de calle Málaga, lugar donde se toman algunas de las importantes decisiones del Ejército»[8].

Muy cercano a Rillón, en la oficina de Asuntos Especiales, era el hoy obispo de San Bernardo Juan Ignacio González Errázuriz, en ese entonces abogado y numerario del Opus Dei, quien llegó en comisión de servicios desde la oficina de personal de Carabineros. Esa vinculación fue revisada en los últimos meses en El Vaticano, tras las críticas de sacerdotes y obispos chilenos que advirtieron lo que podría significar haber nombrado arzobispo de Santiago a alguien que colaboró tan estrechamente con el régimen militar y que parecía un candidato firme para suceder al cardenal Francisco Javier Errázuriz.

---

[8] *La Tercera*, 9 de agosto de 2000.

No obstante, tras estallar el escándalo en torno a Fernando Karadima, González Errázuriz fue una de las primeras figuras eclesiales que quiso separar aguas, a través de una declaración aparecida en el diario *La Segunda*: «No sé... no sé. Es re fuerte. Los testimonios eran verosímiles, creíbles»[9], dijo aludiendo a las acusaciones de James Hamilton, Juan Carlos Cruz, Fernando Batlle y José Andrés Murillo, difundidas en el reportaje de *Informe Especial* de TVN. Algo muy diferente a la actitud de su antiguo jefe Sergio Rillón, quien ha defendido privada y públicamente a Karadima.

«Nadie está exento de pecar»

En la citada carta al director de *El Mercurio*, de junio de 2010, titulada «Dos evangelios», Sergio Rillón escribía al iniciar la defensa del cura acusado: «En los momentos en que la comunidad cristiana está afectada por desconciertos y múltiples reacciones frente al caso del padre Karadima, en la liturgia de la misa de estos mismos días se contienen dos Evangelios, que en lo pertinente, siento necesidad de resaltar como apoyo a una acertada meditación».

Recordó en su misiva diferentes citas de los apóstoles, haciendo gala de su amplio conocimiento del Nuevo Testamento: «No juzguéis y no os juzgarán; porque os van a juzgar como juzguéis vosotros, y la medida que uséis, la usarán con vosotros». «¿Por qué te fijas en el punto que tiene tu hermano en el ojo y no reparas en la viga que llevas en el tuyo?» Tras una larga lista de citas bíblicas, incluye el versículo de San Mateo que señala: «Por sus frutos los conoceréis»... «Un árbol sano no puede dar frutos malos, ni un árbol dañado dar frutos buenos...».

Inspirado en esas sentencias, Sergio Rillón argumentó: «La obra apostólica del padre Karadima ha sido inmensa y muy admirable, especialmente en su capacidad para inspirar vocaciones sacerdotales, de las que se cuentan decenas y de cuyas filas ocupan hoy a lo menos cinco solios episcopales».

---

[9] *La Segunda*, 27 de abril de 2010.

Sin embargo, al tenor de sus palabras, alguna duda debe haber pasado por la cabeza del marino-abogado mientras escribía: «Sea lo que fuere, nadie está exento de pecar. Recuérdese que a San Pedro, Jesús lo increpó: "Apártate de mí, Satanás", por pretender modificar la voluntad de Dios; y que San Pablo, el arquetipo de Apóstol, sufrió fuertes embates de tentaciones en la carne».

Escondite en el torreón

Ya antes del 11 de septiembre de 1973, Fernando Karadima tenía en su registro algunas hazañas que él consideraba legendarias. «Protegió a Juan Luis Bulnes, uno de los involucrados en el asesinato del general Schneider, lo metió en la iglesia, lo escondió en el torreón...», afirma James Hamilton.

Juan Luis Bulnes Cerda, hermano de Juan Pablo, actual abogado y consejero de Karadima por décadas, efectivamente perteneció al grupo ultraderechista que, con el apoyo del gobierno de Richard Nixon y la CIA, en octubre de 1970 asesinó al entonces comandante en jefe del Ejército, René Schneider Chereau.

Dos días después del atentado que costó la vida al general, el fiscal militar Fernando Lyon inició un proceso que culminó con sentencia del juez militar general Orlando Urbina, el 16 de junio de 1972. Urbina condenó a cuarenta y dos personas, entre militares y civiles, encabezadas por el general de Ejército Roberto Viaux Marambio. Viaux había sido el cabecilla de la sublevación militar contra el gobierno de Eduardo Frei Montalva en el movimiento conocido como El Tacnazo.

Algunas de las órdenes de detención por el asesinato de Schneider no pudieron hacerse efectivas porque los reos ni siquiera concurrieron a declarar en el proceso y se fugaron del país. Fue el caso de Juan Luis Bulnes Cerda, condenado a diez años. Pero Bulnes volvió a Chile en 1974 y se le redujo la pena a siete, y al final no la cumplió gracias a la Ley de Amnistía dictada por Pinochet. Junto a él fueron prófugos de la justicia los hermanos Diego y Julio Izquierdo Menéndez —quien murió después en Perú—, integrantes del mismo grupo.

El diario electrónico *El Mostrador* recoge en un reportaje de abril de 2010 el testimonio del periodista René Schneider Aedo, hijo del general asesinado, quien en aquellos años escuchó comentarios sobre el ocultamiento. Recuerda que, tras el crimen de su padre, «los principales culpables desaparecen y se van de Chile».Y que oyó que en esa etapa fueron ocultados, «concretamente Bulnes, por el cura Karadima»[10].

—Había escuchado lo del escondite y creía que sería un rumor —le comento a James Hamilton.

—No, no es ningún rumor. Schneider fue asesinado por un grupo vinculado a Patria y Libertad en el cual participó Juan Luis Bulnes. El grupo fue el que atentó. Quizá no deseaban la muerte de Schneider, pero lo mataron. ¿Qué ocurrió? Que Juan Luis se arrancó y se escondió en la iglesia El Bosque y lo protegió Karadima.Y después el cura se encargó de sacarlo al extranjero y lo ocultó en Paraguay. Tanto es así que Karadima lo iba a ver a Paraguay. Por eso hizo una serie de viajes por Latinoamérica, pasando por diferentes puntos y llegando allá.

—¿Cómo lo sabes tú?

—Porque me lo contó él personalmente.

—¿Lo contaba como gracia?

—Como gracia, obvio. «Mira cómo yo cuidé a Juan Lusito», decía. Lo impresionante es que una cosa tan delicada la contaba en ese tono dentro de su círculo privado.

—Además de Juan Pablo, también Karadima es muy amigo de los otros Bulnes Cerda… —le digo a James.

—Sí, claro, de Manuel, que es abogado, y era compañero de mi papá en la Universidad Católica; de Juan Carlos Dörr, casado con María Elena Bulnes, que lo invitaban a su fundo en Requinoa y han sido grandes benefactores.

---

[10] *El Mostrador*, «Los nexos del caso Karadima con el asesinato de Schneider», de los periodistas Jorge Molina Sanhueza y Claudia Urquieta, 28 de abril de 2010.

Juan Carlos Cruz también recuerda haber escuchado la historia del «asilo» de Juan Luis Bulnes. «Karadima siempre decía que había escondido a Juan Luis Bulnes. Y que los Bulnes lo querían mucho, porque le debían mucho.»

Militares, médicos y empresarios

Jimmy Hamilton confirma la estrecha relación existente entre Karadima y altos oficiales del Ejército que se veían frecuentemente en El Bosque. «Al que tenía como protector y contacto en la parte militar era a Eduardo Aldunate», dice refiriéndose al general retirado, que fue jefe de la misión en Haití, quien lo defendió en los primeros días después de las denuncias. «Desde sus tiempos de teniente y capitán, estuvo muy vinculado a Karadima. Y es íntimo amigo de Juan Pablo Bulnes, el abogado.»

«A su vez, Aldunate y Bulnes —prosigue Hamilton— son muy cercanos a Domingo Jiménez, el gerente de la empresa Coloso, quien también salió con declaraciones de apoyo irrestricto.» Jiménez está casado con la hermana de Francisco Javier Manterola Covarrubias, sacerdote de la Pía Unión, «que fue quien tramó toda esta cuestión de los doctores que firmaron esa carta en la que decían que yo era mayor cuando entré a El Bosque», señala Hamilton.

El error de los firmantes de la carta fue quizás no recordar que Jimmy Hamilton —a los diecisiete años— estuvo en Tecnología Médica un año antes de entrar a Medicina, donde estaban ellos. La suscribieron «bajo juramento» los médicos Guillermo Eduardo Fabres Biggs, Pedro Antonio Becker Rencoret, Juan Carlos Márquez Nielsen, María del Pilar Covarrubias Ferrari, José Fernando Matas Naranjo y Julio Marino Valenzuela Cadel.

Asegura Hamilton que uno de sus colegas habló posteriormente con él, «avergonzado por lo que había hecho. Y me mostró los e-mails en que Francisco Javier Manterola le pedía disculpas por haberlo engañado, por haber hecho toda esta artimaña, después que él lo increpó».

Desde hace años, Manterola ha tenido importantes responsabilidades en la Arquidiócesis de Santiago: fue secretario del cardenal Errázuriz y era el vicario de la zona centro cuando estalló el caso.

Otro militar amigo de toda la vida de Karadima era Santiago Sinclair, quien fue ministro vicecomandante en jefe del Ejército y secretario general de la Presidencia de Pinochet en dictadura y después senador designado al comienzo de los noventa. «Lo invitaba a comer e iban para acá o para allá», indica Hamilton.

—¿Ustedes lo veían?

—Sí. Todos los domingos que iba a misa a El Bosque, Santiago Sinclair iba a saludar a la sacristía a Karadima.

—¿Era el tiempo en que tenía cargo en el Ejército o en el gobierno de Pinochet?

—Siempre… durante todos esos períodos era íntimo amigo de Karadima.

Enviado de Dios

En un reportaje de la revista *El Periodista*, publicado en junio de 2003, bajo el título «Lo que la Dina escribió sobre Jaime Guzmán», Francisco Martorell revela un informe de la Brigada Purén de la temida Dirección de Inteligencia Nacional, en que alude a Juan Luis Bulnes y a la iglesia El Bosque.

Señala Martorell que el director de la Dina, Manuel Contreras —hoy preso en Puntapeuco—, «consciente del peso de Jaime Guzmán en la derecha chilena, no escatimó esfuerzos para vigilar sus pasos, intervenir su teléfono, investigar a sus amistades y crear un perfil político de su principal adversario».

Aparecen en ese contexto Juan Luis Bulnes, Allan Leslie Cooper, y los hermanos Izquierdo Menéndez, citados en el informe de la Brigada Purén. Primero se refieren a Jaime Guzmán, en el tiempo en que militaba en Patria y Libertad, durante la Unidad Popular: «Si bien es cierto que no estuvo cerca del general Viaux (por su repulsa al nacionalismo), sí participó activamente con sus grupos de fanáticos religiosos que estaban en el gremialismo de FEUC, y se reúnen en el departamento de Guzmán, en la iglesia de El Bosque o en las sedes del Opus Dei: Juan Luis Bulnes Cerda, Allan Leslie Cooper, los Izquierdo Menéndez, todos estos eran del grupo de Jaime Guzmán»[11].

Durante años, el líder del gremialismo vivió en un departamento en la plaza Las Lilas, a dos cuadras de la iglesia colorada, adonde acudía a misa de doce con frecuencia. Esa costumbre la mantuvo hasta su muerte en 1991.

En El Bosque, Fernando Karadima impuso un discurso conservador en lo religioso, en lo valórico y en lo político. Un espacio a la medida de los sectores conservadores que se sintieron «huérfanos» cuando la Iglesia posconciliar salía a las poblaciones y practicaba el compromiso con los pobres y con las víctimas de los derechos humanos.

Según James Hamilton, «era un discurso hecho por Karadima sobre la base de su nueva moralidad. Y esa nueva moralidad señalaba que Pinochet era un hombre enviado de Dios, porque la autoridad estaba puesta por Dios».

—¿Decía eso?

—Obvio, permanentemente. Y, además, indicaba claramente que todo lo que había pasado después del golpe y la gente que había muerto eran «bajas necesarias». Que el orden establecido era algo más importante, y que si Pinochet era la autoridad establecida por Dios, citaba la frase de Cristo de que «Al César lo que es del César y a Dios lo que es de Dios». Y decía, por lo tanto, que había que respetar la autoridad y esa era una buena autoridad.

—¿Eran todos pinochetistas en El Bosque?

—Sí, claro. Éramos de derecha.

—¿Tú venías con esa mentalidad desde tu casa?

---

[11] *El Periodista*, «Lo que la Dina escribió sobre Jaime Guzmán», Francisco Martorell, 22 de junio de 2003.

—Todos en mi casa estuvieron de acuerdo con el golpe. Después fueron cambiando un poco las cosas, pero había un manejo de información tal, que nosotros entre los jóvenes en el ambiente en que circulábamos nadie creía que estuvieran torturando ni asesinando personas. Se decía que todo era una maquinación del comunismo y del periodismo de izquierda.

Similar recuerdo tiene Juan Carlos Cruz, quien señala que él ha tenido una «evolución total». Como Jimmy Hamilton, en El Bosque era pinochetista. «Yo vengo de una familia de derecha. Mi mamá se ha puesto más conservadora con los años. Pero mis hermanos han evolucionado. Somos producto de la dictadura. Llegué a El Bosque y obviamente fui momio recalcitrante en términos de espiritualidad y de política», dice Cruz. Su cambio empezó en el Seminario y continuó en Estados Unidos.

—¿Y tú, en qué momento te divorciaste de esa manera de pensar pro Pinochet? —le pregunté a Jimmy Hamilton.

—En la onda política mi evolución se empezó a dar esencialmente cuando ganó el No, y después cuando se inició el gobierno de Aylwin. Descubrí que los de la Concertación no eran el lobo feroz, sino que actuaban en una protodemocracia con un respeto por la gente que no me había tocado ver. Internamente yo siempre fui un demócrata y hasta una especie de socialista educado en la Alianza Francesa; tenía una formación muy universal, muy tolerante. Pero el ambiente social de la época del círculo en que vivía era favorable a Pinochet y en El Bosque se me confirmó que Pinochet era la autoridad. ¡Si en las prédicas Karadima lo alababa!

Capítulo IV

EL DEMONIO Y EL SEMINARIO

Cada vez que el seminarista Luis Lira Campino manifestaba sus dudas sobre el celibato y la incertidumbre respecto de su vocación a su director espiritual Fernando Karadima, el cura le increpaba: «¡Son cosas del demonio!».

El joven quedaba aterrado.

Plantearse las dudas significaba que «el demonio me estaba tentando y confundiendo». Hoy, le parece una afirmación sin pies ni cabeza, pero en ese tiempo lo angustiaba y lo sumía en la confusión: «Uno quiere hacer luz en su vida personal y se entrega sin condiciones a una persona para que lo oriente y no entendía cómo podía haber una manifestación demoníaca tan espantosa».

La inquietud sin respuesta continuaba para el joven. Sus sueños de ser monje habían quedado atrás, por consejo de Karadima, pero en el Seminario no se sentía convencido de su vocación sacerdotal.

Estaba ya en tercer año, en 1981, cuando hubo un retiro. «Terminaba la fase de filosofía, que son tres años, y pasábamos a la etapa de estudios de teología. Y como Dios es grande conmigo, resulta que hizo el retiro un padre jesuita», dice Luis Lira.

Ese sacerdote era Fernando Montes, el actual rector de la Universidad Alberto Hurtado. Los seminaristas efectuaron los ejercicios de San Ignacio en la sede de los jesuitas, en Calera de Tango. «Una casa antigua colonial preciosa, en un ambiente muy grato, muy campesino, muy agradable. Al empezar el retiro, estaba sumamente preocupado porque no podía concentrarme en lo que nos decía el padre Montes para que meditáramos. Fui a hablar con él y le expliqué lo que me ocurría.»

—¿Qué te pasa, tienes algún problema? —le preguntó el jesuita.

—En realidad sí, padre, tengo dudas sobre mi vocación —le respondió Luis Lira, un tanto complicado.

—Mira, lo único que tienes que hacer es concentrarte en eso, y a la luz de lo que yo vaya diciendo, tú vas a ir discerniendo —le indicó el sacerdote.

Esas palabras aportaron una cuota de optimismo al confundido seminarista. «¡Imagínate lo distinto y lo alentador que fue para mí eso!», comenta.

Lira siguió el consejo del padre Montes. «En una primera instancia discerní que no tenía vocación.» Pero todavía estaba un tanto dudoso. «Por eso, le hice caso a San Ignacio que dice que en tiempos de confusión no hay que hacer mudanzas. Y seguí en el Seminario un año más para hacer la prueba y ver mi formación, mi dirección espiritual y todo desde este punto de vista.»

Escarmiento público

El seminarista siguió yendo a El Bosque dos veces a la semana, los miércoles y los domingos, como otros de sus compañeros. Pero cuando le contó a Karadima que había hablado con el padre Montes «le bajó el berrinche más espantoso. Nos tenía prohibido hablar con otros sacerdotes. Me dijo que cómo se me ocurría "ir a contarle mis cosas personales a otro cura cuando él era mi director espiritual y solo tenía que hacerle caso a él"."Yo soy el que decide las cosas, y si no me haces caso a mí, estás endemoniado", me reiteró. Y me hizo un escarmiento».

—¿En qué consistió?

—Llamó a una reunión a los seminaristas de El Bosque y puso mi caso de ejemplo: manifestó que cómo se me ocurría hacer esto, desobedecerlo e ir a contarle cosas personales a otro cura que no tenía nada que meterse.

—¿Ante quiénes hizo ese «escarmiento»?

—Ante todos los seminaristas de El Bosque, compañeros míos: estaban Andrés Arteaga, Cristóbal Lira, Juan Barros, Horacio Valenzuela, Tommy Koljatic, Jaime Tocornal y Rodrigo Polanco. Algunos estaban un poco más abajo en el Seminario.

—¿Dónde ocurrió, en la misma parroquia?

—Sí, en esa sala grande de El Bosque. Fue espantoso.

—¿Lo sentiste como un juicio?

—Sí... Yo me quebré ahí, me puse a llorar, fue una cosa terrible. Y después me invitó a almorzar a su casa con su mamá. Y mientras yo sollozaba frente a un plato de no sé qué cosa, ellos dos comían como heliogábalos.

—¿Tu llanto era de vergüenza por haber sido expuesto ante los demás?

—De impotencia. Me preguntaba angustiado cómo resolver mi problema si el camino que me estaba indicando mi director espiritual y el que yo había optado se contraponían. ¿Qué hacer? Entonces era un callejón sin salida. No tenía opción de discernir si no era bajo su dirección espiritual.

—¿Qué sentías tú frente a él en ese momento?

—Mucho respeto, desde luego.

—¿Todavía mucho respeto?

—Sí, mucho respeto.

—¿Y la mamá, cómo era, además de comer como heliogábalo?

—Era una señora espantosa. Muy dominante, muy arribista. Nunca me cayó bien, la encontré siempre muy cínica, de mucha sonrisita, y bien feucona la pobre.

—¿Se metía en la vida de ustedes?

—Sí, claro. Y había que hacerle reverencias. Era una cosa horrible.

Toqueteo revelador

Un año después, cuando estaba en cuarto año del Seminario —en total son siete más el diaconado—, Luis Lira vivió una experiencia que marcó su punto de quiebre definitivo —aunque no instantáneo— con Karadima. «Me pasó algo bastante extraño que me da vergüenza contártelo, pero ya se lo conté al fiscal y al tribunal eclesiástico. Y fue a partir de eso que se me cayó Karadima.»

Pese a su pudor, relata el episodio: «El asunto es que un día se me ocurrió, por alguna razón que no me explico bien, afeitarme los vellos púbicos. Debe haber sido por el ambiente muy erotizado en general que se percibía. Y quedé muy confundido; fui donde el padre Karadima y me confesé con él por eso. De una cosa que ni siquiera es pecado. Imagínate, afeitarse… Pero no me dijo nada, absolutamente nada. Solo me indicó que rezara un Ave María».

Eso —recuerda con nitidez Luis Lira— fue a las siete de la tarde en un confesionario de la sacristía de la parroquia. En la noche, el joven se fue a despedir del cura a su pieza, como acostumbraba hacerlo, antes de volver al Seminario. «Deben haber sido las diez u once de la noche de un día miércoles o domingo, que era los días que iba.»

Lo que ocurrió al entrar en la habitación de Karadima lo tomó totalmente desprevenido: «Resulta que sin decir "agua va", él me metió la mano por el pantalón para adentro, debajo del calzoncillo, y me tocó la zona púbica, queriendo corroborar seguramente lo que yo le había contado en confesión. Quizá se habría excitado con eso. Yo no tenía idea de que él fuera homosexual, ni me "cayó la teja" en ese momento. No sé por qué razón no me di cuenta altiro. Pero salté como con un elástico para atrás, me despedí y me fui».

Señala que «en ese instante el respeto que tenía por él empezó a decaer. Me preguntaba ¿para qué vengo para acá, para discernir mi vocación o para que me manosee el cura?».

Para Lucho Lira ese episodio fue decisivo. «El poder que tenía sobre mí empezó a desaparecer. Fue revelador. El 82 yo me alejé de Karadima… pero estuve un año de chicle entre dimes y diretes hasta salirme de El Bosque en 1983».

—¿Antes del episodio que viviste, no te habías percatado de toqueteos por parte de Karadima?

—No, nunca me tocó el traste ni nada. Lo que sí me llamaba la atención es que había gente que se quedaba con él en la pieza por largas horas en la noche.

—¿Quiénes se quedaban más?

—Jorge Álvarez, el médico, es uno de ellos.

—¿El que apareció defendiendo a Karadima al comienzo?

—Sí, el médico que apareció «sacándose el pillo». Y otra gente que pensaba yo que estaban en dirección espiritual… Algunos de mis otros compañeros y gente del redil.

—¿Hasta el momento que estuviste, alcanzaste a percibir si tenía algún preferido?

—Sí, claro que tenía preferidos, por supuesto. El presidente de la Acción Católica de entonces, Gonzalo Tocornal, era uno de sus preferidos sin ningún disimulo. Pero no recuerdo haber visto cosas raras de besuqueos o toqueteos, aparte de lo que me tocó vivir.

—¿Quiénes otros constituían su séquito más cercano en esos años?

—Entre los superpoderosos, en su séquito de *yes men* en ese tiempo, estaban Sergio Morales Mena, ingeniero, hermano de Juan Esteban, el actual párroco de El Bosque… Sergio es un año mayor que yo, es casado y tiene una bonita familia. Juan Esteban es mucho menor, debe tener cuarenta y cinco o cuarenta y seis, como la edad de Juan Carlos Cruz y de Jimmy Hamilton. Eran puros hombres, siempre.

Luis Lira menciona también a los Bulnes Cerda. «Este abogado que lo defiende ahora, y el otro, Juan Luis, que estuvo vinculado al caso Schneider. Tiene bastante asidero esa versión que dice que Karadima lo escondió en el campanario. La deuda que tiene la familia Bulnes con él es de por vida.»

Golpecitos y besos «cuneteados»

Francisco Javier Gómez Barroilhet, publicista, de cuarenta y ocho años, tenía dieciocho en 1980. Su padre sufría una grave enfermedad y se acercó a la parroquia de El Bosque, «pues sentía la necesidad de rezar por él», explicó al fiscal Xavier Armendáriz. No se alcanzó a topar en la parroquia con Jimmy Hamilton ni con Juan Carlos Cruz. «Sí conocí a Luis Lira, una muy buena persona, pero lo dejé de ver al salir de El Bosque y nunca más hasta hoy hemos hablado»[1].

A Gómez nadie lo invitó ni lo presentó en la parroquia. Asistió a una reunión un día miércoles, en la que había unos ciento cincuenta jóvenes. Fernando Karadima presidía el encuentro. «Recuerdo que estando yo al final del recinto, de pie, el padre Karadima me hizo un gesto para que lo esperara después de la reunión. Al terminar nos juntamos y me preguntó quién era y quién me había invitado. Le respondí y me señaló que quería que yo fuera de su grupo y que empezara a venir a la parroquia», relata en el documento firmado ante el fiscal.

Incluso le dijo que volviera el sábado. «Al poco tiempo —continúa Gómez en su testimonio—, me pidió que yo fuera su secretario, lo que acepté, aunque lo cierto es que nunca tuve tareas concretas en esa calidad, fue solo como darme un cargo o un título.»

Señala Francisco Javier Gómez en su declaración que como al mes y medio de estar asistiendo a la parroquia se empezó a dar cuenta de que «había algo como inconsistente en el padre Karadima». Él lo ilustra así: «Por una parte, se mostraba en las reuniones públicas como un fiel seguidor de Dios y, ya más en privado, en su grupo más cercano, hacía burlas de alguno de los jóvenes o personas que asistían al recinto». Decía cosas hirientes —cuenta— y «además tenía una franca competencia con el párroco de la época, el padre Daniel Iglesias y con los demás sacerdotes».

---

[1] Declaración de Francisco Javier Gómez Barroilhet, nacido el 6 de junio de 1962, chileno, publicista, ante el fiscal regional Xavier Armendáriz, Santiago, 12 de mayo de 2010.

Define a Karadima como «carismático», «muy influyente en las personas» y señala que «trataba de que la gente lo siguiera solo a él». Confirma que el sacerdote «trataba de controlar todos los aspectos de la vida de las personas y siempre estaba enterado de lo que hacía cada cual».Y que de los ajenos al grupo o de quienes estaban en contradicción con «él decía que estaban con el diablo o que tenían el diablo en el cuerpo».

Su labor sacerdotal, según Francisco Javier Gómez, «no era ni muy organizada ni profunda» y recuerda que cuando le comentó que quería explorar su vocación lo integró con otras tres personas que estaban con la misma inquietud, pero que «no hacían nada especial».

De todo lo visto y vivido en El Bosque, «lo que más me desconcertaba era su actitud física», anota. «Tenía la costumbre habitual de dar golpecitos en la zona genital, como a la pasada, pero solo en esa zona; eso lo vi muchas veces, era corriente y también lo hacía conmigo. No recuerdo que me haya tocado el hombro, se iba a esa parte del cuerpo y también daba besos en la cara muy cerca de la boca, había que corrérsela, y a veces los besos quedaban "cuneteados"».

«Algunos de los jóvenes —relata Gómez— eran como expertos en esquivar la situación, como Horacio Valenzuela, el obispo de Talca, que era maestro. Sin embargo, de esto no se hablaba formalmente, aunque, obvio, todos los veíamos», agrega.

Debilidad por un ombligo

En una entrevista en *El Mercurio* que apareció dos días después de que el arzobispo Ezzati diera a conocer el fallo delVaticano, Francisco Javier Gómez amplió su relato[2]. Cuenta que, poco después de estar en El Bosque, se dio cuenta de que «los cariños de él no eran de padre ni tampoco de cura. Si te daba un beso no era en

---

[2] *El Mercurio*, 19 de febrero de 2011. «El protagonista de la primera denuncia contra Karadima cuenta su historia.» Entrevista efectuada por Paula Coddou y Cristián Rodríguez.

la mano o aquí [muestra la mejilla], sino por aquí [muestra la comisura de la boca]. Y había que correrse, porque si no te plantaba un beso en la boca».

—¿Y estando todos presentes? —le preguntaron los periodistas Paula Coddou y Cristián Rodríguez.

—Sí... sí. Cuando se despedía siempre se acercaba mucho. Empezaba a hablarte en secreto. «Ya m'hijito, cuídese, rece» y ahí empezaba a correr la cara. Esto iba acompañado con que metía los dedos en el cinturón, por dentro del pantalón y muchas veces los metía bien abajo. Y corregía cuando le quedaban los dedos por fuera del calzoncillo, los sacaba un poco y los volvía a meter.

Contó también Gómez en esa entrevista que le llamaba la atención que ese tipo de cosas no causaran extrañeza en los otros jóvenes. «Ya pasados los cuatro meses, tenía claro que había un tema de desviaciones de él y me seguí preguntando, hasta el día en que me fui, por qué los demás no hacían nada, por qué nadie miraba raro.»

—¿Nunca lo comentó? —le preguntaron los periodistas.

—Nunca. Dentro de la gente que había, los que eran regalones permanentes de Karadima, había uno de una familia muy importante, cuyo hermano era seminarista. Karadima tenía una debilidad por el ombligo de él y ¡era una cosa vergonzosa! Le pedía que le mostrara el ombligo y el cura se lo tocaba. Los demás se reían. Pero esto no era de repente. Era siempre. Si no, agarraba un palo o una antena y le abría con eso la camisa, y todos muertos de la risa.

«Pero lo que definitivamente me colmó» —dice Francisco Javier Gómez en su declaración en la Fiscalía— ocurrió un fin de semana, en marzo de 1982, después de que fue a la casa de una niña de El Bosque y se estuvieron bañando en la piscina. «Algo totalmente inocente, e incluso rezamos el rosario. Cuando Karadima se enteró, tuvo una actitud muy brusca, me tomó del brazo y me dijo que me tenía que alejar de esa niña, que ella tenía al diablo adentro.» Ante esa situación, «le dije que esto tomaba un rumbo que no me gustaba y me fui del recinto. Lo dejé hablando solo. Ya no volví».

Cuenta Francisco Javier Gómez que la gente que había conocido en El Bosque lo dejó de saludar. Pero la cosa no terminó ahí. Un par de semanas después, Karadima fue a la Cepal[3], donde trabajaba su mamá, y habló con ella. «Le dijo que se me había metido el demonio.»

«Pantalla humana»

En octubre de 1979, poco antes de que Francisco Javier Gómez llegara a la parroquia El Bosque, se acercó también Juan Luis Edwards Velasco, en ese entonces un joven de dieciséis años.

Ingeniero y músico, Edwards compareció también ante el fiscal Armendáriz, a quien explicó: «Empecé a acercarme, porque fui a una charla dada por Karadima y me gustó su discurso espiritual, como que me deslumbró»[4].

Juan Luis Edwards fue a la parroquia durante cinco años, aunque asegura que nunca fue del círculo más íntimo. Sin embargo, el cura le detectó vocación: «Karadima es muy posesivo y muy persuasivo en su discurso; al poco tiempo me dijo que yo debía ser sacerdote, lo cual me trajo grandes conflictos personales, pues (…) en ese entonces la religión católica era para mí muy importante; pero al mismo tiempo, no me sentía para nada capaz de asumir el sacerdocio, no sentía vocación de celibato, por lo que me sentía no obedeciendo o no siguiendo a Dios», dijo ante el fiscal.

Ante la consulta sobre «actitudes impropias», señaló que no era mucho lo que podía decir, pero recordó que «unas tres veces, conversando con él, como a la pasada, me tocó el trasero, lo que me hacía reaccionar de inmediato con rechazo, lo cual pasó dentro del claustro de los sacerdotes».

---

[3] Cepal es la sigla de la Comisión Económica para América Latina de Naciones Unidas, con sede en Santiago.

[4] Declaración de Juan Luis Edwards Velasco, nacido el 24 de mayo de 1984, ingeniero civil, ante el fiscal regional Xavier Armendáriz, 24 de mayo de 2010.

Edwards agrega en su declaración: «Lo que sí tengo memoria es que alrededor de 1982 le bajó la costumbre de dar golpecitos en la zona genital a los jóvenes de su entorno más cercano; no recuerdo que me lo haya hecho a mí, además, como dije, yo jamás fui de los que tenía más cercanía, pero sí lo hacía y ello sucedía con frecuencia con Guillermo Ovalle».

Y relata un hecho curioso: «Incluso esto era tan frecuente que recuerdo haberme puesto de pantalla entre Karadima y señoras que pasaban por la sacristía, para que estas no se percataran y escandalizaran de los gestos de Karadima hacia los jóvenes».

Juan Luis Edwards se alejó de El Bosque en 1984, según consta en su declaración, pese a las insistencias de Karadima sobre su supuesta vocación sacerdotal.

Una carta a la basura

Después de dejar la parroquia, Francisco Javier Gómez Barroilhet se sentía muy confundido. En ese estado, llamó al sacerdote José Miguel Ibáñez Langlois, el primer sacerdote chileno del Opus Dei, que según indicó Gómez en *El Mercurio*, es primo de su madre. «Le conté todo lo que había vivido» y le pidió consejo.

—¿Le planteó denunciarlo? —preguntaron los periodistas.

—Me dijo que no volviera. Me preguntó si tenía cercanía con algún otro cura que tuviera parroquia, le nombré uno, y me dijo «haz el apostolado ligado a esa parroquia».

Poco tiempo después de dejar de participar en El Bosque, a fines de 1982, Francisco Javier Gómez se trasladó a vivir a Concepción. Y en 1984, en un viaje a Santiago, supo por una hermana que un grupo de personas, entre los que estaba Juan Luis Edwards, quería advertir lo que estaba sucediendo con Karadima al entonces cardenal arzobispo de Santiago, Francisco Fresno. Lo invitaron a firmar y aceptó.

«Era un reclamo muy genérico que decía que había una conducta impropia, pero sin nombres ni detalles», señala Gómez. «La firmé y lo curioso es que supe su destino, pues un amigo mío de Concepción, periodista, que se fue al poco tiempo a trabajar con Fresno, averiguó, a pedido mío, que Fresno rompió la carta y la tiró a la basura[5].»

El secretario del arzobispo Fresno era, desde 1983, el actual obispo castrense Juan Barros Madrid, uno de los más cercanos pupilos de Fernando Karadima. Él se había preocupado personalmente de situar a Barros Madrid en esa posición desde el comienzo del mandato de Fresno, incluso antes de que fuera ordenado sacerdote. El obispo Barros, que ha dicho en todos los tonos que jamás vio nada extraño en El Bosque y nada tiene que ocultar, podría tener una explicación sobre el destino de esa carta.

«Oye, anda al Bosque»

Luis Lira alcanzó a conocer en El Bosque a Juan Carlos Cruz. La muerte del padre de Cruz había sido un impacto brutal para él y toda su familia. «A mi papá le vino un cáncer, un melanoma, y se murió a los treinta y nueve años, en 1980.» Juan Carlos recuerda esa etapa con profundo dolor. «Cuando murió mi papá me sentía muy, muy solo», dice bajando el tono de la voz. «Mi mamá se quedó tremendamente desvalida incluso físicamente. Ella fue criada como una princesa, para ser una buena dueña de casa, y se quedó con estos tres niños, sin mucha plata, porque fue justo en la época de la recesión de los ochenta.»

Roberto Cruz tenía negocios en España, «pero como se murió muy rápido no tuvo ningún minuto para dejar las cosas armadas», relata su hijo. «Mi mamá estaba profundamente triste, muy deprimida, y yo buscaba a alguien que me pudiera apoyar.»

Como muchos de los jóvenes que llegaron hasta El Bosque, Juan Carlos Cruz desde niño había pensado en ser sacerdote. «Pasaba metido ayudando a los pobres y cuando mis hermanos iban

---

[5] En la entrevista de *El Mercurio*, del 19 de febrero de 2011, identifica al periodista Juan Helsell, quien trabajó en el Arzobispado de Santiago en ese período.

a jugar fútbol los sábados, yo visitaba las poblaciones para ayudar y eso me llenaba el alma.»

Los Cruz Chellew vivían en la calle La Pastora, en el barrio El Golf, detrás de la Municipalidad de Las Condes. «Ahora es un banco, creo. Me fascinaba todo eso, y el Saint George, adonde volví, a pesar de que hubiera estado intervenido, mantuvo un sentido de solidaridad social que para mí era fundamental.»

Juan Carlos Cruz «probó» con todos los movimientos religiosos que captaban a los estudiantes de su círculo. «Fui al Opus Dei, pero no le di una oportunidad. Tenía amigos del colegio Tabancura que me invitaron a alguna reunión, pero después les dije que no. Iba a retiros a Schoenstatt con el colegio, porque nos prestaban el santuario de La Florida. Me gustaba mucho esa espiritualidad, pero tampoco funcionó. No sabía por dónde buscar, porque todo esto lo hacía solo y me sentía muy desvalido.»

Hasta que en estas búsquedas solitarias, cuando tenía dieciséis años, alguien le dijo un día: «Oye, anda a El Bosque». Me contaron que «estaba llena de jóvenes, y que había un cura súper "choro" que hablaba muy bien y que era santo. Y fui».

Un miércoles, a las siete de la tarde, llegó a la parroquia de El Bosque.

—¿Qué pasó allá?

—Me «conejearon» altiro. «Conejear» significa que te hablan y te engrupen para que uno se meta.

—¿Le dicen así?

—Sí, claro. «Conejéate a este o a este otro.» En El Bosque está lleno de denominaciones.

—¿Eso ocurría dentro de la parroquia?

—Sí, adentro. Yo llegué a la reunión de los seminaristas y de otros jóvenes de la Acción Católica cercanos al padre. Me «conejearon» y yo me dejé, porque me hablaban de este «santo» que me iba a encantar.

Ese día lo recibió un joven, ahora sacerdote, Antonio Fuenzalida. «Era del Tabancura, pero renegaba de su colegio y me decía que hasta que llegó a El Bosque no había sido feliz. Me "conejeó" y me habló maravillas del santo padre Fernando.»

A su vez, Juan Carlos Cruz llevó a tres amigos del colegio Saint George: Jaime de la Barra, Germán Donoso y Alejandro Foxley Tapia, el hijo del ex ministro de Hacienda. Ellos fueron dos veces y dijeron «nunca más», cuenta Cruz. Al final, él se quedó solo «y mis amigos salieron corriendo, así es que hasta hoy los felicito por la suerte que tuvieron».

«No le digas a nadie»

Después de un tiempo, Juan Carlos Cruz se atrevió a acercarse a Karadima:

—Oiga, padre, me gustaría hablar con usted, siento que tengo vocación —le dijo con timidez el joven.

—Pssh, no le digas a nadie, quédate callado —respondió el sacerdote, haciendo un gesto con el dedo sobre los labios.

Pasó un tiempo, en que Juan Carlos sentía que el cura no lo pescaba. «Me iba del colegio con mi corbata azul con amarillo del Saint George y me paraba a esperarlo. Él me decía "puedes venir tal día a las cuatro". Yo iba y no me atendía. Y volví varias veces hasta que un día me recibió.»

En esa primera conversación, el joven le explicó a Karadima que había muerto su papá, que siempre había tenido vocación y que quería ser sacerdote. «Estaba ilusionado con que este santo me hablara», cuenta.

—Me han dicho que usted como que se encarga de eso —le señaló Cruz con ingenuidad.

—Sí, tú tienes vocación, pero quédate muy calladito, y no le digas a nadie y menos a los curas de tu colegio —respondió Karadima.

Por esos días, no eran muchos «los curas del colegio» a los que Juan Carlos Cruz podía contar su historia, porque el Saint George había sido el único establecimiento particular intervenido tras el golpe militar. Y recién en ese tiempo el gobierno lo había devuelto al Arzobispado de Santiago, pero solo habían regresado uno o dos sacerdotes de la Congregación Santa Cruz (Holy Cross). Quizás esa ausencia de religiosos en su propio colegio lo hizo ir a buscar en otros lados el apoyo que necesitaba.

Siguiendo su manual, Fernando Karadima fue categórico con Juan Carlos, como lo había sido unos años antes con Lucho Lira:

—De ahora en adelante, te confiesas nada más que conmigo. Yo soy tu director espiritual, tú tienes que ser obediente, porque la obediencia es clave y si el diablo se mete, lo primero que rompe es la obediencia. Si yo veo algo blanco, tiene que ser blanco, aunque tú lo veas negro —sentenció el cura, según recuerda Cruz.

—Sí, padre —respondió sumiso el muchacho.

Hoy, treinta años después del inicio de la pesadilla que lo acompañó durante su vida, Juan Carlos Cruz levanta la vista. Mira de frente con sus ojos claros y comenta: «Y eso lo ha dicho públicamente, cuando habla de la obediencia al director espiritual. A veces esto se lo ha achacado al padre Hurtado. Yo dudo de que el padre Hurtado tuviera el mismo concepto de obediencia. Pero en ese momento le respondí, "bueno padre, sí, no se preocupe". Salí casi bailando. Que este padre santo quisiera ser mi director espiritual, no podía ser mejor. Y me invitó para ir a las reuniones desde el día siguiente».

De puro contento, Juan Carlos no se aguantó y «le conté a algunos amigos más cercanos que el Señor me llamaba para ser sacerdote. Me dediqué a esparcir por el colegio todo lo que aprendía en El Bosque. Lo que decía el padre Fernando era la verdad absoluta y en mi mente se forjó lo que todos los demás «secretarios» me habían dicho: El Bosque y la fidelidad al padre Fernando eran la única y mejor ruta para encontrar la santidad y que los movimientos y demás comunidades estaban llenos de problemas, y no entendían la forma tan simple de ser santo».

Recuerda que a Karadima no le gustaba que le dijeran de qué colegio eran ni que participaran en actividades organizadas por los sacerdotes de los respectivos establecimientos. «Yo, sin embargo, me llevaba muy bien con los sacerdotes de la Holy Cross y los diocesanos de mi colegio, así es que siempre seguí siendo amigo de ellos. Muchas veces, claro, no estaba para nada de acuerdo en cómo ellos hacían las cosas, pero lo dejaba pasar aunque en mi interior los juzgaba y me daba pena que "el diablo los hiciese hacer tantas cosas equivocadas", como me aseguraba Karadima», señala Juan Carlos Cruz.

Sus amigos del San Ignacio —dice— «no podían darle ningún crédito a los jesuitas; mis amigos del Tabancura, ningún crédito al Opus Dei; mis amigos del Verbo Divino, ningún crédito a los padres del Verbo Divino». Según Karadima, agrega, «había que temer a los Legionarios, que estaban organizando su movimiento en Chile. Los Legionarios de Cristo habían abierto su casa cerca de la parroquia y eso le molestó mucho».

El grupo de «los zapatitos»

Fernando Karadima tenía en ese tiempo cincuenta años. Cruz lo recuerda como «muy dinámico, carismático, rodeado de tipos buena pinta, altos y bien vestidos».

Empezó a ser su director espiritual y el joven trataba de confesarse una vez a la semana con él. «Nos metió a un grupo secreto que se llamaba "los zapatitos"». Es otro de los tantos términos de la jerga interna que usaban en El Bosque. Venía del dicho popular «donde te aprieta el zapato».

Karadima decía: «Te aprieta el zapato o algo así y significaba que tenías vocación. El nombre clave era entonces "el grupo de los zapatitos"; éramos los que podríamos entrar al Seminario, pero que estábamos como en barbecho», recuerda Juan Carlos.

—¿Qué hacían?

—Nos juntábamos con él y decía «a ver el grupo zapatitos», y entrábamos a una reunión privada. Hablábamos de espiritualidad, no necesariamente con él, sino entre nosotros. Leíamos algún libro, algún texto, parte del Evangelio. Y todo en relación con que había que entregarse y ser fiel al director espiritual.

Hoy Juan Carlos Cruz ve esas conversaciones como «un constante lavado de cerebro; se trataba de endiosarlo a él, de reconocer que era el dueño de nuestra voluntad, porque Dios así lo quería y que Karadima tenía absoluto poder sobre nosotros, porque si no éramos desobedientes. Y eso era signo de que el diablo se te había metido».

—¿El diablo era un personaje siempre presente?

—Totalmente. Karadima se agarraba mucho de ese pasaje que creo es de una carta de San Pedro que dice que el diablo como león rugiente ronda buscando a quién devorar.

—¡Qué horror!...

—Sí, yo veía a Satanás, como sentado en mi cama. Entonces, ante cualquier mal pensamiento o cualquier falta que uno como adolescente cometiera, sentía que me iba a condenar.

Besos para Carlitos

No pasó mucho tiempo y Juan Carlos Cruz empezó a recibir los primeros «toqueteos» por parte de Karadima. «Tenía como diecisiete años y me hacía así: "Hola, m'hijito" [dice mostrando el gesto de tocar la zona de los genitales]. O te pegaba ahí y todos se reían».

—¿Ese era un saludo público dentro del círculo restringido?

—Sí. Y después empezaban también los besos. Me pedía «despídete de mí». Y cuando le iba a dar un beso en la cara, porque él me decía que él era mi papá, me corría la cara. Como se acababa de morir mi padre, él me decía «no te preocupes, tú ya tienes papá. Yo soy tu papá». Me llamaba «Carlitos», lo que a mí me daba una rabia tremenda. El cura me cambió el nombre. Me dijo siempre «Carlitos». Y delante de todos me llamaba: «Carlitos ven, ¿quién es tu papá?». Yo le respondía: «Usted, padre», y todos se reían. «Qué amoroso», comentaban. Era atroz.

Juan Carlos recuerda haber sido objeto de un trato especial por parte de Fernando Karadima desde fines de 1980 o principios de 1981. «La primera vez que me toqueteó era tal vez para ver cómo reaccionaba, como prueba.»

—¿A ti solo o a varios?

—A varios y públicamente. Así como «hola m'hijito» o «adiós m'hijito». De repente, te dabas vuelta y te pegaba como para que uno reaccionara y uno quedaba sorprendido, pero como los demás se reían, te envolvía el ambiente.

Un rito especial donde podía ocurrir de todo era la confesión. No solo les administraba este «sacramento» en el confesionario. En El Bosque, Karadima confesaba a sus seguidores en cualquier parte que él definiera. «En la pieza si estabas solo con él o en algún otro lugar. Por ejemplo, si estaban todos comiendo y te ibas a un rincón con él, te confesaba ahí, a vista y paciencia de los otros. Pero, normalmente, cuando estaba solo era cuando te toqueteaba. Él se acostaba en la cama, uno se arrodillaba al lado y él te ponía la cabeza en su pecho y tú hablabas con él.»

—¿Acostado él en la cama y con la cabeza tuya sobre su pecho?

—Sí. Y de repente te toqueteaba y te decía «párate». A mí no me manoseó como manoseó a Jimmy Hamilton, por lo que él me ha contado. Nunca me bajó el cierre. Me toqueteaba por fuera para que yo me excitara. Y me daba una vergüenza horrible, pero ahora sé que a los diecisiete, dieciocho o diecinueve años los chiquillos son unos toritos y cualquier cosa los excita. Y me decía: «¿Qué tienes ahí, Carlitos, pero qué es eso?», como riéndose. Después me invitaba: «Acércate». Y me tomaba la cara para que le diera un beso. Yo trataba de darle un beso en la mejilla para que fuera menos desagradable y me decía: «No, acércate, saca la lengüita». Y yo tenía que sacar la lengua y él la tocaba… Yo quedaba paralizado.

Señala Juan Carlos Cruz que sentía horror y una culpa espantosa. «Pero no sé cómo explicar que, por otro lado, lo consideraba un santo. Entonces yo mismo me mentía y decía "esto no pasó". Era una cosa tan rara, tan espantosa, que me cuesta hasta explicarlo.

Y me da rabia conmigo mismo. Porque en el primer momento debí haberle pegado una patada en los *cocos* y salir corriendo, pero no lo hacía. Me paralizaba. Y reaccionaba a sus toqueteos. Eso era lo más horrible.»

Tensión familiar

Juan Carlos Cruz vivió una tensa relación con su madre, como consecuencia de los «consejos» de su director espiritual. Karadima inducía el distanciamiento de los jóvenes con sus familias. «Yo me rebelaba en contra de todo lo que me dijese mi mamá o mi familia y me alejaba cada vez más de ellos. Karadima me hacía mentir, decirle adúltera a mi mamá y nos recibía como héroes si los papás nos castigaban o no nos hablaban. Si te echaban de la casa, era el triunfo máximo. Era como que a propósito me hacía pelear con mi familia para quedarse conmigo.»

Admite que era «una situación muy extraña, porque adoro a mi familia, sin embargo me peleaba más que nunca con mi mamá y mis hermanos. Ahora miro hacia atrás y no entiendo cómo me aguantaban. Era como que de verdad quería que me echaran de la casa. El asco que sentía hacia mí por permitir todo esta situación con Karadima me hacía inconscientemente encontrar formas para que ellos me odiaran y finalmente se deshiciesen de mí».

Tan angustiada estaba Lorraine Chellew, la madre de Juan Carlos, con El Bosque y Karadima, que llamó al cura por teléfono y le pidió hora para hablar con él. «Él me dijo, "Juan Carlos, tu mamá va a venir a hablar conmigo mañana". Me quedé helado, porque mi mamá nunca hacía ese tipo de cosas sin decirme. Sin embargo, ella estaba tan preocupada, que lo llamó, y acordaron verse al día siguiente.»

Por sugerencia del cura, Juan Carlos no fue ese día a clases y llegó a la parroquia temprano. «Me pidió que me mantuviese escondido por si mi mamá llegaba antes de tiempo.»

Estaba asustado y «quería gritarle a ella por venir a meterse en algo mío. Karadima me decía que le dijera que era una adúltera porque salía con un hombre separado, y que si seguía así me iba a ir de la casa. Creo que fue demasiado para ella. Además, el ambiente en la casa se había vuelto una guerra constante y absolutamente insoportable, porque yo le daba la pelea todo el tiempo y cuando le contaba a Karadima, me decía: "Bien m'hijo, sigue así. Dile que es una adúltera". Él me decía que él era mi papá y que no me tenía que preocupar. Me daba un beso, y yo seguía pensando que él era la voluntad de Dios para mí».

Juan Carlos Cruz se sentía «héroe de las cruzadas», porque estaba «cumpliendo la voluntad de Dios» al pelear con su mamá. Admite que sus hermanos no lo soportaban «y mi pobre mamá ya no sabía qué hacer conmigo, porque yo siempre estaba llamándoles la atención porque consideraba que no eran buenos cristianos. Toda mi vida giraba en torno a Karadima y su voluntad».

—¿Cómo era la relación de los otros jóvenes con sus padres?

—Jaime y Gonzalo Tocornal cayeron en El Bosque y se apegaron mucho al cura. Su papá pasaba en el campo. Jaime entró al Seminario y Gonzalo tenía un conflicto en el sentido de que sus padres no querían que él fuera a El Bosque. Otro de los más cercanos, Jorge Álvarez, terminó viviendo en la parroquia. Jimmy y yo teníamos las situaciones que tú conoces. Diego Ossa pertenecía a una familia muy controladora, de acuerdo a la versión de El Bosque. Claro que —visto ahora—, igual que mi mamá, verían que le estaban llevando a sus hijos y los papás obviamente quieren protegerlos.

«El *modus operandi* de él era distanciarnos de la familia. Y nos dirigía nuestro comportamiento. Yo lo veía adoctrinando a alguno —"aleonando" en el lenguaje de El Bosque— sobre cómo tenía que hablar con su familia. Nos mandaba a "hacer teatrito" a la casa —así decía— y después volver», cuenta Juan Carlos Cruz.

Retiro en los benedictinos

Las imágenes del demonio se repiten en los recuerdos de quienes pasaron por El Bosque y han estado bajo el influjo de Karadima. De generación en generación.

Así también se observa en muchos de los testimonios que las salidas se han producido en «cámara lenta». A pesar de los abusos, de las imposiciones sobre obediencia y de las humillaciones que experimentaron. Retirarse y conquistar su libertad, para la mayoría, ha sido un proceso difícil, doloroso y largo. A veces muy largo.

Luis Lira dejó pasar doce meses desde el incidente en el dormitorio de Karadima, y el cura siguió siendo su director espiritual en ese tiempo. «Seguí pegado como un año», reconoce con su tono amistoso el diseñador que bajo la tutela de Karadima experimentó una crisis vocacional de proporciones que abarcó todos los aspectos de su vida.

Un día, en el verano de 1982, decidió ir a un retiro de tres días al monasterio de los benedictinos en San Carlos de Apoquindo, con el objeto de meditar sobre su situación y «a ver si cambiaba de dirección espiritual». Conocía al padre Gabriel Guarda, el superior de los monjes, porque era amigo de su padre. «Fue muy agradable la estadía allá arriba y me ayudó a reflexionar».

Tras mucho darle vuelta, tomó la decisión de dejar el Seminario y no seguir bajo la dirección de Karadima. Fue «muerto de susto» a conversar con él. «Me volvió a retar, me dijo que cómo se me ocurría, y me sacó a colación al demonio de nuevo. Insistió en que mi director espiritual era él y que tenía que hacerle caso solo a él». Pero, en esa ocasión, Lira le comunicó que no seguiría siendo su dirigido.

«Le dije "chao'. Por supuesto se enojó. Para él era muy escandaloso que yo me saliera del redil», comenta.

—Recapitulando, ¿cómo ocurrieron las cosas que te llevaron a tomar la decisión de irte?

—Primero fue el manoseo. Después de eso seguí como dirigido espiritual durante el 82, que era mi cuarto año de Seminario.

En ese tiempo me puse a fumar de nuevo, ya no iba todos los miércoles a El Bosque, y me llegaban retos. Mi rendimiento académico no era el que tenía antes. Había una serie de cosas que me decían que eso hacía agua y no daba para más.

Pero su despedida final demoró todavía un tiempo. Antes optó por hacer de nuevo los ejercicios de San Ignacio «para confirmar que mi decisión había sido bien tomada y que no tenía vocación ni para cura ni para monje ni para nada». Los efectuó con el sacerdote Juan Díaz, «quien se quedó sin vacaciones en el verano para atenderme a mí. Me hizo los ejercicios a mí solo en la casa de los novicios jesuitas que tenían en Hannover, en Ñuñoa. No recuerdo haberle contado esto del manoseo. No sé por qué razón. Tal vez porque yo no le hacía mucho caso a esto».

Entretanto, confiesa que le había tomado distancia a Karadima. «Me daba susto estar solo con él en su pieza.»

—¿Habías ido a su pieza con frecuencia antes?

—Sí, muchas veces. No me acuerdo si estábamos solos o no.

—¿Qué recuerdas tú de esa pieza?

—Era una habitación bastante cómoda, con su baño privado y tenía siempre muchas cosas nuevas, como equipos de música, cantidades interminables de casetes. Recuerdo que él no hacía nada. Todo el día empataba el tiempo. Nunca lo vi preparando una charla, tomando apuntes de algo o leyendo un libro.

—¿No les comentaba lecturas?

—No… Mi impresión es que era un gran burgués este cura. Le gustaba tener todo tipo de comodidades. Vivir en un buen barrio, tener su buen auto, estar bien contactado.

—¿Qué autos recuerdas que tenía?

—Un Volkswagen que según él era regalado por una fundación alemana, la Fundación Misereor, que se lo cambiaban cada tres años. Eso, a fines de los años setenta[6].

---

[6] La Fundación Misereor es una fundación de la Iglesia Católica alemana orientada a apoyar el desarrollo y luchar contra la pobreza y la inequidad social.

Sin saludos

Luis Lira se sintió liberado cuando dejó atrás El Bosque y el Seminario. Volvió a la universidad, está vez a Arquitectura en la Católica. Pero tampoco terminó. Dejó finalmente los estudios en 1985, el año del terremoto. «Tengo el síndrome de los cuatro años, duro cuatro años donde me meto», dice riendo.

Algunos de sus ex compañeros de la Pía Unión llegaron a obispos. Otros son párrocos de importantes parroquias de Santiago y se mantenían en el entorno más cercano a Karadima. Para ellos, el demonio se había apoderado de Luis Lira y no quisieron saber más de él.

—¿Qué recuerdas de tus ex compañeros? ¿Fuiste amigo de Andrés Arteaga en esos primeros tiempos de Seminario?

—No mucho. Conversábamos cuando nos íbamos en la micro para allá, de ida o vuelta, pero nunca estudié con él ni le pedí sus apuntes. Eran todos muy *yes man*. Cuando me salí, fui el primero de esa generación en descolgarme. Y fue un escándalo. Karadima les dijo a todos que yo estaba endemoniado, que no quería saber de nadie más que se saliera. Y después de mí se salió Sebastián Prado, hijo de la Paulina Ruiz-Tagle, que es Opus, una mujer encantadora. Y Sebastián, un siete también. Estaba un año más abajo que yo y se salió del Seminario seis meses después. Nos hicimos muy yunta los dos. Nos compramos unas motos y nos pusimos a estudiar en la universidad. Empezamos a hacer vida normal.

—¿Y de los otros compañeros qué puedes decir? ¿Cómo era Cristóbal Lira, el párroco actual de Lo Barnechea?

—Gente muy *yes man* de Karadima, muy piadoso, de rezar mucho. Hacía a pies juntillas todo lo que dijera Karadima, siempre lo defendía… Una persona como triste y cuando podía te echaba una talla pesada. No irradiaba ni felicidad ni paz; era muy cumplidor, muy machaca, muy moralista.

—¿Es pariente tuyo?

—Sí, pero no muy cercano. Él es hijo de Samuel Lira, el que fue ministro de Minería de Pinochet, y de Magdalena Salinas.

—¿A qué otros recuerdas?

—A Rodrigo Polanco, que llegó a ser rector del Seminario y ahora es vicedecano de la Facultad de Teología. Era buen alumno, pero muy neurótico, muy perfeccionista. En el Seminario, como rector echó a la mitad de los profesores y a la mitad de los seminaristas. Juan Debesa, que es disidente de El Bosque, me contó que cuando llegó Polanco lo echó después de hacer clases durante veinticinco años en el Seminario. Ese sí tenía vocación. Y está feliz y radiante, es muy buen amigo, muy divertido.

«Uno de mis compañeros, Jaime Tocornal Vial, el anterior cura párroco de Barnechea» —dice Luis Lira—, «no me saluda. Hace un tiempo nos encontramos en un funeral de la mamá de un amigo mío, Sergio della Maggiora, que era cura de El Bosque. Y cuando estábamos esperando que llegara el féretro, vi a Tocornal conversando con Antonio Fuenzalida, también de la Pía Unión. Y me acerqué a saludarlo. Aun en el contexto de un funeral, donde se supone que hay un cierto respeto, cuando vio que yo me venía acercando, se corrió».

Con Karadima, Luis Lira se encontró una vez a la salida de un edificio en Providencia, después de quince años. Iba solo y Lira también. No se hablaron.

Lo vivido en la parroquia había quedado para él como un terrible recuerdo. Hasta que un día supo que vendría una denuncia. Aceptó ser entrevistado en TVN. Y solicitó voluntariamente comparecer ante el fiscal Xavier Armendáriz, «pues quizá mi testimonio puede ayudar a esclarecer los hechos que se investigan», dijo en el tribunal de la nueva justicia. Por la misma razón aceptó gustoso entregarme para este libro sus vivencias de esos tiempos en que frecuentaba la iglesia colorada. «Mis motivaciones son el prevenir que no haya más víctimas de abuso sexual y psicológico, al menos de parte de Karadima», indica con firmeza.

Capítulo V

JUAN CARLOS Y EL TEJADO DE VIDRIO

El periodista Juan Carlos Cruz Chellew, director corporativo de Manpower Internacional, no trepida en calificar la historia de Fernando Karadima como «la mayor red de poder y abuso que hemos visto en la Iglesia Católica chilena». Por eso, cuando ya no esperaba mucho de su Iglesia —de la que sigue sintiéndose parte— se emocionó al conocer el fallo del Vaticano, el 18 de febrero. Su voz se quebró a través del teléfono cuando Canal 13 lo entrevistó ese día. Y no era para menos.

El solo hecho de que lo contactaran desde el canal que hasta mediados del año pasado controlaba la Pontificia Universidad y que apenas daba informaciones sobre este caso, marcaba una diferencia. Era su amiga de toda la vida, Pilar Rodríguez, la editora que se trasladó de Televisión Nacional al Trece después de la compra del grupo Luksic, junto al director de Prensa, Jorge Cabezas, quienes trataron de tomar el primer contacto con él, y lo lograron. Ya el peso de Andrés Arteaga, su antiguo conocido, que además de obispo auxiliar fue hasta el 7 de marzo vicegran-canciller de la Pontificia Universidad Católica, había disminuido. Esta vez no habría lugar para la censura en el denominado «canal católico», donde la universidad mantiene un 30 por ciento de las acciones. La voz de Roma era clara.

Su entereza y la necesidad de terminar con los abusos llevó un año antes a Juan Carlos Cruz a contactarse en Estados Unidos con organizaciones que ayudan a las víctimas en este tipo de situaciones y a aceptar entregar su testimonio en el *New York Times*, la CNN y a Televisión Nacional de Chile. Sus amistades y contactos fueron decisivos para que su caso y el de los otros acusadores de Karadima salieran a la luz pública.

«El abuso sexual que se ha dado en mayor o menor grado en las distintas personas es espantoso y no tiene nombre. Pero también hay otro asunto que puede no advertirse, porque uno se queda impactado por el abuso, los toqueteos y toda esa cosa, pero la red de poder que se ha establecido es astronómica», me decía Juan Carlos Cruz hace unos meses.

Contra todo eso ha batallado este ejecutivo de la importante transnacional que, tras la abrumadora pesadilla vivida en Chile, decidió tomar otros rumbos y se fue a vivir a Estados Unidos. Pero debieron pasar años antes de que se decidiera a dar los pasos que lo han llevado a ser la persona que es hoy, tanto en lo humano como en lo profesional.

Las regalías del «santo»

Juan Carlos Cruz calcula que Jimmy Hamilton llegó a El Bosque un año y medio o dos después que él, al comenzar los ochenta. En la parroquia se toparon y «nos caímos súper bien desde el principio. Jimmy, con sus estudios de Medicina, estaba muy ocupado durante el día y lo veía en las noches y los fines de semana. Él tenía más cercanía con el cura», cuenta.

—¿De todos ustedes era el más cercano?

—De los cuatro que presentamos las denuncias, sí, claro, porque fue presidente de la Acción Católica, porque estuvo tantos años y porque yo me fui al Seminario. Los otros estuvieron por períodos más cortos.

—¿Qué captabas tú en ese tiempo?

—Yo captaba bastante. Cachaba lo que me pasaba a mí y que a ellos algo les pasaba, porque los golpecitos en los genitales eran públicos y nos ocurrían a todos; los besos más «cuneteados», como los definió el fiscal —porque tú le dabas un beso y corría la cara—, y los más privados, como cuando decía «saca la lengüita», se daban cuando uno se quedaba solo en la pieza con él. Yo veía las cosas que veíamos todos, pero a Jimmy lo veía quedarse solo con él en la pieza.

Según Juan Carlos Cruz había otros predilectos que han estado entre los incondicionales de Karadima. «Pasaba mucho con Gonzalo Tocornal, que se quedaba solo con él, o con Juan Esteban Morales, el actual párroco de El Bosque, para qué decir…»

—¿Morales estaba entre los favoritos desde ese tiempo?

—Absolutamente. Él estudiaba Medicina y le tomaba la presión a cada rato. Siempre le han gustado mucho los médicos.

—¿Y cómo era esto de que le decían «santo» a Karadima?

—Uno a él le decía «santo» o «santito». No solo se hablaba de él como «el santo dijo» o «el santo quiere», sino que muchos le decían «oiga, santo, lo llaman por teléfono». Y, como te he contado, algunos le decían «rey». Y él nos decía a nosotros «ustedes son mis regalías».

—¿Mis «regalías»?

—Sí, «mis regalías». Nos decía: «¿Cómo están mis regalías?». O «ven, regalía». Ese tipo de cosas. Y él tenía sus «regalías máximas».

—¿Quiénes eran?

—La máxima «regalía» a nuestros ojos en esa época era Juan Esteban Morales. Antes había sido Jorge Álvarez, médico pediatra, pero fue menos, aunque retomaba su sitio cuando llegaba. El cura lo endiosaba absolutamente y él lo sabía. También era un tipo buenmozo, rubio, de ojos azules.

—Era bastante usual ese perfil entre sus «regalías»…

—Sí, a él le gustan los rubios con ojos azules. Es su *target*, pero también había entre los preferidos algunos morenos, como Diego Ossa o Juan Esteban. Si llegaba Juan Esteban, su regalía máxima, nos teníamos que ir todos de la pieza. El mismo cura nos echaba y se quedaba solo con él.

—¿Decía que tenía que conversar con él?

—Es que era tan normal ya, que no necesitaba decir nada.

—¿Morales era su regalía máxima incluso cuando estaba Jimmy?

—Jimmy también era de las regalías máximas, lo mismo que Gonzalo Tocornal y Jorge Álvarez.

Recuerda Juan Carlos Cruz que «dentro de los más encumbrados y más cercanos miembros de la Acción Católica» había todo tipo de rangos: «Los que entraban a la pieza, los que salían con él por el fin de semana o los que viajaban con él».

Ensayos y agradecimientos

Y en esa «organización» cada uno sabía dónde estaba ubicado y lo que le correspondía hacer en el día a día. No todo era rezar ni ayudar misas.

Dentro del séquito que siempre rodeaba a Fernando Karadima, sus jóvenes discípulos realizaban diferentes funciones, según el rango que les asignaba. «Estaban los que se iban después de la reunión, los que llegaban a tomar té, los que se quedaban a comer, los que entraban a la casa de su mamá —que vivía en una casa pegada a la parroquia—, los que entraban a su pieza, los que le hacían su cama, los que le daban los remedios, los que se iban un poco más temprano, los que se quedaban hasta que se dormía y los que llegaban al día siguiente temprano, y empezaba todo de nuevo», describe Juan Carlos Cruz.

Karadima salía de su pieza tipo nueve y media de la mañana y lo tenían que estar esperando a la salida de su habitación, cuenta. «Normalmente éramos desde uno hasta tres. Corríamos con él por los pasillos de la parte interior de la parroquia hasta llegar a la puerta trasera de la casa de su mamá», señala. El cura acostumbraba tomar desayuno con su madre y los jóvenes debían esperarlo de nuevo para «volver a su pieza corriendo tras él», y decidía «quién lo acompañaría a hacer las compras de música, al doctor, a ver a algún sacerdote o a esperarlo mientras iba a la reunión de decanato. Los de más confianza íbamos con él o nos quedábamos haciéndole la pieza, ordenando, haciendo la cama, barriendo, limpiando».

Juan Carlos Cruz indica que entre las costumbres de la parroquia era fundamental el reconocimiento explícito que debían dar los discípulos a su director espiritual.

Cada vez que iba un sacerdote de la diócesis a dar una charla a El Bosque, «había que hacer un ensayo general y se determinaba quién hablaba». Era habitual que Karadima invitara a sacerdotes «que criticaban a la parroquia para que escucharan de primera mano las maravillas contadas por los mismos jóvenes. ¡Para qué decir cuando venía un obispo o el propio arzobispo! Los ensayos generales eran brutales y pobre del que dijese algo estúpido o se le olvidase mencionar al padre», cuenta Cruz.

Recuerda que «siempre había que decir que el padre se quedaba hasta altas horas de la noche confesando y dirigiendo espiritualmente. Que estaba solo y que, sin embargo, lo hacía sin ninguna queja y un sinfín de maravillas más».

Con la mirada de hoy, Juan Carlos anota: «Yo no sé por qué no me chocó tanta mentira. El padre no se quedaba nunca confesando hasta tarde, después de las reuniones se iba a comer a la casa de alguien o comía con todos en el comedor gigante de la parroquia, y después él y solo los elegidos subían a su pieza a ver televisión».

Afirma el periodista que vio caer en desgracia a mucha gente por no cumplir los designios del cura. «En muchos casos esto era para siempre, y en El Bosque decían que "estaba con el demonio". Si se trataba de uno de los preferidos, se te aplicaba la ley del hielo por unos días para que te sintieras muy mal. Las palabras que todos temíamos del padre Karadima, eran: "Te quiero mucho m'hijito, pero te he perdido la confianza". Eso era peor que la condena al Infierno».

«Uno luchaba por mantener la cercanía con el padre y cosas como esa te hacían descender en el escalafón», indica Juan Carlos Cruz. «Además, como estabas en desgracia, todos tus amigos te trataban como tal. Era verdaderamente terrorífico vivir algo así, porque todo lo que uno buscaba lograr se destruía. Sin embargo, después de salir de ese estado, se te decía que esto ayudaba a la humildad».

Un romance que no fue

El extraño ambiente que se vivía en El Bosque producía inquietantes sensaciones. Para Juan Carlos Cruz, después de los toqueteos y los besos «cuneteados» que empezaron en 1981, las cosas fueron de mal en peor.

Confundido entre su afán por ser sacerdote, sus dudas sobre su sexualidad y el amor que creyó sentir por una niña que frecuentaba la parroquia, el joven confiaba sus problemas a Karadima en busca de orientación.

«María Angélica Errázuriz Gubbins era preciosa, un año menor que yo. Ella estaba en tercero medio en Las Ursulinas y yo en cuarto medio en el Saint George. A mí me encantaba, me moría por ella. De ahí mi confusión», cuenta Juan Carlos Cruz.

«Era obvio que los dos nos queríamos, pasábamos juntos. Yo le pregunté al padre, mi director espiritual, su opinión, porque yo quería pololear con la Angélica y estaba seguro que ella me iba a decir que sí.» Pero —dice— «era tan increíble la manipulación que ejercía Karadima que me respondió que no era la voluntad de Dios, que yo tenía que conservar mi vocación sacerdotal». Por su parte, María Angélica le dijo al cura que ella quería pololear con Juan Carlos. «Pero él, a su vez, le señaló que no era la voluntad de Dios para mí ni para ella. Y le propuso que pololeara con Diego Ossa, mi mejor amigo en ese momento.»

—¿Manejaba a ese nivel las relaciones de ustedes?

—Todo, absolutamente. Dentro del grupo íntimo comentaba, por ejemplo, «la Angélica creo que quiere a Diego…» y para mí era un dolor grande, porque a mí me gustaba y él sabía que a ella yo le gustaba, pero insistía en que «no era la voluntad de Dios».

Pero como a María Angélica tampoco le gustaba Diego, no pololeó con él. «Después se la presentaron a Enrique Uribe, un abogado, amigo de Roberto Ossandón, de Juan Pablo Bulnes, como doce años mayor. Y a los diecinueve años se casó. Estuvo veinte años casada y tiene unos hijos maravillosos. Después se separó y se anuló», relata Juan Carlos.

Dice el periodista que Karadima lo confundía, lo dominaba y le ponía trabas a su relación con Angélica, pero a la vez lo amenazaba con el tejado de vidrio por su posible homosexualidad. «Para mí habría sido bien sano pololear y experimentar como cualquier adolescente, pero él no me autorizaba. Y después, confesándome en su pieza, seguía con sus prácticas…»

Hoy Angélica Errázuriz es una de las mejores amigas de Juan Carlos. La ve cuando viene a Chile y ella, que conoció El Bosque por dentro en sus años adolescentes, le dio todo su respaldo en la denuncia contra el ex párroco.

—¿En qué momento te diste cuenta de que eras homosexual?

—Hasta el momento de mi amor por la Angélica no había hecho nada gay, pero tenía pensamientos en ese sentido. Vine a salir del clóset el año 1995. Era un conflicto espantoso para mí. Fue de las cosas más difíciles de mi vida. Desde la época de Karadima tenía algunas dudas y profundos conflictos. Estaba asustado y eso me sobrepasaba. Le conté a él cosas que las usaba en contra mía. Y me decía que tenía «tejado de vidrio». Él siempre usaba eso, pero cuando se puso peor el asunto fue después de una situación que ocurrió cuando yo tenía unos dieciocho años.

Bajo amenaza

No recuerda si había terminado el colegio o estaba por salir, cuando una noche en 1981 estaba con otro joven —de nombre Guillermo—, quien «tenía por lo menos doce años más que yo. Era muy cercano al cura, un tipo de buena pinta, alto, de buena familia, y el cura se fue a comer con tres integrantes de la Acción

Católica, como hacía siempre. Y como yo ya estaba en el círculo interno, me dijo: "Tú y el Guille me van a buscar a la comida". Él siempre hacía eso; llegaban dos o tres a comer y cuatro o cinco a buscarlo. Entonces las dueñas de casa sabían que debían tener algo para darle al séquito que llegaba después».

—¿Siempre eran jóvenes los del séquito?

—Sí, en su tiempo lo formaban Andrés Arteaga, Juan Barros, todos ellos actualmente obispos o curas, y en mi época, Juan Esteban Morales, Diego Ossa, Gonzalo Tocornal y yo, entre otros.

Karadima había arreglado dentro de la casa parroquial una de las piezas que usaban los curas, con un baño, para que dispusieran de ella los jóvenes. «Me quedé con Guillermo en esa pieza. Creo que no había televisión, pero estábamos echados conversando. Yo era trece años menor que él, lleno de dudas, y él me empezó como a hacer cariño, a manosear... Nunca me había pasado nada parecido y se me vinieron las culpas más horribles. Para mí esto significaba las penas del Infierno. Y le pedí que nunca le contara a nadie.»

A los pocos días, sin embargo, el joven se sintió traicionado cuando Guillermo le dijo: «Le conté todo al padre y él ya me dio la absolución, pero quiere que tú te confieses con él». Juan Carlos no paraba de llorar. Angustiado, se fue a confesar con el cura. «Me preguntó: "¿Pero Carlitos, qué pasó?". Yo seguía llorando, con hipo. Y le decía: "Espero que esto no afecte mi vocación". Él me respondía: "Cuéntame cómo lo hicieron", y me hacía preguntas para averiguar detalles: "¿Y derramaste tú? ¿Y Guillermo derramó?". Yo quedé para adentro. Después de decirme que lo que habíamos hecho era una "falta a la pureza", me dio la absolución. Pero yo me quería morir.»

—¿No siguió la historia con Guillermo?

—No, yo me alejé totalmente. Él se casó, ya más viejo.

Después de ese episodio, «la vida siguió normal, pero muchas veces me ocurrió que mientras estaba yo conversando con alguien, Karadima con Guillermo me miraban y se reían burlonamente. Incluso el cura gritaba en voz alta de un lado a otro del comedor, "¿Carlitos, qué pasó?", y Guillermo lo celebraba», cuenta Juan Carlos Cruz, quien con esa alusión se sentía humillado y muy extrañado de que su secreto de confesión fuera ventilado de esa forma.

«Se me tiró al dulce»

En su declaración ante el fiscal Xavier Armendáriz, Guillermo Ovalle Chadwick, agricultor de 56 años, afirma que frecuentó la parroquia El Bosque entre 1976 y 1993, cuando se fue a vivir fuera de Santiago, «pero hasta hoy asisto esporádicamente y tengo buenos amigos allá»[1].

Defensor acérrimo del «padre Fernando», a quien caracteriza como «una persona muy correcta, que ejerce en una buena forma su ministerio sacerdotal», asegura que no puede creer las acusaciones «que se han levantado en su contra». Su experiencia con Karadima ha sido totalmente distinta, según manifestó al fiscal. Lo percibe —asegura— como «un hombre de bien y que ha despertado muchas vocaciones debido a la intensidad con que se ha entregado todos estos años a su labor sacerdotal».

Niega que el ambiente de El Bosque haya sido de «gente sometida o privada de voluntad». Y, por el contrario —señala en su declaración—, «toda persona que va allá puede ejercer su libertad y seguir los caminos que libremente elija».

Indica Guillermo Ovalle que conoce a James Hamilton, y no entiende su comportamiento. «Ha tenido problemas en su vida y eso puede explicar su actitud de levantar las acusaciones que ha hecho», mencionó. No obstante, ante la pregunta del fiscal respecto de si lo consideraba una persona mentirosa cuando lo conoció, respondió que no.

---

[1] Declaración de Guillermo Ramón Ovalle Chadwick, nacido el 3 de marzo de 1953, casado, agricultor, ante el fiscal regional Xavier Armendáriz.

En su declaración, Guillermo Ovalle admite haber conocido a Juan Carlos Cruz, y a continuación intenta una explicación que parece poco sostenible, considerando la diferencia de edad entre los protagonistas del episodio vivido en El Bosque: «Una vez se me "tiró al dulce", lo que le conté al padre Karadima». Lo curioso es que agrega: «Tampoco, aparte de esto, tenía de él una imagen de una persona mentirosa».

Más complicaciones

Un tiempo después, a fines de 1982 y comienzos de 1983, Cruz vivió en El Bosque otra historia que contribuyó a hacer más frágil «el tejado de vidrio» aludido por Karadima.

Juan Carlos Cruz se hizo muy amigo de Gonzalo Tocornal Vial, el presidente de la Acción Católica de entonces. «Como Gonzalo tenía problemas en su casa, porque lo fregaban porque pasaba todo el día en la parroquia, Karadima lo mandaba a "hacer el teatrito". Gonzalo y yo nos empezamos a acercar, me pedía que lo acompañara a Buin, a su campo, y yo lo acompañaba», cuenta Juan Carlos.

Y confiesa que «me empecé a dar cuenta de que nos gustaba estar juntos. Yo lo esperaba que saliera de la pieza del cura a las dos de la mañana y él me llevaba a mi casa, porque vivíamos al lado. Hasta que el padre me convidó a ir a Europa con él».

El asunto continuó durante unos meses, pero «nos provocaba conflicto lo que nos estaba pasando. Y, a la vez, pensábamos ser curas. Tenía una tremenda confusión y Karadima me confundía aún más. Hasta que un día Gonzalo me dijo: "Me confesé y le conté todo al padre Fernando". Si lo de Guillermo había sido horrible, para mí esto lo superaba aún más. Sentía que se acababa mi vida. Fui donde el cura otra vez angustiado. Y me empezó a preguntar de nuevo las mismas cosas y qué hacíamos. Después me señaló: "Esto es muy grave, Carlitos, pero continúa siendo humilde y obediente, y creo que por ahí a lo mejor se solucionará", y me dio la absolución».

Juan Carlos se sentía desesperado. Yo dije: «Ah, aquí me echaron de la parroquia, que era mi vida y mi razón de ser en esa época». Karadima no lo echó, pero cada vez que podía le recordaba que tenía «tejado de vidrio». Pasó a ser este secreto de confesión el arma de chantaje para someter al joven de diecinueve años que aún soñaba con ser sacerdote.

Negaciones y careos

Nieto del connotado empresario Carlos Vial Espantoso, Gonzalo Tocornal era uno de los preferidos de Karadima. Presidió durante varios años la Acción Católica y hasta hoy se mantiene cercano a la parroquia. Su hermano Jaime —sacerdote de la Pía Unión— estaba en esa época en el Seminario. Gonzalo Tocornal, Juan Esteban Morales y Jorge Álvarez eran considerados «rango número uno» en el entorno de Karadima al comenzar los ochenta.

Ingeniero agrónomo, casado y domiciliado en Vitacura, Gonzalo Alejandro Tocornal Vial, hoy de 49 años, declaró el 5 de mayo de 2010 ante el fiscal Xavier Armendáriz. En la oportunidad afirmó que desde que tenía diecisiete, a fines de los setenta, está vinculado a la parroquia El Bosque y «hasta el día de hoy voy a misa allá y a otras actividades como reuniones de matrimonios»[2].

En su declaración fue tajante: «Definitivamente no creo que sean ciertas las acusaciones que se hacen en contra del padre Karadima, dado que en todos estos años no he visto ni oído de nadie ningún comentario o circunstancia que me pueda llevar a pensar en interacciones sexuales del padre con nadie». Además, argumentó, «a la parroquia va mucha gente, él constantemente anda con varias personas y no es de encerrarse en privado con nadie». Y agrega que «cuando participaba más, iba a su pieza sin avisar y nunca vi nada inapropiado o que se pueda relacionar con lo que se investiga».

---

[2] Declaración de Gonzalo Alejandro Tocornal Vial, nacido el 26 de febrero de 1962, casado, ingeniero agrónomo y empresario, 5 de mayo de 2010, ante el fiscal regional Xavier Armendáriz.

Declaró que a quien más conocía de los denunciantes «es a James Hamilton, que le decimos Jimmy. Yo fui presidente de la Acción Católica antes que él, fuimos bastante cercanos, aunque hemos perdido contacto hace unos años», señaló Tocornal ante el fiscal.

Sin embargo, afirmó que su testimonio no le parecía creíble: «No me logro terminar de explicar por qué él puede haber inventado algo así; me lo explico porque Jimmy es de personalidad fuerte, manipuladora, bastante temperamental; lo relaciono con conflictos de él relacionados con el tema o la historia de su padre, su fracaso matrimonial, el hecho de que no fue sacerdote u otros conflictos semejantes». Aunque admite que «en todo caso, para ser exacto, nunca vi que fuera una persona mentirosa ni tampoco creo que lo mueva un interés económico, lo veo como conflictos personales de él».

El párrafo dedicado a su antiguo amigo Juan Carlos Cruz apunta en el mismo sentido: «Lo conozco, iba a la parroquia y trató de ser sacerdote, fuimos amigos un par de años». Lo calificó de «algo infantil» y «de poco carácter». Y agregó: «No sé por qué habrá dicho lo que señala como abusado por Karadima, aunque él no era mentiroso, ni tampoco veo que busque dinero con esto. Él se fue a vivir a Estados Unidos, donde entiendo se siente más cómodo para hacer su vida. No me parece que haya sido amigo de Hamilton».

Nada dice de la historia relatada por Cruz en su declaración referido al «tejado de vidrio» con que Karadima lo amedrentaba. Tampoco quedó registrada alguna referencia en el careo sostenido entre ambos el 11 de mayo de 2010 ante el fiscal Armendáriz. En la ocasión, Tocornal ratificó su declaración anterior: «Jamás he visto una conducta indebida del padre Karadima, ni alguna conmigo, menos que él diese golpecitos en los genitales a los jóvenes ni que diese besos indebidos o lo hiciese conmigo».

Regaloneos episcopales

Juan Carlos Cruz, sin embargo, confirmó lo que ya había denunciado el 7 de mayo de 2010 ante el fiscal: «La costumbre del padre

Karadima de tocar a los jóvenes en los genitales por encima de la ropa, incluso en público, era frecuente, y de dar besos medio "cuneteados". Eso vi personalmente que lo hizo con Juan Esteban Morales Mena —hoy párroco de El Bosque—, Diego Ossa Errázuriz, Jimmy Hamilton Sánchez, Gonzalo Tocornal Vial, Guillermo Ovalle Chadwick, Francisco Prochaska, Samuel Fernández Eyzaguirre y Hans Kast Rist. Lo que yo vi, lo hacía con jóvenes de su círculo más íntimo».

Esa mañana, horas antes de ir a declarar ante el fiscal Xavier Armendáriz, Juan Carlos Cruz me aseguró: «Yo lo vi besando a Juan Esteban y a Diego Ossa, y lo voy a declarar hoy en el proceso». Y así lo hizo.

En esa declaración menciona también Juan Carlos Cruz que a algunos los «regaloneaba», en el sentido de que «ponían la cabeza en el pecho de Karadima». Los aludidos son dos altas autoridades de la Iglesia chilena: Tomislav Koljatic Maroevic, obispo de Linares, y Juan Barros Madrid, actual obispo castrense.

«Tales conductas del padre Karadima efectivamente ocurrieron, era una costumbre suya, incluso con Gonzalo Tocornal acá presente», reafirmó el periodista en el careo[3] efectuado ante Armendáriz.

Gonzalo Tocornal replicó en esa oportunidad: «No es efectivo lo que escucho, respecto de golpecitos en los genitales ni a mí, ni a nadie que yo sepa. A lo más, el padre, en una situación de grupo, para apurarnos o algo semejante, me habrá dado un golpecito en el trasero, pero nada que fuese ni remotamente relevante».

Entre dudas y conflictos, y a pesar de su «tejado de vidrio», Juan Carlos Cruz logró finalmente entrar al Seminario Mayor de Los Santos Ángeles Custodios en Santiago.

---

[3] Careo ante el fiscal regional Xavier Armendáriz, entre Gonzalo Tocornal Vial y Juan Carlos Cruz Chellew, 11 de mayo de 2010.

Seis jóvenes «listos»

Para Fernando Karadima, la designación del arzobispo Juan Francisco Fresno Larraín por Juan Pablo II, en mayo de 1983, fue motivo de alegría[4]. «Al nuevo arzobispo, un hombre bonachón y manipulable, se le consideraba "amigo de El Bosque". Y tras diversas reuniones y horas de politiquería se logró nombrar a uno de los discípulos de Karadima, Juan Barros Madrid, como su secretario personal», recuerda Juan Carlos Cruz.

«Juan Barros era uno de los cercanos a Karadima, no el preferido, pero bastante próximo y muy manejable», puntualiza Cruz. «Con eso, El Bosque adquirió acceso directo a todas las decisiones de la Iglesia de Santiago.»

Hacia 1984 —relata— había un grupo de unos seis jóvenes «que estábamos listos para entrar al Seminario. Karadima nos decía todo a último minuto, nadie podía hacer planes a futuro porque nuestro ingreso dependía de cuando "Dios lo dispusiese". Ese sería el día de nuestra entrada».

El grupo lo constituían Hans Kast Rist, Samuel Fernández Eyzaguirre, Javier Barros Bascuñán, Diego Ossa Errázuriz, Salvador Gutiérrez Isensee y Juan Carlos Cruz Chellew.

Karadima continuamente invitaba a la parroquia a sacerdotes y «les mostraba a todos estos jóvenes listos, como él decía, estudiando carreras universitarias, de buenas familias… Le encantaba decir eso a todo el mundo. Sin embargo, nos seguía usando como un yo-yo político. Es decir, nos mostraba y decía todo eso, insinuaba que éramos increíbles vocaciones, pero que no nos mandaría al Seminario a no ser que cambiara todo. Se habló incluso de armar un Seminario nuevo, pero la idea fracasó».

Finalmente —cuenta— «nos invitaron a la casa del cardenal, donde nos presentó y le dijo a monseñor Fresno que ese sería

---

[4] El arzobispo Juan Francisco Fresno Larraín, que había sido arzobispo de La Serena desde 1967, reemplazó al cardenal Raúl Silva Henríquez. Fresno tomó posesión de su nuevo cargo en 1983. Fue arzobispo de Santiago hasta 1989, cuando renunció por razones de edad. Lo sucedió monseñor Carlos Oviedo Cavada.

el regalo de El Bosque a la Iglesia y al nuevo arzobispo. Pero, al mismo tiempo, le planteaba que había mucho que cambiar. El cardenal le aseguró que las cosas cambiarían. Había un nuevo rector, el padre Juan de Castro, a quien Karadima no quería nada, pero lo consideraba mejor que a Pereira».

En esa época entró como formador del Seminario Rodrigo Polanco, quien aún no se ordenaba sacerdote. «Polanco es desde ese tiempo uno de los cerebros detrás de la máquina de Karadima», según Juan Carlos Cruz, quien recuerda que Andrés Arteaga, otro de sus más significativos hombres de confianza, también se desempeñaba en esa función pedagógica.

Juan Carlos Cruz estaba feliz de que lo hubieran aceptado en el Seminario, «que Dios me hubiese llamado a algo tan grande. Sentía que tenía la vida por delante y una pasión increíble por entregarme a Dios, a la Iglesia. Me sentía seguro, pensaba que el padre Fernando velaría siempre por mí y que era cosa de echarle adelante y caminar hacia Dios».

En ese estado de ánimo, no tuvo espacio para una mirada más crítica. No le pareció extraño que le dieran instrucciones precisas para seguir en su nueva etapa. «Empezamos todo nuestro adoctrinamiento preSeminario. Se nos dijo que íbamos a estar controlados por Rodrigo Polanco, ya que él iba a vivir con nosotros como formador de todos los seminaristas de primer año en la casa del Propedéutico en Las Rosas. Se nos advirtió que la fidelidad a El Bosque y al padre Fernando debía ser incorruptible.»

Agrega que Karadima les explicó que tenían que escoger a un director espiritual en el Seminario. «Había cuatro opciones, pero nos dijo que solo podíamos elegir entre dos. Nos indicó que hablásemos con ellos solo de cosas generales de espiritualidad, pero nada sobre El Bosque, ni del padre Fernando, ni de nuestras cosas íntimas. Todo eso quedaba para los domingos, cuando fuéramos del Seminario directo a la parroquia y nos confesáramos con él.»

El ingreso de Juan Carlos Cruz y los otros cinco seminaristas al recinto de La Florida, en Walker Martínez 2020, fue finalmente el 3 de marzo de 1985. Esa tarde, cuando un terremoto sacudió la zona central de Chile, los jóvenes salieron corriendo de la Iglesia. Los vidrios rotos traspasaban como flechas los bancos de madera. Una nueva etapa se iniciaba así, enmarcada con extraños signos, en la vida de Juan Carlos Cruz.

Capítulo VI

CANTERA DE VOCACIONES

La oficina pequeña y austera del sacerdote que me recibe contrasta de inmediato con los salones y salitas de la parroquia El Bosque, donde hasta hace unos meses residía Fernando Karadima, rodeado de lujos y atenciones. El contrapunto habla de las diferencias que puede haber en la Iglesia Católica chilena. Tantas como la brecha que separa a los grupos económicos más poderosos de los sectores pobres del país. Lo curioso es que esta parroquia también se llama Sagrado Corazón. Pero no se ubica en Providencia, sino en la Alameda abajo, muy cerca de la Estación Central, en un populoso barrio santiaguino, entre edificios de poca altura mal cuidados y locales de cualquier cosa que compiten con los numerosos comerciantes callejeros.

Mi interlocutor tiene ochenta años, los mismos que Fernando Karadima, a quien conoció en la Facultad de Teología hace más de seis décadas. Es el padre Alfonso Baeza, ex vicario de Pastoral Obrera y después de Pastoral Social y hasta 2010 vicepresidente de Caritas Chile, uno de los pocos sacerdotes que no pidió *off the record* ni manifestó temores para conversar sobre el polémico cura de El Bosque, meses antes de que se supiera el fallo de Roma.

En su reducto en las dependencias parroquiales hay espacio solo para un escritorio, unos artesanales muebles con libros, su computador y dos sillas. En la muralla destaca un retrato del padre Alberto Hurtado.

Alfonso Baeza Donoso ya era ingeniero civil de la Universidad Católica cuando entró al Seminario a estudiar Teología a la misma UC. Recuerda que en su tiempo ingresaron muchos jóvenes con formación universitaria. Entre sus compañeros estaba el sacerdote Mariano Puga Vega, que había estudiado Arquitectura y después se hizo «cura obrero». Y Juan de Castro Reyes, quien estudió Medicina antes de entrar al Seminario y después Psicología. De Castro llegó a ser decano de la Facultad de Ciencias Sociales de la Universidad Católica y en tiempos de Pinochet fue rector del Seminario y vicario de la Solidaridad[1]. Ambos provenían de los sectores más acomodados del país, lo mismo que el propio Alfonso Baeza, quien prefirió ser cura diocesano y no seguir los pasos de su hermano Francisco, uno de los primeros sacerdotes que el Opus Dei reclutó en Chile.

No era de esos Karadima. Ni por familia ni por formación universitaria el cura de El Bosque se parecía a Alfonso Baeza, a Mariano Puga ni a Juan de Castro.

De sorpresa en sorpresa

Alfonso Baeza recuerda que lo veía llegar a la Facultad de Teología de la Universidad Católica proveniente de El Bosque, a fines de los años cincuenta.

Para el ex vicario de Pastoral Social, conectado desde años con el mundo de la curia, fue una sorpresa gigantesca todo lo ocurrido con Karadima. Nunca había escuchado antes nada sobre abusos sexuales, en El Bosque, dice.

«No tenía idea de toda esta cuestión. Cuando una periodista me llegó a preguntar, casi me caí del asiento. Me lo topé este año, antes de que se denunciara esta situación. Nos vimos en el oculista, iba al mismo doctor que yo, en la Clínica oftalmológica

---

[1] Fray Juan de Castro Reyes nació en 1933, estudió en el Colegio de los Sagrados Corazones de Santiago. Tras egresar en 1950, entró a Medicina en la Universidad de Chile, donde estuvo hasta 1955, cuando ingresó al Seminario. Fue ordenado sacerdote en 1961. Se doctoró en Teología en Roma y posteriormente estudió Psicología. Fue decano de la Facultad de Ciencias Sociales de la Universidad Católica y profesor de esa facultad y de Teología. El cardenal Raúl Silva Henríquez lo nombró vicario de la Solidaridad y estuvo en ese cargo entre abril de 1979 y diciembre de 1983. Después fue rector del Seminario Mayor. En 2002 tuvo un cambio en su actividad religiosa y entró a la orden de los dominicos. Murió de cáncer en 2007.

Los Andes», dice Alfonso Baeza, quien gracias a los contactos de su hermano Francisco —explica— se atiende en ese centro vinculado al Opus Dei. «Y llegó Karadima mientras yo estaba esperando. Lo hicieron pasar antes que yo. Lo acompañaba un señor que hacía de chofer.»

También fue sorpresivo para Baeza que Karadima llegara a ser quien fue en términos de poder e influencia en la Iglesia Católica. Según él, no pintaba para eso en sus tiempos de estudiante.

Baeza entró a Teología en 1957. «Fernando era un tipo muy piadoso que siempre andaba con un rosario en la mano y en todos los temas poniendo a Dios en todas las cosas. Lo encontrábamos beato.» Pero confiesa que, en esa época, a ojos de sus compañeros no brillaba por su talento.

«Era un gallo muy sencillo», señala Alfonso Baeza. «Teníamos la impresión de que era poco dotado.» Por eso —dice— «la sorpresa para nosotros fue lo que pasó con él después, el poder que fue adquiriendo y la escuela que fue forjando».

Prehistoria de la Pía Unión

El presbítero Alejandro Huneeus había sido el brazo derecho del cardenal José María Caro, el primer cardenal que tuvo Chile, quien fue ungido en 1939, bajo el gobierno del presidente Pedro Aguirre Cerda. Alfonso Baeza conoció a Alejandro Huneeus, figura gravitante de la Iglesia chilena de esos años. «Don Alejandro, que era vicario general del Arzobispado, era un hombre de gran personalidad, y "muy piadoso".»

Baeza recuerda también que El Bosque «antes de ser parroquia era un hogar sacerdotal». La parroquia como tal nació en 1948. Su primer párroco fue monseñor Alejandro Huneeus y lo siguió su discípulo Daniel Iglesias Beaumont.

Según Baeza, la impronta piadosa de Huneeus —impulsor de la Pía Unión del Amor Misericordioso— caracterizaba a los sacerdotes de El Bosque. Además de Daniel Iglesias, que era profesor de Sagrada Escritura, menciona a «Jorge Yacks, que fue capellán del hospital Barros Luco durante muchos años», y a otro sacerdote «que le decíamos El Pajarito Errázuriz».

Por esos signos insólitos que rodean esta historia, dignos de una novela de realismo mágico, hay dos sacerdotes que con el nombre de «Francisco Javier Errázuriz» han jugado un rol significativo en la vida de las víctimas de Fernando Karadima: el cardenal Francisco Javier Errázuriz Ossa, y el confesor Francisco Javier Errázuriz Huneeus.

—¿El mismo Francisco Javier Errázuriz que ha vivido con Karadima todos los últimos años y que confesaba a los jóvenes? —le pregunto al padre Baeza.

—Debe ser ese. Uno delgadito, mayor que nosotros, era ya sacerdote en ese tiempo. En ese grupo tenía mucha influencia don Alejandro Huneeus.

Con cierta ironía acompañada de expresivos ademanes, Alfonso Baeza describe: «Todos eran de esos que andan con las manitos por aquí arriba [imita el gesto de cura con las manos juntas en actitud permanente de oración] o con el cogote ladeado [también hace el movimiento]. El Pajarito creo que debe haber sido Errázuriz Huneeus o algo así».

En efecto, Francisco Javier Errázuriz, el cura «Panchi», como lo conocieron después los jóvenes de El Bosque y los empleados de la parroquia, era sobrino de Alejandro Huneeus.

«El más suelto», a juicio de Baeza, era Daniel Iglesias, «que ya era cura y casi contemporáneo de don Alejandro». Mientras estudiaba Teología —aclara— Karadima vivía en El Bosque. «No estaba en el Seminario, sino en la Pía Unión. Yacks y El Pajarito y todos ellos eran parte de la Pía Unión e iban a estudiar Teología a la facultad de la Universidad Católica, como lo hacían los mercedarios o los de otras congregaciones».

Y agrega: «Así como nosotros íbamos desde Apoquindo, donde estaba el Seminario Mayor en esa época, ellos iban desde El Bosque, donde vivían como comunidad, a la Facultad de Teología en La Alameda, frente a lo que es hoy el Centro Cultural Gabriela Mistral».

«Teníamos cuatro años de Teología», explica Baeza. «La diferencia que había entonces es que los del Seminario salían después de ese período y los que no lo eran, tenían que hacer una tesis».

Sentido de imitación

En prédicas y conversaciones, Fernando Karadima vinculaba su vocación al padre Alberto Hurtado, el segundo santo de la Iglesia chilena[2], con quien dice haber trabajado alrededor de diez años antes de iniciar sus estudios teológicos. El santo jesuita habría sido su «director espiritual» y, en cierto modo, este antecedente fue durante años un aval de presentación ante los jóvenes que llegaban a El Bosque en busca de orientación.

El padre Alfonso Baeza supo también «que había en él, consciente o inconscientemente, un sentido de imitación al padre Hurtado». Pero comenta que «el padre Hurtado no era tan dominante, a pesar de que se puede decir que generó un montón de vocaciones. El padre Hurtado fue famoso por sus retiros y las vocaciones que despertaba».

—¿Será cierta esa cercanía de Karadima con el padre Hurtado?

—Es posible que sí, pero no en cuanto a una preocupación más social, como la que puedo tener yo o muchos otros sacerdotes cercanos al padre Hurtado. Al parecer, Karadima toma el lado místico de un sacerdote muy piadoso que dirigía espiritualmente a mucha gente. Pero para nada el aspecto sociopolítico del padre Hurtado.

Alfonso Baeza también habla del padre Hurtado a los jóvenes, «pero cuando uno les habla del padre Hurtado les señala que su camino de santidad está relacionado con su aspecto social. He usado seguramente el otro lado de la moneda. Porque el padre

---

[2] La primera santa fue Santa Teresa de Los Andes, canonizada el 21 de marzo de 1993.

era un gran predicador de retiros, un gran director espiritual que influía en mucha gente, pero al mismo tiempo se jugó por la cuestión sindical, por los más débiles, fundó la revista *Mensaje*, él se preocupaba de la acción de la Iglesia en el sentido transformador del Evangelio y en conexión con la sociedad».

Cortados por la misma tijera

Hacia finales de los años setenta, el cardenal Raúl Silva Henríquez era arzobispo de Santiago y Alfonso Baeza era vicario de Pastoral Obrera. Fernando Karadima seguía en El Bosque, aunque todavía no era párroco. No obstante, ya se advertía como un cura con influencia. Se empezaba a hablar de los «Karadima *boys*», haciendo alusión a los «Chicago boys», tan mentados por esos años. Comenzaron en ese tiempo a entrar cada vez más jóvenes de El Bosque al Seminario. «Y jóvenes universitarios de esa clase alta que no son de mente muy abierta. En ese sentido uno llegaba a decir "alguna gracia tiene este gallo". Uno se extrañaba de tanta influencia».

«Lo que uno captaba y escuchaba es que todos los Karadima *boys* eran cortados por la misma tijera», dice Alfonso Baeza. «Todos los que son párrocos, por ejemplo, hacen una permanente referencia al padre Hurtado, pero en su parte más asistencial, no en la faceta en que fue conflictivo con la gente de la derecha, sino el padre Hurtado limpiecito, con el Hogar de Cristo, la piedad sacerdotal, la veneración a la Virgen María y la adoración al Santísimo, todo eso muy fuerte.»

Recuerda que un día, siendo vicario de Pastoral Obrera, visitó la parroquia San José de la plaza Garín, en la zona oeste de Santiago, y vio que al lado del altar tenían una capilla para el Santísimo en el tabernáculo. «Y había gente joven en adoración al Santísimo. Lo mismo que hacía Karadima en El Bosque. Y esto era en una parroquia muy popular. Me parece que era Jaime Tocornal el que estaba ahí. Debe haber sido por el año 1980.»

Según Alfonso Baeza, todos los discípulos de Karadima son así. «En Santa Clara, donde estaba Javier Manterola, tenían el mismo estilo. Todos eran muy religiosos, pero no se metían para nada en la parte social, siempre separando, haciendo la dicotomía entre lo religioso y la realidad social. Eso es muy característico de ellos, aunque estuvieran en esas parroquias de sectores populares.»

—En los años setenta y ochenta, cuando empezaban a disminuir las vocaciones sacerdotales, el hecho de que Karadima fuera desarrollando esta fábrica de novicios, ¿lo hacía ser bien mirado por la Iglesia?

—Claro. Uno pensaba que si despertaba tantas vocaciones, eso tendría que tener algo de obra de Dios. Como él era tan devoto de la Virgen María y del Rosario —el Rosario y la adoración al Santísimo eran como sus dos bases fundamentales, según decía— y se empezó a ver esta proliferación de gente que entraba al Seminario, uno decía "algo tendrá que tener Fernando y no debe ser para nada de tonto ese gallo."

—¿Esa percepción la compartía otra gente dentro de la Iglesia?

—Creo que sí, porque nadie se atrevía a criticar a Karadima en ese tiempo, salvo que uno lo criticara pastoralmente, porque no entraba en la conflictividad social.

—¿Se advertía esa característica más espiritualista y conservadora del pensamiento de Karadima en ese tiempo?

—Sí, pero nunca he sido muy cercano a esa gente, yo no iba nunca al sector alto, así es que no tenía una percepción directa.

—¿No veían como un problema la posición conservadora y la influencia de Karadima dentro de una Iglesia que era más progresista?

—No, el problema tal vez empezó cuando comenzó a tener más autoridad en el Seminario. Nos empezó a preocupar a algunos de nosotros que tuviera tanta influencia. Y se fue generando una división en el Seminario entre los que eran de El Bosque y los que no lo eran.

—¿En qué época?

—Desde los ochenta y hasta hace poco.

Influencia perdurable

Para Alfonso Baeza, una de las cosas que más llamaba la atención «es que la influencia de Karadima perdurara después de que los seminaristas ingresaban. Si yo ayudaba a alguno a entrar al Seminario, no seguía después con él. Podía ir a verlo o me iban a ver alguna vez, pero no existía esa dependencia tan grande. En cambio, entre estos "gallos" sí. Los seminaristas de El Bosque solo recibían instrucciones de Karadima y eso era muy impresionante. Y eso generaba distancia hacia los bosquianos».

El periodista Juan Carlos Cruz confirma las palabras del padre Baeza con sus propias vivencias. «Karadima había mandado ya a varios jóvenes al Seminario; los criticaban porque no se integraban, porque vivían para El Bosque y el padre Fernando, y no para la Iglesia de Santiago.»

Cuenta Cruz que él veía a los seminaristas de El Bosque ir y venir y reunirse con el cura incluso antes de que ingresara en el Seminario. «Como era de los que estaban cerca, escuchaba lo que decían. Él los "aleonaba" —término de El Bosque— y les decía cómo tenían que portarse. Cuando entré en el Seminario, viví las mismas cosas.»

Los seminaristas llegaban escondidos los miércoles a la parroquia —cuenta Cruz— y algunos sábados y domingos. «Siempre se iban en grupos chicos para que nadie los viera, y evitar así alimentar lo que ya se decía de ellos, que no se integraban.»

«Karadima hacía alarde —continúa Cruz— de que él mandaba los mejores seminaristas, que el Bosque era un hervidero de vocaciones y que quería hacer a la Iglesia de Chile arder con sus vocaciones por los cuatro costados. Que algún día estos jóvenes serían obispos y transmitirían todo lo que él les había enseñado.»

Tarjetas de negociación

Jimmy Hamilton, quien entró en El Bosque en 1983, también recuerda desde entonces que «Karadima mandaba sacerdotes al Seminario». Era su manera —dice— de tener un control. «Este es mi semillero, respétenme, yo corto el queque. Y si me molestan, no mando ninguno.»

«Eso ocurría —dice— en momentos en que las vocaciones sacerdotales escaseaban y Karadima mandaba de repente una oleada de siete jóvenes al Seminario para ser sacerdotes, lo que significaba que casi un tercio de los postulantes eran de El Bosque», indica.

Juan Carlos Cruz afirma que el cardenal Raúl Silva Henríquez, quien debió dejar su cargo de arzobispo de Santiago en 1983, nunca fue santo de la devoción de Karadima.

También recuerda esa tensión Jimmy Hamilton: «Entonces llegaba el cardenal Raúl Silva Henríquez a comienzos de los ochenta o el rector del Seminario y no les aceptaba ninguna cuestión. Si no, no les enviaba seminaristas o los sacaba y los mandaba al seminario de los Legionarios de Cristo, como muchas veces amenazó hacerlo».

Una vez, Hamilton fue con Karadima a una casa de los Legionarios en La Florida. «Llegamos y nos entrevistamos con los curas. Y nos explicaron que ellos trabajaban mucho la voluntad y nos dieron una charla. A Karadima no le gustó mucho el voluntarismo del que hablaban y nos retiramos. Y empezó a tantear otros terrenos donde poder derivar las vocaciones, si es que no era al Seminario Pontificio. Era su arma de negociación.»

Un mundo diferente

Dentro del Seminario, Juan Carlos Cruz empezó a compartir con otros jóvenes. Y, como él dice, eso le cambió la mirada. Sus compañeros venían de diferentes partes y de las más variadas experiencias religiosas. «Para mí, fue un shock, porque yo estaba acostumbrado a que la fe y las expresiones de fe que yo aprendía en El Bosque eran la suma verdad.» Rodrigo Polanco estaba ahí «para decirnos qué hacer y cómo mantenernos fieles a Karadima. Pero me empezaron a caer bien muchos de mis compañeros y me empecé a hacer amigo de mis formadores», cuenta el ex seminarista.

En forma especial recuerda al padre Cristián Caro, «al que había conocido hace un tiempo y veraneaba en Algarrobo, igual que yo. Cristián siempre fue un tipo excelente, riguroso en sus prédicas y acertado en los consejos, sólido en su doctrina y no le venían con cuentos. Empecé a ver que los mejores curas no eran los de El Bosque, que la Iglesia tenía muchos sabores y gustos, y que todos contribuían. Creo que mis compañeros apreciaban esto en mí y muchos se hicieron amigos míos. Incluso había uno que era muy humilde y había sido el *caddy* de mi abuelo en el Club de Golf. Me hablaba de don Armando y lo bueno que era, eso me daba mucha vergüenza».

Así, Juan Carlos Cruz rompió las barreras y empezó a contar con nuevos amigos. Algunos también venían del barrio alto, dice, «pero eran gente abierta como Álvaro Vilaplana, Eduardo Howard, Rodrigo Tupper, Tomás Scherz. Me mostraron un mundo distinto. Me tocó ver lo del padre André Jarland en La Victoria, cosas que no me habría imaginado».

Con honestidad, Juan Carlos Cruz admite hoy: «Nunca en mi vida hasta ahí había salido de Las Condes. A lo más, había ido a Pudahuel para tomarme un avión a Europa. Vivía en una burbuja. Y yo cambié absolutamente. No me puse tan radical como para ingresar al Frente Patriótico Manuel Rodríguez, pero se me abrió la mente y me liberé de todo lo que arrastraba. Ahora soy más liberal, demócrata en términos de Estados Unidos, pero igual tengo todavía algunas cosas de conservador, aunque me he ido abriendo». Y cuando veo todo esto —reflexiona— «me pregunto cómo en El Bosque los curas pueden pensar de una manera tan distinta. Entiendo que ese cambio de perspectiva se relaciona también en gran medida con mi caída en desgracia para ellos, porque fui haciendo estos amigos; ellos no soportan a quienes disienten de lo que ellos predican». Por eso —afirma— «las redes de poder de Andrés Arteaga, de Juan Barros, me han tocado».

El paseo dominical

Cuando entró al Seminario, como todos los Karadima *boys*, Juan Carlos Cruz debía seguir yendo a El Bosque en sus días de salida. «El domingo, después de misa y desayuno, uno se podía ir a la casa», explica. Pero «los de El Bosque teníamos que partir todos a la parroquia a ver al padre. Llegábamos tipo diez y media y teníamos que ayudar en la misa de once y estar presentes en la de doce, que la decía Karadima. Antes, había que tratar de confesarse con él o quizás oír una arenga de cómo había que ser fiel y cómo él lo había sido al padre Hurtado y a sus directores, y así había llegado adonde estaba».

En esas ocasiones no faltaba el recuerdo del demonio. «Nos recordaba cómo el diablo estaba muy presente, buscando como león rugiente a quién devorar. Nos decía que lo que más le gustaba era destruir la obediencia que a su vez destrozaba la vocación. Nosotros escuchábamos atentos y nos recargábamos para la siguiente semana de Seminario.»

—¿Veían a la familia?

—Me empecé a dar cuenta de que si los papás venían a la misa de Karadima, me podía ir con mi mamá terminada la misa y no tenía que quedarme como muchos a que «el santo» los despachara. Le rogaba a mi mamá que me fuese a buscar. A ella no le gustaba la misa de Karadima y le cargaba cuando se acercaba el padre y le decía que era una santa por entregar un hijo a Dios y que se le acercaran todos mis compañeros a decirle cosas. Era parte de toda la máquina para mantener a las familias contentas y hacer cundir la hipocresía. Yo perpetuaba eso con tal de que mi mamá me fuera a buscar para irme lo más luego posible a la casa. Me encantaba almorzar con mi familia.

Claro que Juan Carlos Cruz reconoce que en esa época todavía «era un fanático y trataba todo el tiempo de evangelizar a mis pobres hermanos y a todos en la casa. Y lo hacía con el hacha de Karadima, con su arrogancia y sintiéndome que yo estaba al otro lado y que venía a salvarlos. Por supuesto, mi familia me quería y aceptaba, pero seguro me encontraban si no raro, un loco... y con razón».

La tarde dominical la pasaba en la casa, y ya a las seis estaba haciendo la maleta para llegar a El Bosque tipo siete y participar en la misa de ocho. «Comíamos con "el santo", recibíamos más doctrina, hablábamos con el que estaba descarriado esa semana, y seguíamos adelante. Ahí nos tomábamos la micro para el Seminario, donde había que llegar antes de las once de la noche. Los miércoles también podíamos salir en las tardes, pero eso no se lo debíamos decir a la familia, porque era sagrada la visita a El Bosque, donde pasaban casi las mismas cosas que los domingos.»

Entretanto, la vida en el Seminario continuaba para Juan Carlos Cruz. El contraste con la figura de Karadima lo marcaban para él otros sacerdotes como Vicente Ahumada, Juan de Castro y Sergio Correa, y entre los jóvenes de entonces, además de Cristián Caro, recuerda con aprecio a Pedro Ossandón —actual obispo auxiliar de Concepción—, Cristián Contreras —obispo auxiliar de Santiago—, Francisco Astaburuaga, Tomás Scherz, Eduardo Howard, Rodrigo Tupper —actual vicario de Pastoral Social. «De cada uno de estos personajes aprendí tanto y me ayudaron en momentos difíciles. Esto sacaba roncha en el Bosque y Polanco se aparecía a cada rato a retarme por algo. Me llamaba la atención porque era muy amigo de fulano o me había reído mucho con mengano.»

Para los bosquianos, en los ochenta el clima se enrarecía en la medida en que tomaban contacto con otros curas o seminaristas ajenos a la influencia de Karadima. «Te imaginas la angustia que me producía vivir en un constante estado de que te iban a delatar, y nosotros nos protegíamos, pero uno nunca podía confiar mucho en los otros, porque con tal de hacer méritos también te podían delatar. Era un sistema de constante autodefensa y de destrucción de tu libertad».

Juan Carlos Cruz era buen alumno y era querido en el Seminario. Sin embargo, afirma que Rodrigo Polanco, «que oficiaba como funcionario de una policía secreta, me vivía encontrando faltas que me hacían sentir mal. Me acusaba cada cierto tiempo a Karadima y me tenía que humillar delante del "santo", oyendo sus filípicas sobre cómo yo era inmaduro y que no podía lograr la santidad con tanto amigo y que le debía fidelidad solo a él. Se encargaba de recordarme lo que él sabía de mí y que mi vida dependía de él. Yo prometía fidelidad y el miedo me mantenía "fiel" a El Bosque y sus mandatos por un tiempo; pero pronto volvía a estos amigos que había encontrado que me hacían ver una Iglesia tan distinta y libre. Vivía, así, una suerte de doble vida, y Karadima a veces me insinuaba que podía estar gustándome alguna de esas personas y que debía separarme de ellos».

En su declaración ante el fiscal Xavier Armendáriz, Juan Carlos Cruz enfatizó: «Mi conducta en el Seminario fue intachable, nunca se me castigó por nada y nadie me puede imputar algo indebido en esa época».

Vicarios y obispos

Ajeno a lo que sucedía dentro de la parroquia de Providencia, el padre Alfonso Baeza advertía que los sacerdotes de El Bosque iban tomando más relevancia dentro de la curia.

«Después que Juan Barros fue nombrado secretario de Fresno, empezaron a designar en cargos importantes a otros miembros de este grupo. Horacio Valenzuela, el actual obispo de Talca, fue vicario de la zona oeste. Después conocí a Andrés Arteaga, que pasó a ser obispo auxiliar de Santiago y el arzobispo Francisco

Javier Errázuriz lo puso también de vicegrancanciller en la Universidad Católica», señala.

«Tomás Koljatic tiene una relación estrechísima con Karadima. Y me imagino que Juanito Barros también. Y en el Seminario había sacerdotes que dirigían que también eran de El Bosque, como Rodrigo Polanco, que llegó a ser rector», comenta Alfonso Baeza.

—Parece que con Fresno tuvieron su primer tiempo muy halagador...

—Claro, Fresno era muy piadosito. Con él empezaron esos nombramientos de vicarios de zonas de los de El Bosque, y después continuaron con Carlos Oviedo.

—¿Ustedes no sabían que dentro de la parroquia El Bosque se juntaba Karadima con el nuncio Angelo Sodano?

—No, no tenía idea... Por eso será que hay tantos obispos de El Bosque. Pero los nuncios consultaban, así es que deben haberle preguntado su parecer a un sacerdote que tenía tanta influencia.

—Se interpreta entonces que la cantidad de vocaciones de Karadima eran una suerte de arma de presión, una «tarjeta de presentación» que usaba para influir...

—Claro. Yo creo que hacía eso.

—¿Ustedes abordaban estos temas?

—Comentábamos «siguen nombrando obispos de El Bosque»; por supuesto que llamaba la atención.

—Y dentro de esos comentarios, ¿les parecía derechista la línea de El Bosque?

—Sí, desde luego. No se veían tan sólidos como el Opus Dei, pero de derecha de todas maneras.

—¿Qué opinión tienes de Rodrigo Polanco, actual vicedecano de la Facultad de Teología?

—No lo conozco mucho, pero la otra cosa que tienen los de la Conaf —así les decíamos también a los de El Bosque en alusión a la Corporación Nacional Forestal— es que son muy educados. Te tratan a ti con un afecto notable. Y en eso está creo la influencia de don Alejandro Huneeus, que costaba imaginar que fuera hacer un pelambre.

—¿Y a Samuel Fernández, que fue decano, lo conoces?

—Sí, tiene las mismas características, un tipo muy educado, muy caballero. Samuel ha sido un investigador del padre Hurtado, ha sacado muchos libritos.

—Todos se los dedica a Karadima, su director espiritual...

—Y una de sus características es que no profundiza nunca en lo social del padre Hurtado. Muy poco. Se nota la onda de El Bosque en estas cosas. Puede ser muy buena su investigación, pero ha destacado siempre al padre Hurtado en el aspecto de la oración, de la santidad entendida como tradicionalmente se hace, como un sacerdote místico y caritativo, pero no como él lo fue y nada sobre justicia. El padre Hurtado decía que la caridad empieza donde termina la justicia.

Bacarreza y el diablo

Una de las historias casi legendarias entre los ex integrantes de la Acción Católica es la disidencia de uno de los cinco obispos formados por Fernando Karadima con su ex director espiritual: Felipe Bacarreza. «Un tipo brillante —dice Juan Carlos Cruz—. Se fue a Roma a estudiar cuando ya era sacerdote. Al poco tiempo, empezó a trabajar en la curia en Roma y le fue increíblemente bien. Sin embargo, no fue lo mismo en el Bosque.»

La leyenda dice que Fernando Karadima pregonaba que a Felipe Bacarreza, uno de los primeros sacerdotes nacidos de su semillero, «se le había metido el diablo» en los años ochenta. Juan Carlos Cruz asegura haber escuchado a su ex director espiritual proferir esa sentencia, a la vez que lo calificaba de extremadamente orgulloso.

Jimmy Hamilton agrega más antecedentes a la historia del actual obispo de Los Ángeles: «Fue uno de los primeros sacerdotes de El Bosque y tenía dirigidos espirituales, entre los cuales se encontraba Francisco Gómez[3]. Entonces se produjeron unos celos espantosos de Karadima con este sacerdote que es mucho más inteligente que él y empezó a aumentar la rivalidad». Bacarreza se fue a Roma, donde se doctoró. Se quedó en Roma hasta que fue nombrado obispo. Fue obispo auxiliar de Concepción y rector de la Universidad Católica de la Santísima Concepción, pero se alejó de El Bosque. «Karadima y los de El Bosque nos decían que también se le había metido el demonio. Que se puso orgulloso, porque "tanta ciencia ahí en Roma lo había vanagloriado". No es parte de esta maquinaria. Karadima lo consideraba "medio loquito", nos decía. "Muy inteligente, pero loquito, m'hijo, ensoberbecido." Cualquier persona que se le cruzara en el camino a Karadima era una persona que descalificaba. Alguien que a él le desagradara o que le llevara la contra en lo más mínimo.»

Recuerda Juan Carlos Cruz: «Las relaciones entre Karadima y Felipe se congelaron, y cada vez que venía a Santiago e iba a El Bosque teníamos que ser cordiales con él, pero por ningún motivo dirigirle la palabra. Nada de amistad con él o cercanía. Yo le tenía terror, porque no sabía qué pasaba, ya que nunca supe el meollo de la pelea, salvo lo del orgullo. Yo conocía a su hermano, Juan Carlos Bacarreza; era de mi edad y me caía excelente, fue uno de mis primeros amigos en los veraneos en Concón, donde ellos tenían casa. Y por supuesto que sabía de este hermano cura que le decían Pilo. Sin embargo, para mí y los de El Bosque, era Lucifer».

Cuando Juan Carlos estaba en el Seminario, el padre Felipe Bacarreza fue invitado a celebrar misa y tomar desayuno con los seminaristas de primer año. «Por supuesto Karadima supo esto de inmediato por Polanco, que informaba todo. Ese domingo se nos advirtió en la parroquia que por ningún motivo nosotros

---

[3] Francisco Gómez Barroilhet fue una de las primeras personas que intentó denunciar a Fernando Karadima, junto a otros jóvenes de El Bosque en 1984, según consta en su declaración ante el fiscal Xavier Armendáriz efectuada el 12 de mayo de 2010. Más antecedentes en capítulo IV: «El demonio y el Seminario». Gómez declaró ante la ministra en visita Jessica González, el 28 de marzo de 2011.

debíamos hablar con Bacarreza, ni hacerle preguntas, ni la menor observación. Además, en el Seminario, Polanco fue pieza por pieza a reafirmarnos la prohibición de acercarnos a Bacarreza.»

Terminada la misa, Juan Carlos fue a su habitación a dejar sus libros. Se demoró unos minutos y llegó tarde al comedor. Todos estaban sentados. Los de El Bosque —recuerda como si fuera ayer—, bien lejos cada uno en mesas distintas, pero muy distantes de Felipe, tal como les habían ordenado sus jefes. «En eso, veo que el padre Cristián Caro me llama y me dice: "Juan Carlos, siéntate acá". Y era justo la mesa donde estaba sentado Bacarreza. Bajo la mirada atenta de Polanco y de todos mis amigos de El Bosque, me tuve que sentar a tomar desayuno con ellos. Fui amable, hablé cuando correspondía, pero no dije nada de lo que considerarían inapropiado. Al terminar el desayuno, me despedí y me fui a clases sin saber lo que me esperaba.»

Bajo vigilancia

Tras el hecho, Polanco llamó con rapidez a Karadima para informarle cómo había sido el encuentro con Bacarreza, relata Cruz. «Y aprovechó de acusarme porque me había sentado con Felipe y los demás. Se le dio la orden inmediata de hablarme fuerte y duro. Como a las dos de la tarde, llegó Polanco a mi pieza. Me dijo que quería hablar conmigo y que fuéramos al lago, porque ahí era tradicionalmente donde nos llevaba para que nadie oyese lo que estábamos conversando. ¡Para qué te cuento la que me llegó! Desde llamarme traidor hasta que el padre Karadima estaba tan dolido conmigo. Me decía que hasta cuándo yo iba a hacer mi voluntad, que era un rebelde, que tenía que rezar más, porque con toda claridad no estaba haciendo lo suficiente y el diablo me estaba tomando entero. Me dejó increíblemente preocupado y angustiado. No pude dormir. Solo pensar en que todavía me quedaba enfrentarme a Karadima me daba dolor de estómago.»

Llegó el día del encuentro con el párroco. «Yo iba armado de un sinfín de excusas y disculpas por mi "mal actuar"; varios ya sabían de mi "maldad" y no me hablaban o me daban consejos para obedecer mejor. Karadima me ignoró —cosa común con el que está en desgracia— y al final me trató con dureza, me repitió lo del tejado de vidrio... yo le pedí perdón y seguimos adelante. Pero este episodio que surgió a partir de una situación tan simple sembró algo en mí que me ayudaría en los años siguientes a salirme de esta secta.»

Pero faltaba aún tiempo para que Juan Carlos Cruz perdiera el temor a todo lo que implicaba El Bosque para él. «Los meses siguientes se me hicieron difíciles a causa de Rodrigo Polanco, a cada minuto vigilaba mis acciones. Lo peor era que tenía acceso a las reuniones de formadores, donde se discutía tu caso, tu desarrollo, lo que te faltaba... Obviamente eso significaba línea directa con Karadima, así que aprendí a cuidarme y cuando hablaba con algún formador lo hacía de manera que ellos discutiesen lo menos posible en la reunión donde estaba Polanco.»

Y describe otra situación que fundamenta el apelativo de «secta» que da a la convivencia de El Bosque: «Por desgracia, una manera de subir en el escalafón ante Karadima era delatar a otros. Mis amigos que entraron conmigo al Seminario se convirtieron en informantes, y no solo respecto de mí, sino también en relación con ellos mismos. Nadie podía vivir en paz. Y lo triste es que uno pensaba que eso era tu vida, eso era lo que te había tocado y había que vivir con eso. Sin darme cuenta, me ponía cada día más triste y esa felicidad enorme de estar haciendo la labor que Dios me pedía, se disipaba».

Don Vicente vetado

Una de las personas que más lo ayudó en esa dura etapa —cuenta el ex seminarista— fue monseñor Vicente Ahumada, «uno de los grandes apoyos que he tenido en mi vida». Por aquel entonces, bordeaba los ochenta años y gozaba de un gran respeto intelectual. «Sin embargo, no lo podíamos tener de director espiritual, ya que Karadima lo tenía vetado», dice Juan Carlos Cruz.

«De a poco don Vicente me empezó a mostrar lo que era la verdadera santidad, lo que significa ser humano. Aceptar las caídas que te hacen mejor. Que Dios te quiere a pesar de todo lo que uno considere malo. En fin, una teología de amor y tan humana que me cautivó. Pasábamos horas hablando de Santa Teresa, de los benedictinos, de la contemplación, de la humanidad... Me enseñó a quererme y a aceptarme con todas mis faltas. No tengo palabras para decir los que este hombre santo hizo por mí», señala.

Pero como percibía los ojos vigilantes encima, Juan Carlos Cruz trataba de ver al padre Ahumada en secreto, «para que nadie de El Bosque me acusara. Evitaba sentarme en la misma mesa en las comidas y almuerzos para que nadie me llamara la atención».

Cuenta que, «escondido de los de El Bosque, iba a las Carmelitas, donde el padre Ahumada celebraba misa. Ellas son mis amigas hasta hoy, y me presentaron a las oblatas que él fundó. Sin embargo, esto no podía durar mucho y me pillaron. Me acusaron a Karadima y se me prohibió ser amigo de don Vicho».

Pero esta vez Juan Carlos no obedeció. «Seguí siendo su amigo y más encima le pedí que fuese mi director espiritual. Él no era para nada tonto y sabía que yo le hablaba de los peces de colores en mis confesiones y charlas espirituales. Sin embargo, él siempre se las ingeniaba para hacerme ver la fe libre, la Iglesia libre y mi propia vida en libertad. De a poco, me fui sincerando con él y le conté sobre las presiones de El Bosque y que me sentía tan atrapado.» Pero el temor persistía: «Nunca hablé mal del padre Karadima, porque sentía que él de alguna forma me podría pillar».

En medio de esas tensiones, la salud de Juan Carlos Cruz se deterioró. Se le complicó una cirugía de apendicitis. Se fue a cuidar a su casa, pero no mejoraba. «Mi cuerpo, como si supiese, empezó a llenarse de infecciones y heridas que no sanaban. Me operaron varias veces y la herida no se curaba», indica. «El padre

Fernando no quería que estuviese en mi casa con mi mamá, pero los médicos y el rector del Seminario me pedían que me quedara en la casa para que me cuidaran bien.»

Cuando iba a conversar con Karadima —recuerda Juan Carlos—, «apenas me preguntaba por mi salud, pero me hacía insinuaciones sobre cómo tenía que ser leal, porque él tenía tanta información mía».

La angustia se hizo cada vez más fuerte. Sentía que no daba más. «Decidí que me quería suicidar», confiesa. «Pensé en tantas formas de hacerlo, pero ninguna me convencía. Pensé en tratar de no mejorarme de mis heridas e infecciones, y así eso sería una muerte digna y se hablaría de este pobre que se murió y Karadima nunca más me podría amenazar, dirigirme la vida, tenerme de rehén, tocarme y darme besos. Pensé que si él pretendía dañarme, podría decir mi secreto, pero yo ya no estaría ahí para ser rechazado y quedarme solo».

No obstante, el joven seminarista logró salir adelante, dejando atrás las ideas suicidas. «Quería mucho a mi familia. Mi mamá no se recuperaría nunca de mi muerte, y a mis hermanos, aunque peleábamos harto, los quería mucho para hacerles eso. Después pensé también que no iba a dejar a Karadima salirse con la suya y lograr lo que durante tanto tiempo había tratado conmigo y con otros: sacarnos de nuestras familias y dedicarnos solo a él.»

Juicio en El Bosque

Un episodio decisivo para Juan Carlos Cruz ocurrió el 25 de octubre de 1987. Se estaba reintegrando de a poco al Seminario después de su enfermedad y antes de salir recibió un llamado para una reunión en El Bosque.

Se fue de su casa a la parroquia antes de partir al Seminario. «Cuando subí a la pieza de Karadima para saludarlo, me mandaron a la capilla para que rezara porque el santo quería hablar conmigo. Esperé en la capilla y sentí sus pasos. Entré a una de las salas donde me esperaban todos mis compañeros del Seminario que pertenecían a El Bosque, un grupo de doce personas, bastante intimidante. Al padre Fernando lo rodeaban todos como en un semicírculo; había una silla al medio para mí, como en un juicio», relata.

Registra en su memoria los nombres de casi todos los presentes: Andrés Arteaga, Rodrigo Polanco, Juan Barros, Javier Barros, Samuel Fernández, Diego Ossa, Salvador Gutiérrez, Andrés Ariztía, y algunos más. «Ese día empecé a ser un nuevo "traidor" para El Bosque.»

Karadima tomó la palabra «diciendo que esto era por mi bien y que nadie le había dicho nada, pero que todos creían que debía hablar conmigo», recuerda Juan Carlos Cruz. «Empezó a indicarme que mi conducta dejaba mucho que desear. Que no era leal a El Bosque, que tenía muchos amigos que no eran de la parroquia, que no estaba rezando suficiente y que yo le debía todo a El Bosque y a mi padre espiritual que me había dado tanto.»

Mientras escuchaba a Karadima —señala Juan Carlos Cruz—, «pensaba en toda la preparación que hay detrás de algo como esto y cómo el padre personalmente prepara o "aleona" —por usar su término— a alguien que va a enfrentar a otro porque se ha salido de la "correcta doctrina" que es actuar como lo manda El Bosque. Yo pienso que estaba todo urdido y organizado, porque yo lo había hecho a otras personas. Él te prepara y dice: "Tú m'hijito dirás esto y esto y esto otro y yo no diré que he hablado con ustedes". Él instruía antes sobre lo que tenían que plantear».

«El padre seguía con su discurso. Decía que mi enfermedad era una excusa para no estar por completo dedicado a El Bosque, mientras yo estaba sentado muriéndome de enfermo sin saber qué hacer. Se me vino todo al suelo. Y escuché las palabras tan repetidas en otras oportunidades: "Mira, Carlitos, tú tienes tejado de vidrio y tú sabes muy bien por qué. Yo voy a ir al Seminario a contar esto para que te echen si tú no cambias y te vuelves absolutamente obediente a mí otra vez. He sabido que estás de amigo de otro sacerdote, supe que te confiesas con el padre Vicente Ahumada"», continúa Juan Carlos Cruz.

«Yo seguía muerto, por lo que él sabía y lo estaba hablando delante de todos esos otros. Y los otros me miraban fijamente», agrega.

En su memoria está grabado, como que hubiera ocurrido hace unas horas, ese «juicio», como él lo llama. No puede olvidar la gran sala circular y los más de veinte ojos clavados en él.

Después de hablar el cura —recuerda—, tocó el turno a cada uno de los sacerdotes presentes de la Pía Unión. El hoy cuestionado Diego Ossa —dice— abrió el fuego: «Es que tú no rezas suficiente y estás siendo muy infiel al padre Fernando que te ha dado todo, es nuestro padre espiritual», manifestó según Cruz. Otro espetó: «Tú estás muy amigo del padre Cristián Precht, de Rodrigo Tupper y te ríes mucho con ellos y ellos critican a El Bosque y al padre». Uno de más allá le enrostraba que no estudiaba suficiente, y el «acusado» tenía un promedio de 6,7 en el Seminario.

Ante las críticas, «me quedé helado frente a todo lo que ocurría. Tenía un miedo horrible, no solo porque me podían echar del Seminario, sino por lo que Karadima me dijo y las insinuaciones sobre cosas que sabía en confesión. Estaba aterrado por mi reputación y lo que dirían mis amigos y mi familia. Delante de todos prometí cumplir con lo que se me estaba pidiendo y pedí públicamente perdón. ¿De qué? Nunca supe… pero bien humillado delante del grupo, pedí perdón. Y le dije: "Padre, yo le debo todo a usted", como querían que dijera».

Esa noche de vuelta al Seminario, Juan Carlos Cruz no durmió ni una pestañada. «Esperé una hora decente para que el padre rector Juan de Castro despertara y le fui a golpear la puerta para pedir su ayuda y saber qué hacer ante esta situación que me estaba matando.» El rector se portó muy bien, dice Cruz.

«Le conté de toda la manipulación de El Bosque, menos de los abusos sexuales. Entonces me dijo ándate a la pieza de don Vicente, cuéntale a él, no vayas a misa ahora, yo me voy a encargar. Fui a ver a don Vicente y también le conté. Ese mismo día tuvieron reunión de formación. Y como Polanco y Arteaga eran formadores del Seminario se enteraron de inmediato que yo había contado. Y fueron donde el cura Karadima y le dijeron que yo había hablado con De Castro y Ahumada. Entonces el párroco dio la orden de que ninguno de El Bosque me hablara nunca más en el Seminario.»

Y la sentencia fue cumplida: «Yo caminaba por uno de esos eternos pasillos y cuando me topaba con uno de El Bosque me daba vuelta la cara. Yo me sentía enfermo, angustiado. Pero, por otro lado, en esa época estaban Tupper, Fernando Chomali —que después no se ha querido quemar ayudando a víctimas, porque como tantos, está en una carrera por el poder—, y otros amigos; y mi verdadero padre espiritual, don Vicente Ahumada. Ellos me apoyaron mucho.

Los de El Bosque no le hablaron más —dice—, aunque muchos de ellos eran sus amigos desde los quince años. «A partir de ese momento me ignoraban. Y la única vez que recibí alguna comunicación fue cuando Andrés Arteaga se me acercó y me dijo que el padre Karadima estaba muy dolido y que yo le había hecho mucho daño. A pesar de ser formador del Seminario, se portó pésimo conmigo y obviamente me hablaba solo cuando era necesario.»

Secreto de confesión violado

Pero las tribulaciones no terminaban para Juan Carlos Cruz en su acontecido paso por el Seminario. Después del «juicio» del 25 de octubre de 1987 en la parroquia El Bosque, el rector Juan de Castro y el padre Vicente Ahumada lo mandaron llamar. «Dos semanas después me llamó el padre Juan a la pieza de don Vicente. Y él me dijo: "Quédate muy tranquilo por lo que vas a oír, pero te tenemos que decir algo". Me dijeron que había llegado una carta escrita por Juan Barros, entonces sacerdote y secretario de monseñor Fresno. Juan Barros se la había dado a Fresno y el arzobispo la mandó al Seminario.»

La carta era una bomba de tiempo que al final rompía el mentado «tejado de vidrio» tan temido por Cruz. El rector del Seminario, Juan de Castro, se la mostró. «En ella decía que dos jóvenes de la Acción Católica fueron a hablar con el padre Juan Barros para decirle que Juan Carlos Cruz había hecho intentos de seducirlos, que los había acorralado o algo así. Como Karadima tenía secreto de confesión sobre lo que yo le había contado que no era precisamente eso, es posible que los dos "jóvenes" fueran manipulados por Karadima para hablar con Juan Barros.»

«¿Y esto es verdad?», le preguntó Juan de Castro. «Yo le respondí, "padre, algo hay, pero no fue así". Me dijeron que me creían. Yo no me había atrevido a contarle a nadie los abusos ni toqueteos de Karadima. Ni a ellos. En esa época nadie me iba a creer, pensaba yo.»

De Castro y Ahumada, según Cruz, hablaron con monseñor Sergio Valech, «quien intervino para que no me echaran del Seminario. Se portó súper bien».

Juan Carlos Cruz concluye: «Karadima cumplió su promesa de cagarme y de revelar el secreto de confesión, como dije en el tribunal eclesiástico».

«Si tú tienes un director espiritual que no es tu confesor no estaría obligado por el secreto de confesión, aunque éticamente no debería hablar. Pero como él nos confesaba, él estaba obligado a no revelar nada. Por eso, como es tan perverso, manipulaba a otros, y como cada uno le obedece ciegamente, hacen las barbaridades en nombre de la santidad de Karadima. El endiosamiento es de él. Es el dios, es el santo, el omnipotente», indica Juan Carlos Cruz.

«A mí me arruinó, me enfermé de nuevo, me tuvieron que volver a operar. Estaba tan enfermo, tan flaco, que dije "esto me lo está mandando Dios como para irme con dignidad y no causarle más dolor a mi mamá", que era lo más que me preocupaba.»

Después de la reunión de octubre de 1987, dejó de ir a la parroquia. Se mantuvo un tiempo más entre su casa y el Seminario, pero ya alejado de El Bosque, hasta que a fines de 1989 decidió dejar el Seminario. «Ya no daba más de la tensión, viviendo enfermo y con la presión de que los de El Bosque no me hablaban y me hacían la vida imposible. Eran muchos y amigos míos de la infancia, algunos me daban vuelta la cara cuando pasaban por los pasillos del Seminario.»

Entre ellos, menciona a Diego Ossa, Samuel Fernández, Salvador Gutiérrez —«quien se salió después de cura»—, Andrés Arteaga y Rodrigo Polanco —que eran formadores. «Ellos eran los que te delataban al padre si tu hacías algo en el Seminario.»

Periodista en Estados Unidos

En 1990, Juan Carlos Cruz entró a la Universidad Diego Portales a estudiar Periodismo. Pero las dudas continuaron. «No terminé de estudiar en la Portales, porque consideraba que todavía tenía vocación.» Y se fue a la Universidad de Notre Dame, a la Holy Cross, en Estados Unidos, «a probar si yo podía ser sacerdote». Estuvo otro año estudiando Teología «que fue el más feliz de mi vida. Conocí una realidad maravillosa, pero me di cuenta de que el sacerdocio no era lo mío».

Volvió a Santiago y terminó en la Universidad de Las Condes. Me reconocieron todo lo que había hecho y terminé en vespertino, porque necesitaba trabajar, y salí como licenciado en Ciencias de la Comunicación. Después, en Estados Unidos el Estado me convalidó mis estudios y quedé con un Bachelor of Journalism and Communication.

En Chile alcanzó a trabajar en el canal La Red en los años noventa, con Gemma Contreras y Fernando Paulsen, recuerda. «Me encantaba lo que hacía. Pero alguien que nunca supe quién fue me llamó para decirme: "Sé que tú eres maricón y yo voy a contarlo". Tenía todas estas tensiones y decidí irme de Chile.

No podía estar en este país. Ya tenía claro que yo era homosexual, pero no lo tenía asumido y me daba un miedo espantoso, me daba vergüenza por lo que dijeran y que humillaran a mi familia. Y con lo que me decía Karadima, creía que todo era culpa mía. Entonces me fui de este país para empezar de alguna forma en otro lado.»

Partió como sobrecargo en la línea aérea United y llegó a ser el gerente de Relaciones Públicas. Tras un paso por el Banco Popular de Puerto Rico, desde hace dos años es director de comunicaciones en las Américas de Manpower. Vive en Milwaukee, Wisconsin, a una hora veinte de Chicago, donde está la sede mundial de Manpower. Viaja por todo el mundo para dar a conocer los estudios que realiza la compañía, en particular sobre asuntos laborales, y participa en importantes foros internacionales.

—¿Fueron tus contactos en Estados Unidos los que llevaron la historia al *New York Times* en abril de 2010?

—Sí. Yo estaba tan angustiado con esto de que la Iglesia no hacía nada, y que ya me andaban difamando porque filtraron los nombres. Y me intentaban descalificar diciendo que Juan Carlos Cruz es un homosexual enfermo, que su declaración no es válida...

«Entonces me preocupé, porque no solo me estaban descalificando a mí, sino que pensaba en mi familia y mis amigos que iban a oír eso. Además, ya estaba dispuesto a presentar la querella en la justicia civil», señala.

Tomó contacto «con la gente de SNAP[4], que es una fundación que ayuda a gente abusada por sacerdotes, a hombres y mujeres en todo Estados Unidos. Me junté un viernes con ellos y no podían creer lo que les contaba. Acababan de llegar de Roma, porque descubrieron toda la historia del padre Laurence Murphy que abusó de doscientos niños sordos en Milwaukee, en mi ciudad. Entonces me propusieron: «Nosotros vamos a llamar al *New York Times*, ¿te importa?». Y yo llamé a Jimmy Hamilton y le

---

[4] Sitio web www.snapnetwork.org/de The Survivors Network of those Abused by Priest.

conté que me habían planteado esto. «Ya, hagámoslo, me dijo.» En ese momento, José Andrés Murillo quería hablar nomás, pero no aparecer en la televisión, y Fernando Batlle no se atrevía. Así es que aceptamos los dos. Y la periodista que es la experta de asuntos de religión en Nueva York se interesó tanto y me pareció tan sólida, que le conté todo. Es Laurie Goodstein. Entonces ella habló con su editor y mandaron un periodista a Chile que hablara español. Entrevistó a los otros e hizo el reportaje.»

«Así se gestó eso —comenta Juan Carlos Cruz— y hasta el día de hoy Laurie me pregunta cómo estoy, cómo fue la ida a Chile. Y han ido haciendo un seguimiento con la historia nuestra cuando hay noticias.»

El hecho de que Juan Carlos Cruz fuera periodista lo ayudó también en la acogida que su situación tuvo en medios chilenos. El denunciante era conocido de muchos profesionales de los medios de comunicación. Sin ir más lejos, Paulina de Allende Salazar, la periodista de *Informe Especial* que desarrolló el impactante reportaje, y Pilar Rodríguez —la editora del programa, quien después se trasladó al Canal 13—, son amigas suyas desde muchos años.

Capítulo VII

EL INFIERNO DE JIMMY HAMILTON

Durante la semana «mechona» de 1983, James Hamilton conoció a Pilar Covarrubias, una estudiante de Medicina que, sin él imaginarlo, sería decisiva en el vuelco que tendría su vida.

Él tenía diecisiete años y había entrado a estudiar Tecnología Médica en la Universidad de Chile. Aspiraba llegar a Medicina, pero a pesar de que dio una buena Prueba de Aptitud Académica, su promedio de notas de enseñanza media de la Alianza Francesa no le permitió alcanzar el puntaje.

Pilar vivía a dos cuadras de Jimmy en Vitacura y empezó a llevarlo en auto todos los días a la facultad de la avenida Independencia. En las conversaciones que sostenían en el trayecto, le habló maravillas de un cura al que le decían «santo»: Fernando Karadima Fariña.

Junto a su primo hermano, el hoy sacerdote y vicario de la zona centro del Arzobispado de Santiago, Francisco Javier Manterola, Pilar Covarrubias formó un grupo de estudiantes de Medicina y Tecnología Médica que participaba en las reuniones de la parroquia del Sagrado Corazón de El Bosque.

Una tarde, Jimmy aceptó la invitación de Pilar y fue hasta la iglesia colorada de Providencia.

La llegada a la parroquia y la convivencia con otros jóvenes significó para Hamilton «un reencuentro muy anhelado con la fe». Se incorporó con entusiasmo al grupo de «los médicos», como lo llamaban.

Un miércoles de ese otoño de 1983, unos doscientos jóvenes devotos y atentos repletaban el salón parroquial. James Hamilton estaba al final del recinto, apoyado contra la pared, en una actitud que denotaba cierta timidez.

Fernando Karadima, vestido con sus ropajes sacerdotales, estaba sentado tras una mesa. De pronto, levantó la vista e indicó con el dedo, mientras fijaba su mirada en Hamilton: «Tú, espérame para conversar conmigo».

El aludido miró hacia el lado para ver a quién se refería. «¡Y era a mí!», cuenta mostrando la sorpresa que le provocó.

Lo sintió como un «acto de elección de Dios». El joven interpretó el gesto como un signo divino inequívoco: «Era Dios que estaba fijándose en mí, que me decía "tú". Fue un acto de reparación en mi corazón. ¿Cómo yo, tan indigno, merecedor de cualquier cosa con mi abandono de toda la vida, con mi necesidad de amor, era elegido por este santo sacerdote?».

En ese instante venía «Dios en persona, a través de su mensajero», a decirle «contigo quiero hablar, quiero que tú me sigas, quiero que tú te entregues, porque esto es lo que Dios quiere».

Ya no era para Jimmy Hamilton un problema que su papá —a quien no veía desde 1976— ni su mamá, ni la gente de su alrededor se fijaran en él. Ya no tendría que estar buscando reconocimiento de ellos, sino que se había involucrado en algo superior: «Ganarme el reconocimiento divino, ser merecedor de esta elección».

Ambiente erotizado

«Al llegar a participar en la parroquia, conocí al presbítero Fernando Karadima, a quien consideré una persona maravillosa», declaró James Hamilton el 2 de agosto de 2010, ante el juez suplente Leonardo Valdivieso, del Décimo Juzgado del Crimen. «Él era un líder indiscutido, carismático en grado absoluto, nadie lo contradecía ni discutía sus dichos; todos los adolescentes que participaban en la parroquia querían estar cerca de él, ser sus discípulos más cercanos y se referían a él como "el santo". Yo lo admiraba por su sana doctrina y apego a la Iglesia, y personalmente también lo consideraba como un santo. Como él mismo lo decía a todos», expresó el médico en su testimonio judicial[1].

Poco después, Fernando Karadima lo designó —como muchas veces lo había hecho con otros jóvenes— «su secretario personal». Y le señaló que él sería su confesor y director espiritual. Jimmy confió plenamente en este guía, que venía del Cielo. El cura, además, le pidió que lo llamara «papá» y que lo saludara de beso, «como un hijo con su padre».

Era tal la satisfacción espiritual y psicológica de Jimmy Hamilton que nada de eso le pareció extraño. Estaba hechizado. «En verdad me sentía frente a un verdadero santo de la Iglesia, con un papá preocupado y representando a Dios. Y, al poco tiempo, tuve el honor de ser elegido dentro de su círculo más cercano; no había para mí una alegría mayor.»

Pasaron algunos meses antes de que el cura empezara con «toqueteos» y otras manifestaciones físicas hacia él. Con ojos de hoy, James Hamilton admite que en el círculo interno de Karadima se vivía «un ambiente erotizado.»

—¿Desde el comienzo captaste eso o es tu reflexión posterior?

—Yo cachaba algo y me incomodaba un poco. Hay gente que dice «no, pero este huevón estaba grande». Pero no se tiene idea de lo que ocurre cuando se está viviendo eso y uno confía en las personas. ¿Cómo no iba a confiar en este hombre? ¿Por qué iba a pensar mal?

Al comienzo —señala—, «habría sido como pensar mal cuando un papá le da un beso o llena de besos a sus hijos. A mí, como hijo, nunca me dieron un beso. Tampoco recibí una caricia. Nada. Entonces, cuando tú no has tenido nada, no tienes un punto de referencia. Por lo tanto, cualquier cosa que sea distinta de eso es perfectamente posible. Y no me parecía tan extraño, aunque

---

[1] Querella criminal presentada por James Hamilton Sánchez ante el Décimo Juzgado del Crimen de Santiago, 2 de agosto de 2010.

en mi fuero interno había algo en las tripas que me llamaba la atención».

Eran pequeñas cosas, tal vez intuiciones, dice hoy, «pero que no tenían importancia al lado del maravilloso premio de ser elegido por este hombre santo. Podría haber dejado pasar de largo ochocientas cosas. Además, había otros jóvenes de mi misma edad, cabros maravillosos, inteligentes, líderes, a los que les pasaba lo mismo».

En ocasiones —recuerda—, «me confundía con ciertas actitudes del cura, como que golpeara sutilmente en los genitales a los jóvenes del grupo más cercano, lo que nos causaba risa, y con el hecho de que los más íntimos se quedaran en su pieza hasta tarde».

«Jugueteos» y «cuetos»

Muy luego, como en otros casos, cuando Jimmy Hamilton saludaba al sacerdote Karadima, él empezó con la práctica de los «besos cuneteados», como le sucedió a Luis Lira, a Juan Carlos Cruz y —afirman ellos— a muchos otros.

El médico describe así esas situaciones: «Como me había pedido que lo saludara de beso, varias veces corría la mejilla y me daba un beso en la boca. Después él se reía y ante mi asombro me indicaba que solo eran jugueteos». También fue testigo desde ese tiempo de los golpes en los genitales a otros jóvenes del círculo íntimo. «Me llamaba la atención que no se inmutaban, era como una prueba a su templanza sexual.»

Tenía diecisiete años —y así lo especificó también en su declaración ante la Iglesia para la nulidad de su matrimonio religioso—, cuando «empezaron los toqueteos en mis genitales», lo que en el contexto anterior no le causó gran escándalo.

El 17 de agosto de 2010, tras ratificar su denuncia efectuada ante el fiscal regional Xavier Armendáriz, Hamilton declaró también ante la actuaria del Décimo Juzgado del Crimen: «Conforme a lo que recuerdo, el primer episodio de abuso de índole sexual que sufrí por parte de Fernando Karadima Fariña, ocurrió cuando yo tenía unos diecisiete años de edad, es decir, el año 1983. Esto —indicó— «ocurrió al interior de la parroquia El Bosque, yo diría que en la casa del sacerdote y consistió en toqueteos sobre mi ropa en la zona genital y besos cerca de mi boca».

—¿Comentaban entre ustedes sobre alguna situación extraña?

—Se comentaba e incluso había hasta palabras para la risa. La cosa de los toqueteos se llamaba «el cueto». No me acuerdo por qué se llamaba así, pero se llamaba «cueto» y todos se reían.

La referencia al «cueto» se repite en muchos testimonios de diferentes épocas entre los jóvenes bosquianos. Por lo que se puede concluir, Karadima se «inspiró» en el nombre del profesor español radicado en Chile, Enrique Cueto Sierra, quien trabajó en la Universidad Católica hasta antes del golpe militar y fue uno de los primeros en efectuar charlas de educación sexual y preparación para el matrimonio en colegios católicos desde la década del sesenta. Cueto fue rector del Instituto Carlos Casanueva, vinculado a la UC, donde se formaban las orientadoras familiares y juveniles desde 1952 a 2002. En los años sesenta, cuando nació la televisión universitaria, y hasta comienzos de los setenta, tuvo un programa en Canal 13, *Reflexiones al cierre*.

En el círculo más próximo a Karadima se entendía el sentido que el ex párroco daba a esa expresión, aunque algunos sostienen que también la utilizaba para hablar de demostraciones de cariño sin connotación sexual.

«De repente llegaba alguno y decía "toca cueto". Eso significaba que llegaba el cura en esa onda», continúa Jimmy Hamilton. Pero precisa que «no era con todos, porque a él le gustaban solo algunos, y a otros los despreciaba. O le servían como vocaciones sacerdotales que mandaba al Seminario y aumentaba su prestigio dentro de la Iglesia. Pero solo algunos eran sus cercanos y los saludaba de beso».

—¿Y entre ustedes se gustaban?

—Yo no me sentía atraído por los hombres. Siempre me gustaron las mujeres. Pero pensaba «qué choro tener a este gallo de amigo». Tener un amigo como Gonzalo Tocornal, como Francisco Proshaska, como Guillermo Tagle o Hans Kast. Sentía que era un privilegio compartir con ellos.

En ese inquietante mundo de El Bosque, Karadima les inculcaba «el deseo de santidad», como relata Jimmy Hamilton. Y ponía a los santos de ejemplo: «Leíamos evangelios, libros espirituales, como *Introducción a la vida devota de San Francisco de Sales* y muchos otros. Me sentía capaz de transformar el mundo, y si era obediente como Teresa de Ávila, no tenía cómo equivocarme. Con mi guía espiritual y confesor monseñor Karadima, tenía mi camino a la santidad casi asegurado».

Su gran tema de confesión —como el de tantos chiquillos de su edad— era la masturbación. Su confesor lo orientó hacia una «vida célibe» con la intención de que se preparara para el sacerdocio. «Dejé de salir con niñas y pensé que podía ser ejemplo de muchos de mis nuevos amigos que también pertenecían al movimiento y aspiraban al sacerdocio.»

Había pasado menos de un año de la llegada de Jimmy Hamilton a El Bosque. Se quedaba con frecuencia a comer en la parroquia con diez o quince jóvenes que reverenciaban a Karadima. «Siempre me sentía algo culpable, ya que en mi corazón no lograba participar de esa actitud en la que se le consideraba un santo, como le decían algunos.»

Cuando hizo sus primeras declaraciones en la Iglesia, en 2005, «lo que anoté fue lo que me pasó desde los dieciocho años para adelante, que era el tema de las masturbaciones. Pero no me había percatado que todos esos toqueteos de los genitales y los besos chuecos en que te corría la cara eran abusos y no gestos de amor paternal. Eso lo tuve claro después de conversarlo con los abogados», comenta. Y lo incluyó en las declaraciones ante la justicia.

Oraciones y culpas

En marzo de 1984, James Hamilton Sánchez entró finalmente a Medicina en la Universidad de Chile. «Inicié mis estudios con el corazón dividido entre mi carrera y la aspiración al sacerdocio.» En su casa se le veía poco. Apenas llegaba a dormir. «La vida de "secretario personal" empezó a hacerse intensa y me quedaba hasta tarde en El Bosque, comía en abundancia y dejé de hacer ejercicio, además, era mal visto gastar tiempo en ello.»

Muy pronto fue ascendido a vicepresidente de la Acción Católica, el grupo selecto de estudiantes universitarios de familias acomodadas, altos y guapos, dispuestos a servir a Dios al modo de Karadima.

Jimmy Hamilton estaba feliz. Rezaba mucho y sentía un gran placer en la vida espiritual. «Deseaba ser un santo como los de los libros, como San Bernardo y "la familia que alcanzó a Cristo". Realmente creía que en algún momento me llegaría la vocación y podría cristalizar mi vida en la más absoluta entrega.» Sin embargo, sentía frustración al ver a sus amigos ingresar cada año al Seminario, y «yo no era capaz de tocar a fondo el tema con mi director espiritual».

Los lunes, la rutina era diferente. Los sacerdotes y los seminaristas formados en la parroquia se juntaban y algunos solían ir fuera de Santiago. Los acompañaban estudiantes de la Acción Católica. Al atardecer salían en auto para llegar a comer a algún lugar. «Era una real aventura y me sentía con verdaderos hermanos. Después de la comida, nos quedábamos en la sobremesa hablando temas de espiritualidad y de la realidad política. Todos éramos pinochetistas y bastante conservadores, y el resto del mundo, gente equivocada, incluidos gran parte del clero y, en particular, los directores del Seminario de Santiago de la época», cuenta Jimmy Hamilton.

En el país se habían iniciado en 1983 las protestas nacionales en demanda de democracia. La represión se hacía sentir, los derechos humanos eran pisoteados y arreciaba la crisis económica con el consiguiente desempleo. En las universidades, en los sindicatos, en los colegios profesionales y en las poblaciones prendía un movimiento opositor al régimen militar. En El Bosque se vivía un mundo ajeno a todo eso. «Pinochet es un enviado de Dios», repetía Karadima.

Dudas en medio del túnel

Durante un paseo a Viña del Mar, un día de otoño de 1984, en el que no asistió a clases, «el infierno comenzó» para él.

Fueron al departamento de Jorge Karadima, uno de los hermanos del cura. Era hora de comer y decidieron cocinar allí. «Los seminaristas y un sacerdote que los acompañaba fueron a comprar al supermercado. Karadima me pidió que me quedara con él», recuerda Jimmy Hamilton.

El joven aceptó gustoso. Creyó que por fin había llegado el minuto de tener la conversación que ansiaba hacía tiempo. Su director espiritual le daría la oportunidad para ayudarlo a descifrar el misterio de su vocación, confiaba. «Uno de los factores más importantes de la influencia que tenía sobre nosotros era su autoatribución de que él era capaz de detectar la vocación, en su forma más germinal, lo que comparaba con un embarazo», señala el médico.

—¿Lo decía así?

—Tal cual. Decía que él era capaz de saber cuándo una persona tenía una vocación recién gestada en sí. Y que para uno poder verlo, igual que la embarazada, tenían que pasar como cuatro o cinco meses para notarlo. Y sostenía que él era el único capaz de verlo antes.

—¿Qué exigencias les ponía en ese período de «gestación»?

—Nos hacía en el fondo una suerte de ejercicio que era como entrar a una especie de túnel en el que uno tenía que dejar todas las actividades, entre comillas, humanas o mundanas, para dedicarse enteramente a la parroquia y a él, por el riesgo de que se perdiera ese germen. Y siempre nos advertía que si se frustraba esa vocación, miles de almas no podrían salvarse y se irían al Infierno por culpa nuestra, lo que nos provocaba terror.

La incertidumbre continuaba —explica Hamilton—, porque «nunca nos decía si teníamos o no vocación, sino que nos mantenía en la duda durante un largo período. Y a diferencia del embarazo, podían ser cinco años en esta espera, en el discernimiento y en cuidar la vocación. Y solo él —con esa especie de atribución mágica que lo empoderaba— era quien sabía cuál sería el momento. Él sabía lo que Dios quería para uno».

Jimmy Hamilton buscaba ingenuamente momentos de soledad con su director espiritual para abordar estos temas que lo inquietaban. Quedarse solo con él era una oportunidad de conversar para tratar de ver si tenía o no vocación. «Me sentía lleno de energía y generosidad, quería entregar mi vida, tenía ganas de encauzar los atributos que creía tener. Y él retenía este flujo para su propio beneficio. Nos mantenía en un estado de limbo en este túnel oscuro del que queríamos salir lo antes posible para definir nuestras vidas y enfocar toda nuestra energía.»

En ese momento «era impensable la posibilidad de que pudiera pasar algo distinto a una conversación espiritual, a una decisión vocacional. En ese estado estaba yo en ese departamento en Viña», sostiene Jimmy Hamilton.

A solas en el sofá

El cura y el joven «secretario personal» se instalaron en el sofá del living del departamento del hermano de Karadima a ver las noticias de la tarde. «Me apoyó la mano en el muslo con suavidad y seguridad, con una actitud que me podía parecer cariñosa, como la de un padre.»

Pero a los pocos minutos, la escena cambió de tono. «Comenzó a acercar su mano a mis genitales y me empezó a masturbar… Rápidamente tuve un orgasmo. Quedé pasmado. Nunca imaginé una situación así, menos que me produjese placer. Fue profundamente perturbador. Perdí las referencias de lo apropiado, de lo bueno, lo malo, y me sumí en una gran confusión», señala Jimmy Hamilton con serenidad y un brillo en sus ojos azules, mezcla todavía de enojo y dolor. Con similares palabras, su conmovedora confesión impactó a medio Chile cuando la reveló en Televisión Nacional, la noche del 26 de abril de 2010.

Mira de frente, se detiene unos segundos, toma aliento y su relato continúa: «Llegó el resto del grupo y me sentía abrumado, exhausto. Nos sentamos a comer y Karadima permanecía imperturbable. Después de la comida, los seminaristas se devolvieron a Santiago».

Juan Esteban Morales, en ese entonces estudiante de Medicina de la Universidad Católica, y Jimmy Hamilton, que paralogizado no atinaba a nada, se quedaron a alojar. «No era capaz de tomar ninguna decisión y la compañía de Juan Esteban me daba algo de calma. Nos quedamos en la pieza contigua y durante la noche revisaba mentalmente lo que había ocurrido.»

Desvelado e inquieto, barajaba la posibilidad de volverse solo, pero ni eso pudo decidir. Al final se quedó. «No era capaz de hilar una explicación congruente y me sentía culpable por haber desencadenado algo así. Tenía que ser una equivocación. Imposible, un hombre tan santo… debía ser una prueba divina para mi obediencia y templanza, un hecho de importancia menor en mi camino a la santidad. Debía ser una excepción... debía estar siendo aleccionado o probado.»

Al día siguiente, «un sentimiento de horror inundaba mi alma, solo la culpa afloraba. Monseñor no daba muestras de perturbación. Era impresionante», relata.

Partieron de regreso a Santiago después del desayuno, como si nada hubiese ocurrido. Hasta que al tomar el camino de vuelta, Fernando Karadima hizo detenerse el auto en la parroquia de Agua Santa, que tiene un santuario de Lourdes. «Me pidió que lo acompañara. Me dijo que lo que había pasado había sido un error y que nunca se repetiría, que no tenía ninguna importancia», cuenta Jimmy Hamilton.

Entraron ambos a la iglesia y Karadima pasó a hablar con un sacerdote, recuerda el médico. «Luego me indicó que me confesara con uno que estaba en el confesionario y que solo le dijese que había tenido un pecado de pureza, y así todo quedaría arreglado.»

«Ese fue el principio del horror, del terror, de la culpa y mi transformación», señala Hamilton.

Entre culpas y «mañas»

A las pocas semanas del episodio viñamarino, Jimmy Hamilton fue premiado con un gesto de máxima confianza: «Fui incluido en el grupo íntimo que ingresaba a su pieza».

Por esa época, también Karadima le sugirió restablecer contacto con su padre James Hamilton Donoso. Así lo hizo y retomó el vínculo familiar. Fue acogido por él y su segunda mujer, Isabel Cruchaga, y conoció a los cuatro hijos del matrimonio, a los que asumió como hermanos. Pero nada imaginaban ellos de las inquietudes y sufrimientos del estudiante de Medicina, mientras continuaban los premios de su «director espiritual». Tampoco su madre, Consuelo Sánchez, sospechó nunca algo extraño.

Las contradicciones aumentaban entre el sentirse parte de ese grupo y elegido de Dios, y lo que iba ocurriendo con el cura, explica Jimmy Hamilton. «Mi vida era la parroquia y él era mi director espiritual; decenas de sacerdotes habían salido de allí, numerosos seminaristas le seguían, amigos míos compartían esa vida, esos principios y añoranzas, algo o alguien debía estar equivocado... sin duda era yo. A pesar de no entender lo que pasaba, seguramente era mi culpa, yo lo desencadenaba.»

En su declaración ante el Décimo Juzgado del Crimen, James Hamilton señaló: «A partir de entonces, se inició un período muy largo de mi vida de contradicciones, angustia, repugnancia y culpa por aquello que yo sentía que estaba provocando, y por otra parte, Karadima seguía siendo mi guía espiritual y estaba totalmente sometido a su voluntad».

Las noches se le hacían cada vez más largas, dormía poco, pero la juventud —dice— le permitía aguantar. «Ya no solo me quedaba a comer, sino también permanecía hasta la madrugada en la pieza de monseñor, quien sufría de insomnio. Esperábamos hasta que le entrara el sueño para irnos. Fue en una de esas noches, en que me pidió que lo acompañara un poco más, que se produjo el segundo evento. Esta vez no solo me masturbó, sino que me pidió que lo masturbara a él y le practicara sexo oral. Me resistí al comienzo, pero el temor de perder su favor fue mayor. De ahí ya no tuvo vuelta, no fue de sorpresa, no podía resistirme. Me odiaba a mí mismo y la repugnancia de los hechos la dirigí hacia mí», manifestó James Hamilton en su denuncia ante el fiscal regional el 21 de abril de 2010.

Más distanciados al comienzo, frecuentes después, los «episodios» continuaron. En algunas ocasiones incluyeron la penetración por parte del cura, como quedó consignado en la declaración ante el fiscal Xavier Armendáriz. En términos técnicos, Karadima sería un «sodomita activo». Al médico le cuesta hablar de esto. Solo asiente con la mirada cuando le digo que leí completo el expediente. La preocupación por sus hijos está presente: «¿Has pensado que tu libro lo pueden leer mis niños?», me pregunta.

Describe Jimmy Hamilton el proceso que vivía en esa época: «Mi mente se fue carcomiendo y mi alma perturbando profundamente. Ya no era el mismo, mi fe se fue debilitando y no lograba orar como antes. Cumplía con los ritos y trataba de ausentarme e irme a la capilla. Ni eso lograba darme paz, me sentía profundamente solo y no podía confiar».

«Me enfoqué en mi carrera —continúa— y traté de resistir numerosas veces, pero cada vez que lo hacía y evitaba subir a su pieza, él me recriminaba que estaba con la "maña" y como consecuencia me quitaba su favor, lo cual para mí era terrible, y volvía a ceder», confiesa.

En una oportunidad —recuerda Jimmy Hamilton—, Karadima mandó a varios sacerdotes, entre ellos al hoy obispo auxiliar de Santiago, Andrés Arteaga, que era el presidente de la Pía Unión Sacerdotal, a hablar con él. Estaba también el actual obispo castrense Juan Barros Madrid. «Eran al menos seis», señala. «En una de las salas de reuniones de la casa contigua al templo, me indicaron que mi fe flaqueaba y que monseñor no estaba contento conmigo, que debía rezar más y comprometerme con la parroquia.» Cuenta que la arremetida fue superior a sus fuerzas «y cedí nuevamente».

Esa noche, Jimmy Hamilton, «angustiado y maltratado psicológicamente por Arteaga y los otros sacerdotes», tocó la puerta de la pieza de su «director», quien lo acogió. «Trataba de resistir todas estas cuestiones sexuales de él, que sabía que estaban mal, pero no lo lograba.»

Se sentía atrapado en estas prácticas a las que había sido inducido por quien oficiaba el rol de padre, guía espiritual y representante de Dios en la tierra. Casi Dios mismo.

En nombre de los santos

—Cuando Arteaga y los demás te daban el recado de que «andabas con la maña» ¿era una cosa tácita? ¿Arteaga sabía de qué estaba hablando? —le pregunto.

—Quizás no, porque es posible que esto operara como células en que la información estuviera compartimentada.

Pero tanto Jimmy Hamilton como otras víctimas y testigos aseguran que Andrés Arteaga era muy enérgico para hacer cumplir la voluntad de Karadima. Y en el ambiente en que se vivía, una persona inteligente —como se le consideraba a él— era difícil que no captara algo extraño en las relaciones del cura con los jóvenes.

—¿Supiste de alguna otra historia similar anterior a la tuya?

—A mí el cura una vez me reveló que le había pasado antiguamente algo similar con un famoso médico al que yo conocía, pero que había sido un momento, que esto no le había ocurrido con nadie más, y que solo le sucedía conmigo. Eso reforzaba en mí la sensación de que yo estaba dañado. Que por mi manera de ser alegre, estaba generando en él esos sentimientos. Lo interpreté como actitud coqueta, provocadora mía. Entonces me fui a la mierda. Porque me sentía el culpable de todo lo que ocurría y él me mandaba a confesarme.

—¿Cómo siguió el proceso? Al comienzo te sorprendió desprevenido…

—Sí… como te decía, la primera vez yo esperaba tener un espacio para hablar de mi vocación, para discernir si sería sacerdote, y terminó en esta pesadilla. Después la frecuencia fue muy variable. Al principio, transcurrió un buen tiempo en que después del primer evento no pasó nada. Y tuvo una actitud como de premio. Me nombró vicepresidente de la Acción Católica.

No fue lo único. También le llegaron otras gratificaciones. «En ese tiempo, el marido de mi mamá me había regalado un auto, un Suzuki jeep chico; yo nunca tenía plata para bencina y el cura me llevaba a echar bencina, me invitaba a comer, me regalaba alguna radio. Había una serie de premios, que yo los interpretaba como muestras de cariño. Yo venía generando una especie de relación de dependencia muy fuerte hacia él, muy *power*», cuenta.

Jimmy Hamilton trata de explicar ese dominio que el sacerdote ejercía sobre él: «Él tenía la llave para abrir el libro sagrado que decía hacia dónde iba a ir yo, qué es lo que Dios quería de mí. Eso estuvo siempre presente. Era permanente. A pesar del daño que me generaba y de lo atroz de todo esto, yo no me daba cuenta de que era tan brutal. Sabía que estaba mal, pero él me decía: "No hay que preocuparse, son pecadillos menores. Piensa en San Agustín, que tuvo una vida licenciosa durante tantos años y después fue santo de la Iglesia; piensa tú en San Pablo, que decía "me regocijo en mis debilidades, porque me acercan a Dios", me planteaba».

—¿Citaba a los otros santos para justificarse?

—Claro, tenía toda una batería de santos y de citas para minimizar estas cosas. Decía que no tenían importancia. El camino a la santidad, insistía, era un camino de humildad y obediencia. Y había que ser ciento por ciento obediente al director espiritual y ser humilde para reconocer todas estas debilidades que uno tenía.

—¿Se ponía en su rol de director espiritual en todo momento?

—Siempre. De hecho, yo tenía que preguntarle hasta si me podía comprar un par de zapatos nuevos.

—¿Y qué pasaba si no le hacías caso?

—Me quitaba su gracia. Dios me quitaba la gracia. Yo me transformaba en una persona réproba, un ser del demonio. Si yo no hacía lo que él quería, yo caía en las redes del mal y me aterrorizaba con la posibilidad de caer en las manos del maligno y de perder mi alma. Él manifestaba que solo junto a su camino, bajo su dirección y su discrecionalidad tenía la posibilidad de la salvación y de encontrar la santidad.

Agrega Jimmy Hamilton: «Aunque esta cuestión parezca inentendible para muchos, te aseguro que la mitad de la clase alta chilena vinculada fuertemente a la Iglesia Católica, que sabe de directores espirituales y todo esto, entiende de lo que estoy hablando; del sentido de obediencia que generan estos personajes; en especial, los que forman parte de los Legionarios de Cristo, del Opus Dei, o los schoenstattianos. Diría que se salvan los jesuitas y otras pocas congregaciones. Pero del resto… hay muchos que conciben así a los directores espirituales. Y lo que me inquieta más es que hay muchos dirigidos por pupilos de Karadima».

Presidente de la Acción Católica

En 1987, el año de la visita del papa Juan Pablo II a Chile, James Hamilton fue nombrado presidente de la Acción Católica de El Bosque. «Tenía debajo a los vicepresidentes y secretarios; frecuentemente me tocaba realizar charlas de espiritualidad y cristianismo a los jóvenes del movimiento. En verdad sentía que el mundo podía transformarse a imagen de las enseñanzas de Cristo.» Los asiduos a El Bosque lo veían como uno de los más cercanos al párroco. Y muchos jóvenes envidiaban su posición.

«En ese tiempo ya no solo acompañaba a Karadima los lunes y a comer después de la misa, sino que también a las casas de sus amigos fuera de Santiago, incluso los fines de semana», declaró ante el fiscal Armendáriz. A pesar de su profundo desgaste interior, James Hamilton se sentía todavía un elegido. Seguía en Medicina, aunque durante un tiempo disminuyó su interés por la carrera e incluso pensó dejarla, porque no abandonaba la idea de ser sacerdote.

Los demás integrantes de la parroquia «vivían su vida como siempre, aparentemente sin sospechar nada, pues todo seguía el sistema establecido con anterioridad. No era extraño que un joven de confianza se quedara hasta altas horas de la madrugada, muchos lo hacían», continúa Jimmy Hamilton.

Transcurrió así la década de los ochenta y la estrecha relación de James Hamilton con su «director espiritual» continuó.

Confesiones con el padre Panchi

Durante toda esa época, debía confesarse con el padre Francisco Javier Errázuriz Huneeus, el padre Panchi, quien vivía en la casa parroquial. «Un sacerdote viejo de El Bosque, que tiene un alcance de nombre con el cardenal», aclara Jimmy Hamilton.

Por designio de Karadima, como relatan todos los denunciantes, Errázuriz —el sobrino del fundador de la parroquia, monseñor Alejandro Huneeus—, se convirtió en el «confesor oficial» para estos casos. «Él me indicaba que tuviese paciencia. Además, cuando nos íbamos a confesar teníamos que decir que los culpables éramos nosotros. Lo más impresionante de todo era que Karadima confirmaba esa culpabilidad nuestra», señala Hamilton.

—¿Le contabas al cura Panchi en confesión lo que pasaba realmente?

—Le contaba como me decía Karadima que le dijera: que había tenido «un pecado de pureza». Pero más de alguna vez le mencioné con quién, aunque no lo nombraba, le decía «con el párroco». Entonces me decía: «M' hijo, no te preocupes, ten paciencia».

Muchas veces, cuenta Jimmy Hamilton en su denuncia, «debía ayudar en la misa y a dar la comunión, sin embargo había estado la noche anterior con él y ocurría que no lograba ubicar a Panchi, como llamábamos al padre Francisco Javier, con quien me mandaba a confesarme; entonces subía a la pieza de Karadima y le pedía que me absolviera por pecados de pureza».

A pesar del estado de subyugación en que se encontraba, James Hamilton tuvo en ese tiempo su minuto de desobediencia. «Un buen día me fui a confesar a escondidas con un sacerdote dominico que encontré en el templo de Pompeya. Le conté lo que estaba ocurriendo, aunque no le mencioné el nombre de Karadima. Me indicó que me alejara de "ese sacerdote". Cuando le conté a "mi director", me reiteró que solo me debía confesar con el padre Panchi.» Y una vez más obedeció.

—¿En qué momento empezó a asomarse en ti una mirada crítica?

—Desde que comenzó con los abusos mayores. Desde ese primer abuso en Viña, empecé a tener internamente un dolor que nunca más me abandonó. Se comenzó a resquebrajar mi alma y yo vivía en la culpa, en el temor, en el miedo de ser desconocido por él. Porque se genera un vínculo. Y cuando él me quitaba su gracia, con todo este tipo de reuniones con estos «matones» espirituales que me mandaba —dice refiriéndose a los otros sacerdotes enviados por Karadima para llamarle la atención—, me destruía.

Se sentía abandonado por el mundo. «No tenía a nadie más. Me había alejado de mi familia, de mis amigos de colegio. Lo único que tenía eran mis estudios en la universidad, pero nunca salí con mis compañeros de Medicina. Durante siete años dejé de salir con mujeres, porque tenía que mantener el celibato, probando si me iba o no de sacerdote.»

—¿Te planteaba Karadima lo del celibato?

—Él me lo exigía. Y en esos siete años fui célibe, salvo para sus gustos.

Con el correr del tiempo, tampoco estaba tan motivado por el sacerdocio como en la primera época. «Y pensaba que todo era consecuencia de mi falta de generosidad para con Cristo, al no haberme ido al Seminario cuando recién salí del colegio. Ya no tenía respeto por mí mismo y tampoco por Karadima, pero sentía que me dominaba. Pensaba que solo me quedaba tener paciencia y que en el fondo todo podría ser explicable. Fui insensibilizando mi corazón y dejando de sentir. La tristeza, la alegría fueron reemplazados por la angustia y la ansiedad. Me concentré en los estudios de Medicina, casi como un escape.»

—¿Él no te comentaba la posibilidad de irte al Seminario?

—No, yo muchas veces traté de conversarlo con él, pero a la vez era tanta la podredumbre dentro de mí que me decía: "Cómo estoy pensando en el Seminario", si ya no creía en nada. Trataba de rezar horas y horas con la esperanza de encontrar un consuelo. Pero me daba cuenta de que no tendría nada que hacer en el Seminario. Porque cuando tú estás dañado y sientes que eres desechable, no existen proyectos.

«Vivo al día»

En una de las conversaciones que sostuvimos después de hacer pública su denuncia, Jimmy Hamilton me señaló: «Hasta el día de hoy, si tú me preguntas cuál es tu proyecto de vida, no tengo. Vivo al día. ¿No quieres ser el mejor doctor, no quieres ganar plata?

¿No quieres ser un dirigente político? No, no quiero. Yo, feliz me dedicaría a viajar por el mundo, me encantaría estar excavando ruinas como arqueólogo, metido en la naturaleza... Y solo. Ni siquiera me encuentro capaz de mantener una relación estable».

«Y mi daño —continúa— me hizo sentir durante años que era incapaz de ser un buen papá. Para mí es un milagro que mis hijos estén como están y probablemente ese milagro se debe a su madre. El daño para mí ha sido profundo y total. ¿Cómo te explico que no hay daño mayor?»

El médico se detiene unos instantes detrás del escritorio en una consulta de la Clínica Santa María. Está vestido con el delantal blanco y busca las palabras para expresar lo que ha sentido: «A la mujer que la violan, la violan contra su voluntad. Ella sabe que la están violando. Al que lo meten preso por política, por una causa y le hacen cualquier cosa, es contra su voluntad, no están destruyendo su ser y sus creencias. A uno le destruyen todo. Y al final, pasan por arriba de la voluntad de uno».

—Dices «no tengo proyecto», pero quieres salir adelante con tu vida...

—Mi proyecto hoy es, te lo voy a decir de una manera que puede ser un poquito ingenua, que me gusta operar, me gusta atender pacientes. Adoro a mis niños, me encanta la naturaleza, me gusta pintar, me gusta salir en una moto al aire, pero vivo al día. No soy una persona que diga voy para allá, quiero hacer eso. Quizá los designios de Dios no son esos. El plan de Dios quizás es otra cosa.

—¿Crees todavía en Dios?

—Claro que tengo esa especie de sombra como de un diosito que está acá encima de mí.

—¿Te sientes católico?

—No me siento católico. Me siento cristiano... bueno, ni siquiera. Siento que hay algo en mí que está metido en mis entrañas que si me ponen dentro de una iglesia y de una misa voy a tener recogimiento. Si me dan la comunión, la voy a recibir con amor, pero... como puedo recibir con amor también una ceremonia de iniciación indígena en el Amazonas o una ceremonia de tambores por los apaches en Norteamérica. Porque siento que es parte de mi cultura, entonces no me puedo desarraigar de todas sus cosas.

—¿Qué sentías tú por el cura Karadima?

—Al principio sentía que era mi opción de salud espiritual. Mi opción de sanación humana. Mi opción de imagen de padre. Mi opción de completar un pedazo enorme de mi vida y de mi estructura que había quedado ausente por mi falta de padre y porque tuve una mamá un poco ausente. Ella se casó a los diecisiete años, cuando todavía no terminaba el colegio y luego se embarazó; mi sensación eterna desde niño era de abandono permanente. Recuerdo haberme escondido a los seis o siete años en el jardín de mi casa a llorar debajo de las plantas con profundo dolor, porque sentía que no me querían. Y toda mi vida me acompañó esa sensación de no ser digno de amor.

»Llegué entonces a un lugar donde un sacerdote, nada menos que un hombre que consideraban todos un santo, un hombre de Dios, se fija en mí y me pone el dedo, y me dice "tú", cuando yo estaba al final de la iglesia. Este hombre, que era representante de Dios y —como se decía— heredero de un hombre santo que era el padre Hurtado, provoca una transformación profunda, sentí que era mi gran opción espiritual.

—¿Ese embrujo explicaría tu permanencia en El Bosque por tantos años?

—Obvio. Para mí era la moral adecuada a la sana doctrina. Uno sabe que hay algo que está mal, le duele, se quiere resistir. Pero al mismo tiempo, está todo este otro argumento casi teológico espiritual con el temor y la culpa. Yo creo que ni hasta hoy me he sacado esa culpa. Entonces esa pseudoética es lo que prima. Se crea una nueva moralidad a la pinta del perverso Karadima. Y este perverso inicial convierte a la gente.

—¿No había algunos que se retiraban de El Bosque? ¿No te llamaba la atención eso?

—Se iban retirando algunos y me llamaba la atención, pero siempre había una explicación, llamémosla teológica, psicológica o psiquiátrica. O se iba porque tenía «la maña», lo que significaba que tenía «el demonio adentro», o se retiraba porque era un porfiado y un soberbio, porque quería hacer lo que a él le parecía. O se iba porque era «loquito». Además, el cura se presentaba como pitoniso, con capacidad profética de determinar quién tenía vocación. Y si alguien se iba, venía una situación de desacreditación total de la persona. Y a nosotros nos entregaba la versión oficial, como cuando Pinochet decía «en Chile no hay detenidos desaparecidos», o en Chile «no se cometen atrocidades». Nosotros vivíamos con esa versión oficial.

Jimmy Hamilton señala que ha reflexionado mucho para comprender por qué se quedaba. «Tal vez era porque cuando uno entra a este lugar realmente uno entra a una familia. Por eso, se me viene a la cabeza esta idea de Colonia Dignidad. Porque uno empieza a tener su vida adentro y, como en toda pseudofamilia, uno empieza a aceptar las cosas como son, a adaptarse, casi a encontrar normal ciertos hechos y situaciones. Siempre hay una intuición interna que a uno le dice esto está mal. De hecho, cada vez que Karadima abusaba de mí, como te contaba, me mandaba a confesar donde Francisco Javier Errázuriz, al que llamábamos Panchi. Pero yo me tenía que confesar, confirmando que yo era el culpable.»

«Que otro sacerdote me forzara a esta situación de que había que tener paciencia y que no lo consideraran "pecado grave" también influía en esa pérdida de sentido», indica.

La culpa y el miedo, entretanto, hacían de las suyas. «Cualquier cosa debía ser asesorada por Karadima —dice Jimmy Hamilton— y ni siquiera la ropa podía ser a su disgusto. Muchas veces criticaba abiertamente a otros integrantes de la Acción Católica e incluso los echaba del "movimiento" por la más mínima acción autónoma que no contara con su beneplácito. Les decía que se les había metido el diablo y los mostraba como ejemplo de falta de humildad y de cómo era fácil caer en las manos del demonio. Si yo no obedecía, me decía que yo estaba poseído por el demonio.»

—El demonio volaba por El Bosque…

—Era su aliado permanente. Si estábamos en cualquier cosa en desacuerdo con él, era porque estábamos cayendo en manos del demonio. Esto era de vida o muerte, de salvación o de condenación eterna. Y aparecía siempre presente la amenaza del Infierno. Entonces, era la perversión perfecta, donde la moralidad la crea él. El dominio total de las conciencias, de los cuerpos y de los espíritus lo tiene él; él crea un nuevo mundo, una nueva cultura, una nueva realidad. Y es una realidad totalmente centrada en él.

Un señor feudal de El Bosque, cuya voluntad absoluta era la ley por la cual todo se regía, hasta que el escándalo estalló.

Capítulo VIII

MATRIMONIO INTERVENIDO

En esta sórdida historia que se empezó a tejer hace ya varias décadas, hay un personaje que impactó a todos los que han seguido la situación vivida en torno a la parroquia de El Bosque. Es Verónica Miranda Taulis, médico e ingeniera de cuarenta y tres años, ex mujer de James Hamilton Sánchez, y madre de sus tres hijos: Verónica, de diecisiete años; Diego, de quince, y Teresita, de catorce.

Verónica Miranda apareció en el programa *Informe Especial* de abril de 2010, apoyando los dichos de su ex marido. Su testimonio, precisamente por haber estado casada once años con Jimmy Hamilton, contribuyó a afianzar la credibilidad en la atónita audiencia.

El abogado querellante Juan Pablo Hermosilla, quien ha acompañado a los denunciantes desde esa fecha, la califica como «un personaje notable. No conozco a nadie que no le haya impresionado. Es un portento».

Delgada, de pelo largo castaño, que acentúa su figura menuda, alguna vez pensó en ser monja, hasta que se enamoró de James Hamilton en la Facultad de Medicina de la Universidad de Chile. «Con un amor infinito por Jimmy, entendió lo que le había pasado y que él no habría podido desahogarse con ella, porque estaba atrapado por Karadima. Salir en la televisión apoyando a su ex marido, después de todo lo ocurrido, muestra que es una mujer notable», afirma el abogado.

Fue ella la primera en conversar con un cura amigo sobre lo sucedido y formalizar una denuncia ante la Iglesia Católica en 2004. «¡Y cómo ha cuidado y apoyado a sus chiquillos! Tú la ves y te acuerdas de esa gente en dictadura que era pura entrega. Cero beneficio», agrega Juan Pablo Hermosilla.

Aunque no esté caratulado así en ningún proceso y sus declaraciones para la justicia sean las de una testigo, basta recorrer desde fuera lo que ha vivido para comprender que esta mujer ha sido una de las principales víctimas de Fernando Karadima.

Pololeo culposo

En marzo de 1990, cuando se iniciaba la recuperación de la democracia en Chile, James Hamilton cursaba el séptimo año de Medicina. A pesar del infierno interior que vivía, había vuelto a poner su foco en los estudios. Poco le faltaba ya para titularse, cuando conoció a Verónica Miranda, estudiante de cuarto año de la misma facultad. Siete meses después empezaron a pololear. «Despertó sentimientos y deseos durante mucho tiempo olvidados por mí. Fue esperanzador y renovador», cuenta Hamilton.

Pero el impulso inicial no duró mucho. «Al tercer día de pololeo, Jimmy me dijo que no podía pololear conmigo», señaló Verónica en su declaración ante el fiscal Xavier Armendáriz[1].

Jimmy, sin saberlo Verónica, había contravenido una regla importante: Karadima se arrogaba la atribución de dar el pase a cualquier decisión afectiva de sus niños de la Acción Católica. Ellos tenían que consultar cuándo podían pololear, con quién hacerlo y si podían tomar la mano o dar un beso a la polola. Cualquier paso debía ser sometido a consulta y contar con la aprobación del «santo» que dirigía sus vidas.

«Sentía culpa, ya que no era aprobado por mi director espiritual que yo conociera a alguien; debía ser planificado y solo podía hacerlo cuando Dios lo dispusiese para mí», explica Jimmy Hamilton. «Tanta fue la pugna interna, que me puse a pololear de manera oculta. Pero luego se lo confesé a Karadima.»

---

[1] Declaración de Verónica Miranda Taulis ante el fiscal regional Xavier Armendáriz, 24 de mayo de 2010.

La confidencia desató una nueva crisis, cuenta Hamilton. «Me citó con un grupo selecto de sacerdotes de su confianza al restaurante Villa Real, en Providencia, adonde iba a menudo, y me ordenó que dejara la relación.»

Después de eso Jimmy Hamilton quedó mal. «Y me pareció que la única posibilidad de seguir con Verónica era incorporarla a la parroquia, así que la invité a las reuniones de los miércoles. Poco a poco empezó a participar.»

Unos días después se volvió a acercar a Verónica en la universidad y la invitó a El Bosque, donde él seguía siendo presidente de la Acción Católica. Hasta ese momento, «Jimmy no me había llevado nunca para allá. Sin embargo, la religión no era nueva para mí, pues estuve en un colegio católico y, de hecho, antes de entrar a la universidad había estado pensando en ser monja», dice ella.

Cuando comenzó a ir a misa a El Bosque, solía sentarse en los bancos del fondo de la iglesia. No conocía a nadie. Sintió entonces la inquietud de conversar con algún sacerdote. Jimmy le propuso a Andrés Arteaga, en aquella época vicario parroquial, con la idea de que se transformara en su director espiritual. Ella no sabía mucho de qué se trataba todo esto, pero le pareció una buena idea. Alcanzó a sostener algunas conversaciones con Arteaga, pero Karadima decidió que ella también estaría bajo su tutela.

Verónica Miranda declaró el 4 de junio de 2004 ante Eliseo Escudero y Gustavo Adolfo García Fuenzalida, de los Sagrados Corazones, quien actuó como notario ad hoc. Es la primera acusación ante la justicia eclesial sobre este caso. En el escrito, elaborado por los sacerdotes García y Escudero —que lleva sus firmas y la de Verónica Miranda—, se consigna: «El padre Fernando le sugirió que su director espiritual debía ser él, porque ya lo era con Jimmy y que era conveniente que así fuera. Ella asintió sin poner mayor dificultad, pensando que así tenía que ser, aunque habría preferido al padre Andrés»[2].

---

[2] El documento tiene fecha 5 de junio de 2004. Establece la comparencia de Verónica Miranda Taulis ante el promotor de justicia presbítero Eliseo Escudero Herrero y el notario nombrado ad hoc, padre Gustavo Adolfo García Fuenzalida, SS.CC. Como

Indica el documento del promotor de justicia eclesiástica que «la dirección espiritual comenzó con una confesión general. Allí el padre indagó toda la vida de Verónica, diciéndole que él debía conocer todo lo que le había sucedido hasta ese instante. Le preguntó incluso sobre lo que ya había sido confesado con el padre Andrés, y si había sucedido "algo" durante el pololeo con Jimmy».

La relación de los jóvenes estudiantes de Medicina se reanudó unas tres semanas después de que ella empezó a ir a la iglesia. «Jimmy me invitó para lograr la aprobación de Karadima de nuestro pololeo, según me dijeron otros jóvenes y sacerdotes de la parroquia», consigna Verónica en su declaración ante el fiscal Armendáriz[3]. Y expresa que por la cercanía de Jimmy con el cura, «rápidamente tomé confianza y, de hecho, como mujer, tuve muchos privilegios que ninguna otra tenía en El Bosque, como entrar y tener libertad para circular en los pasillos interiores y el comedor».

Las esclavitas

La situación privilegiada a la que alude Verónica Miranda se relaciona con el ostensible segundo plano en que Fernando Karadima relegaba a las mujeres.

«En El Bosque las mujeres eran "las esclavitas", como les decía él. Servían para limpiar los copones y lavar la ropa», señala Jimmy Hamilton. «Las tenía ahí con la expectativa de que algunos de estos "lolos" no se fueran de cura y las podía casar con ellos. Había una perfecta manipulación de todo. El tipo es despiadado. Le importaba un pucho lo que pasara con ellas o con nosotros. La única persona de la galaxia a la cual él le tenía

---

todos los documentos ante la justicia eclesiástica, este era reservado. No obstante, cuando Verónica Miranda concurrió a declarar ante el fiscal regional Xavier Armendáriz, acompañó este escrito. Por lo tanto, es parte de la indagatoria de la Fiscalía y tiene carácter público.

[3] Declaración de Verónica Miranda Taulis ante el fiscal regional Xavier Armendáriz, 24 de mayo de 2010.

miedo era a su madre. Hoy creo que amor no sentía por nadie. Todos éramos objetos.»

—¿Cómo era la madre de Karadima?

—Doña Elena Fariña era una madre terrible, dominadora, déspota, afirma Hamilton.

El periodista Juan Carlos Cruz recuerda con nitidez el rol menoscabado que el sacerdote atribuía a las mujeres. «A sus jóvenes que no enviaba al Seminario, él les elegía estas mujeres de buenas familias pero en extremo sumisas. Les organizaba literalmente los matrimonios. Les decía "es la voluntad de Dios" que tú pololees con ella. A las mujeres las miraba en menos. Las llamaba "las esclavitas" y decía que las tareas menores que les encomendaba les hacían bien para practicar la humildad. Para lo único que servían en la parroquia era para limpiar los copones y hacer catequesis.»

Este desprecio por las mujeres es una característica que surge en diferentes testimonios. Otros agregan que también les encomendaba repartir medallitas y pasar la colecta.

Según Juan Carlos Cruz, muchas de las niñas de El Bosque habían querido ser monjas, «veían al padre como lo veíamos nosotros, como este santo enviado de Dios. Ellas también le decían "santo o santito". Y nunca cuestionaban que se quedara tanto tiempo con sus maridos. Si alguna reclamaba, decía: "Está con la maña", y hacía que otras mujeres o algún otro cura hablara con ella; o él mismo las encaraba. Y, para variar, decía que se les había metido el demonio. Y como eran sumisas y querían hacer la voluntad de Dios, acataban».

«Cásate pu'h m'hijo»

En 1991, Jimmy Hamilton ganó una beca de cirugía en la Universidad de Chile, en la sede del Hospital del Salvador de Santiago. «Durante ese año, a pesar de mi pololeo, las cosas no cambiaban, salvo que ahora debía esconderme para que Verónica no se enterara de lo que ocurría con monseñor.»

Al mismo tiempo, relata, «la intensidad del pololeo se hacía mayor y constantemente me tenía que confesar con el padre Fernando por lo que consideraba "mis pecados de pureza", más allá del respeto mutuo que nos manteníamos; probablemente pasaba lo mismo con Verónica».

Ese año, al llegar el verano, un día en el estacionamiento de la casa sacerdotal en El Bosque, «tratando de ver cómo resolvía estos "pecados", le pregunté a Karadima qué podía hacer de mi vida, a lo que me contestó: "Cásate pu'h m'hijo". Después del drama interno que me suponía mi supuesta vocación sacerdotal, todo se resolvía de pronto al sacar el auto para acompañarlo a alguna de sus actividades».

Meses más tarde, Hamilton siguió el consejo. Venía llegando de un viaje a Nueva York, junto con Gonzalo Tocornal, al que fue invitado por Karadima. Entonces, a su regreso, le propuso matrimonio a Verónica Miranda. Pero no obtuvo una respuesta definitiva. «Para mi sorpresa, Verónica me indicó que se iba de viaje a Europa con su hermana Claudia y que me contestaría a la vuelta. Solo años después supe que, como había pensado en ser religiosa, iba a decidir sobre su vocación allá, cosa que supongo sabía Fernando Karadima.»

Ese verano, Jimmy Hamilton tuvo muchos turnos médicos después de dos semanas de vacaciones. Se sentía angustiado por el trabajo, la duda ante la respuesta de Verónica y la presión siempre presente de Karadima. Estaba agotado y deprimido. Durante su viaje, ella le mandó algunas cartas y en ocasiones hablaron por teléfono.

Verónica tuvo un nuevo acercamiento a la Iglesia y a la idea de dedicarse de lleno a ella. Por eso, tras la propuesta matrimonial, prefirió tomarse un tiempo para despejar sus dudas. Y comentó el asunto con Karadima. «Él como que fue desinflando mi vocación», dice. Ya de vuelta de Europa, a principios de marzo, Verónica aceptó el matrimonio.

«Luego Jimmy me regaló un anillo de compromiso y me decidí. Nos casamos en diciembre de 1992, en un matrimonio muy bonito», declaró Verónica Miranda ante el fiscal.

Sin embargo, para Jimmy Hamilton, ya antes de efectuarse el matrimonio, «la comunicación entre Verónica y yo estaba bloqueada; todo pasaba por nuestro director espiritual común, por lo que nunca logramos establecer una intimidad cómplice».

La ceremonia religiosa realizada en El Bosque, oficiada por el propio Karadima, con prédica incluida, fue «una puesta en escena grandiosa, una misa con decenas de sacerdotes salidos de la parroquia», describe.

«El día del matrimonio —cuenta Jimmy— yo estaba muy ansioso y angustiado, estaba haciendo lo que Dios quería, pero no estaba contento, sentía que era el premio de consuelo por no haber sido sacerdote... no hubo caso, no lo podía disfrutar. Durante la prédica del padre Fernando, yo trataba de olvidarme de toda la historia previa y trataba de ver el futuro con esperanza y añoranza de libertad.»

Después hubo una celebración en el Hotel Hyatt. Brindis, exquisiteces y bailes. «Fue una gran fiesta, pero yo sufrí desde el principio. Lo único que quería era irme de luna de miel», dice el novio.

En la «colonia virtual»

Las cosas no mejoraron. La dependencia frente al director espiritual seguía. De vuelta a Chile, tras un viaje a México, el sometimiento de la pareja respecto del cura siguió intacto. Jimmy y Verónica se instalaron en Santiago. «Llegamos a un departamento arrendado que monseñor mandó a pintar, lo que genuinamente agradecí, como las numerosas ayudas en bencina para mi auto, invitaciones a comer y algunos regalos más. Lo que yo pensaba que había acabado, continuó. La rutina era la misma, pero ahora se agregaba Verónica, que nos acompañaba a comer al comedor de la casa sacerdotal; después de la comida, el padre me pedía que lo fuera a examinar a su pieza», señala Jimmy Hamilton.

Jimmy y Verónica iban a menudo a la parroquia. Después de un tiempo se cambiaron de casa, pero tuvieron que decidirse por un nuevo domicilio cerca de El Bosque. Así lo dispuso Fernando Karadima. «No nos podíamos ir de la parroquia, teníamos que estar dentro de lo que era su jurisdicción. Teníamos que ir todos los días a misa de ocho de la tarde o llegar al Rosario veinte para las ocho», comenta Jimmy. Y Verónica agrega: «Llegué a ir para allá en la mañana y en la tarde, es decir, dos veces al día a misa; la verdad, era mi casa».

«El padre Fernando siempre quiso que como matrimonio vivieran cerca de la parroquia, los quería tener allí», señala el informe ante el promotor Escudero que consigna el testimonio de Verónica. «Incluso le pidió a un sacerdote que comprara un departamento en el barrio para luego arrendárselo a ellos. Ellos estaban viviendo en otro lugar entonces, pero a instancias del padre tuvieron que trasladarse al que él les ofrecía», señala.

Durante un tiempo en que vivieron «lejos de El Bosque, en el barrio alto, iban a misa a la parroquia del lugar (…), pero el padre Fernando les cobraba sentimientos y comentaba que esas misas no eran válidas; lo peor del caso es que se los decía en serio», señala el informe.

«El mundo de El Bosque era muy encerrado. De hecho, en tiempos de mi matrimonio nos teníamos que cambiar de casa para estar cerca de la parroquia», confirma Jimmy Hamilton. «La casa donde vivíamos era de los papás de Gonzalo Tocornal, que se la había regalado aparentemente a Francisco Proshaska, otro de los chiquillos de la parroquia, pero decían que era administrada por Fernando Karadima. Y nosotros pagábamos el arriendo a Proshaska. No tengo idea dónde terminaban esas platas. Pero esa fue la última casa que tuvimos en común con Verónica.»

—Curioso el sistema de vida…

—Completamente controlado. Había un control total. Karadima era una especie de Paul Schäfer, pero El Bosque es una Colonia Dignidad sin rejas a su alrededor. Hay en este caso un límite inmaterial, pero a mucha gente nos mantenía dentro de esta especie de colonia virtual, incluso desde el punto de vista físico.

Padrino de bautismo

«Nuestra cercanía con Karadima era total —continúa Verónica Miranda en su testimonio ante el fiscal—, él nos influenciaba totalmente a ambos, no quería que fuésemos a otras misas; él decidía lo que yo debía decirle a Jimmy, no podía pensar ni hacer nada de forma autónoma. Karadima sabía nuestra intimidad como matrimonio y hablaba de ello, era como una preocupación permanente de él. Ahora lo pienso como si hubiese sido un matrimonio de a tres. Por esto, también siento una suerte de abuso psicológico y espiritual hacia mí.»

El documento del procurador Eliseo Escudero y el notario Gustavo Adolfo García señala en uno de los primeros párrafos: «Al nacer la hija mayor de Verónica y Jimmy, el padre Fernando les pidió ser padrino de bautismo de la guagua, pero en esa ocasión Jimmy no aceptó tal petición». No obstante, al nacer el segundo hijo, la insistencia continuó y «se lo entregaron como su ahijado».

Aunque en el ambiente de El Bosque se asumía con naturalidad ese pedido de Karadima de ser padrino —y de hecho innumerables matrimonios son «compadres» del cura— es una costumbre que llama la atención incluso dentro de la Iglesia, ya que lo habitual es que el sacerdote bautice a un niño, pero que los padrinos sean familiares o amigos.

—¿Qué rol le daba él a Verónica? —le consulto a Jimmy.

—Como la meretriz de los hijos que yo le iba a entregar a él. De hecho me pidió ser el padrino de mi hijo hombre. Y a mí me hubiera encantado darle a otra persona la posibilidad de ser el padrino. Pero era imposible…

—¿Lo bautizó y fue el padrino?

—Sí, claro. Pero no le podía decir que no, porque por cualquier cosa que fuera en contra de sus deseos me hacía un berrinche, era quitarnos su favor, era quitar el favor de Dios.

—¿En qué se manifestaba el berrinche?

—De alguna manera, te dejaba de hablar, o si tú ibas a misa y lo ibas a saludar, no te devolvía el saludo. O te decía: «Estoy muy ocupado, tengo que hacer, m' hijito». Siempre había como una ley del hielo. Un chantaje emocional. Y era una situación que al principio me afectaba muchísimo; sin embargo, en la medida en que fue pasando el tiempo, uno ya se somete como por entero, pero trata de que estas cosas no perturben el resto de tu vida. Pero cuando uno empieza a insensibilizarse con todo esto, comienza también a insensibilizar su corazón. Empieza a olvidarse de que es persona. Y que vive y tiene sentimientos. En cierto modo, uno deja de vivir.

La intromisión del cura en el «matrimonio de a tres», como lo define Verónica, se manifestaba en todos los planos. Incluso en cuestiones domésticas.

Jimmy relata un episodio que sucedió después de casado, cuando se le ocurrió comprar un televisor. «Vivíamos muy justos, pero había ganado unos pesos y compré un aparato de televisión. Karadima nos hacía invitarlo a comer a la casa. Y un día llegó y vio el televisor nuevo; me llamó a un lado y me dijo: "M'hijo, no me consultaste lo de tu tele". Entonces yo le contesté: "Pucha, en realidad padre, no se me ocurrió". Y su respuesta fue: "Recuerda que me tienes que consultar". Para todo era así.»

Relaciones trianguladas

Entretanto, bajo su «dirección espiritual», Verónica «se ciñó a todas las directrices que el padre le daba», anota el informe eclesiástico. En alguna oportunidad, cuando no le hizo caso, Verónica fue «recriminada por Jimmy, su esposo, quien le pidió que fuera obediente con el padre. Ella acató la orden».

«El problema era que Jimmy no se atrevía a contradecir al padre —continúa el documento— y hacía exactamente lo que le ordenaba, incluso hasta las pequeñeces más nimias, como qué lápiz usar en la camisa. (…) Y si al padre no le gustaba el lápiz, simplemente no lo usaba más.»

Señala la denuncia de Verónica, registrada por el procurador Escudero y el notario García: «El padre utilizaba a Verónica o a otro sacerdote para averiguar información sobre Jimmy cuando este andaba de mal talante: le gustaba indagar el porqué de su estado de ánimo y por qué no quería ir a conversar con él».

Jimmy Hamilton ratifica: «Mi ex mujer —que es una mujer notable, honorable, buena— y yo llegamos a confesar a Karadima secretos personales, problemas propios del ser humano, puesto que él era nuestro director espiritual y confesor. En este juego entre la dirección espiritual y la confesión, de repente era él quien definía qué cosas se le habían dicho en confesión y qué otras en dirección espiritual. Se daba una situación de profunda confusión y dominación».

—¿Cómo establecerías tú la diferencia entre confesión y dirección espiritual?

—El director espiritual es una suerte de consejero, un *coaching*, pero en estos casos se atribuye la visión de Dios. El director espiritual le dice a su dirigido lo que a él, de acuerdo a su intuición y su inteligencia, le parece que es lo que Dios quiere para su dirigido. Es un *coaching* divino. Pero el confesor es el que te quita las culpas. Le cuentas tus pecados mortales y veniales; con quién fuiste infiel, a quién le mentiste, a quién robaste, a quién mataste… toda la gama de lo que se consideran pecados dentro de la Iglesia.

Jimmy Hamilton explica que algunas congregaciones «dividen estos roles casi de manera obligatoria y no dejan que la persona del confesor sea a la vez el director espiritual. Acá, este hombre cumplía ese doble rol. Según su teoría, esta era la única manera de conocernos en profundidad para poder ver qué era lo que Dios quería de nosotros. Establecía así un control total sobre la vida de nosotros, porque él era, además, la voz divina».

Vestuario dirigido

«Ese proceso —agrega Hamilton— generó dentro del matrimonio una situación en la cual no quedaba claro lo que uno le decía en confesión al director espiritual, porque al final él tenía la discrecionalidad de definir. Y con la información que obtenía podía chantajear a uno de los dos. Verónica le había contado cosas que yo supe después de quince años.»

«Y como teníamos una comunicación muy inmadura, de niños muy chicos ambos —dice—, él tenía sobre ella la amenaza permanente de que si no hacía las cosas que a él le parecían o se vestía como él quería, podía tener consecuencias…»

—¿Ella se vestía como él quería?

—Sí, claro. De repente, si llegaba en minifalda y consideraba que a mí me podía gustar, encontraba que ella estaba muy provocativa. Entonces, en cierto modo, él le fue matando su feminidad. Fue destruyendo su feminidad para mantenerme en una situación de frustración en este aspecto, lo que por otra parte facilitaba el abuso. A pesar de llevar algunos años casado con Verónica, la presión de Karadima seguía y en ocasiones nos juntábamos en su pieza.

El asunto de su vestuario y aspecto externo también lo abordó Verónica con Escudero y García en 2004. El informe lo resume así: «Verónica vivió una influencia fuerte del padre Fernando, quien opacó mucho su feminidad. Siempre le decía que no es posible que una mujer casada vaya pintada o tan bien arreglada. Al principio, lo tomaba como una broma, pero al final le comenzó a molestar. Sin embargo, logró cambiar sus costumbres para ser una mujer que pasaba más bien desapercibida. Esta situación se repetía con otras mujeres. Los padres de Verónica advirtieron ese cambio y se lo cuestionaron».

Jimmy Hamilton señala que Karadima dejaba entrever la complicación de que «cosas mías que él sabía también se las podía contar a Verónica». Entonces, dice, «se genera una ruptura total de comunicación en la pareja. Cero complicidad, cero intimidad. Toda esa situación atentaba contra lo más profundo que puede haber en una pareja, como lo es el mundo de la libido y la energía del eros, que es una energía vital. Esta triangulación en el fondo lograba impedir cualquier tipo de matrimonio como corresponde».

En el documento que recogió la denuncia de Verónica hay otros antecedentes que pueden haber contribuido al distanciamiento afectivo de la pareja: «El segundo y tercer embarazo fueron dificultosos, con largos períodos de cama».

Información cruzada

Pero la «triangulación» no ocurría solo en el espacio del matrimonio, según Hamilton. «Esto mismo también lo hacía con amigos. Siempre estaba cruzando la información, porque era director espiritual y confesor de todos.»

—¿Con cuánta gente cruzaba información?

—Con todos los que circulaban en torno a la parroquia, cuarenta y cinco o cincuenta personas. Además, sin contar a los sacerdotes, los obispos y la periferia que constituye su red de influencias que pueden ser miles de personas a las que confesaba cada cierto tiempo.

—¿Con qué frecuencia tenías tú estas sesiones de confesión y dirección espiritual?

—Semanalmente y cuando tenía alguna duda o necesidad de consultar algo, podía ser más seguido. Por ejemplo, si era invitado a un congreso o me estaban ofreciendo una beca…

—¿Todo eso pasaba por la dirección espiritual? ¿Un congreso médico también?

—Todo. Porque él sostenía que quizá no convenía que yo viajara, porque el congreso me podía aumentar la vanidad. Entonces, por humildad yo tenía que dejar de ir al congreso. Había que hacer pruebas de humildad. Él contaba que una vez que lo habían invitado a viajar, el padre Hurtado le había hecho romper los pasajes porque no convenía que él viajara en ese momento. Siempre estaba dando ejemplos de cosas que le habían hecho a él y heroicamente había obedecido a su director espiritual que, según él, era el padre Hurtado.

»Teníamos una doble referencia de santos: el padre Hurtado que ya era Siervo de Dios o Santo en vida, a quien después la Iglesia canonizó, y luego venía este otro santo que se decía heredero de toda la doctrina del padre Hurtado. Pero lo que hacía la Iglesia, en relación con la defensa de los derechos humanos, tenía que ver con curas comunistas.

Un hombre triste y opacado

El informe basado en la denuncia de Verónica Miranda reitera la estrecha vinculación que Verónica y Jimmy mantenían con Karadima: «Lo acarreaban a diferentes lugares, cenaban juntos en su casa... No eran muchos los matrimonios que mantenían este grado de intimidad». Destaca también que «tenían cargos especiales en la parroquia. Jimmy fue durante cinco años presidente de la Acción Católica. Lo fue desde antes de su matrimonio. Después de casados se les encargó impartir charlas de preparación a los novios para el matrimonio».

Pero mientras daban charlas para los demás, la situación de ellos como pareja en este «matrimonio intervenido» se hacía imposible. «Seguimos yendo juntos a misa y tras la llegada de nuestros hijos todo siguió igual... Me sentía profundamente solo, en una casa con una buena mujer, lindos niños, pero no era mi hogar. Me volqué con intensidad a mi trabajo, el cual me consumía gran parte del tiempo y energía. Nos cambiamos varias veces de casa, siempre con la orden de que fuese cerca de la parroquia. Me gustaba pintar óleo y tenía varios cuadros... nunca quise ponerlos en las paredes, no tenía el sentimiento de pertenencia», relata Jimmy.

Según él, en ese tiempo «como papá era pésimo, no era capaz de acompañar a mis hijos en nada, ni siquiera me dediqué a mirarlos desde el jardín si es que jugaban afuera o en la calle. Llegaba solo a dormir siesta y me empecé a deprimir. Despertaba agotado en las mañanas, engordé, choqué en un año como cuatro veces por quedarme dormido, incluso contraté a un chofer... Y solo tenía treinta y cuatro o treinta y cinco».

En ese estado de ánimo decidió recurrir a un siquiatra, «pero monseñor me sugirió que era mejor aumentar la oración en la capilla». Al final, acudió al médico personal de Karadima, Santiago Soto, «a quien no fui capaz de contarle lo que me ocurría y me recetó un antidepresivo y ansiolíticos». Los empezó a tomar, pero el asunto era bastante más de fondo.

«En el tiempo que vivía su problema, Jimmy era un hombre más bien triste, opacado, cansado, de mal genio. Imaginaba que todo el mundo estaba enojado con él», describió Verónica Miranda al promotor Eliseo Escudero. «Sin embargo, antes de ocurrir estos hechos, él no era así; era un hombre bueno para compartir con sus amigos. Incluso sus compañeros de colegio contaban que al entrar a la parroquia él se transformó, volviéndose un hombre más reservado y con menos vitalidad», apunta el informe.

«A Verónica le ha tocado lo mismo que a otras señoras: esperar a sus maridos mientras estos conversan con el padre Fernando en su dormitorio, arriba en el segundo piso de la casa (...) esa espera le parecía normal y no producía sospechas», dice el documento del proceso eclesiástico. «Estas subidas al segundo piso Verónica no las veía con maldad. Las esperas y subidas se suponía eran cosas espirituales y no le provocaban ni dudas ni sospechas.»

Escenas de doble vida

En una de las numerosas conversaciones sostenidas con Jimmy —varias en mi casa, otras en la Clínica Santa María o en la Universidad de Chile—, seguimos profundizando en esa doble vida que llevó durante años, tratando de desentrañar lo inexplicable. La persistente pregunta sobre el tiempo que estuvo bajo la influencia o el hechizo de Karadima, vuelve a la mesa repetidas veces.

«Cuando me casé, pensé que nunca más me iba a presionar… pero si uno no le aceptaba la invitación a su pieza te quitaba el favor. Empezaba con la ley del hielo, el demonio, el Infierno, que no estabas con Dios, que estabas con la maña y te ibas a condenar. Toda la vida aplicaba la teología de la condenación», señala.

—¿Esos acosos o eventos eran menos frecuentes después de que te casaste?

—Sí, porque yo tenía excusas para no ir. Si iba a misa tenía excusas para no quedarme, pero tarde o temprano empezaba una presión que aumentaba hasta que finalmente ocurría.

—¿Cómo fue eso que publicó un diario que el abuso ocurría incluso en tu propia casa?

—En realidad no era que hubiera sido en mi propia casa, sino en el segundo piso del edificio de la parroquia, donde estaba la pieza de Karadima. Él nos invitaba a comer y yo iba con mi señora y mi guagüita en coche.

A propósito de esas aproximaciones en distintos escenarios, cuenta que, poco antes de romper con todo, «él nos exigió que nos fuéramos de vacaciones a Puerto Varas a unas cabañas al lado suyo, ya que a él le habían cedido una propiedad los Kast y le habían construido una casa para su descanso en los veranos. Invitaron también a Francisco Prochaska a esas cabañas. Y nos convidaron una tarde a tomar té. Estaban Andrés Arteaga, Tommy Koljatic, estaban todos, "la corte", como la llamábamos. Y ahí recuerdo que hasta en esas circunstancias intentaba toqueteos o besos, pero yo ya me resistía».

—¿Cuándo fue eso?

—El verano de 2003 o quizá de 2002… Si esto ocurrió desde que yo tenía diecisiete años hasta que yo me fui a principios de 2004. Fue continuo. Desde 1983, cuando llegué a esa parroquia, empezaron esos toqueteos y los besos. Como era «mi papá» y era un gesto que se daba con otros jóvenes, no me di cuenta de que eran abusos. Después vino lo demás.

Verónica Miranda nunca sospechó lo que pasaba entre su marido y Karadima. Aunque «ahora recuerdo —le indicó al fiscal Armendáriz— que Karadima a menudo tenía dolencias físicas y quería consultarle a Jimmy como médico, pero él le hacía el quite, y Karadima me pedía que yo hablara con Jimmy (…) Yo lo retaba, porque Jimmy siempre ha sido muy atento con sus pacientes; su negativa ahora me calza».

Cuenta Verónica, en su relato ante la justicia eclesiástica, que el ex párroco «se operó de una hernia y lo iba a intervenir Jimmy, pero al final no pudo hacerlo. Y como detalle recuerdo que Karadima nunca aceptaba que le dieran ninguna anestesia cuando le tocaba hacerse endoscopías; él decía que era como una mortificación, pero yo pienso que quería evitar decir cosas impropias bajo los efectos de la anestesia».

La distancia entre Jimmy y Verónica era cada vez mayor. Ella llegó a pensar que él tenía a otra mujer. Así se lo hizo saber a su director espiritual en una conversación, pero Karadima le aseguró que no había nadie más, que nunca había existido otra mujer y le pidió que se confesara por haber dudado de su fidelidad.

El día que se perdió Diego

Aunque Jimmy Hamilton sostiene que en ese tiempo era «un mal padre», afirma que la «única pequeña brújula que me quedaba es la que me orientó a proteger a mis hijos».

Verónica Miranda dejó consignado en su declaración como testigo ante el fiscal un hecho ocurrido en 2003: «Cuando mi hijo Diego tenía unos ocho años, se perdió dentro de la parroquia y no lo encontraba. Al rato apareció y nos dijo a Jimmy y a mí que había estado en la pieza del "curita", que así le decíamos a Karadima, frente a lo cual a Jimmy se le desencajó la cara, lo increpó y le dijo que nunca más lo hiciera».

El cura —dice Jimmy Hamilton— «siempre me decía "mándame a Dieguito, a mi hijo, mándame a los niños a saludarme". Pero yo nunca les permití que fueran solos a saludarlo a la pieza. Siempre estuve con ellos, siempre los acompañé. Nunca dejé que se fuera a establecer un nexo como el que tuvo con otros niños con los que se quedaba solo».

Y relata una situación que le impresionó: «Al hijo de Jorge Álvarez, al Toté, Karadima lo iba a buscar en auto desde los tres años todos los días, con alguno de nosotros; lo llevaba a pasear, a comprarle cosas, era una obsesión de una persona de sesenta años con un niño de tres. Era tan patológico, que cuando Jorge Álvarez se fue a Canadá para hacer una especialización, Karadima se quedó sin este niño de tres o cuatro años y lo suplantó por el hijo de un cuidador de autos de la parroquia que se parecía. Y empezó a ir a verlo y nos llevaba para que lo acompañáramos a ver a este niño, a comprarle cosas y a tratarlo igual que al otro que se había ido».

El niño de tres años de entonces, hijo del doctor Jorge Álvarez, ahora es un joven que pertenece a la Acción Católica y que en estos años ha sido uno de los más próximos a Karadima.

Para Jimmy, el temor que tuvo cuando su hijo estuvo perdido en la parroquia fue uno de los puntos de quiebre que le permitió empezar a mirar su propia situación con otros ojos, según ha reflexionado después.

Veinte años, tanto tiempo…

Verónica supo lo que ocurría recién el 25 de enero de 2004, como consta en su declaración ante Escudero. «La confesión se produjo después de un viaje de cinco horas solos y en medio del silencio más absoluto. Nada se conversó durante todo el trayecto. Finalmente, a eso de las once de la noche, se inició el relato, partiendo por el incidente de Viña del Mar, ocurrido veinte años antes», relató Verónica al promotor de justicia de la Iglesia.

«La gente se pregunta por qué veinte años... tanto tiempo. Yo voy a ser muy sincero. Creo que si no llega a ocurrirme una circunstancia de vida muy especial en un momento en que sentí que mi corazón estaba muerto, hasta el día de hoy podría estar ahí metido», explica James Hamilton. «Esa situación tan fuerte rompió el statu quo en que me resignaba a que era lo que me tocaba vivir.»

—¿Te sentiste atraído por otra mujer?

—Sí, volví a sentir un afecto profundamente. Cuando uno tiene el corazón muerto durante años, frío, lo han usado y todo deja de ser, y el bien y el mal no tienen una especie de separación ya que hay un relativismo absoluto, y uno nota que el corazón siente algo de nuevo, uno se aferra a eso como a una especie de tabla de salvación.

»Y más que el hecho de que uno se haya sentido atraído por una mujer, la pura sensación de volver a sentir algo en el corazón es como decir no estoy muerto, tengo esperanza, hay una posibilidad. Y curiosamente esa especie de llamita fue lo que de manera súbita me hizo alejarme —señala.

«En el verano de 2004 me fui», agrega Hamilton. «Si no, podría estar ahí metido igual que esos jóvenes que aparecen en la tele vestidos de chaqueta y corbata, como nazis, o como Juan Pablo Bulnes, dando testimonio en contra de nosotros. Por eso, hay que tener compasión y comprensión con muchas víctimas que siguen ahí y no tienen la capacidad de darse cuenta de qué está bien y qué está mal o, si ya lo han clarificado, no se atreven a confesar lo que han vivido.»

Reconoce que asumirlo y contarlo «ha sido un proceso desgarrador. Me imagino amigos míos —todavía los considero así, porque les tengo aprecio— que siguen ahí adentro y que de manera súbita descubren que todo lo que ellos han visto y vivido es una perversión. Y que está fuera de Dios. Debe ser horrible también».

Verónica Miranda, ante el fiscal Xavier Armendáriz, manifestó: «En enero de 2004, Jimmy me contó lo que pasaba con Karadima, me señaló que todo empezó en Viña del Mar y que tuvo intimidad con Karadima en adelante, incluso durante nuestro matrimonio».

Admitió con la entereza que la caracteriza: «Esto obviamente me pareció tremendo y lloré mucho, lloramos juntos… Cuando Jimmy me contó, me calzó todo, como que por primera vez vi a Jimmy al desnudo. Desde ese momento estuvo inquieto, angustiado, sin saber qué hacer. Le dije que esto lo íbamos a solucionar juntos».

Un llamado de Morales

En 2004, Verónica Miranda se encargó de poner la situación vivida por ella y su marido en conocimiento de la jerarquía católica. La situación entre Jimmy y Karadima «se la conté ese mismo año al padre Adolfo García, que es familiar político, quien fue a hablar en persona con el cardenal Errázuriz», señaló Verónica. A partir de eso se inició un proceso eclesiástico, «por lo cual fui a declarar con el sacerdote que estaba a cargo de la investigación, el padre Eliseo Escudero», señaló ante el fiscal.

El 24 de mayo de 2010, Xavier Armendáriz le preguntó a Verónica Miranda si había hablado de esto con Karadima. Su respuesta fue negativa. «La verdad, no soy capaz. Hasta hoy me siento intimidada de hacerlo, dada la tremenda influencia que tuvo en mí», fue su respuesta.

Relató, en cambio, una conversación con Juan Esteban Morales, el actual párroco de El Bosque «y una persona totalmente de la confianza de Karadima». Morales la llamó por teléfono y quedaron de conversar. La reunión se efectuó en la casa de sus padres.

Contó Verónica al fiscal: Morales quería «por encargo de Karadima, que volviésemos a El Bosque, lo cual obviamente yo no podía hacer, y también que volviéramos a ser pareja. Le señalé que ni yo ni mis hijos jamás íbamos a volver a ese lugar». Le contó que se había «enterado de algo muy delicado. Ante eso, sin existir ni la más leve insinuación mía, Morales dijo que "si era porque hubo algo sexual entre Jimmy y Karadima, que esto era algo sin importancia". Con esto me descolocó y supe que Morales sabía lo que pasaba entre ambos. Le dije a Juan Esteban que él era sacerdote y que debía actuar como tal y di por finalizada la conversación».

De esta manera, «me reafirmó que la gente del círculo de Karadima ya no se cuestiona nada y no distingue lo que es propio de lo impropio. Por esto y por todo, además, me di cuenta de que lo que hubo con Karadima no fue una infidelidad de Jimmy».

En la primera declaración de 2004, le preguntaron si podría haber otros casos. Verónica Miranda respondió ante el promotor de justicia Eliseo Escudero que sí: «Hay un cierto patrón que se repite en ciertos matrimonios que pueden estar viviendo más o menos lo mismo».

El fiscal Armendáriz le planteó similar interrogante. «A su pregunta, de otras personas que hayan pasado este tipo de situaciones, puedo tener sospechas con varias, por ejemplo, con Morales o con Francisco Prochaska, pero no me consta», fue su respuesta.

Y agregó Verónica Miranda en esa oportunidad: «Sí, recuerdo que aproximadamente el año 2002 fuimos con Jimmy de improviso a la pieza de Karadima, tocamos la puerta y él se demoró mucho rato en abrir, y cuando al fin lo hizo, estaba sentado en su sillón, pero con características de haber hecho mucho ejercicio, y estaba con él un sacerdote, no recuerdo quién, como que me bloqueé, pero la situación se me quedó grabada».

—¿Crees que hay otros hombres casados a los cuales les puede estar pasando algo como lo que tú viviste? —le pregunté a Jimmy Hamilton.

—Sí, claro. Sin duda. El tema del matrimonio no es un obstáculo. Yo pensé que podía ser mi salvación...

En noviembre de 2009, Jimmy Hamilton y Verónica Miranda se divorciaron de común acuerdo. Desde el primer instante ella ha apoyado a su ex marido y a sus hijos. En 2009 iniciaron también el proceso de nulidad religiosa que se vinculó estrechamente a la investigación de la Iglesia contra Karadima, al reconocer que por el abuso del director espiritual el matrimonio se anulaba. Fue un preámbulo de lo que vendría después.

«El curita perdonó a tu papá»

Para Jimmy Hamilton, sus tres hijos están hoy en el primer lugar de sus prioridades. Con ellos estaba en febrero en Val d'Isère, en Los Alpes franceses, cuando se conoció el veredicto del Vaticano. Después de unos días en la montaña, continuaron las vacaciones en la casa de su hermano Philip, quien los invitó a Londres, Inglaterra, donde reside con su familia.

Una semana antes de que estallara el caso, Jimmy había tenido la primera conversación con sus hijos, en la cual les contó «sin mayores detalles lo que me había pasado». Dice que fue «una reacción maravillosa y una de las experiencias más lindas que he tenido en mi vida». Los dos mayores incluso vieron el programa *Informe Especial* en abril. Y han vuelto a hablar sobre el asunto.

Pero las secuelas de El Bosque alcanzaron incluso a sus hijos en el último tiempo.

«Te voy a contar algo bastante truculento», me dijo Jimmy una tarde: «Después del programa *Informe Especial* se le acercó a mi hijo Diego, que estudia en el Verbo Divino, un niño cuyos padres son incondicionales de Karadima. Llegó el cabro de catorce años a decirle a Diego que su director espiritual, Juan Esteban

Morales, el párroco de El Bosque, lo invitaba a las reuniones de la parroquia».

«Nada de tonto, Diego —quien quiere a su amigo al que le dicen Jamón—, le contestó: "¿No te dai cuenta, Jamón, que estás siendo el niño de los mandados? No me digái estas cosas, déjalas entre los grandes y nosotros sigamos siendo amigos". Pero eso no bastó, y en una segunda oportunidad llegó ese mismo niño con otro, hijo de Gonzalo Tocornal, diciéndole: "Mi padre espiritual te manda decir que el curita —refiriéndose a Karadima— ya perdonó a tu papá". ¡Imagínate la manipulación! Y como si eso fuera poco, le contó que el padre Juan Esteban lo había subido en el escalafón y lo había nombrado encargado de todos los primeros medios de la Acción Apostólica del Verbo Divino para llevar a los niños a la parroquia de El Bosque.»

Jimmy Hamilton se indigna al recordar el episodio. «¿Te das cuenta el impacto para mi hijo que le vengan a decir una cosa así de parte de un sacerdote? Le transmitían a mi hijo la información de que yo era un criminal al que el padre había perdonado. Es de una atrocidad tan grande el que trataran de afectar mi relación con mi hijo que solo eso es inquietante. Es una perversión meterse en algo tan íntimo y tan sagrado como es la relación entre un hijo y un padre.»

«Eso demuestra que hay sacerdotes que mantienen esa perversión, un concepto de una nueva moralidad, en que lo bueno y malo dependen del criterio de la persona», señala. Pero, a la vez, cuenta orgulloso que su hijo Diego fue a declarar a la Fiscalía, y tuvo la valentía de hacer público ese episodio ante el fiscal, con la encargada de protección de testigos frente a él.

Según Jimmy Hamilton, lo que ocurrió con Diego refleja cómo «operan las redes de esta trama casi delictual de lavado de cerebro a los jóvenes que después quedan en un estado como el que yo estaba y que son perfectamente susceptibles a todo tipo de abusos».

Y agrega: «Hay un proceso que se inicia con los niños chicos abiertos, generosos, cuando están en su despertar de adolescencia;

empiezan a manipular todo su despertar sexual, a decirles que esto es malo, que la masturbación es mala, que esto y esto otro. Y de repente, viene el doble discurso, les empiezan a hacer toqueteos en la confesión o donde sea y ahí comienza un drama como el que he vivido».

El domingo 20 de marzo, desde las cámaras del programa *Tolerancia Cero* de Chilevisión, el doctor James Hamilton Sánchez dio cuenta en parte de ese drama. En esa ocasión aludió al episodio de su hijo Diego y los recados del párroco Juan Esteban Morales, incondicional de Karadima.

Esa noche, a raíz de las demoras, silencios y posibles complicidades de la jerarquía de la Iglesia, apuntó directamente con su voz acusadora al cardenal Francisco Javier Errázuriz, a quien calificó de «criminal» por sus omisiones ante las denuncias formuladas desde hace siete años. Y advirtió de la eventual complicidad o encubrimiento de otras altas figuras de la Iglesia Católica, en particular de los obispos de El Bosque. «Que no se olviden de Tomislav Koljatic, Juan Barros, Horacio Valenzuela, Andrés Arteaga. Ellos son obispos que, como nosotros, vieron las mismas cosas, que los besos, los toqueteos. No estaban metidos en la pieza, porque no creo que se hayan metido de a cuatro, pero vieron las mismas cosas cuando besaba a este o le corría la boca o le agarraba los genitales al otro», señaló Jimmy Hamilton en *Tolerencia Cero*.

A la vez, James Hamilton habló de otros protectores del cura, entre los que están los integrantes de uno de los grupos económicos más influyentes del país, los Matte. Señaló que una persona de ese clan había llamado a su ex jefe de la Clínica Santa María, el doctor Juan Pablo Allamand, para indisponerlo tras el programa *Informe Especial*, bajo la falsa acusación de un acoso sexual en la Clínica Alemana. El impacto de sus palabras y su sinceridad desataron tal vendaval en la sociedad chilena, que sus consecuencias aún no se pueden dimensionar.

Pocas veces alguien había dicho las cosas por su nombre con esa fuerza. Los panelistas Fernando Villegas, Fernando Paulsen y Matías del Río, y quienes veían el programa, quedaron atónitos. Y cuando el abogado Juan Carlos Eichholz trató de recordarle, «estamos en televisión», la respuesta del doctor Hamilton se transformó en una frase que marcará época: «La verdad no se actúa. Es. Y no se enjuicia, es». Y agregó: «Nosotros tomaremos las decisiones que queramos frente a esa verdad. Pero si uno calla estas cosas, ¿quién las dice, cómo proteges a tus hijos?».

Capítulo IX

LA CARTA DE CONSUELO

Solía destacar entre las quinceañeras de mediados de los años sesenta que circulaban en los salones y fiestas santiaguinas. Muy delgada, alta y de pelo largo y liso, Consuelo Sánchez Roig no ocultaba una coquetería casi infantil.

Ocho años mayor, James Hamilton Donoso, un joven estudiante de Derecho de la Universidad Católica, se enamoró perdidamente de ella. Muy pronto Hamilton le regaló un anillo de compromiso. Consuelo dejó sus estudios en el colegio Villa María antes de terminar la enseñanza media, y se casaron en octubre de 1964. Él acababa de terminar su carrera de abogado.

En octubre de 1965, cuando Consuelo apenas tenía diecisiete años, la pareja tuvo a su primer hijo, James, como el padre. Poco tiempo después nació Philip, el segundo de los Hamilton Sánchez, y más tarde Consuelo, la menor.

Con su silueta alargada y una sonrisa vivaz, vestida esa mañana de mayo de 2010 con un pantalón y un suéter, la madre de James salió a recibirme en su departamento del piso 22 en la calle Cerro Colorado, detrás de la avenida Manquehue.

Solo el pelo, corto ahora, marca inicialmente la diferencia con la joven que tenía en la memoria. No la veía desde fines de la década del setenta o comienzos de los ochenta.

Las imágenes del pasado retornaron desde aquel e-mail que me envió su hijo en abril y volvían al primer plano. La separación de Jimmy padre y Consuelo y la consiguiente «nulidad matrimonial». La tragedia de aquella madrugada de Año Nuevo de 1976, cuando, preso de los celos y la ira, él terminó con la vida de Juan Costabal Echenique —uno de los dueños de la línea aérea

Ladeco—, la nueva pareja de ella, en la casa donde Consuelo vivía con sus tres niños. El posterior romance y matrimonio de Consuelo con el hijo de Costabal, con quien tuvo un hijo, hoy veinteañero. Fugaces visiones que se superponían mientras nos saludábamos.

Dedicada al paisajismo y los jardines, con su tablero de dibujo en una de las habitaciones del departamento, mantiene su espíritu y apariencia joviales. Preparaba en esos días invernales un viaje por un mes a Inglaterra para visitar a Philip y a sus cuatro nietos, que viven desde hace años en Europa.

La conversación surge fácil a pesar del motivo de mi visita. Tras instalarnos en su living mirando a la cordillera, habla de su hijo mayor: «Es un chiquillo muy inteligente, que tiene gran memoria, y con una característica maravillosa: él es muy veraz». Asegura que Jimmy nunca le ha mentido. «Si yo le pregunto una cosa y él no me quiere responder, me dice "mamá, no me lo pregunte porque no se lo puedo contestar", pero no me miente.»

—¿Supiste por Jimmy toda esta historia?

—Claro, Jimmy se separó aproximadamente en febrero de 2004. Él llegó a mi casa y me contó con mucha pena, muy afectado, la decisión que había tomado. En esa oportunidad, me empezó a contar del problema con Karadima. Una cosa creo que llevó a la otra. Mi percepción hacía mucho tiempo era que Jimmy estaba sufriendo enormemente y él no lo decía. Tuvo apnea de sueño, y yo lo veía que comía con mucha ansiedad, subía de peso. Se notaba una gran inquietud en él y, como mamá, percibía que algo le estaba pasando.

»Y era algo definitivamente muy fuerte y profundo que no quería exteriorizar. Hasta que vino a decirme esto… Y me planteó si se podía venir a vivir conmigo —dice Consuelo.

—¿Qué te contó?

—Me contó que el cura había abusado de él, pero no me dio mucho detalle. Un poco lo mismo que dijo en el programa de televisión. Pero que su matrimonio, de algún modo, también había sido no sé si armado por él, pero sí lo habría llevado a tomar la decisión de casarse.

—¿Tú conociste a Karadima?

—Sí, bastante. Al principio Jimmy empezó a ir a la parroquia y fue absorbido absolutamente, de una manera tal que él iba a la universidad y a la parroquia. Y yo empecé a ir los domingos a misa a El Bosque.

Chaquetitas azules

En ese tiempo, cuando Jimmy Hamilton comenzó a ser asiduo de El Bosque, seguía viviendo en la casa de su madre, pero ella apenas lo divisaba. «No llegaba a comer nunca a la casa. Comía siempre en la parroquia y llegaba tarde. Y se levantaba para ir a la universidad. El fin de semana también tenía que ser dedicado a El Bosque. Iba a ayudar las misas, a la Acción Católica y pasaba allá.»

—¿No sospechaste que pudiera suceder algo raro?

—Nunca se me pasó por la cabeza que algo malo le podía suceder en El Bosque. Todo lo contrario. Como mamá, decía: «qué bueno que está en un lugar al amparo de la Iglesia».

—¿Tú eres católica?

—Hoy sí, soy muy católica. En ese tiempo quizá también lo era, pero no podía comulgar, iba a misa y tenía que ir a El Bosque, porque una de las cosas que decía Karadima era que su misa era la que valía. Las otras no tenían ningún valor.

—¿Tú también escuchaste eso?

—Lo que tú estás oyendo. «No, no, no, si a las otras misas usted no vaya porque no valen», señalaba. Era una cosa muy curiosa. A mí me gustaba ir a esa misa para estar cerca de Jimmy, para verlo. Con frecuencia, él leía la primera o segunda lectura. Le daban un lugar muy protagónico.

—¿De qué años estás hablando?

—Fueron varios años. Un tiempo bastante largo, desde el 83, 84, por ahí. Y veía que existía este grupo de jóvenes, todos muy arregladitos con chaquetitas azules. De hecho, yo le preguntaba a Jimmy cómo lo hacían, y me decía que tenían un montón de chaquetas azules para todas las tallas.

—¿Las chaquetas las tenían en la parroquia?

—Sí, las tenían en la parroquia. Se les imponía cómo tenían que vestirse. Para ayudarle a Karadima en la misa tenían que estar de chaquetita azul. Eran como uniformados.

—¿Esos jóvenes iban a tu casa o toda la convivencia entre ellos era en El Bosque?

—Todo era en El Bosque. Y una cosa muy importante es que Karadima seleccionaba las amistades. Los amigos de Jimmy, cuando él estaba en El Bosque, eran los de allá, los seleccionados. Y los demás fueron todos eliminados por el cura, por a, b, o c razones. En algún minuto yo le preguntaba qué era de tal amigo del colegio, y la respuesta era «ah, no, es que no tengo tiempo», o cualquier disculpa. Pero la verdad es que eran absolutamente eliminados, porque no eran del núcleo de El Bosque.

»Lo que pasó al final, cuando Jimmy se salió, es que ninguno era amigo. Por eso se quedó muy solo. A sus amigos antiguos del colegio los dejó de ver. Y los otros, en el minuto en que él se salió de El Bosque, obviamente dejaron de ser sus amigos y le cerraron todas las puertas —comenta Consuelo.

«Manipulador de conciencias»

Después de saber lo ocurrido, Consuelo Sánchez ha ido «reconstruyendo muchas cosas» que la hacen llegar a ciertas conclusiones: «A mí me parece muy claro que el cura era muy manipulador de conciencias», afirma.

Una prueba de eso —dice— es lo que ocurría tras los abusos: «Cuando el cura toqueteaba a estos chiquillos, después los mandaba a confesarse con un curita viejo de la parroquia que es medio sordo y que yo creo que estaba sobre aviso, les decía "confiésense de faltas de pureza y no den detalles". Para mí, eso es muy grave, porque estaba tergiversando las conciencias de los jóvenes».

Consuelo Sánchez mantiene la serenidad, pero es firme al subrayar: «En esto hay abusos de tipo sexual, pero también hay otros abusos que son intelectuales, psicológicos, porque se puede abusar de muchas maneras de las personas. Yo creo que hay daño incluso más grave que el físico. Y no me cabe duda de que Jimmy ha sufrido eso. El hecho de apoderarse de las personas emocionalmente es tremendo y es lo que este cura ha hecho».

Para la madre del principal acusador del ex párroco de El Bosque el asunto es claro: «Jimmy tenía en ese tiempo la falta de un padre y también es el caso de este chiquillo Cruz, cuyo padre había muerto recién… Karadima tomaba ese lugar, y de a poco y muy hábilmente se iba apoderando de las personas. Él partía de la carencia afectiva de esos jóvenes para apoderarse y usarlos».

«El cura nunca me miró a los ojos»

«Hay personas que me han preguntado cómo nunca pensé o dudé», comenta Consuelo. Y ella misma reafirma: «Nunca. La verdad es que en eso tengo que ser bien sincera. Jamás vi, cuando Karadima iba a mi casa a almorzar con la Verito o con Jimmy, una actitud que me hiciera sospechar».

—¿Iba a tu casa también?

—Sí, muchas veces. Iba con este séquito de jóvenes, que no eran uno ni dos, sino como cinco. Porque él no podía ir solo. Siempre andaba rodeado de una corte de mínimo cinco chiquillos jóvenes. Uno le manejaba, otro era el ayudante para acá, el otro no sé qué… Yo nunca vi una mano en una rodilla, una actitud fuera de lugar. Pero hoy, para mi sorpresa, incluso sacerdotes como Hans Kast se aburrieron de decir que no pasaba nada, porque resulta que en la parroquia siempre vieron lo que sucedía.

—¿Qué cosas recuerdas de la personalidad de Karadima?

Se detiene en actitud pensativa y trata de recordar.

—Karadima se cuidaba de mí, pero hay una cosa bien curiosa. A él siempre había que rendirle pleitesía. Y después de misa, cuando yo iba a El Bosque con mi marido y mi hijo menor, Jimmy me decía: «Mamá, venga a saludar al curita». Teníamos que ir a la sacristía, donde había un montón de gente esperando para saludarlo. Y al recordar hoy, pienso una cosa: nunca me miró a los ojos.

Y esa mirada evasiva —dice— la lleva a concluir que «él sabía muy bien que estaba actuando mal. Una persona que no es capaz de mirar a los ojos a la madre de uno de los chiquillos que estaba ahí es porque su conciencia o algo lo hace evitar la mirada».

—Y tú en ese tiempo te sentías muy orgullosa porque tu hijo era destacado…

—Claro, creo que sí, porque, además, El Bosque ha sido la iglesia de una elite. Esto que fueran todos profesionales era significativo.

—¿Tenían que ser todos profesionales?

—Sí, claro. Él maneja muchos hilos. Karadima siempre se ha rodeado de personas influyentes. Él tenía una red de influencias. Jimmy sabe de eso. Yo, aparte de ir a misa a El Bosque y de que el cura venía con estos séquitos a almorzar a la casa… no sé mucho más. Yo no sabía tampoco lo que pasaba dentro de El Bosque. Lo que sí sé es que Karadima le buscaba trabajo a ciertas personas. Se preocupaba. Recuerdo que alguna vez el cura me preguntó cómo estaba mi trabajo, porque pasé una época en que no tenía muy buena situación, y me mandó a hablar con el gerente de una empresa para hacerle el jardín a su casa. Y fui. Después todo quedó en nada. Pero sí sé que él se maneja de esa forma.

—¿Cuándo empezaste tú a oír hablar de la parroquia El Bosque?

—Hace mucho tiempo. Cuando Jimmy empezó a ir, que fue por una chiquilla que lo invitó cuando él estaba muy jovencito, siempre pensé «qué bueno», porque Jimmy quería entrar a Medicina. Entonces encontré que sería positivo que reforzara sus principios católicos, porque las ciencias de alguna manera te alejan de los aspectos religiosos. Todo esto me parecía estupendo.

Cuando al final le contó la verdad, «creí morirme», dice Consuelo. «Porque es lo último que tú esperas escuchar que le haya pasado a un hijo. Y sobre todo por el dolor que veía en él y no veía cómo podría empezar a sanarse.»

El rosario del cardenal

Consuelo Sánchez, en esa conversación que sostuvimos en mayo de 2010, se manifestó molesta con la actitud de la Iglesia. No obstante, su crítica no abarca a todo el clero. Opina «que hay muchos sacerdotes muy buenos y muy santos». Ella sigue siendo católica. Pero se sentía desencantada porque «la Iglesia ha actuado muy mal y lento. Se ha visto un traspié tras otro en todas sus declaraciones. Archivan el expediente, y hasta el padre Francisco Walker reconoció que él filtró un documento».

Su principal crítica apunta al entonces cardenal arzobispo de Santiago Francisco Javier Errázuriz por no haber investigado con celeridad la situación. Meses más tarde tuvo la ocasión de topárselo en una ceremonia en la Catedral Metropolitana y le enrostró directamente lo que pensaba.

Tras la confesión de su hijo mayor, después de conversar con su ex nuera Verónica Miranda y de hablar con varios sacerdotes, Consuelo Sánchez decidió escribir una carta al cardenal. Esperaba que la recibiera y en ese momento se la entregaría. Lo llamó y la citaron a la casa del prelado en la avenida Simón Bolívar, en Ñuñoa.

Consuelo acudió con una prima un día de mayo de 2004. «Toqué el timbre, pensé que me iba a recibir. Pero no lo hizo y me mandó un secretario para que le entregara la carta. Bien inocente yo, se la entregué suponiendo que me harían entrar. El secretario me dijo que esperara.»

Pasó media hora y nadie aparecía, mientras Consuelo y su prima esperaban en el auto, frente a la residencia cardenalicia. En ningún momento las hicieron pasar. Hasta que al final volvió a aparecer el secretario «y me mandó un rosario de parte del cardenal».

Molesta todavía con la actitud del prelado, comenta: «No me servía de mucho un rosario. ¿Cierto? A una madre que estaba haciendo una denuncia de este tipo… Nunca supe nada más. Ni una llamada, nada, hasta el día de hoy».

«Jimmy nunca supo de esa carta. Yo no le conté a él. Esto fue algo que quise hacer por mi cuenta. Sí se lo dije a Verónica. Y posteriormente guardé el texto en el computador y, cuando Jimmy pidió su nulidad religiosa, entregué de nuevo la carta a un sacerdote.»

Un escrito olvidado

Consuelo se levanta del sillón en el living, me pide que la espere un instante y va hacia su escritorio. Vuelve con una copia de la carta. Me entrega cuatro hojas impresas por ella. «Esto es para ti. Léelo con calma», me dice. «Aquí podrás encontrar otras cosas que te pueden interesar. Esto lo escribí en mayo de 2004.»

Leí el testimonio esa noche. Desde las primeras líneas se advierte el dolor y la angustia de una madre en una situación tan atroz como esa. En realidad, no se trata propiamente de una carta, sino de un relato que parte con un llamado más propio de una oración. Se observa que Consuelo —a quien no recordaba como especialmente religiosa de joven— ha buscado en la fe el refugio ante lo que le ha tocado vivir. «Señor Jesús, ven en mi auxilio, ayúdame a relatar claramente los tristes acontecimientos que voy a escribir», estampó en las primeras líneas.

«Mi hijo mayor, hoy de treinta y ocho años, médico de especialidad cirujano gastroenterólogo, hombre de buen corazón y con una inteligencia y una memoria sobresalientes, me ha dado un gran dolor al venir con su señora a fines del mes de enero del presente año a decirme que ha tenido una gran carga que llevar por gran parte de su vida», señala Consuelo Sánchez en el primer párrafo de su documento.

Tras aludir a la vinculación de Jimmy Hamilton con El Bosque, la madre del médico escribió: «Ahora quiero decir que mi hijo, de su boca y estando presente su señora Verónica, me ha relatado lo siguiente: "Mamá, tengo serios problemas con la Vero y me quiero separar, porque yo he mantenido durante dieciocho años una situación irregular y dolorosa en mi vida; el padre Fernando Karadima ha abusado de mí". Yo le he preguntado cómo es posible eso, ¿en qué forma? Él directamente y sin titubear me contestó: "El cura me masturbaba y luego de estos actos me pedía perdón y me aseguraba que nunca más iba a suceder. Y volvía a ocurrir"».

Consuelo Sánchez consigna que el padre Fernando «tomó a Jimmy como ayudante personal y de la parroquia para todo lo que se le ofreciera y empezó a absorberlo con todo su tiempo. A la casa llegaba siempre tarde, tipo doce o doce y media de la noche, porque siempre se quedaba a comer en la parroquia».

Describe el angustioso estado de ánimo que advertía en su hijo en esa época y manifiesta que comprende cuál era la razón de esa desesperanza: «Él ya no podía soportar más esa doble vida».

«Pienso que fue doblegado y manipulado, ya que mi hijo empezó a depender del padre Fernando en todas las áreas de su vida, definitivamente en todo», afirma Consuelo Sánchez en su carta.

Alude también a la relación del cura con Verónica Miranda, reiterando lo que han entregado en sus testimonios Jimmy Hamilton y su ex mujer: «Una vez casado, la señora fue incorporada al selecto grupo de la parroquia. Ellos tenían que ir mínimo a la misa de ocho de la noche todos los días. Al pasar el tiempo, me empecé a dar cuenta de que la Verito andaba cada día más desarreglada y sin maquillaje. Yo pensé para mí, esto no es bueno, ya que Jimmy es buenmozo y yo sabía que a él le gustaba su señora arregladita. Hoy sé y entiendo qué pasó. El cura le decía "quien sabe de dónde vienes con esa ropa" o si estaba un poco arreglada la hacía sentirse mal (...) se entrometía en todo y manejaba hasta los más pequeños detalles de la pareja».

En otro párrafo Consuelo se refiere a las «atenciones» que Fernando Karadima tenía con su familia: «Me duele mucho saber que todo el bien que el padre Fernando hacía a nuestra familia, como ayudarnos a que mi hijo menor entrara al colegio San Benito, a ubicarme una abogada eclesiástica para mi nulidad religiosa, casar a mis hijos, bautizar a mis nietos, se lo hacía ver a Jimmy, diciendo todo lo que él hacía por nosotros», anota.

Exigencias familiares

Entre los muchos hechos preocupantes que menciona en su escrito, Consuelo manifiesta «con mucho dolor que el cura alejó a mi hijo de mí y de mi familia».

Cuenta que Karadima tenía que aprobar si Jimmy, Verónica y los niños «podían venir a almorzar a mi casa o no. Si podían visitar a sus suegros. Yo recién le pregunté a mi hijo por qué se había alejado tanto de mí y me contestó con pena: "Mamá, en verdad me alejé de todo el mundo". El cura regulaba todo, a qué colegio debían ir los niños, dónde y cuándo de vacaciones, si podían cambiar de auto o no».

Agrega que «también exigió que mis tres nietos hicieran la primera comunión en la parroquia, no en sus colegios, aunque están en colegios católicos y pienso que correspondía que no fueran separados de sus compañeros de clase en un día tan maravilloso e imborrable».

Lo anterior —dice Consuelo Sánchez en su documento— «lo relato para que exista una constancia de la manera que él usa para imponerse, dominar todo y asegurando que esta es la forma de santificarse».

«Hoy 9 de mayo de 2004 mi hijo vive en mi casa desde hace dos meses, porque está separado de su señora e hijos. Sufre cansancio permanente, insomnio y sé que él se siente culpable en parte de lo que ha pasado estos años en su vida, pero él no es culpable, solo que el padre Fernando lo ha hecho sentirse así», indica la madre.

Señala también Consuelo Sánchez en su carta, que después del alejamiento de Jimmy de El Bosque, «el padre Fernando ha desplegado un gran seguimiento mandándole recados con padres y jóvenes amigos de la parroquia para conseguir que Jimmy vuelva allá».

Describe toda la situación como «enfermiza y de clara maldad; porque mi hijo hoy sufre mucho y está muy confundido, incluso hay veces que trata de justificar al cura, diciéndome que el padre no tiene toda la culpa porque está enfermo. Mi hijo me contó que él se trató de alejar en varias ocasiones, pero él no lo dejaba, esto evidentemente le producía más presión y dolor».

Recados y temores

Más adelante, Consuelo señala: «Yo como madre sé que no ha sido solo masturbación, es peor el abuso y estoy cierta de que al menos uno o dos jóvenes más están en igual situación, que no son homosexuales, tienen señoras e hijos, pero viven tristes y enfermos, porque igual llevan este dolor del abuso».

En el mismo texto, hacia el final, tras la fecha, 12 de mayo de 2004, Consuelo Sánchez anota: «Anoche mi hijo llegó tarde ya que venía de la Clínica de operar; se sentó a conversar conmigo un rato y yo le escuchaba cómo había sido su día; estando juntos en la cocina, sonó su celular, eran las once de la noche; llamó una señora María Elena y yo podía oír lo que decía; evidentemente, la había mandado el cura, ya que nada más tenía que decirle; luego le preguntó directamente si iba a volver. Al cortar, yo le dije, "veo que aún te mandan recados y buscan todo tipo de recursos para que vuelvas". Jimmy me dijo que sí. Yo le pregunté si temía algo y él me contestó que no».

«Le pregunté por qué existía esta verdadera persecución para volver a la parroquia, a lo que mi hijo me contestó textual: "Mamá, lo que pasa es que yo manejo mucha información", ante lo cual no hice más preguntas. Jimmy me siguió conversando de cómo se sentía esa noche y me dijo que a él ya no le importaba ser considerado un ser "deleznable", palabra fuerte que (...) él ha usado en varias oportunidades refiriéndose a sí mismo», consigna la madre.

En los momentos en que escribía esas palabras, Consuelo Sánchez todavía creía que era mejor que su testimonio no se conociera fuera de la Iglesia. En ese tiempo, para ella era «de extrema gravedad que su denuncia se filtrara al mundo. Quería hacerla solo en el ámbito eclesiástico, pues consideraba que el daño podría ser "mayor que el ya causado a mi familia, a otros jóvenes y a otros matrimonios que estoy cierta que viven vidas similares o peores que la de mi hijo (...) solo que ellos debido al dolor o a la vergüenza no lo denuncian.»

Incluso, seguramente bajo el efecto todavía —aún sin quererlo— de las advertencias de Karadima, que tantas veces escuchó en sus misas, Consuelo Sánchez en esa época temía que «el demonio» influyera para que situaciones así se divulgaran. Y por eso pedía a la Comisión actuar rápido. Con el tiempo y las demoras, cambió de parecer y respaldó desde el primer momento a su hijo Jimmy en la denuncia pública.

Con solo leer el contenido de esa carta resulta inexplicable que el cardenal arzobispo de Santiago Francisco Javier Errázuriz haya enviado solo un rosario de vuelta a la angustiada madre de una víctima de abusos sexuales. Ni una palabra de acogida. Ni una instrucción para que alguien del Arzobispado hubiera recibido a Consuelo. Ni siquiera un recado. Y tampoco se comprende que la investigación no se haya realizado con mayor prontitud.

«Curas empoderados»

Con todo, la experiencia vivida por su hijo no ha motivado el alejamiento de Consuelo Sánchez de la Iglesia. «Yo sigo queriendo a la Iglesia y sigo siendo parte de ella —manifiesta Consuelo—, pero creo que el problema es que muchos de estos curas se han empoderado de las personas, pero eso está lejos del espíritu de Jesús. Jesús fue un pastor y él dijo "yo vengo a servir, no para que me sirvan". Este no es el espíritu de Jesús. ¡Qué mal, qué distorsionado está!»

Incluso —dice— «nosotros como feligreses de alguna manera también tenemos culpa, porque endiosamos a estos curas. Creo que uno tiene que poner su fe en Jesús y en Dios y mirarlo solo a él. Pero ocurre que si uno es bautizada y se considera católica, quién bautiza a nuestros niños, quién casa a nuestros hijos, quién entierra a nuestros muertos, quién nos da la absolución, quién nos da la extremaunción… Es decir, hay una implicancia de ellos en nuestras vidas grande y son seres humanos igual que nosotros».

Y reafirma: «No he perdido mi fe porque un cura abusó de mi hijo y de muchos más. Es tristísimo, pero yo sigo siendo católica, porque mi fe está más allá. Y veo en este minuto que Jimmy, Juan Carlos Cruz, José Andrés Murillo y todos estos chiquillos en cierto modo son instrumentos de Dios para hacer ver lo que está ocurriendo. Y creo que la Iglesia necesita una purga. Necesita una renovación y mucha transparencia. La Iglesia somos todos y si todos nos alejamos ¿para qué van a seguir los curas?».

Cuando conversamos en mayo de 2010, Consuelo estaba escéptica sobre lo que ocurriría con el veredicto eclesiástico. «No lo veo muy claro con este cardenal Errázuriz —me dijo—. Quizá con el próximo.» Aunque sí mantenía cierta esperanza en el veredicto del Vaticano. Esperaba que las palabras del Papa —«no basta el perdón; se necesita justicia»— se hicieran realidad.

Al parecer, sus oraciones de los meses siguientes han sido escuchadas. El fallo de Roma marcó una señal potente. Pero falta todavía camino por recorrer para hablar de justicia y de transparencia.

«Veo que hay una cosa muy fuerte de la Iglesia en el mundo. La Iglesia tiene que ir a una purificación y a una renovación. No sé hasta cuándo van a seguir, por ejemplo, con tanta pompa. Hoy día hasta los reyes son más sencillos que la Iglesia», comenta Consuelo Sánchez.

Y concluye: «Creo que el mundo necesita y grita por un cambio. Siento que el mundo necesita a Dios, tener en qué creer. Y si la Iglesia se nos viene abajo, se vienen abajo también muchas cosas. Para mí es importante. Y creo que para Jimmy también es importante».

Recuerda que dieron todos los pasos imaginables para «buscar en la Iglesia una solución y no en la justicia civil. Jimmy no dejó nada por mover. Fue donde este, donde el otro. Y todas sus instancias primero fueron religiosas».

Cuenta que ella le confió un día a una amiga «consagrada» su dolor que no se atrevía a compartir con nadie. Un tiempo después, la monja le dijo que un sacerdote quería hablar con ella.

—¿Por qué, por lo de Jimmy? —preguntó Consuelo.

—Sí —respondió la religiosa.

El cura, que conocía la situación de Juan Carlos Cruz, quiso reunirse con Consuelo Sánchez, quien le llevó copia de su carta. Fue ese el hilo que hizo posible que los testimonios de ambos se juntaran y, poco tiempo después, Cruz y Hamilton se decidieran a emprender acciones en común. Consuelo Sánchez prefiere mantener en reserva el nombre del religioso.

Juan Carlos Cruz me había mencionado el nombre del sacerdote con toda naturalidad y con el reconocimiento que se merece por su valentía. No obstante, el religioso aludido prefiere mantener su identidad en reserva. En todo caso, para los defensores de Karadima que hablaban de «complot», vale la pena aclarar que no es un jesuita.

Capítulo X
INVITADO A LOS DOCE AÑOS

No es alto como otros de los Karadima *boys* y sus ojos grandes y expresivos son de color café claro. La mirada aguda, el pelo muy corto y semicrespo, y la forma de hablar le dan un aire juvenil. Viste tenida de sport: polera, pantalón y una casaca de género estilo chaquetón. Su aspecto nada tiene de convencional. A simple vista, no parece un «niño de El Bosque» ni un abogado de la Universidad Católica. Quizá sus seis años de psicoanálisis y la reflexión llevada a cabo después de las experiencias vividas en su adolescencia y juventud tienen que ver con esa falta de formalidad que refleja en su vestir.

Fernando Batlle Lathrop tiene treinta y cuatro años, pero no los representa. Es abogado y soltero. Al momento de presentar la denuncia ante la justicia, trabajaba en Lan Chile, la línea aérea más grande del país.

Cual D'Artagnan en *Los tres mosqueteros* —bromeaban sus nuevos amigos denunciantes—, fue Fernando Batlle, el menor de los cuatro y el que se sumó al final al grupo, el que los convenció de que era hora de presentar las denuncias ante la justicia civil. Y él mismo contactó a su colega, el abogado Juan Pablo Hermosilla, a quien no conocía en persona.

Su testimonio es uno de los que complicaría en especial a Fernando Karadima Fariña si se confirma que los abusos cometidos en su contra empezaron cuando él era menor de edad. Y eso, de acuerdo a las disposiciones del Vaticano, merece elevados castigos y no tiene prescripción. Además, declaró ante el fiscal Xavier Armendáriz y ante el juez Leonardo Valdivieso en 2010 sobre situaciones abusivas que afectan a otras personas.

Alrededor de los catorce años —contó a la periodista Paulina de Allende Salazar en el programa *Informe Especial* del 26 abril de 2010—, partieron los abusos por parte de Karadima, que era su confesor y director espiritual. «Después de que yo le decía mis pecados, me decía "ya m'hijito, anda tranquilito" y me palmoteaba los genitales, y con la mano ahí puesta algunos segundos, me decía "ándate tranquilito". Y yo sentía una incomodidad, extrañeza. Y yo dije para mis adentros, "si este cura que es tan importante y tan santo y tan bueno se está tomando esta licencia conmigo, casi tengo que estar orgulloso de la confianza que se está dando. Esto es una cosa que debe ser una broma, no sé".»

Llamó la atención después que el juez Leonardo Valdivieso dejara pasar sus denuncias y sobreseyera el caso sin mayor investigación. El tiempo transcurrido no parece ser un factor suficiente para que no hubiera, al menos, continuado la investigación realizada por el fiscal Armendáriz, sobre todo cuando testimonios como el de Batlle manifiestan la inquietud de que hechos similares continuaban ocurriendo.

No obstante, cansado de esperar un veredicto favorable de los tribunales de justicia, Fernando Batlle Lathrop resolvió en febrero de 2011 retirar su querella y no seguir adelante con el recurso ante la Corte de Apelaciones. Consideró —según expresó en una declaración de prensa— que ya había cumplido con su objetivo de hacer conciencia en la opinión pública sobre lo ocurrido en El Bosque. Incluso le retiró el poder entregado al abogado patrocinante Juan Pablo Hermosilla para que lo representara en el juicio. Pero su testimonio es elocuente. Incluso si prefiere no seguir como querellante, es una de las víctimas del ex párroco.

Curiosamente, justo un día después de que Fernando Batlle diera a conocer su decisión, la fiscal de la Corte de Apelaciones María Loreto Gutiérrez sorprendió a quienes —como él— parecían no esperar ya nada de la justicia, con un informe en el que recomendaba una batería de diligencias a la Corte antes de cerrar el caso. Poco después, el nuevo arzobispo de Santiago, Ricardo

Ezzati, dio a conocer el contundente fallo de la Congregación para la Doctrina de la Fe.

Tras un período de silencio, Fernando Batlle decidió reaparecer a través de una declaración pública, tras el programa *Tolerancia Cero* del 20 de marzo de 2011. En ella apoyó en todos sus dichos a James Hamilton. Todo es «totalmente cierto», afirmó. «Tuvo mucha valentía. Llamó a las cosas por su nombre, dijo la verdad pese a las presiones, maniobras y abusos de poderes fácticos ligados a Karadima, el cardenal y la Iglesia.»

En la oportunidad, además de criticar la actitud del cardenal Errázuriz, quien nunca le respondió su denuncia, manifestó que se hacía responsable «de todo lo que dije el año pasado ante el fiscal Xavier Armendáriz, que no fue poco, lo cual repetí en su oportunidad al juez Valdivieso». Y agregó: «Mi preocupación es que ahora sacerdotes formados por Karadima repitan las mismas conductas dañando a más personas inocentes».

El mismo día de su contundente declaración le envié un e-mail contándole que este libro —en el que incluía la entrevista que habíamos sostenido— ya estaba en la editorial. En la tarde tuvimos un cordial diálogo. No obstante, al día siguiente, me sorprendió con un llamado por teléfono para decirme que lo había pensado mejor y no quería aparecer en estas páginas. Esto lo reafirmó en un e-mail del sábado 26 de marzo en que me escribe: «Te reitero, por si tuvieras algún tipo de dudas, que NO quiero aparecer en este libro, en ningún capítulo, y ni siquiera mencionado. Si te quieres basar en que el tema es público debes citar la fuente mediática. Yo confié en ti cuando fui a tu casa y te hablé del caso abiertamente por eso. Ojalá no traiciones esa confianza y actúes con la ética que señalas te caracteriza como persona. En todo caso, a mí no me parece ético que incluyas situaciones de víctimas que no te hayan dado su autorización. Sabes que en este caso no me estoy refiriendo a mi persona sino a los datos que has conseguido en tu investigación de otras personas. Son temas muy delicados y que contienen un alto grado de sufrimiento».

Tras recordarme «las normas legales vigentes», me solicita que «tome en cuenta sus palabras».

Reflexioné sobre los planteamientos de Fernando Batlle. Pese al sufrimiento experimentado por las víctimas de Karadima —como se refleja en estas páginas—, la voluntad de un entrevistado no podría llevarme a la autocensura. La ética periodística nos obliga a ser veraces y a considerar en primer plano el bien de la sociedad.

El rito de la patena

Lo conocí personalmente el 11 de junio de 2010, un mes y medio después de su aparición en el programa *Informe Especial*. Llegó esa tarde a las siete y media a mi casa con el objetivo de sostener una entrevista para este libro, como habíamos acordado previamente por teléfono.

El abogado Fernando Batlle estudió en el Verbo Divino, pero sus lazos con El Bosque se originaron en la familia. Desde 1985, cuando tenía nueve años, vivió en una casa ubicada a tres cuadras de esa parroquia, en La Brabanzón, una callecita corta, paralela a Pocuro, entre avenida El Bosque y Hernando de Aguirre, en la misma calle donde veinte años antes vivía la abuela de Luis Lira. Muchos de los cercanos de Karadima lo ubicaban a pesar de ser de otra generación, porque desde niño frecuentaba la parroquia.

Para Fernando Batlle, la casa de La Brabanzón fue el hogar donde pasó parte importante de su vida. Desde que abrió los ojos escuchó hablar de Fernando Karadima. El cura, antes de ser párroco, había casado a sus padres —en 1976— y Fernando fue bautizado por él. Igual que seis de sus hermanos.

Todo ocurría en la parroquia El Bosque para esta familia. Solo uno de los Batlle Lathrop marca la excepción, porque fue bautizado «de emergencia en la clínica», donde la ceremonia la celebró el padre Antonio Fuenzalida, también formado por Karadima, y uno de los dueños —junto a su familia— de la empresa Turismo Cocha.

Karadima era tanto el director espiritual de sus papás como del propio Fernando. Incluso lo eligió como padrino de confirmación. «Visitaba mi casa desde que yo era muy niño.»

Su padre, Fernando Batlle Moraga —en la actualidad uno de los gerentes de las empresas Falabella— y Carmen Lathrop son ingenieros de la Universidad Católica. Allí se conocieron cuando eran compañeros de curso. Participaron durante un par de años en la Acción Católica de esa iglesia, antes de su matrimonio.

Para los Batlle Lathrop, como para muchas otras parejas jóvenes de esos años setenta, Karadima «era una figura casi sagrada». Lo invitaban a comer y a almorzar muy seguido los fines de semana. Por lo menos, una vez al mes. «Desde que tengo uso de razón recuerdo que el cura iba a la casa y a nosotros desde chicos nos llevaban también siempre a misa allá», señala el abogado. Tal era la veneración a este «santo» en vida, que la familia completa de Fernando era incondicional al cura y le hacía todo tipo de favores. Su mamá hasta le lavaba la ropa.

Fernando asistía habitualmente a la parroquia a otras actividades, mientras respiraba ese ambiente familiar en que sus papás «hablaban de Karadima como de un santo». Para él, con sus ojos de niño, el cura «era una persona súper importante, que hacía esas misas de Semana Santa que desbordaban. Lo admiraba mucho». Lo veía como «muy poderoso, que venía con un séquito como de cinco personas, de un metro ochenta».

A veces —relata— «aparecía en caravana de dos autos. Eran unos Volkswagen Golf blancos. Algunas versiones decían que tenía una especie de mecenas que era este "gallo" de la Papelera, Eliodoro Matte. Le regalaban cosas, y la gente cercana a él comentaba que siempre le llegaban donaciones, porque el padre había hecho mucho bien y la gente lo quería mucho».

Como a los siete u ocho años —recuerda—, «empezamos con uno de mis hermanos a pasar la patena», esa especie de platillo dorado que colocan el sacerdote o sus ayudantes bajo la cara de los feligreses cuando el sacerdote o diácono da la comunión, para evitar que migajas de la hostia consagrada caigan al suelo. Desempeñar esa función era un honor para los dos niños.

«Despedida de soltero»

Tenía unos doce años Fernando Batlle Lathrop cuando ocurrió un incidente que le quedó grabado en la memoria y marcó un hito para él. «Mis papás iban a una "despedida de soltero" —entre comillas porque era dentro del rito de El Bosque—, de una pareja que era cercana a la parroquia. Los curas organizaban la reunión un día en la tarde en una casa con toda la juventud. Y llegaron mis papás y el cura los hizo ir a buscarme. "¿Dónde está Fernandito? Quiero verlo", me contaron mis viejos que dijo». Entonces llegaron a su casa y lo invitaron:

—Fernando, el padre quiere que te llevemos. ¿Quieres ir? —le preguntaron.

La respuesta afirmativa no se hizo esperar. «Yo le tenía mucha admiración en ese tiempo», reitera Fernando Batlle. «De chico era muy católico y no solo porque mis papás lo fueran, sino porque desde muy niño me empecé a plantear el tema vocacional.» Cuando tenía seis o siete años y salía a caminar con su papá, ya le preguntaba sobre esto. «Tenía muy arraigada mi religiosidad católica.»

Fernando Batlle estaba contento con la invitación. Más aún cuando entró a la casa donde había unas cien personas y el cura hizo callar a la concurrencia.

—Miren quién llegó, Fernandito —recuerda el aludido que anunció Karadima.

«Y yo me sentía en otro mundo, como que esta cuestión no me puede estar pasando a mí», señala Fernando.

—¿Eras el único niño?

—El único chico, si era pura gente de dieciocho años para arriba. Me sentí como bien privilegiado, como que me estaban considerando casi un adulto. El cura me hizo sentar al lado de él en la mesa del comedor y me hacía cariño en la pierna. Me tomaba la mano, pero nada más en esa oportunidad.

«Abuelo cariñoso»

En ese tiempo, calcula Batlle, Fernando Karadima «tendría unos sesenta años y yo doce. No se me pasaba por la cabeza nada más. Era como un abuelo cariñoso. Esa era la imagen que todos tenían de él, que era bien afectivo, de harto contacto físico».

Y comenta: «Mucha gente que lo defiende dice que "son malos entendidos, porque él era un tipo muy afectivo"».

—¿Y cómo siguió el asunto?

—Me decía que estaba muy contento conmigo, que tenía cosas importantes para mí, me repetía «tú eres especial, bla, bla, bla...». Y llenó mi vida de esperanzas. Él era muy convincente, con un carisma notable, una persona que te hacía sentir que existías tú nomás. Pero cuando él quería, podía también hacerte sentir todo lo contrario.

—¿Humillarte?

—Claro. Humillarte, hacerte sentir que no existes. Iba de un extremo al otro. Todo según su interés.

—¿En qué curso de colegio estabas?

—Como en séptimo básico, y en esa época me dijo: «No solo quiero que me ayudes con la patena, sino que también me ayudes en las misas».

«Tenía doce años. Empecé a ir primero los miércoles a las reuniones de actividad pastoral de la parroquia. Todo giraba en torno a esas reuniones que eran para adultos y niños. Después me sumé también a las otras reuniones que hacía Karadima. A las de antes de la misa, que eran de los niños, y después me pasaba a la que dirigía Karadima. Además, íbamos a rezar el rosario media hora antes de la misa», cuenta.

—¿Llegabas de uniforme de colegio?

—De repente con uniforme, pero la mayoría de las veces me cambiaba, porque el padre me decía que para ayudar la misa tenía que venir «pinteado». Yo le decía: «¿Y que es "pinteado"?». Y él contestaba: "¿Pero cómo no sabes lo que es "pinteado"?». Y se reía y se burlaba un poco de mí como diciéndome «avíspate». Al final, yo miraba para el lado y veía a todos los compadres vestidos con pantalón Dockers o Peval, los que estaban de moda, según la época, beige o gris, una camisa celeste y chaqueta azul. Y empecé a ir así, porque quería ayudar misa.

«Hacía lo que quería con nosotros»

Pero el rito no se limitaba a la ceremonia religiosa. Señala Fernando Batlle que «antes de la misa teníamos que vestir al cura con sus ornamentos». Describe la operación: «Uno le sacaba la chaqueta —a veces era yo— y se la iba a colgar al clóset mientras otro más cercano le abrochaba el cíngulo[1] —no cualquiera podía hacerlo— y le ponía la casulla[2]. Esto lo hacía el de más confianza o el presidente de la Acción Católica o un seminarista. Incluso uno le amarraba los zapatos. Era increíble. Y cuando estaba listo, entraba a decir la misa».

Al terminar la celebración, todos los jóvenes que ayudaban se iban a la sacristía. «Se ponían alrededor y unos retiraban las ropas sagradas del cura.»

Cuenta que, al comienzo, a él lo mandaba a cuidar la puerta principal de entrada «por si veía entrar gente pobre y mendigos para avisarle y llamar a carabineros». Porque aunque suene paradójico —indica— «alejaba a los pobres, porque los asociaba con ladrones». Y relata un episodio que le sucedió «un día en una de esas largas

---

[1] Cordón o cinta de seda o de lino, con una borla en cada extremo, que sirve para ceñirse el sacerdote el alba (Real Academia Española de la Lengua, RAE).

[2] Casulla viene del latín *casubla*, que significa capa con capucha. Es la vestidura que se pone el sacerdote sobre las demás para celebrar la misa, consistente en una pieza alargada, con una abertura en el centro para pasar la cabeza (Real Academia Española de la Lengua, RAE).

esperas» en que todos los jóvenes estaban atentos para ver quiénes serían elegidos para ayudar la misa celebrada por el sacerdote.

—Tú, chico, ¿cómo te llamabas? Oye, anda a cuidar la puerta, anda a ver si está lloviendo —recuerda Fernando Batlle que le dijo Karadima.

Los demás jóvenes hacían gracia de los dichos del párroco. «Todos reían, y eso para mí fue realmente humillante. Yo tenía doce o trece años.»

Batlle recuerda a Karadima desde esos años como «absolutamente cambiante de carácter, de repente venía enojado y decía "tú, tú, tú, vengan" y no miraba a nadie más. A mí de chico me la hizo hartas veces. De repente, me criticaba la ropa. "Tú estás muy rotito, así es que no te vistas así." Si a él no le gustaba determinada ropa, yo nunca más la ocupaba. Hacía lo que quería con nosotros. Ahora veo que había un gozo en él con esas actitudes. Te miraba y te decía, por ejemplo: "¿Estás con la maña?". Y después elegía a otro. Como que veía tus reacciones, veía todo».

Esos cambios hacían sufrir a Fernando Batlle. «Yo era chico y de repente me iba bien triste porque el cura era pesado, pero a la semana siguiente estaba simpatiquísimo. "Ayúdame en esto, sé perseverante; tú eres un santito, porque te he retado y tú has sido humilde." Él hablaba mucho del orgullo y de que no había que contestar cuando él decía algo que a uno no le gustara.»

—¿Lo ves como una fórmula para someterlos?

—Sí, y asociaba la humildad con poner la otra mejilla, pero de una manera especial. Siempre fue mi dilema, cómo asociaba eso yo con la autoestima. Cómo ser humilde y tener una sana autoestima. Eso lo pensé, claro, ya cuando me estaba saliendo. Pero al principio creía que yo estaba mal.

Seis misas al día

La actividad de Fernando Batlle en la parroquia El Bosque fue cada vez más intensa, al punto de que, cuando tenía unos catorce años, no solo ayudaba en la misa todos los días, sino que los domingos se repetía seis misas. «Iba a las de ocho, de nueve, de diez, de once, de doce en el día y de ocho de la noche. Me levantaba a las siete de la mañana y no paraba. Me encantaba ayudar misa, sentía que estaba haciendo algo como público. Iba tanta gente a El Bosque y me estaba convirtiendo en una persona que aportaba.»

No obstante —relata—, las «humillaciones» continuaron: «Me acuerdo que una vez no había mujeres que pasaran la colecta. Esa era la actividad que tenían reservada para ellas, que no tenían voz ni voto ahí, no las pescaban para nada. Era misa de nueve, y como no llegaron mujeres, pesqué una de esas bolsitas y la empecé a pasar, de atrás para adelante, por la nave central. Y llegó Karadima, quien, con la cara colorada, furioso, me quitó la cuestión y me gritó delante de todo el mundo: "¡Cómo se te ocurre hacer esto, la colecta no se pasa de atrás para adelante, así la gente no te ve. Se pasa de adelante para atrás!". Me quitó la bolsa y empezó a pasar él la colecta».

Después —cuenta— «me pegó un reto increíble. Me dijo que por esa actitud "despreocupada" estaba haciendo que la gente pobre tuviera menos que comer y un montón de cosas súper fuertes, delante de todos. Fue muy humillante. Sentí que la había embarrado y que yo tenía la culpa».

A veces Fernando Batlle tenía la impresión de que el cura «se ensañaba» con él, «pero era medio bipolar. En otros momentos me invitaba a comer. Era como tincado conmigo. De repente le decía a cierta gente que yo era "cucof", que era una de las tantas palabras de la jerga de El Bosque, tal como hablaba de "cueto"».

—¿Qué es «cucof»?

—Medio loquito, pero con sentido peyorativo. Lo usaba como diciendo «este gallo habla puras idioteces, es tontito», no sé.

—¿Y qué te evoca «cueto»?

—Lo que percibí de «cueto» fue una noche que estaba en el comedor de El Bosque esperando a Karadima, como él me había dicho; tenía TV Cable, puse el Canal 26, Cinemax, que a veces daba películas subidas de tono. Llegó el cura, me miró y me dijo: «Oye, estás viendo cueto», con una risa medio socarrona. Fue la primera vez que se lo escuché. Y después de la comida con sus elegidos, a los que invitaba especialmente, llamaba a uno o dos y los hacía pasar arriba y les decía «vamos al cueto» cuando iban para la pieza. Y como que la gente se reía. Yo no vi presencialmente nada de lo que pasó en esa pieza, pero por lo que me ocurrió a mí y por el ambiente que se vivía, no tengo ninguna duda de lo que se ha denunciado. A mí las cosas que me hizo fueron toqueteos durante la confesión y en el comedor.

—¿En qué consistió el acoso en tu caso?

—Me palmoteaba, me toqueteaba. Y había veces en que yo estaba confesándome y me hacía acercarme harto a él y me ponía la mano ahí —muestra con un ademán la zona genital— y la dejaba como puesta, mientras me daba la absolución en la frente.

—¿En el confesionario normal de la iglesia?

—En un confesionario que estaba en la sacristía, cerrado. Me hacía meterme harto para adentro del confesionario y también me trataba de dar besos en la boca y yo corría la cara. Y él se daba cuenta. Había gallos que se dejaban hacer más. Yo no me opuse fuertemente, salvo al final, cuando saqué más fuerza. Lo que ocurría es que él tenía un tacto fino en cuanto a saber hasta dónde llegar. Es muy hábil. No era todos los días. Una vez al mes, no sé, pero durante varios años. Y en el momento más inesperado. Pero casi siempre era durante la confesión.

Aclara que «no era tan fácil confesarse con Karadima, yo de repente me confesaba dos veces al año con él y las confesiones más periódicas las tenía con otros».

—¿Y ustedes consideraban un privilegio confesarse con él?

—Sí.

—¿Era tu director espiritual?

—Sí. Y hablamos harto de mi vocación y él decía que tenía ciento por ciento seguridad de que yo tenía vocación.

—¿Cómo se produjo lo de los toqueteos en la confesión?

—En la confesión siempre me decía que yo tenía vocación y me preguntaba mucho por los pecados sexuales. Y cuando terminaba me decía: «¿Eso nomás? Ya m'hijito, tienes que estar muy tranquilo». Siempre decía m'hijito o m'hijo. Y «cuida los pirulitos» y me hacía unos palmoteos en los genitales.

«De chico me gustaban hartas niñas y yo le contaba y me decía que tenía vocación y que tenía que cuidarla mucho porque era una cosa que se podía perder. Ponía siempre el ejemplo del joven rico del Evangelio.»

—¿Trataba de que no pololearas?

—Claro, absolutamente. Y no solo eso, sino una vez que yo le desobedecí y me puse a pololear, igual me dijo que yo iba a tener que responder el día del Juicio Final como el joven rico, porque Dios me había dado un regalo y yo lo había pisoteado.

—¿El regalo de la vocación?

—Claro, y yo iba a tener que dar cuenta de eso el día del Juicio Final. Y cuando a uno le planteaba de las «verdades eternas» —hablaba de esas cosas en esos términos— y de las condenas era aterrador. A mí había un ejemplo que me generaba pánico. Decía: «Imagínense que llega el día del Juicio Final y te dijeran que tu condena es que vas a tener que esperar para llegar al Cielo lo equivalente a que con un gotario cada mil años saques una gota del océano hasta que termines de vaciarlo (…), porque así de eterna es la eternidad, que no termina nunca, nunca, nunca, nunca... Entonces, imagínense el sufrimiento eterno, si se condenan», decía. Y yo quedaba pasmado, y le encontraba sentido, porque hablaba del infinito, de la eternidad, de lo que no termina nunca. Y era tan gráfico el ejemplo…

—Juan Carlos Cruz recuerda la imagen del Infierno como un calabozo, también con un sentido del tiempo infinito…

—A mí todavía ese tipo de cosas me dan vuelta… Siempre tengo inquietudes sobre la vida, la muerte, el sentido de la vida. Yo ahora las pienso no de una manera religiosa. Trato de asociar mi muerte y lo que vendrá hacia algo positivo, que es algo que desconozco. Pero no puedo negar que todavía en ciertos momentos me acuerdo de esos ejemplos de Karadima que me han calado tan fuerte y pienso que aparecí en la nada y no hay tiempo... y si es verdad lo del infinito. Es *heavy*. Me pasó que cuando uno tiene esas primeras conciencias en relación con esos temas, tuve esos referentes. Entonces ha sido muy fuerte.

—¿Cuándo empezaste a tener un sentido crítico respecto de lo que estaba ocurriendo en El Bosque?

—Más cerca de los diecisiete o dieciocho años. Me acuerdo de que una vez me hizo un toqueteo genital delante de otra gente. Yo me puse rojo, me molestó mucho, me sentí extraño. Antes siempre había sentido cierta extrañeza, pero él lo hacía con una naturalidad increíble. Yo muy ingenuamente casi como que lo consideraba un acto de extrema confianza que nunca comenté con nadie en ese momento porque era muy chico. Como que no cachaba. Pero después me produjo esta incomodidad y él se dio cuenta. Y me dijo: «¿Estás con "la maña", por qué te pones así? Yo te estuve haciendo un cariño...». Yo le tenía mucho respeto y temor reverencial.

Abusos reiterados

En la declaración ante el fiscal regional Xavier Armendáriz, parte del testimonio de Fernando Batlle quedó registrado así: «Los abusos de índole sexual que sufrí de Karadima fueron que varias veces, incluso delante de otras personas, y muchas veces también en el confesionario, me palmoteaba los genitales, en el sentido de poner su mano sobre mi pene, por encima de la ropa y tocarlo y frotarlo varias veces. Me decía "hay que tenerlo muy corcheteadito", "la vocación hay que cuidarla". Esto me dejaba muy avergonzado y confuso por esta confianza que se tomaba, como ambigua, pero, por otro lado, pensaba que era como un honor que una persona de su categoría se tomara dicha licencia y no lo vi inicialmente como algo malo»[3].

Fernando Batlle especificó ante el fiscal que los palmoteos que le daba a la pasada «eran distintos de las caricias que me hacía en confesión, las cuales eran más prolongadas y de índole sexual».

«En algunas ocasiones, mientras me acariciaba y mantenía su mano sobre mis genitales, me decía que él tenía grandes cosas preparadas para mí, que yo era una de las personas de más confianza que tenía, pero que debía mantener a mis papás alejados, porque eran muy controladores y los criticaba mucho. Menos mal que nunca pude sacar a mis papás de ahí, aunque lo intenté», señaló en su declaración.

Agregó Batlle a Armendáriz: «También me daba besos cerca de la boca o tocándola con sus labios, como por "equivocación". Todo esto duró desde aproximadamente los catorce años hasta prácticamente cuando dejé mi trabajo pastoral con él, aproximadamente como a los diecinueve años».

«Los episodios de abuso ocurrieron muchísimas veces, tantas que no podría recordar su número», indicó Batlle en el juicio llevado por el juez suplente del Décimo Juzgado del Crimen de Santiago, Leonardo Valdivieso, ante quien ratificó lo denunciado al fiscal. Precisó que los hechos señalados tuvieron lugar desde 1989 y se mantuvieron por más de cinco años hasta que se fue Batlle de El Bosque. «En ese período también ocurrieron hechos de similar naturaleza respecto de otros jóvenes», señaló[4].

Según Fernando Batlle, «atendiendo el *modus operandi* de los hechos descritos en esta querella, y al existente en otros hechos similares que han sido denunciados respecto del querellado, claramente nos encontramos frente a un patrón de conducta mantenido en el tiempo desde al menos 1983, existiendo importantes indicios de que persistirían hasta el presente».

---

[3] Declaración ante el fiscal regional Xavier Armendáriz de Fernando José Batlle Lathrop, nacido el 23 de febrero de 1977, chileno, soltero, abogado, quien compareció el 22 de abril de 2010.

[4] Querella criminal interpuesta por Fernando José Batlle Lathrop ante el Décimo Juzgado del Crimen de Santiago, 30 de julio de 2010.

Episodio nocturno

Fernando Batlle relata en su declaración ante el fiscal Xavier Armendáriz algunos casos de los que fue testigo y da nombres de otras personas afectadas por situaciones similares a las vividas por él. Incluso habla de un sacerdote «que no tengo la más mínima duda de que fue abusado» por Karadima[5].

Describe, asimismo, una situación que le habría sucedido a su «mejor amigo durante el tiempo en El Bosque». Un día, en la casa parroquial, lo «estaba esperando desde las diez de la noche... Alrededor de las tres de la mañana, finalmente —dice—, Andrés «bajó llorando desde el dormitorio de Karadima y me contó que fue abusado por él».

En la entrevista que sostuvimos en junio de 2010, Fernando Batlle me relató el episodio y el impacto que le había provocado, pero mantuvo en reserva el nombre de su antiguo amigo. No obstante, su identidad aparece en el proceso judicial, ya que tras el relato de Batlle el fiscal Xavier Armendáriz citó al aludido y después efectuó un careo entre ambos. Además, otros testigos de la época se refirieron al asunto.

Andrés Söchting Herrera, también abogado de una importante empresa, negó rotundamente la situación que, según Batlle, habría vivido. «De lo que se me dice, en cuanto a que Fernando Batlle me haya visto salir de la pieza de Karadima llorando y le haya dicho que hayan abusado de mí, digo que eso es totalmente falso, nunca pasó algo así, no sé por qué lo inventa. Es claro que yo haya podido ir a la pieza del padre, de hecho con otros, lo acompañé algunas veces a ver el noticiero, pero, insisto, nunca pasó nada.»[6]

En su declaración ante el fiscal, Söchting señaló que «en todo el tiempo que estuve en la parroquia nunca vi una actitud impropia o

---

[5] Declaración de Fernando Batlle Lathrop ante el fiscal regional Xavier Armendáriz, 22 de abril de 2010.

[6] Declaración efectuada el 12 de mayo de 2010 ante el fiscal regional Xavier Armendáriz de Andrés Felipe Antonio Söchting Herrera, 31 años, chileno, casado, nacido el 20 de enero de 1979.

equívoca en el terreno sexual». Y contó que José Andrés Murillo lo había invitado a ser parte de la denuncia y le habría dicho que «este grupo habría contactado a mucha gente, sin darme nombres aparte de Hamilton, y que actuaba como coordinador el jesuita Felipe Berríos».

Andrés Söchting es hermano de Julio, sacerdote de la Pía Unión, que vive hasta ahora en El Bosque, y escribió una carta publicada en *El Mercurio* contra los acusadores después de las primeras denuncias[7]. Católico observante, Andrés Söchting es miembro del Tribunal de Apelación Eclesiástico que se encarga de revisar las nulidades religiosas y ejerce como uno de los defensores del vínculo «y, como tal, [es el] encargado de entregar las razones de hecho y de derecho por las cuales un matrimonio no debe ser disuelto», explica el diario electrónico *El Mostrador* en una crónica que hizo alusión a este episodio el 29 de marzo[8].

El *swing-swing* en entredicho

En el careo con Fernando Batlle al que fue sometido por el fiscal Xavier Armendáriz, Söchting reiteró: «Las dos cosas que dice Fernando no son efectivas, ni hubo golpecitos de Karadima hacia los jóvenes ni tampoco ese episodio que relata Fernando en la noche, ni nunca tuvo un episodio de carácter sexual conmigo ni con nadie que yo supiese».

Batlle ratificó su versión y agregó: «Recuerdo que hacíamos una mímica por los toqueteos genitales, que llamábamos *swing-swing* y Andrés era el que más lo hacía». Por otro lado —señaló al fiscal Armendáriz—, «entiendo la situación personal de cada uno en estos hechos, no es fácil. Veo a Andrés como una víctima».

Söchting insistió en su negativa y dijo que «no es efectivo lo del *swing-swing* como toqueteo sexual del padre Fernando», aunque

---

[7] *El Mercurio*, cartas al director, 22 de abril de 2010.
[8] www.elmostrador.cl. «El abogado que salió llorando de la habitación de Karadima y que niega haber sido abusado», 29 de marzo de 2010.

admitió que «existía el nombre, pero eran golpes o juegos propios entre adolescentes».

Fernando Batlle expuso: «También vi que a Raimundo Varela Achurra, otro de mis mejores amigos durante mi paso por El Bosque, Karadima le tocó los genitales. Sin embargo, le pregunté y me dijo "no recordarlo"».

El abogado Raimundo Varela, otro integrante del grupo de la Acción Católica de mediados de los noventa, fue también llamado a declarar por Armendáriz. Tras señalar que sus más amigos en la época de El Bosque eran Andrés Söchting, Rodrigo Díaz y Fernando Batlle, indicó que no vio hechos de connotación sexual. «Pero sí recuerdo que el padre Karadima tenía la costumbre de dar golpecitos en la zona genital a los jóvenes (...) Nosotros teníamos la costumbre de bromear con ello y le decíamos *swing-swing*», confirmó. «Lo teníamos asumido y recuerdo que Andrés Söchting bromeaba con esto, repitiendo el gesto con nosotros, no recuerdo si los demás también lo hacíamos.»

Según Varela, «lo veía en el contexto de la parroquia como natural, aunque ahora y con la perspectiva de los años, no lo encuentro así». El mismo Varela recuerda que por el año 1996 o 1997 supo del episodio relatado por Batlle respecto de Söchting[9].

«Bromas de adolescentes»

Söchting y Varela fueron también llamados a un careo por el fiscal Armendáriz. En la oportunidad, Varela ratificó que «el padre Karadima efectivamente nos daba golpecitos en los genitales a algunos jóvenes de los que íbamos a la parroquia, incluyendo a Andrés, acá presente, por lo que incluso le pusimos el nombre de *swing-swing* como juego». Explicó que «entre nosotros no era necesariamente golpear en los genitales, pero tenía su claro origen en la conducta del padre Karadima».

---

[9] Declaración de Raimundo Varela Achurra ante el fiscal Xavier Armendáriz, 17 de mayo de 2010.

Raimundo Varela reiteró en el careo: «Fernando Batlle me contó en su época el episodio en que, esperando a Andrés, este último bajó como a las tres de la mañana (...), incluyendo que Karadima le dijo que se tenía que confesar con el padre Panchi». Añadió que «hace como un mes estuvimos conversando con Rodrigo Díaz Valenzuela y con Eduardo Botinelli Guzmán y ambos recordaban las mismas circunstancias. Incluso, creo, pero habría que ratificarlo con él, que Rodrigo me dijo que este último hecho lo había contado el propio Andrés en un paseo a la casa de sus papás en Santo Domingo, la llamamos El Concilio».

«No es efectivo lo que escucho respecto de los golpecitos en los genitales ni a mí ni a nadie que yo sepa, ni tampoco el episodio de la noche que se ha hablado, nada de eso existió», manifestó tajante Andrés Söchting en el careo. Insistió en que el *swing-swing* —cuya existencia admitió— «se trataba de juegos y bromas propios de adolescentes». Y advirtió ante el fiscal que «esto lo voy a sostener siempre, ante cualquier persona, por lo que otro careo sería una pérdida de tiempo».

Söchting reconoció la existencia del paseo «al que Raimundo se refiere como El Concilio». Y agregó: «Deseo decir que ninguno de mis amigos de esa época que sostienen que yo tuve un incidente con el padre Fernando nunca me preguntaron a mí si ese hecho era efectivo o no. Recién a raíz de esta investigación he tomado conciencia de esos hechos» [10].

Poder sobre las conciencias

En su declaración ante el fiscal regional Xavier Armendáriz, Batlle hizo presente que «Karadima es considerado santo por la gente que acude a la parroquia El Bosque (...) Es una persona muy carismática e influyente, pero también increíblemente manipulador,

---

[10] Careo sostenido el 16 de mayo de 2010 entre Raimundo Varela Achurra y Andrés Felipe Antonio Söchting Herrera, dentro de las diligencias efectuadas por el fiscal regional Xavier Armendáriz.

autoritario y ególatra. Constantemente dice que es continuador del padre Hurtado, pues asegura que recibió un mandato de él».

Batlle se refirió en ambos tribunales al poder de Karadima sobre la conciencia de sus seguidores: «Siendo yo solamente un niño y luego un joven, el padre Karadima tenía sobre mí, como lo tenía en ese entonces y sigue teniendo sobre todos sus seguidores, un inmenso poder respecto de mi conciencia, logrando manipular mis miedos y culpas a la perfección; es por ello que se prolongó dicha situación durante tanto tiempo», señaló al juez Valdivieso.

«Karadima tiene muchos seguidores sobre los cuales también tiene una influencia total. Van muchos niños, adolescentes y jóvenes a la parroquia, todos de clase alta, pues es muy clasista y al menos en mis tiempos no hacía trabajo pastoral con mujeres, salvo pasar la colecta. En definitiva, no las pescaba y eso era bien sabido», manifestó al juez Valdivieso.

En su querella, agregó una situación que conoce por su propia experiencia: «Insisto que tiene un perfil muy dominante, influye sobre muchas personas por generaciones, está instalado en la fibra familiar y espiritual, ya que por lo general casa a los padres, bautiza a sus hijos, los prepara a la primera comunión y confirmación. Es como que estuviera en todos los hitos familiares».

Y describió ante el juez Valdivieso el funcionamiento de la Acción Católica, en términos similares a los que lo explica Juan Carlos Cruz: «Karadima tiene a sus discípulos como en distintos niveles, según la jerarquía tácita en que todos compiten por ir subiendo. Los más "avanzados", dos o tres, son los que podían entrar a su pieza y lo acompañaban en todas sus actividades sociales».

—¿En algún minuto te designó secretario? —le pregunto.

—Sí, me designó secretario… Era como el gancho que tenía para meternos. Su secretario, después decía, «secretario personal». Y después «vicepresidente». Pero en un tiempo les decía a varios «vicepresidente» y después estaba el «presidente». Esa era la jerarquía. Con los vicepresidentes era más formal la cosa, porque te hacía pasar adelante y en las reuniones de los miércoles decía «hemos nombrado a este vicepresidente» y lo hacía hablar.

Recuerda que «a uno que hacía hablar mucho era a Ramón Salinas, hijo de uno de los socios de Salinas y Fabres, gente con muchas lucas. Estaba también Willy Salinas y el padre Tomás Salinas. Otros que estaban en esa época eran Andrés Ariztía, también de una familia con mucha plata; Antonio Fuenzalida, cuyos papás son los dueños de Turismo Cocha; Gonzalo Tocornal, nieto de Vial Espantoso. Y así suma y sigue. Karadima se rodea de gente con mucho dinero».

—¿Llegaste a ser parte del grupo más cercano?

—No, yo no estaba en el círculo de hierro de los que subía a la pieza, pero como iba todos los días y familiarmente éramos cercanos, estaba con el oído parado y escuchaba estas cosas. Pero eso es lo que yo cachaba sin escuchar las conversaciones en las piezas, sin que él me hiciera sus confidencias. Sus asuntos más personales privados no los comentaba delante de mí. Lo más lejos a lo que yo llegué fue a que me convidara a comer; le ayudaba mucho en misas, él iba a la casa de mis papás. Una vez me invitó a Puerto Varas de vacaciones a la casa de Hans Kast y después me desinvitó.

—¿Le habían regalado esa casa?

—No sé si Cristián Kast, hermano de Hans, se la había regalado o cedido indefinidamente. Como son los dueños del Bavaria, tienen varias propiedades en Puerto Varas, porque ahí tienen mucho ganado.

Nuevas experiencias

Entretanto —cuenta Fernando Batlle— «me hice de amigos allá, gente que llegó de la parroquia de Los Castaños, en Vitacura, porque el párroco de Los Castaños, Cristóbal Lira, tenía varios jóvenes y a él lo destinaron a Maipú. Y mandó a todos estos que también eran del barrio alto para El Bosque. Entre ellos estaban

José Andrés Murillo y Francisco Costabal, uno rubio, alto, que sigue siendo presidente de la Acción Católica».

Según Fernando Batlle, antes de que llegara esa oleada proveniente de Vitacura, «entre 1992 y 1993, la parroquia estaba pasando por un momento medio crítico, no había tanta gente y yo pasé a ser de los más metidos. Pero la llegada de los provenientes de Los Castaños atrajo a más gente y de nuevo se produjo un impulso. Entre 1993 y 1995 fue el tiempo en que vi más gente mientras estuve».

Para Batlle esa fue una oportunidad de hacer amigos. «Yo nunca había conversado con nadie. Y por primera vez tuve algunos amigos, porque en El Bosque había siempre una cosa medio competitiva. Pude conversar con otros gallos que venían de afuera. Hasta ahí yo viví absolutamente entre mi familia y El Bosque. Me perdí mucho de mi tiempo de preadolescencia y adolescencia, toda esa edad que uno va a fiestas, yo estaba en El Bosque.»

Dice Fernando Batlle que se fijó mucho en las primeras percepciones de algunos de los recién llegados. «Había cosas que les chocaban. Les llamaba mucho la atención ese mesianismo de Karadima, toda esta idolatría que había hacia su persona.»

A los dieciocho recién cumplidos entró a estudiar Derecho a la Universidad Católica. «En la Universidad empecé a ir a misiones y comencé a confrontar. Hasta que llegó un momento en que me sentía incómodo con todo, con la dirección espiritual, sentía que no tenía poder de decisión, que todo había que preguntárselo al cura. Él decía que uno era el que manejaba el auto y el padre espiritual las luces del auto que iluminaban tu camino. La libertad estaba en que uno manejaba, pero el padre representaba las luces. Entonces, para mis adentros, pensaba que sus dichos me determinaban.»

Confusión y quiebre

En 1996, Fernando decidió dejar atrás El Bosque. Se sentía confundido y así se lo expresó a Karadima, quien cuando le dijo que se quería ir, simplemente le respondió: «Nunca más vuelvas». Sin embargo, cuenta Batlle, «como una semana después me llamó de nuevo».

Fernando Batlle volvió a visitar al cura. «Esa vez le dije: "Me voy a ir pero quiero que sepa que me voy bien confundido de acá. Encuentro que hay muchas cosas súper raras". Alrededor de una semana después, me volvió a llamar y me invitó a comer y a ayudar la misa. Fui, pero después me pregunté "¿qué hago acá?". Y un mes más tarde pasé y me dijo: "¿Cómo estás m'hijito", con una suerte de diplomacia falsa, hasta que ya no fui a nunca más. Iba a misa todavía a El Bosque, pero ya no pasaba por la sacristía ni por ningún lugar por donde me pudiera topar con el cura.»

Cuando Fernando Batlle se fue, «mandó a llamar a mi mamá a través de obispos, como Tommy Koljatic, para contarle el problema que estaba teniendo conmigo. Mi mamá me defendió, mientras el cura me hacía pedazos. Karadima decía que me estaba "aleonando", en palabras de él, solo por cuestionarme la estructura de El Bosque, que me chocaba mucho. Todos estuvieron metidos en una oficina y decían que me había sublevado».

Según recuerda su hijo, Carmen Lathrop en esa conversación fue más allá. «Mi mamá le dijo que había escuchado cosas muy raras y que yo le había contado de un episodio que tuvo un amigo. Y el cura le contestó: "¿De qué estás hablando tú, crees que alguien te va a creer eso. Yo soy un sacerdote de prestigio". Como que trató de bajarle el perfil.»

—¿Qué pasó entretanto con la relación de tus padres con Karadima?

—Desde hace unos ocho o diez años dejaron paulatinamente de ir para allá. Se produjo un quiebre grande cuando yo me fui en 1996. Y me señaló que me iban a suspender y me anularía el decreto o resolución por el cual según Karadima yo era su ahijado de confirmación. Y dijo que él iba a mandar una carta a la curia romana, solicitando que se anulara.

—¿Por qué actuaba así?

—Decía que le estaba desobedeciendo y que según el Derecho Canónico la desobediencia era una causal para dejar de ser mi padrino.

—El tema de la obediencia es muy fuerte para él...

—Impresionante.

—¿Y de tus tres hermanos hombres ninguno siguió en la Acción Católica?

—No, yo fui el único que caí en El Bosque. Después, Andrés, que me sigue, creo que a los doce años fue la última vez que fue a misa.

«Al Negro no lo pescaba el cura y a él tampoco le interesaba. Le decía Negrito; al cura no le gustaban los morenos» —indica Fernando Batlle. El hermano aludido es el ingeniero civil de industrias Juan Pablo Batlle Lathrop.

La carta del padrino

A pesar de la ruptura con Fernando, los Batlle Lathrop no cortaron relaciones de raíz. «Mis papás siguieron yendo a misa hasta 2000 ó 2001, sin entrar en mayor contacto con el cura, aunque después se fueron a Schoenstatt. Yo antes también me había ido de seminarista de Schoenstatt. Estuve allá en esos años.»

Paradójicamente, el hecho de haber sido padrino de confirmación y de haber enviado a su ahijado una carta el día 10 de junio de 1994, cuando Fernando Batlle recibió ese sacramento, podría tener consecuencias impensadas para el ex párroco de El Bosque.

Fernando Batlle acompañó en su querella ante el juez del crimen una carta reveladora firmada por Fernando Karadima ese día solemne. En la carta el cura reconoce que desde que era un niño de colegio, Batlle era parte de sus discípulos: «Quiero que sepas que tengo muchas esperanzas puestas en ti. Tu trabajo pastoral en la parroquia ha sido cada vez más profundo, servicial y abnegado. Estoy muy agradecido de todo lo que me ayudas y lo que das a la Acción Católica. Pronto saldrás del colegio, estudiarás una carrera universitaria y la vida pasará muy rápido. Por eso, en toda circunstancia debes mantenerte cerca de Dios, continuar tu entrega a la parroquia y estar abierto a lo que Dios te vaya indicando por el camino...».

«Con cariño de padre», se despedía el ahora cuestionado padrino.

—¿Sigues siendo católico? —le pregunté a Fernando Batlle en junio de 2010.

—No, aunque es una pregunta difícil, porque estuve veinticinco años de mi vida en eso y tengo raíces católicas. Pero lo veo más por un lado cultural. No voy a misa...

—¿Te influyó esta situación?

—Sí, creo que sí. La Iglesia es una instancia en que pueden ocurrir este tipo de cosas, cuando está todo tan centrado de repente en una persona. No me considero religioso, para ser honesto; no me gustan las iglesias en general. Sí me considero una persona espiritual, interesada en la esencia de lo que persiguen muchas religiones como la católica. No soy un anticatólico ni mucho menos. Hubo un tiempo en que sí lo fui. He sacado harto la rabia que tenía, estuve seis años en psicoanálisis, tuve otras terapias, ha sido un tema recurrente en mi cabeza. De alguna manera soy creyente, me interesa cultivar la espiritualidad, pero no asociado a una institución ni a una iglesia. Y creo que la iglesia es como cualquier institución, donde puede haber gente inteligente, buenísima, súper espiritual que lleve a cosas muy buenas, y gente muy perversa, dañina, como en todas partes.

Secuelas hasta hoy

«A mí, una de las cosas que más me duele es que yo permití que esta persona me hiciera todas las cosas que me hizo, incluyendo todos los toqueteos y abusos, la manipulación y cómo me pasó a llevar y me humilló», comenta Fernando Batlle. Por eso, porque tenía pendiente este tema, es que decidió juntarse con las otras víctimas y analizar la presentación de denuncias.

Cuenta Fernando Batlle que después de lo que vivió en El Bosque quería ir a encarar a Karadima, pero José Andrés Murillo «me había llamado el año pasado —se refiere a 2009— para plantearme que hiciéramos algo, porque él estaba presentando la denuncia ante la Iglesia y quería seguir alzando la voz».

Fernando Batlle manifestó ante el fiscal Xavier Armendáriz la angustia que le provocó todo lo vivido: «Aunque sé y me consta que a otras personas les hizo abusos sexuales mucho más graves, todo esto me marcó y me afectó muchísimo, pues era totalmente impropio de un sacerdote y de quien se supone era un guía espiritual, alguien que me preparaba para el sacerdocio, lo que me generó culpa, impotencia y rabia». Esos sentimientos los reiteró ante el juez Valdivieso, a quien agregó que todo esto le provocó «un daño muy profundo, cuyas secuelas permanecen hasta hoy».

En la presentación de su querella por abuso sexual ante la justicia criminal, Batlle estableció: «Que a la fecha de inicio de ejecución de los hechos antes descritos constitutivos de delito de abuso sexual, esto es en 1989, yo tenía catorce años. Que evidentemente los actos realizados por el querellado sobre mi persona tuvieron la significación sexual y relevancia exigida por el tipo. Que para la realización de tales actos Fernando Karadima Fariña se prevaleció de su calidad de sacerdote, confesor y guía espiritual que le entregaba su clara posición de poder y de jerarquía, abusando de la relación de dependencia que tenía al ser un adolescente de catorce años de edad, configurándose lo dispuesto en el artículo 363 número dos del Código Penal».

En su declaración pública del 24 de marzo, Batlle señaló: «La comunidad ya sabe quién es Karadima, quien hizo mucho daño, el cual se transmite. Hay muchos curas formados por Karadima que no deberían tener contacto con niños y jóvenes; esas deberían ser las primeras diligencias preventivas que se deberían dictar en honor a una auténtica justicia y sentido de protección de la comunidad. Es una irresponsabilidad que los curas que pertenecían al círculo de Karadima sigan en contacto con niños y jóvenes».

Y desde su mirada de abogado agregó otro argumento que empieza a estar en la discusión: «Desde el punto de vista de la ley, es fundamental eliminar la prescripción en materia penal, lo cual es un insulto a la justicia y una herramienta que fomenta esos delitos. Las personas son responsables de sus actos hasta el final de sus días», afirmó.

Capítulo XI

EL «RECICLAJE» DE MURILLO

Entre sus compañeros del Verbo Divino, José Andrés Murillo Urrutia era conocido al comenzar los años noventa por su simpatía, su carácter inquieto y sociable, además de un físico que lo hacía tener éxito entre las niñas. Pero al terminar el colegio y, sobre todo, después de egresar, El Flaco experimentó un cambio evidente. Se alejó de los amigos de antes y se le veía más reservado. Incluso triste. Dejó atrás las fiestas y los paseos, y los reemplazó por misas, oraciones y hasta un tono «como de sermón», cuando alguno de los conocidos se topaba con él. Era otro. Algo le había pasado.

«Con mucho dolor es que debo comunicarles que dentro de los acusadores de Karadima está mi hijo José Andrés», señala Ana María Urrutia, su madre, en una impactante carta «a sus amigas», que circuló por Internet días antes de que la voz firme de José Andrés Murillo Urrutia se escuchara por Televisión Nacional, el 26 de abril de 2010. Ella misma se sorprende hasta hoy de la circulación que tuvieron esas líneas donde decía: «Él es el filósofo que vive en París. Les contaré que, siendo colegial, en el Verbo Divino, mi hijo empezó a acercarse a la Iglesia a través del cura Cristóbal Lira en Los Castaños. Luego a este curita lo trasladaron a Maipú. José Andrés se acercó a El Bosque, pues tenía mucha inquietud por saber si tenía o no vocación de sacerdocio. Y le habían comentado de lo espectacular que era Karadima».

Desde París, José Andrés prefirió leer una declaración escrita en lugar de aparecer en cámara en el programa *Informe Especial*. Tal vez, porque todavía no se sentía preparado para encarar públicamente al acusado ni a los televidentes que esa noche verían el programa. O, como dijo después ante el fiscal, porque no estaba muy de acuerdo con esa aparición, ya que la encontraba «exhibicionista». Lo cierto es que en esa ocasión solo desde lejos llegó su voz.

Con el transcurso del tiempo, la actitud de José Andrés, hoy de treinta y seis años, ha sido cada día más firme, y sus agudos análisis sobre poder y dominación no dan tregua. «El filósofo», como se le ha conocido, después de haber pasado por el noviciado jesuita —donde estuvo dos años—, cuando abandonó El Bosque, se concentró en sus estudios de Filosofía.

Estaba terminando su doctorado en la Universidad de París VII Denis Diderot, cuando reventó el caso. Tras dar sus exámenes en Francia y en la Universidad de Chile, y recibir el grado de doctor en Filosofía por ambas universidades, ha hecho del tema del poder y el sometimiento una causa. Creó la Fundación para la Confianza, precisamente con el objetivo de ayudar a evitar situaciones como las de El Bosque, y como él mismo reconoce, no hay artículo, ensayo ni clase que haga donde el tema de la dominación no esté presente.

Su voz volvió a resonar, emocionada pero contundente, el viernes 18 de febrero de 2011, poco rato después de que el arzobispo de Santiago Ricardo Ezzati diera a conocer el veredicto del Vaticano que condenó como culpable a Fernando Karadima Fariña de cometer abusos contra menores, de transgredir el sexto precepto del Decálogo y abusar de su ministerio sacerdotal.

José Andrés Murillo recibió el fallo eclesial con emoción y reconocimiento hacia Ezzati, quien —a diferencia de su antecesor, el cardenal Francisco Javier Errázuriz— manifestó desde el primer momento su especial preocupación por el dolor de las víctimas. Todavía nervioso, pero claro en sus conceptos, el ex novicio jesuita mostró su satisfacción por el «cambio de mano» en la Iglesia chilena. Seis años antes, él había sido recibido por Ezzati, a quien envió una carta a través de Juan Díaz, ex vicario de Educación.

Palabras de Ana María

Desde el comienzo, la acusación pública de José Andrés Murillo contó con el apoyo de su familia, en particular, de su madre Ana María Urrutia, quien en su carta anticipó las acusaciones que haría su hijo sobre Fernando Karadima. «Después de dos o tres años y de un día para otro no quiso ir más y se fue a los jesuitas, donde entró como novicio.»

En esa época —relata Ana María— «nos contó, a mi marido y a mí, que se había ido de El Bosque porque no soportó más a Karadima, quien constantemente lo acosaba sexualmente».

José Andrés «consideró que Karadima estaba haciendo un tremendo daño a otros muchachos de la comunidad con sus desvíos sexuales» —indica Ana María Urrutia— y que como pertenecían a familias tradicionales, de colegios cercanos a la Iglesia, «no eran capaces de hacer denuncia alguna. Por lo tanto, decidió hacer él la denuncia, acercándose al Arzobispado». Pero la Iglesia —señala— «guardó la denuncia en un cajón».

Orgullosa de su hijo, pues «ha actuado de acuerdo a lo que es correcto, y no ha temido exponerse, sobre todo ahora que el tema está tan candente», la madre de José Andrés Murillo señala: «Pero es mejor vivir tranquilo consigo mismo que con una tranquilidad aparente, en respuesta a lo que es política y socialmente correcto».

Y aunque preveía que José Andrés pasaría por una muy dura experiencia, manifestaba su seguridad en que «saldrá fortalecido, tranquilo y más grande como persona». Antes de despedirse con cariños a sus amigas, concluye: «Este es mi hijo José Andrés Murillo Urrutia, nombre que saldrá al público seguramente muy luego, ya que él llega desde Francia el lunes. Quería que ustedes lo supieran por mí, puesto que, de todos modos, sabrán que es mi hijo. Y les reitero que me siento enormemente orgullosa de él, por ser tan íntegro y tan valiente».

Tuve la oportunidad de conocer a Ana María Urrutia, destacada golfista, ex campeona sudamericana en categoría *senior*, el 6 de marzo, el día siguiente al nacimiento de su nieta Juana, la primera hija de José Andrés y Antonia Pellegrini. Feliz con la buena nueva, Ana María se quedó acompañando a Antonia y a la recién nacida, mientras en una cafetería de la Clínica Santa María sosteníamos con José Andrés una de las últimas conversaciones para este libro. Tres días después sería el alegato en la Cuarta Sala de la Corte de Apelaciones de Santiago para pedir la reapertura del caso.

Desde Los Castaños

José Andrés Murillo egresó del colegio del Verbo Divino en 1993. En ese tiempo participaba en actividades de la parroquia Los Castaños de Vitacura, a cargo del sacerdote Cristóbal Lira, discípulo de Karadima. Cuando Lira fue trasladado a Maipú, en 1994, un grupo de jóvenes emigró a El Bosque. Junto a Murillo llegó, entre otros, Francisco Costabal González, quien hasta marzo de 2011 presidía la Acción Católica.

«Tenía dieciocho años. Estaba en la Universidad Católica, y me acerqué a El Bosque para preguntarme sobre mi vocación», cuenta Murillo. Llegó «atraído por la fama de Fernando Karadima. Lo había conocido cuando era estudiante del Verbo Divino y el cura fue a dar una charla al colegio».

—¿Qué actividad tenías en Los Castaños? —le pregunto.

—Yo me dedicaba sobre todo a ir al Hogar de Cristo dos veces a la semana. Y seguía la figura del padre Hurtado. Leí sus obras completas, me lo sabía todo, me encantaba. A pesar de que yo había escuchado por Cristóbal Lira, el párroco, que los jesuitas eran tipos malos, que habían tergiversado al padre Hurtado.

—¿Lira hablaba de que los jesuitas eran «malos»?

—Era como una megalomanía de los de El Bosque, porque los veían como adversarios demasiado grandes para ellos. Pero, a la vez, nos decían que Fernando Karadima era discípulo del padre Hurtado, su discípulo espiritual, contaba él.

Durante su estadía junto a Karadima, las personas más próximas a Murillo fueron Francisco Costabal, Francisco Prochaska e Ignacio Correa, según declaró ante el fiscal Xavier Armendáriz.

«Karadima no leía»

«Siento mucho pudor por esto. No estoy de acuerdo con aparecer. Como que no quiero hacer historia sobre mí», me dijo con cierta timidez en su departamento, poco después de iniciada la primera entrevista, una tarde de mayo de 2010. Poco a poco, entró en confianza y la conversación surgió fluida. Después nos reunimos otras veces.

Cuenta que en El Bosque se fue involucrando en las actividades de la parroquia y muy pronto empezó a ir todos los días. Ingresó al círculo más cercano de Karadima, quien fue su director espiritual hasta marzo de 1997.

—¿Cuánto tiempo llevabas cuando empezaste a estar más cerca?

—Fue bastante rápido. Además, yo estudiaba Filosofía y ellos tenían una muy buena biblioteca en El Bosque. Y me quedaba entre la universidad y la casa. Después de la universidad me iba a la biblioteca y me quedaba hasta la noche. Era bien buena la biblioteca. Una sala maravillosa, muy bonita. Tenían, por ejemplo, las obras completas de Plotino, en griego y francés.

—¿Pero Karadima leía?

—No, no leía nada. Nunca lo vi leyendo.

—¿En qué se inspiraba para sus prédicas?

—Sus prédicas no tenían ninguna inspiración. Simplemente era una alabanza a algunas cosas. Yo después me di cuenta. «¡Oh cuántas gracias caerán sobre esta gente, porque hay tres sacerdotes celebrando esta Eucaristía...», decía, y me he dado cuenta de que algunos curas jóvenes están repitiendo exactamente lo mismo.

—El Bosque era una fábrica productora de sacerdotes...

—Claro, además de una exaltación, una divinización muy fuerte de los sacerdotes.

Karadima le decía a José Andrés Murillo «El Pinteado» y mostraba gestos de particular simpatía hacia él.

Tan cerca estuvo desde el comienzo, que poco después de llegar a la parroquia fue a un viaje a Europa con Karadima. «No había sentido ningún acoso todavía ni nada. Fuimos a la beatificación del padre Hurtado en 1994. Yo me pagué el pasaje, pero lo pasé muy mal. Sentí que había sido el peor viaje de mi vida y se lo dije al cura.»

—¿Por qué lo pasaste tan mal?

—Porque yo quería hacer un viaje más bien espiritual y el padre Karadima andaba buscando relojes. Se compraba relojes y aparatos, radios. Era muy fetichista con esas cosas. Una vez me regaló un reloj de oro, no sé lo que hice con él. Era un reloj de bolsillo. Creo que lo boté, no tengo idea dónde quedó —comenta con cierto desprecio.

En su declaración ante el fiscal regional Xavier Armendáriz, José Andrés Murillo mencionó un hecho curioso que sucedió en ese viaje: «En una ocasión, nos bajamos a la vera de un camino a orinar. Karadima me dijo que mirara cómo él lo hacía sin tocarse el miembro, lo que me negué a hacer, pese a que él insistió».

Chaqueta de *tweed*

Ingeniero civil de la Universidad Católica, soltero, de treinta y siete años, incondicional de Karadima, Francisco Costabal González fue quien en febrero de 2011 se ocupó de hacer la mudanza de las pertenencias del cura en vísperas de que el arzobispo Ezzati diera a conocer públicamente el veredicto del Vaticano. Costabal había acompañado a Karadima en su periplo por los diferentes fundos antes de ser confinado en el hogar de las Siervas de Jesús de la Caridad.

El presidente de la Acción Católica había participado de niño en El Bosque, estudió en el colegio Tabancura del Opus Dei y empezó a ir a Los Castaños con compañeros de colegio desde diciembre de 1993. Ahí conoció a José Andrés Murillo, aunque no eran amigos. Dice Costabal, en la declaración ante Armendáriz, que a Murillo «lo ubicaba de saludarlo en la parroquia Los Castaños», y empezó «una amistad con él, ya que los dos éramos nuevos en la parroquia de El Bosque». Costabal menciona también a Fernando Batlle como otro de sus nuevos amigos.

Describió ante el fiscal Xavier Armendáriz la época en que llegó desde Los Castaños a El Bosque: «Los días miércoles participábamos después de la misa en una charla que organizaba el padre Fernando Karadima con un sacerdote invitado, no recuerdo los nombres. Eran meditaciones en que se hablaba de la vida espiritual, del aporte a la sociedad que nosotros podíamos hacer como católicos y se hacían comentarios de actualidad. A esas reuniones asistían trescientos jóvenes, dentro de un salón, duraban unos veinte minutos, media hora. La asistencia era voluntaria, no había lista. Al término de estas reuniones, la gente se quedaba conversando, y luego cada uno hacía lo que tenía que hacer».

«Varios nos quedábamos a cenar», dice Costabal en su testimonio ante la justicia. «Éramos unos quince y permanecíamos para conversar de diversos temas junto al padre Karadima y los otros sacerdotes», agrega.

En el documento quedaron estampados los «recuerdos» que Costabal hizo ante el fiscal sobre su amigo de entonces, José Andrés Murillo: «A muchas de las niñas del Villa María les gustaba, por lo que iban a verlo a las reuniones de los miércoles, y Murillo era bastante coqueto, pero no concretaba con ninguna. Eso a mí me molestó, porque sentí que jugaba con las niñas y alguna vez se lo dije».

Costabal consideró interesante mencionar algo más: «Otra cosa que me llamó la atención de Murillo es que era el único que ocupaba chaqueta café, de *tweed*, como para distinguirse del grupo, que usaba chaqueta azul para dar la comunión».

Según Francisco Costabal, después del viaje que Murillo hizo a Europa para la beatificación del padre Hurtado, «se empezó a alejar de la parroquia», y añade que «él tuvo siempre muchas amistades extraparroquiales».

En su declaración, agrega que en 1995 «Murillo empezó a trabajar con el padre Felipe Berríos, del Infocap, en un lugar que se llamaba La Casita. Iban a dormir allí para vivir con los pobres. José Andrés Murillo empezó a asistir, siempre en paralelo de las actividades de El Bosque, hasta que empezó a imitar al padre Berríos en su vestimenta, bototos, chaqueta. Supe que después entró al noviciado jesuita».

Costabal mencionó en su declaración que el padre Eugenio Valenzuela[1] llamó a Karadima «para pedirle referencias de Murillo. Yo estaba en la parroquia. Escuché que el padre Karadima le dijo que no le encontraba vocación de sacerdocio, agregando que a lo mejor para los jesuitas pudiese tenerla. El último dato que supe de Murillo es que se salió de los jesuitas».

Imágenes terroríficas

Cuenta José Andrés Murillo que antes de llegar a El Bosque tuvo una experiencia a la que no le dio importancia en su momento: «Otro cura discípulo de Karadima, Cristóbal Lira, una vez me pegó un roce así como en "el paquete". Yo encontré esto medio raro».

—¿Esto era en Lo Barnechea, donde está de párroco actualmente?

—No, en Maipú. Yo lo había conocido en Los Castaños y un día estábamos en Maipú y me pegó un roce. Después he relacionado los hechos. Y me di cuenta de que Cristóbal Lira tenía el mismo procedimiento que Karadima. Los toqueteos en las manos que me hacía, que antes creía súper paternales, eran parte de esto.

—¿A qué llamas el toqueteo en las manos?

---

[1] El padre Eugenio Valenzuela es el actual provincial de la Compañía de Jesús.

—Ahora uno se da cuenta de la intención, igual que el toqueteo en la cara, si te hacen así [y hace un gesto de caricia]... Cuando estás en un momento en que quieres buscar tu vocación y no sabes para dónde te está llamando Dios, y una persona te dice «Yo sé lo que Dios quiere para ti»... Y nunca nadie te enseñó antes cómo se busca la voluntad de Dios, tú le crees.

—¿Y a lo de Lira no le diste importancia?

—Claro, no caché. Después me di cuenta de que era eso.

—¿Fue una conducta reiterada?

—No, porque lo veía muy poco. Esto lo dije a la Iglesia, en el marco del proceso.

Pero —dice Murillo— esto «es más fuerte cuando se trata de un tipo como Karadima, que tiene un grupo de gente a su alrededor, que hace llenar la iglesia, y tú crees que vas al mejor. A mí me pasó eso. Creía que estaba yendo donde el mejor; además, tenía cincuenta curas que lo rodeaban y muchas familias con gente casada que lo frecuentaba».

—¿Cuándo empezó Karadima a ser un problema para ti?

—La primera conversación que tuve con él fue acerca del Infierno. Me ofreció ser su secretario. Y me habló sobre la posibilidad del Infierno. Esas imágenes eran terroríficas. Yo me creí el cuento con mucha fuerza, y él te sugería además que tenía las llaves para sacarte de ahí.

—¿Era un Infierno con diablos y llamas?

—Él lo explicaba como una especie de habitación vacía con un reloj que decía: «Para siempre jamás, para siempre jamás...». Era un reloj de péndulo.

—¿Y cuándo comenzaron las aproximaciones más erotizadas hacia ti?

—Uno no se da cuenta exactamente cuándo, porque de pronto empieza con unos toqueteos, como diciéndote cuídate, porque eso es importante. Y tú no le das importancia, aunque es un poco incómodo, pero no te cabe en la cabeza que tenga alguna connotación distinta, porque, además, hay, de su parte, un discurso homofóbico muy fuerte.

—¿Sí?

—Sí, muy fuerte. Me acuerdo de un tipo amigo mío que es gay y este cura o Andrés Arteaga, no recuerdo cuál de los dos, le decía: «Tú tienes el demonio adentro». El tipo llegó a una obsesión tal, que se trató de suicidar, porque él sentía que tenía el demonio dentro de sí, por su condición de homosexual.

—¿Otro amigo, además de Juan Carlos Cruz?

—Sí, otro. El discurso de El Bosque era muy homofóbico.

—¿Y con las mujeres era misógino y machista…?

—Sí, las mujeres ni siquiera podían entrar a la parte del comedor.

El secreto de la vocación

«De inmediato accedió a ayudarme y aconsejarme. Para eso me dijo que tenía que confiar plenamente en él, puesto que él sería como la luz en el camino, que si no seguía sus consejos me podría perder y condenar», relata José Andrés Murillo en su denuncia ante Armendáriz[2].

«Vi que había tanta gente que lo seguía, sacerdotes, jóvenes, parejas, todos lo consideraban un santo, que me pareció que podía ser un buen guía.» Después de poco tiempo, de acuerdo a su tradicional modo de actuar, el cura le pidió que guardara el secreto de su vocación solo para él. «Me dijo que no conversara con nadie más acerca de un tema tan delicado como la vocación, por mi propio bien. Sobre todo, nada con mi familia, pues esta estaría totalmente en contra», señala.

El ritual continuó. Lo invitó a ayudarlo en la misa. «Siempre había un grupo esperándolo y elegía a dos para que lo ayudaran. Era una actitud de manifestación de poder muy fuerte, pero estábamos enceguecidos, o al menos yo lo estaba, porque

---

[2] Denuncia de José Andrés Murillo a Fernando Karadima por abuso y acoso sexual ante el fiscal regional Xavier Armendáriz, 21 de abril de 2010.

se trataba de mi vocación y no quería equivocarme en la vida»,
señala José Andrés Murillo.

—¿Nada te parecía raro en ese ambiente?

—No me cuestionaba las cosas que ocurrían, aunque a veces
eran muy extrañas…

—¿Por ejemplo…?

—Pasaba al lado de los jóvenes y les daba un golpecito en los
genitales, diciendo que había que cuidarse o algo así. Era muy
molesto e invasivo. De pronto, sin que te dieras cuenta, te hacía
esa maniobra y todos los que lo veían se reían. Lo consideraban
una gracia y él también.

Cuenta José Andrés Murillo que a veces le pedía que lo llevara en auto. «Y, más de alguna vez, trató de tocarme los genitales
mientras manejaba, lo que me causaba mucha confusión y le sacaba
la mano sin decir nada, pero muy avergonzado. Estaba totalmente
confundido. Me decía que él era mi director espiritual y que yo le
debía absoluta obediencia, bajo amenazas fuertes de condenación.»

En una ocasión —recuerda— le dijo que «no me parecía bien
su forma de tratar a la gente y se enojó muchísimo. Llamó al padre Andrés Arteaga, y ambos en una sala de reuniones me retaron
fuertemente. Yo tenía diecinueve o veinte años. Me humillaron.
Arteaga que era doctor en Teología y posible obispo, y a quien
yo consideraba muy inteligente, me trató muy mal, cuestionó mi
inteligencia y me dijo que yo debía dejar la filosofía y dedicarme
al teatro, que debía escuchar a Karadima».

En una oportunidad, en la pieza del ex párroco —señaló
Murillo en su declaración ante Armendáriz— «estábamos de pie
frente a frente y trató de meterme la mano por debajo del pantalón, lo que no permití y me retiré».

Con un vaso de whisky

La decisión de dejar El Bosque llegó poco tiempo después.

—¿Qué gatilló tu ida?

—Primero, una situación cuando me estaba confesando con él... Yo ya estaba más alerta. Él ya me había hecho esos toqueteos, como golpes que me incomodaban muchísimo. Y el tipo me trató de masturbar cuando estaba confesándome. Estábamos sentados los dos y de repente me tomó la mano.

—¿Dónde fue eso?

—En su pieza. Yo quería tomar una decisión sobre mi vida, quería saber si podría ser cura o no. Tenía sueños de irme a África y ser misionero. De estudiar filosofía y enseñar en una universidad en África. Pero necesitaba consejo. Le dije que quería confesarme y me contestó «quédate después de la misa, después de comida, y conversamos».

Jimmy Hamilton me había contado que cuando se reencontraron con José Andrés Murillo en 2009, le impresionó el relato que él le hizo por la similitud que tuvo con su «inicio» en ese departamento de Viña del Mar, diez años antes.

«José Andrés cuenta una escena en la pieza de Karadima, con Tommy Koljatic, el actual obispo de Linares», me dijo Jimmy Hamilton. «Estaban tarde en la pieza ellos tres y el cura Fernando sacó una botella de whisky que tenía medio escondida, porque se ponían a ver tele en dos silloncitos uno al lado del otro. Además, guardaba entre unos parlantes unas revistas *Cosas*, donde aparecían mujeres en bikini o semidesnudas. Decía que las tenía ahí para mandarle una carta a la directora, para reclamarle por publicar esas fotografías. Lo curioso es que las revistas estaban escondidas. A mí me las mostraba y me decía "Mírala, mírala", obviamente con el objeto de excitarme. En el caso de Murillo, sacó la botella de whisky. Y en ese momento, ocurrió una situación muy terrible y es que Tommy Koljatic, sabiendo seguramente lo que venía, se mandó cambiar. Le dijo: "Santito, sabe que me tengo que ir". A lo que Karadima le contestó: "Sí, sí, m'hijito, ándate nomás".»

En su denuncia escrita ante la Fiscalía, José Andrés Murillo recuerda: «Todo cambió cuando yo quería confesarme y me pidió que lo acompañara a su habitación. Había un obispo. Karadima saca una botella de whisky. El obispo se puso muy nervioso y se fue de la habitación. A mí no me pareció normal, pero yo quería confesarme y me quedé. Me dio un vaso de whisky y me dijo: "Para que te relajes". Entonces comienzo a contarle de mi vida y Karadima me toca la pierna y luego rápidamente me toca los genitales… Quedé paralizado y no supe qué hacer. Él abrió el cierre de mi pantalón e intentó comenzar a masturbarme. Cuando pude reaccionar lo detuve y huí llorando del lugar».

Cuando José Andrés Murillo me ratificó en persona este episodio, evitó detalles. Pero reiteró la indignación que le produjo y me contó que se fue de inmediato a su casa, donde se duchó durante más de una hora.

Al día siguiente —recuerda— «fui donde Karadima con el texto del padre Hurtado que era un libro lindísimo donde habla de la dirección espiritual, que destaca la importancia de la libertad, y le dije: "Esta cuestión no tiene nada que ver con lo que usted hace y estoy totalmente en desacuerdo con usted"».

—¿Qué te respondió?

—«Mira, lo importante en la vida es el perdón», me dijo. «Sería bueno que te confesaras con el padre Francisco Javier Errázuriz, que era un viejito, que había ahí, por lo que «habíamos hecho». No le hice caso, no me confesé y me fui. Eso ocurrió en marzo de 1997. No hablé de eso durante mucho tiempo. Una vez, más adelante, lo llamé porque quería confrontarlo, pero después no me atreví.

Jimmy Hamilton retoma su comentario: «Al escuchar a José Andrés me di cuenta de cómo empezó con el mismo sistema con el que abusó de mí en Viña. Y cuando ya estaba empezando a masturbarlo, ante el estupor de Karadima, José Andrés, probablemente con una estructura familiar y montón de otras cosas más sólidas que las mías, se paró, le dijo que eso no podía ser y se fue. Cuando fue a hablar con él, lo mandó a confesarse con el padre Panchi. Y Murillo lo mandó a freír monos y se fue. Ante eso, Karadima le dijo: "¿Quién te va a creer a ti? ¿Te van a creer a ti o al padre Fernando?"».

—Eso ocurrió cuando tú todavía estabas en El Bosque... —le comento a Jimmy.

—Sí. Me acuerdo de José Andrés. Él duró como dos años en El Bosque. Y terminó con este evento. Y cuando leí su relato me cayó la teja de la realidad más violenta, de la perversión, del abuso sistemático. La dominación y el abuso es la pasión del tipo. Es un perverso. Uno se enfrenta a la maldad sistemática. Un hombre que a diferencia de Maciel no se drogaba, no usaba alcohol, no fumaba.

—¿Y el whisky?

—No lo tomaba él, era para ablandarnos a nosotros. De repente como que creaba el ambiente.

«Estoy en el *sheol*»

—¿No habías captado antes que se podía producir algo así? —le pregunto a José Andrés Murillo.

—Era como una normalización. Muy sutil, muy suave, hasta que estás adentro. Yo siento que algo así puede haberle pasado a los nazis en los campos de concentración, cuando hablan de que unos eran buenos, padres de familia, y a los tipos se les hace normal una situación que no lo era. Y él va creando el ambiente, suavizándolo para hacer que parezca normal lo que no lo es. Y sobre todo, con el tema de que «ustedes lo comprenden porque están cerca de mí, porque conocen la verdad. Los que están afuera no lo van a comprender, así es que no lo conversen». Entonces se arma toda una cúpula dentro de la cual se pueden hablar algunas cosas y fuera de la cual no se puede hablar de eso.

Una característica de El Bosque es que «había nombres para todo. Incluso los que estaban afuera se llamaban "los coptos"», señala Murillo. Al parecer, Karadima se inspiró en los antiguos cristianos coptos originarios del Antiguo Egipto, cuyo origen se remonta al siglo I después de Cristo. Los coptos hasta hoy utilizan un idioma y un calendario litúrgico diferente al católico[3].

—¿Qué otros nombres recuerdas?

—El *sheol*, que en arameo era el Infierno. «Estoy en el *sheol*», decía uno, porque el padre me mandó al Infierno. Me acuerdo también de los «cuetos». Los cuetos referían a lo sexual. Se le decía así porque había un tipo, un español, que hablaba de sexualidad y se llamaba Cueto.

Murillo recuerda que se encontró con Hans Kast en Alemania y «me dijo "ojo, ten cuidado con los cuetos". Y el año pasado le agradecí, porque lo que hizo fue precaverme, me dio una llamada de alerta».

—¿Y tú, cómo le decías a Karadima?

—Padre, curita, le decían muchos. Nunca le dije «santo», como lo llamaban los mayores. Creía que era talla.

Rejas imaginarias

El tema de la tesis doctoral de José Andrés Murillo es sobre la manipulación de países y personas en nombre de creencias e ideologías. Por eso, su voz es especialmente interesante al analizar lo que ha ocurrido en los últimos treinta o cuarenta años en la iglesia El Bosque.

«Sí, es una secta. Se reúnen todos los miércoles y su discurso no tiene ningún contenido, solo ritos, exaltar la Biblia y a Karadima. No existe reflexión, no cuestionan ni manifiestan la posibilidad de dudar», respondió José Andrés Murillo a la periodista Lenka Carvallo de revista *Caras* en una entrevista publicada en junio de 2010[4].»

---

[3] En una artículo de la BBC Mundo sobre las minorías religiosas en Egipto, Karim Hauser explica que la mayoría de los actuales coptos «son cristianos ortodoxos, pero también hay coptos católicos y evangélicos, y juntos representan un 10 por ciento de los setenta millones de egipcios. A su cabeza está el papa Shenouda III, independiente de la Santa Sede en Roma». BBC Mundo, 17 de abril de 2006. Disponible en Internet en: http://news.bbc.co.uk/hi/spanish/international/newsid

[4] «La nueva dimensión del caso Karadima», Lenka Carvallo, *Caras*, 25 de junio de 2010, Año 23, N° 580.

En la misma ocasión, comentó: «Él creaba una realidad paralela. Representaba el Bien y todo lo demás era el Mal». Por el contrario, Murillo sentencia: «Si existe el Mal, está aquí. Por eso, hay tanta gente temerosa».

Así como en su conversación James Hamilton evoca Colonia Dignidad y habla de que El Bosque sería una «colonia virtual», José Andrés Murillo recurre a imágenes similares para caracterizar otros aspectos del dominio de Karadima, rodeado de «unas rejas imaginarias».

—¿En qué consisten esas rejas?

—Se hace muy evidente quién está adentro y quién está afuera. Los que están en la calle, en la universidad o los que van y no entran al círculo, están fuera. Está muy bien determinado. Cuando tú entras, hay como dos o tres premisas que son incuestionables. Y para poder aceptarlas, interviene el miedo. El miedo al Infierno fue para mí muy fuerte. Si yo no le achuntaba a la vida, me iría al Infierno y, además, sería un fracasado, un infeliz.

«El cura contaba la historia de un tipo que entraba y decía "yo soy un infeliz, porque tenía vocación y no seguí los consejos de mi director espiritual y siempre fui un fracasado en la vida". La primera premisa de ese discurso es que tú puedes ser un fracasado. Que hay una persona que tiene la verdad sobre ti. Que tú puedes, además, condenarte y que si tú le haces caso en términos absolutos a tu director espiritual vas a encontrar el camino verdadero, porque Dios se lo revela a tu director espiritual —no a ti—, y por lo tanto vas a tener éxito en la búsqueda del sentido de la vida.»

Según Murillo, un rol central dentro de El Bosque lo jugaba el hoy obispo auxiliar de Santiago Andrés Arteaga que, además, era director de la Pía Unión. «Él hacía que nos sintiéramos tontos, que no teníamos la capacidad para distinguir la realidad.»

De vuelta del viaje a Europa con Karadima, con motivo de la beatificación del padre Hurtado, Murillo recuerda que Arteaga comenzó a decirle que no estaba capacitado para «comprender ciertas cosas de la parroquia». Y señala: «Él estaba muy en contra de que yo hubiera ido al viaje, por ejemplo. Y cuando empecé a ver los toqueteos, las cosas raras que ocurrían y unas complicidades muy extrañas, quise hablar con él. En la parroquia se decía que Arteaga era el tipo inteligente y a mí también me lo parecía».

Según explica Murillo, El Bosque «funcionaba como una sociedad, con un círculo donde hay una frontera muy precisa entre lo que está adentro y lo de afuera. En el centro estaba Karadima y rodeando la frontera estaba Andrés Arteaga, para que todo aquel que quisiera salir, fuera empujado hacia adentro».

Pero en definitiva Murillo no pudo comunicarle a Arteaga lo que estaba sucediendo. «Cuando fui a hablar con Arteaga, le dije: "Padre, esto no está bien". Y de nuevo me dijo: "Tú te adelantaste, hay cosas que no comprendes de la parroquia, y por lo tanto, no estás capacitado para estar en este círculo". Me insistió también: "Murillo, tú no eres un tipo muy inteligente, eso tengo que decírtelo, por lo tanto te recomiendo que dejes la filosofía". Y ahí como que todo lo que yo le quería decir dejaba de tener valor. Así es que me despedí.

Con los jesuitas

En realidad —comenta Murillo—, «yo siempre tenía una pata afuera de la parroquia y eso me salvó. Tenía amigos afuera, tanto así, que de hecho en el proceso ante el fiscal Armendáriz uno me acusa de tener "amistades extraparroquia", lo que es un delirio», dice refiriéndose a la declaración de Francisco Costabal.

José Andrés Murillo estudiaba en esa época Derecho y Filosofía en la Universidad Católica. «Además, tenía un cargo en la Federación de Estudiantes, un cargo público para el que fui elegido, por lo que tenía muchas actividades además de la parroquia. Esa vida que tenía afuera me salvó», dice hoy con alivio.

—¿Cuándo entraste a los jesuitas?

—En 1998. Estuve dos años. Por suerte pasé por los jesuitas para darme cuenta de que existía un Dios muy distinto. Un Dios que no competía con la vida. Entendí que Dios está a mi favor y no se opone a mi felicidad. Para mí, fue la clave de la vida.

Pero Karadima no se quedó tranquilo y, como en otras oportunidades, fue más allá: «Cuando decidí entrar a los jesuitas en 1998, él se enteró. Los llamó y les pidió que no me aceptaran. Supongo que porque sabía que una vez allí yo contaría mi historia en la parroquia de El Bosque».

—Te costó llegar a contar esta historia...

—Sí, y yo no sabía que era un delito. Simplemente pensé que el cura estaba loco y muy mal. Y por eso fui a la Iglesia para decir «ojo que tienen un cura que hace cosas que no están bien».

—¿Y a quién se lo dijiste?

—Al cardenal Errázuriz. Antes lo conversé con los jesuitas, con Eugenio Valenzuela, que era mi maestro de novicios, y después con Juan Díaz. Y él me dijo que le escribiera una carta al cardenal. Que se la entregara a él para que se la pasara por mano, porque el secretario del cardenal era de El Bosque, incondicional a Karadima, creo que era Francisco Javier Manterola. Así lo hice.

—¿Y no pasó nada...?

—Nada. Después hablé con Ricardo Ezzati, también de manera directa.

—¿Cómo fue eso?

—Él era obispo auxiliar de Santiago y se mostró muy interesado, dijo que era muy grave... Esto fue julio de 2005.

El actual arzobispo le dijo en esa oportunidad que «haría lo necesario», según consignó Murillo en su denuncia ante el fiscal Armendáriz.

De acuerdo al expediente eclesiástico, la primera vez que el actual arzobispo de Santiago supo de esta denuncia fue el 12 de mayo de 2005, a través del sacerdote jesuita. El relato consigna que «el 21 de junio de ese año recibió una declaración jurada de Murillo» en la que desde París, donde vivía, acusaba a Karadima. «Al día siguiente Ezzati remitió los antecedentes al cardenal Errázuriz, quien varios meses después se los entregó al promotor

Escudero». El 25 de julio de 2005, Ezzati se reunió con José Andrés Murillo en su oficina. «De acuerdo a su testimonio —según consignó el diario *La Tercera* el 27 de marzo, cuando dio a conocer una parte de los expedientes eclesiásticos—, Ezzati le habría dicho a Murillo que "estaba disponible para investigar su acusación, y que para ello existía un promotor de justicia encargado de investigar los hechos de que daba cuenta»[5].

Después de conversar con Ezzati, José Andrés Murillo no se quedó tranquilo. Consideró que sería positivo contactar a Andrés Arteaga, quien presidía la Pía Unión y ya era obispo auxiliar de Santiago. «Después, le escribí un e-mail a Arteaga para pedirle conversar con él. Pensé que si era inteligente y justo, podría yo enfrentarlo y él ayudarme, ofrecerme su apoyo.» No fue precisamente esa la respuesta que encontró.

Arteaga y el hechizo

Andrés Arteaga recibió a José Andrés Murillo en diciembre de 2005, en su oficina de vicegrancanciller de la Universidad Católica, en el segundo piso del edificio de la Alameda. Murillo recuerda esa conversación. «Arteaga me llamó por teléfono y me citó a su oficina en la universidad, un espacio muy bonito, de madera. Hacía mucho calor y él tenía un aire acondicionado último modelo. Fue muy impresionante, porque yo le hablaba del poder de la Iglesia y él me contestaba "sí, es verdad que tiene poder, pero es para servir a los demás". Y yo lo observaba a él manipulando el control remoto del aire acondicionado.»

En esa época, José Andrés Murillo trabajaba en la Fundación Cerro Navia, «para contribuir a superar la pobreza. Yo pensaba que la Iglesia debía tener un compromiso en ese sentido. Ver a este sujeto hablándome del poder y del servicio mientras apretaba el botón

[5] *La Tercera*, 27 de marzo de 2011, «Caso Karadima, el expediente que envió la Iglesia al Vaticano».

del aire en su oficina de madera, me pareció muy contradictorio», comenta.

Pero lo más insólito para Murillo fue lo que le dijo después: «Andrés Arteaga me dijo "tú estás haciendo mucho daño a la Iglesia con esto. Además, lo que has escrito crea un antecedente contra el padre Fernando, insinuándome que no podría abrirse un proceso de beatificación ¡por mi culpa!».

—¿Te lo planteó así…?

—Así, porque el tipo realmente creía que era un santo. O era un santo o se podía abrir un proceso, lo que los validaría a todos ellos.

El obispo le recomendó «que fuera al psicólogo, que todo era un malentendido mío, que yo no siguiera diciendo esas cosas, pues ellos tenían muy buenos abogados. Me dijo que había leído la carta que yo le había mandado a monseñor Ezzati». Y según Murillo, Arteaga le reiteró que «no siguiera hablando cosas» y que estaba «haciendo mucho daño».

—¿Cómo ves tú la relación psicológica que estableció Andrés Arteaga con Karadima?

—No sé hasta qué punto el poder de Karadima entró en el espíritu de Arteaga hasta hechizarlo. No entiendo cómo. Y creo que ese fue un gran triunfo para él. En el fondo, la pregunta ya no tiene que ver solo con el abuso, sino con el hechizo que Karadima logró ejercer sobre algunos personajes. Y estos no son unos pánfilos. Son tipos con familias más o menos armadas, con estudios universitarios, posgrados, viajes y recursos.

Agrega José Andrés Murillo: «La pregunta es cómo un personaje evidentemente menos inteligente —como es Karadima—, que tenía una plataforma social educacional cultural más frágil, es capaz de imponerse sobre Arteaga en todos los planos».

Según Murillo, la «teoría que anda dando vueltas de que todas las situaciones de abuso se originaron por la falta de una figura paterna en las víctimas, no se sostiene. Probablemente en algunos casos esto haya tenido influencia, como en Juan Carlos Cruz o Jimmy Hamilton, pero no es solo eso».

—Y como Arteaga hay otros...

—Tomás Koljatic, Francisco Costabal... han caído en ese «hechizo».

—Algunos de los testimonios de los empleados hablan de «la nana de Karadima» por Costabal.

—No sabía... La verdad es que a Costabal lo quiero mucho, pero esto no lo puedo entender. Estudió ingeniería, fue súper buen estudiante, muy simpático, lleno de vida. Pero...

—¿Sigue siendo soltero?

—Sí, y vivía con Karadima.

—¿Has leído las declaraciones de Costabal ante la justicia?

—He leído que declaró que yo usaba una chaqueta distinta, que tenía amistades extraparroquiales... ¡Pero eso lo dice un loco! Perdona que te lo diga así, y con respeto por El Camión, [como lo llama a Costabal] pero es insólito.

—¿El Camión era compañero tuyo del Verbo Divino?

—No, era del Tabancura. Que diga que uno de los pecados míos era tener amigos fuera de la parroquia es como que estuviera hablando un personaje del KGB o de la SS. Y que me acusara de usar una chaqueta con cuadritos de *tweed*... ¡Era la chaqueta que yo tenía! Esto me hacía distinto, más rebelde. ¡Realmente insólito!

Silencio cómplice del abuso

Para José Andrés Murillo, la eventualidad de que se sigan repitiendo abusos como los que él experimentó y peores, está latente. Señala que por cada denuncia que se hace a nivel mundial ocho quedan sin salir a la luz. Por eso, unos días antes de conocerse el fallo del Vaticano comentaba que le «impresiona que algunos curas, conociendo las denuncias y debiendo razonablemente sospechar que son verosímiles, permitan que jóvenes, incluso sus sobrinos, sigan yendo donde Karadima, viviendo con él... Esto se llama complicidad en cualquier parte del mundo».

—¿Te refieres a jóvenes de la Acción Católica?

—Sí, de veinticinco a veintiséis años. No los conozco, pero si hay 0,1 por ciento de posibilidad de que a mi hijo le estén «comiendo el coco», yo no solo lo saco de ahí, sino que, además, dejo la embarrada. Pero este es un tema del que no se habla, la gente tiene mucha vergüenza. Chile está tejido con vergüenza, sobre todo en los estratos sociales que se sienten más aristocráticos, donde se intenta ocultar todo y que la ropa sucia se lave en casa. Y el gran cómplice, la piedra angular del abuso es el secreto.

«Cuando nosotros abrimos este tema y el secreto se rompió, poco a poco algunas personas fueron hablando. Al comienzo, no lo hizo casi nadie. Al tercer mes, habló Hans Kast, después otras personas. Es la ruptura del hechizo. A mí se me ha acercado gente y me ha dicho: "Yo vi cómo Karadima le corría mano a un joven y no me di cuenta de que era algo absolutamente inapropiado hasta ahora que ustedes lo hicieron público". Eso es el hechizo. Eso hacía que vieran algo y creyeran estar viendo otra cosa», señala.

—¿A ti también te pasó eso?

—Me pasó. Y quizá por eso me he dedicado ahora a la Fundación para la Confianza[6], que ya tiene personalidad jurídica, y en términos académicos me he abocado, entre otras cosas, a analizar cómo el cuerpo incomoda en situaciones de abuso de la intimidad, de vulneración, y uno no siempre lo escucha. La incomodidad es una bocina. Pero si no nos enseñan a hacernos cargo del cuerpo, no nos damos cuenta. En la tradición occidental —no solo medieval, también moderna—, el cuerpo ha sido un impedimento, no un elemento de discernimiento.

---

[6] El 16 de diciembre de 2010 obtuvo su personalidad jurídica la Fundación para la Confianza impulsada por José Andrés Murillo, quien la preside. En ella participan también James Hamilton, Juan Carlos Cruz, Antonia Pellegrini y Verónica Miranda. La misión de la Fundación para la Confianza «consiste en la promoción del buen trato, especialmente el buen trato infantil, el estudio y la creación de herramientas concretas para la prevención de abusos a la intimidad, especialmente del abuso sexual, a través del fortalecimiento de una lúcida confianza personal, del empoderamiento del yo y la creación de una red de apoyo y protección de las personas que podrían ser víctimas de estas situaciones». Más antecedentes en www.paralaconfianza.cl

Herramienta perversa

José Andrés Murillo recalca que lo sucedido con Karadima y sus víctimas se relaciona con ese sometimiento y el hechizo que ejercía: «Como maquinaria perversa y abusiva de eliminación de una personalidad, de eliminación del poder de lucidez, lo que busca no es solo acabar con el ego sino también con la posibilidad de discernimiento. Cuando a una persona le has arrebatado su capacidad para discernir la realidad, eres capaz de inocularle cualquier idea. Cualquiera. Es muy fácil ver a una persona ideologizada, ya sea en la parroquia de El Bosque, en el nazismo de los años treinta, en el comunismo de los años cincuenta o en cualquier secta, defendiendo ideas absurdas, porque está ideologizada».

Radicado desde septiembre en Chile, tras obtener máxima distinción en su tesis doctoral tanto en la Universidad de París como en la Universidad de Chile, José Andrés Murillo sigue trabajando a fondo en estos temas. Ahora está dedicado a su Fundación. Además, en marzo partió con clases en la Universidad Alberto Hurtado.

Murillo ha hecho del tema del abuso un objeto de sus estudios. Lee y analiza los últimos libros publicados. En las conversaciones y en sus artículos cita, entre otros, a la psicoanalista estadounidense Mary Gail Frawley, autora de *El abuso sexual en la Iglesia Católica. La perversión del poder.*

Y comenta: «Desde las estructuras de la Iglesia pareciera que el abuso sexual está por lo menos naturalizado». Agrega Murillo que las consecuencias psicológicas y los traumas que eso provoca son inconmensurables. «El de Mary Gail Frawley es un libro potentísimo que se apoya en casos que la autora ha seguido. Ella ha acompañado a muchísimos abusados y explica cómo puede llegar a suceder. En otro de sus libros, *Curas predadores y víctimas silenciadas,* una serie de sacerdotes, psicoanalistas y otros especialistas analizan el problema.»

Círculo abusivo

Desde su propia experiencia y habiendo racionalizado y profundizado en estos temas, José Andrés Murillo intenta ayudar a otras posibles víctimas y a que la sociedad en su conjunto advierta el peligro y el daño que pueden provocar conductas como las de Karadima.

Ha «reciclado» lo vivido, como él dice. «Tanto mi tesis doctoral como mi tesis de magíster tienen en alguna parte una referencia a esto. Todos los artículos que he escrito, cada una de las clases que he hecho apuntan en alguna medida, aunque indirectamente a veces, a tratar de hacer que los alumnos cobren conciencia de su corporalidad, de su vida, de su libertad, y que Dios no puede ser un argumento para someter a nadie.»

—¿Cómo vives lo que ha pasado con el caso Karadima? ¿Qué sientes? —le pregunté un mes antes de que se supiera el fallo del Vaticano.

—Es bien extraño, porque siento que rompí un espacio de secreto o vergüenza que yo creía que me protegía a mí, pero que en realidad protegía al abusador. Y la ruptura fue muy sanadora. Porque siento que la gente es mucho más empática. La cantidad de personas que se me ha acercado para decirme que ha vivido cosas parecidas es impresionante.

—¿Con otros personajes o con el mismo?

—Con otros personajes, y algunos con este mismo cura. Gente que no ha querido aparecer en los medios. Pero tienen una empatía muy grande con estos casos, porque el tema del abuso está mucho más presente de lo que uno podría imaginar. En el fondo, son los abusos a la intimidad. Y el problema de esos abusos no es solo que entren en tu intimidad, sino que te exijan una confianza ciega o se presenten como personajes confiables. Y ante esos personajes uno baja las defensas y entonces tienen todas las posibilidades de entrar en tus lugares más íntimos, en tu esfera personal.

—Después de lo que has vivido, ¿cuál es tu relación con la religión, crees en Dios?

—Soy creyente, creo en Dios. Y pienso que una persona que encubre abusos sexuales no puede creer en Dios. Si eso es Dios, pienso que es una figura triste y terrible. Es una ideología más que una religión. Mi idea principal es que la Iglesia es una institución que puede hacer mucho bien y mucho daño. Y quiero que haga el bien, aunque yo no me siento parte de ella. Sentí que traicionaba el bien y la verdad que predicaba, y eso no puedo tolerarlo.

El veredicto del Vaticano que condenó a Karadima es un signo distinto a lo que se venía manifestando en la Iglesia.

José Andrés Murillo fue el primero en mostrar satisfacción por el «cambio de mano», como él mismo definió la actitud del arzobispo Ricardo Ezzati, quien aludió a las víctimas y los daños que han experimentado, cuando dio a conocer la resolución del Vaticano el 18 de febrero.

No obstante, pasada la emoción inicial, con algo más de calma, mostró su malestar cuando supo que el fallo había permanecido un mes en manos de la autoridad eclesiástica sin que se hiciera público. Para las víctimas, la demora no tiene explicación válida después de todo lo sucedido.

«Cada día que pasaba en que nuestra palabra era puesta en duda era una agresión para nosotros. Entonces, que haya pasado un mes en que se sabía la sentencia y no se daba a conocer, era un abuso hacia nosotros», manifestó José Andrés Murillo a *La Tercera*[7].

—Entre las frases curiosas que se han dicho, la ex directora de la Junji, Ximena Ossandón, parece haberse arrepentido del cuento del diablo y de haber dicho que Karadima era un «prócer de la Iglesia». Y en entrevista a *La Tercera* en enero pasado[8], antes de

---

[7] «Caso Karadima: víctimas confían en designación de juez especial», *La Tercera*, 21 de febrero de 2011.

[8] *La Tercera*, 16 de enero de 2011, entrevista a Ximena Ossandón: «Para la derecha liberal tal vez soy incómoda». Precisa en los párrafos referidos a Karadima: «Él era [Karadima] —era, no es— un prócer de la Iglesia, porque es innegable la cantidad de sacerdotes y obispos que nacieron a su alero. Justamente por eso, si él es culpable de lo

conocerse el veredicto del Vaticano, señaló que Karadima no es un prócer, sino que «lo fue». Incluso calificó de «muy verosímiles» las acusaciones —le comento a Murillo.

—Eso no contradice lo que dijo antes, lo que es muy grave. En la misma línea recuerdo que el filósofo Juan de Dios Vial Larraín, que fue rector delegado de la Universidad de Chile, escribió en una carta a *El Mercurio*, refiriéndose a Marcial Maciel, una de las cosas más absurdas que he leído. Dijo que los santos mientras más santos, son más tentados por el demonio para probarlos. Alguien hasta podría meterle una querella por promover el abuso como camino a la santidad. ¡Es lo más estúpido que he leído!

Las «destemplanzas» del abogado

Según el doctor en Filosofía, es importante que la justicia indague a fondo al ex párroco de El Bosque, «ya que todo da para que este personaje haya seguido con sus prácticas abusivas y es necesario que se investigue, que se esclarezca, se muestre y se juzgue». Por eso Murillo fue enfático también en señalar desde el primer momento, cuando le tocó asumir el rol de «vocero de las víctimas», que era «absolutamente pertinente la designación de un ministro en visita». En los alegatos del 8 de marzo recién pasado, en la Corte de Apelaciones, cuando el abogado Juan Pablo Hermosilla dio las razones por las que era necesaria la inminente reapertura del proceso ante la justicia criminal, José Andrés Murillo, con una chaqueta a cuadros y pantalón de sport, escuchaba atento, sentado al lado del doctor James Hamilton.

---

que se le acusa, va a tener que cumplir con todas las condenas que vengan del Vaticano. Mi equivocación fue usar el "es", porque si es cierto lo que se está investigando, él pierde toda validez y todo título de prócer». Sobre los testimonios que acusan al sacerdote, dice: «Sí. Son muy verosímiles, y por eso, esto es tan doloroso. Si él cometió esas faltas siendo quien era, con los seguidores que él tenía, su culpa es aún más atroz. Sin embargo, no voy a hacer leña del árbol caído». «Tal vez no debí hablar del demonio. Es lo que más choca. La analogía fue un error. Existe el mal y el bien. Claramente, cuando dije demonio mucha gente se imaginó a un ser con cachos y cola», agrega Ximena Ossandón en esa entrevista.

Desde su asiento, Murillo observaba los gestos y las palabras del abogado defensor de Karadima, Luis Ortiz Quiroga. Tras manifestar que las investigaciones estaban agotadas y que —en todo caso— los hechos denunciados habían prescrito, el penalista habló de «destemplanzas» para referirse a los abusos del ex párroco.

«¡Ahí está la base de la perversión! Ortiz cree en las acusaciones, pero les baja el perfil, cree que se trata de actos "destemplados" de Karadima, a lo más pecados, pero no delitos», comenta José Andrés Murillo, molesto con las expresiones del penalista, días después.

«Vivimos en una cultura que comienza a darse cuenta de que los abusos sexuales, la violencia intrafamiliar, el maltrato infantil no son algo natural, aunque hay personas que luchan por mantener esta naturalización. Esa fue la defensa del abogado de Karadima», sostiene.

Según Murillo, el alegato de Ortiz Quiroga «es de manual: se trata de cómo transformar el abuso sexual en algo natural. Y en esa perspectiva no es que no sea algo reprochable, sino que no es delito; esos hechos no son algo tan malo, son meras destemplanzas. Y la procesión va por dentro».

Agrega José Andrés Murillo: «Un abuso sexual de este tipo es, en algún sentido, peor que un asesinato, porque destruye el alma, destruye la capacidad de distinguir la realidad. Son muchísimos los casos de suicidios de personas que han sido abusadas y sus cercanos solo se dieron cuenta después. Hay muchos psicólogos que cuentan de estos casos. Leí un libro una vez de una monja que en el primer capítulo ¡les explicaba a los curas abusadores el daño que hacían! Porque para ellos no se trataba de algo tan malo, sino de mera destemplanza. El caso Karadima es un signo de un cambio de cultura. Es por eso que hemos decidido crear una fundación que luche no solo contra el abuso, sino por algo más básico: por lo que algunos llaman la desnaturalización del abuso».

En el ambiente expectante del fallo de la Corte, José Andrés Murillo se sintió interpretado en su esperanza de cambio y especialmente emocionado con las palabras que el periodista Juan Carlos Cruz dejó estampadas en el sitio *El Post*, el 8 de marzo: «Al bajarme ayer de un avión en Nueva York, donde fui a unas reuniones, instintivamente prendí mi teléfono para revisar correos. Me fui directo al e-mail que me mandó José Andrés Murillo donde me escribía: "¡Nació la Juana!".Y adentro, una foto de una niñita preciosa —su hija— recién nacida».

«Dentro de la locura del aeropuerto, me senté y me quedé mirando esta foto que me sobrecogió», escribió Juan Carlos Cruz. «Pensé que la Juana llegaba al mundo como una verdadera promesa de esperanza y que no pudo elegir un mejor momento para llenar de alegría muchos corazones que lo necesitaban.También pensé que llega a un mundo mejor, donde los hechos de los últimos días le permitirán vivir una vida más feliz, donde temas que no se hablaban, ahora no solo se hablan sino que se castigan.»

El veredicto de la Tercera Sala de la Corte de Apelaciones el 14 de marzo, se sumó a las señales positivas que llegaron en 2011. La investigación sería reabierta.

Capítulo XII

MONSEÑOR, SU GENIO Y SU ORO

Durante toda su vida, Fernando Karadima predicó que su vocación se la debe al padre Alberto Hurtado, a quien dice haber conocido en 1945, cuando tenía quince años, un día que fue al colegio San Ignacio de Alonso Ovalle. Algunos de sus discípulos escucharon al ex párroco de El Bosque otra historia, un episodio con un matiz sobrenatural.

De niño —les contaba— tuvo una «visión» de la Virgen en Concepción. Por eso, él les decía que «estaba tocado por Dios».

Recuerda Jimmy Hamilton lo que le relató el propio Karadima: «Según él, cuando tenía unos siete años, en la celebración de un Mes de María, en el cerro La Virgen en Concepción, la propia Virgen le anunció en su corazón que él iba a ser sacerdote. Y en ese momento, él tuvo esa especie de visión. ¡Una locura! Claramente hoy estaríamos hablando de una alucinación».

O simple fantasía, se podría pensar. Tal vez, la fuente de inspiración inicial estuvo en otros iluminados forjadores de movimientos religiosos. Formado en un hogar católico, pudo escuchar en su infancia historias de santos, milagros y apariciones transformadas en leyendas que se aprendían junto al catecismo y las primeras oraciones.

El padre Eugenio de la Fuente Lora, integrante de la Pía Unión del Sagrado Corazón hasta 2010 y vicario de esa parroquia hasta 2009, recuerda una versión similar, aunque no idéntica, sobre el origen de la vocación de Karadima.

—Yo no escuché de la Virgen en el cerro, sino que en una iglesia en Concepción, cuando él tenía como ocho años, le dijo a su mamá de improviso: «Voy a ser sacerdote». Me acuerdo de que fue frente a una Virgen o en una adoración al Santísimo. Y que la mamá le contestó: «Ya m'hijito, shh, shh», haciéndolo callar. Contaba que en ese tiempo, cuando las mujeres usaban velo, había silencio absoluto en la misa.

Eugenio de la Fuente no recuerda haberle oído referirse a una visión. Pero sí que «el padre de repente decía: "Tengo una luz de Dios" o "tengo una inspiración de Dios"».

De la infancia de Fernando Karadima se sabe que habría pasado por una relativa estrechez económica, en especial tras la muerte del padre. Muchos aseguran que sus afanes de grandeza posteriores tendrían esa raíz.

Los especialistas afirman que los abusadores suelen tener tras de ellos una historia de abusos. En ese sentido, José Andrés Murillo menciona un episodio que escuchó de boca del sacerdote en sus tiempos de El Bosque: «Karadima contó que una vez cuando era chico iba con un hermano o una hermana —no me acuerdo con quién— subiendo a una iglesia, creo que a un entretecho, y alguien abusó de ellos, y fueron a contarle a su papá, quien les dijo: "No, eso no es nada". Pero él decía: "Yo sé que era algo". A mí me lo contó dos veces por lo menos. Creo que era un sacristán el que les corrió mano».

—¿Y estas cosas las contaba ante un grupo?

—Sí, ante un grupo, sin darle mayor importancia —comenta Murillo.

Larga familia

Fernando Salvador Miguel Karadima Fariña nació el 6 de agosto de 1930. Hijo de Jorge Karadima Angulo, de origen griego —por lado paterno—, y de la chilena Elena Fariña Amengual, es parte de una larga familia. Tres hermanos hombres —Jorge, Sergio y Óscar— y tres mujeres —María Eugenia, María Elena, Raquel y Patricia— constituyen el clan.

El mayor, Jorge Karadima, entrevistado por *El Mercurio* en mayo de 2010, poco después de que se conocieran las denuncias de James Hamilton, Juan Carlos Cruz, José Andrés Murillo y Fernando Batlle, contó que los Karadima Fariña se habían reunido en pleno con el ex párroco. «Mi hermano nos aseguró que es inocente y yo le creo», aseguró en aquella oportunidad. Conocía a Hamilton —dijo—, quien incluso lo había operado, y afirmó que nunca vio algo que no fuera normal. «Fernando es un hombre tranquilo, un buen sacerdote, de gran arrastre», manifestó[1]. En la misma ocasión agregó que las acusaciones se debían a que «el diablo metió la cola».

Su hermana María Elena, según Jorge Karadima, por razones de salud no concurrió a esa cita. Ella es casada con el médico especialista en cirugía Sergio Guzmán Bondiek, profesor de la Universidad Católica, quien había tomado distancia de su polémico cuñado hace años. Algunos de sus sobrinos tampoco le tenían especial simpatía.

Otros de sus hermanos, en cambio, veían a Fernando no solo como un sacerdote admirable, sino como un generoso protector. Patricia vivía en una de las casas contiguas a la parroquia de El Bosque. Otros dos hermanos, Sergio y María Eugenia, residían en ese momento en dos departamentos del edificio Plaza Las Lilas —Eliodoro Yáñez 2831, Torre A— que fueron elegidos por el ex párroco y adquiridos a nombre del sacerdote de la Pía Unión, Antonio Fuenzalida. Y el propio Jorge Karadima Fariña también habitó con su familia una de las casas que están en el interior de la propiedad parroquial.

Para la mayoría de los hermanos y sobrinos, durante años el nombre de Karadima había sido motivo de orgullo. Incluso así lo manifestó el hermano mayor. Y no era para menos: el sacerdote era venerado como «santo» y se había transformado en una figura señera en la elite católica conservadora. Después del 18 de febrero de 2011, el fallo del Vaticano cayó como un implacable baldón también sobre ellos, sin tener arte ni parte en esta historia de dominación

---

[1] *El Mercurio*, 10 de mayo de 2010. «Jorge Karadima: "Mi hermano nos aseguró que es inocente y yo le creo"».

extrema. Hasta su propio apellido se transformaría inevitablemente en símbolo de abuso y de traición al ministerio sacerdotal.

En la parroquia a perpetuidad

Fernando Karadima estudió en los Hermanos Maristas y después de la muerte de su padre, en 1949, tuvo que trabajar. Fue cajero en el Banco Sudamericano antes de decidirse por el sacerdocio, según él mismo contaba. Al parecer, habría estudiado Derecho uno o dos años.

Desde que era un joven aspirante al sacerdocio vivió en El Bosque. «Estudié para sacerdote desde 1952», dice en su declaración ante el fiscal Xavier Armendáriz[2]. Por lo que recuerda el padre Alfonso Baeza, esos serían los estudios en la Facultad de Teología, ya que en esa época Karadima vivía en El Bosque y formaba parte de la Pía Unión Sacerdotal, encabezada por monseñor Alejandro Huneeus, quien en 1948 fue el primer párroco de la nueva iglesia.

Diez años después, en 1958, cuando recibió el sacramento del orden sacerdotal, Fernando Karadima Fariña fue designado vicario de El Bosque. Tuvo ese cargo —el segundo en jerarquía en la parroquia— por veinticinco años. Pero antes de ser nombrado párroco tenía una influencia creciente.

Fernando Karadima asumió como párroco en la iglesia de El Sagrado Corazón en 1983 —el mismo año en que el cardenal Francisco Fresno llegó como arzobispo de Santiago—, y recién dejó de serlo en 2006, cuando las primeras denuncias sobre abusos sexuales en su contra se hacían sentir sigilosamente dentro de la Iglesia Católica.

Tan larga permanencia de un sacerdote en una parroquia es absolutamente fuera de lo común. El solo hecho de esa estadía a perpetuidad era un signo que hablaba del poder de Karadima. Hubo cuatro arzobispos desde que Karadima fue ordenado en 1958 y 2006, cuando dejó de ser párroco[3], y él permaneció instalado en su feudo de El Bosque.

[2] Declaración de Fernando Salvador Miguel Karadima Fariña ante el fiscal regional Xavier Armendáriz, 29 de junio de 2010.

[3] Entre 1958 y 2010 fueron arzobispos de Santiago los cardenales José María Caro, Raúl Silva Henríquez, Carlos Oviedo Cavada y Francisco Javier Errázuriz Ossa.

Cambios de domicilio

En junio de 2004 se habían presentado las primeras denuncias ante el Arzobispado, y dos años después el cardenal Francisco Javier Errázuriz decidió poner fin al mandato de Karadima como párroco, argumentando razones de salud y edad. Tras una apoteósica despedida ante su grey, acompañado de sus discípulos de la Pía Unión y sus jóvenes de la Acción Católica, dejó el cargo en agosto de 2006, pero siguió viviendo en su misma habitación, en el segundo piso del recinto religioso. Como sucesor quedó su delfín, Juan Esteban Morales, aunque «el rey» no había perdido su trono ni su mando.

La tranquila y regalada vida de Karadima en El Bosque se hizo un tanto más inquieta al saber de estas denuncias formuladas ante la Iglesia. En 2009 se sumó la petición de nulidad matrimonial de James Hamilton y Verónica Miranda, cuya base son los abusos cometidos por su director espiritual. No obstante, el círculo de protección tocaba puertas y puntos neurálgicos para impedir que las acusaciones prosperaran.

Cuando las denuncias se hicieron públicas, en abril de 2010, el asunto se complicó para sus fieles seguidores. Reacciones de incredulidad, indignación contra los acusadores expresada en descalificaciones, rezos y loas para monseñor, marcaron la tónica de los primeros meses.

El 1 de septiembre de 2010, a sus ochenta años, cuando el caso avanzaba en la justicia civil y religiosa, Fernando Karadima tuvo que abandonar definitivamente El Bosque. Obligado por la fuerza de los acontecimientos, y blindado por sus incondicionales, fue trasladado primero al fundo de la familia de Francisco Costabal, en María Pinto; después pasó al campo de los Tocornal Vial, en Buin; y de ahí a El Guindal, en Los Andes, el predio del empresario frutícola Carolus Brown, cuya hija María Victoria —Totola—, casada con Luis Ignacio Lira Vergara, le dio hospedaje, contra la opinión de algunos de sus hermanos.

Además, durante dos años, entre la muerte del cardenal Caro en diciembre de 1958 y la designación de Silva Henríquez en abril de 1961, fue administrador apostólico de Santiago Emilio Tagle Covarrubias, quien después fue obispo de Valparaíso.

La compañía de sus amigos y protectores en confortables casas campestres de la zona central llegó a su fin después del fallo del Vaticano. Por instrucción del arzobispo Ricardo Ezzati, el 24 de enero —tres semanas antes de que el veredicto se hiciera público— debió recluirse en el convento de las Siervas de Jesús de la Caridad, en Bustamante 568.

Denuncias de medio siglo

En los años sesenta, Fernando Karadima era ya una figura central en la parroquia, donde celebraba misas a diario, predicaba, y era confesor y guía espiritual de seminaristas y de jóvenes de la Acción Católica.

Al comenzar esa década «oficiaba la misa de siete de la mañana y después nos invitaba al comedor de la parroquia a desayunar», cuenta el arquitecto Juan Pablo Zañartu, quien envió una carta al fiscal Xavier Armendáriz en la que relata una experiencia de abuso que sufrió en ese tiempo por parte de un seminarista, cuando él tenía doce años[4].

Zañartu, hoy de sesenta y tres, concurrió después a declarar a la Fiscalía. Su vínculo con la parroquia se remonta a su primera comunión en 1955. Él estudiaba en el colegio Grange, hasta donde iba un sacerdote conectado con El Bosque a darles clases de religión. A partir de 1958 —dice el arquitecto—, «en plena preadolescencia y tal vez por la ausencia profunda de mi padre, sentí una necesidad de búsqueda espiritual (…) Comencé a asistir a la misa de siete antes de ir al colegio». Y los sábados después de almuerzo iba a los grupos de Acción Católica.

Recuerda haberse confesado muchas veces con Karadima. Las confesiones «no eran en los espacios laterales del confesionario, sino que frente a él, yo de rodillas y él sentado muy próximo a mí, de modo que podía sentir su aliento», señala Zañartu. Los temas sobre los

---

[4] Carta del arquitecto Juan Pablo Zañartu Cerda, para el fiscal regional Xavier Armendáriz Salamero, 18 de mayo de 2010. Posteriormente, Juan Pablo Zañartu declaró ante el fiscal el 31 de mayo de 2010 y ratificó los contenidos de su carta.

que le preguntaba «eran siempre sexuales y en particular en torno a la masturbación. Su interés era saber cuáles eran mis fantasías sexuales».

Pero la situación más traumática para Zañartu no la experimentó con Karadima, sino —como señaló al fiscal— con quien identificaba como «el padre Raúl», que era «un seminarista residente en la parroquia». Su habitación estaba «en el segundo piso del ala de dormitorios del edificio. Inmediatamente mostró especial interés por mí, que yo interpreté como un genuino cariño y amistad». Raúl estaba a cargo de las reuniones de los sábados, y un día lo invitó a conocer su pieza. Y apenas entraron «se acostó en su cama invitándome a que lo abrazara», relata Zañartu.

Tras dos episodios similares, le contó a su madre. La señora reaccionó «con energía, me tomó y fuimos juntos para que ella encarara a Raúl, lo que provocó un altercado entre ambos, a raíz del cual yo ya no volví nunca más a El Bosque».

Junto con indicar que la obsesión de Karadima por la masturbación estaba presente ya en sus primeros tiempos de sacerdote, el relato de Zañartu da pistas sobre la antigüedad de las extrañas situaciones que ocurrían en El Bosque.

Del seminarista acusado por Zañartu poco más se supo. Cuando el fiscal Armendáriz le consultó sobre él, Fernando Karadima admitió que Raúl Claro Huneeus «efectivamente estuvo de sacerdote» entre «1960 y 1964 ó 65, se fue a Alemania y entiendo que se retiró».

En el mismo sentido, el doctor Sergio Guzmán Bondiek indicó que recordaba al padre Raúl: «Creo que se fue a Alemania en 1965. Entiendo que luego se salió del sacerdocio, pero hace muchos años que no sé de él»*.

---

*Tras la publicación de este libro, en mayo, recibí un e-mail de Raúl Claro Huneeus, quien me pidió lo incluyera en una nueva edición. Reconoce que perteneció desde 1955 hasta 1962 a la Unión Sacerdotal en la parroquia de El Bosque. «Hice allí como seminarista estudios para el sacerdocio, y fui compañero de estudios del padre Fernando Karadima. Pero lo que el señor Zañartu afirma recordar respecto de proposiciones de carácter sexual mías hacia él con visitas a mi pieza, tengo que aclararlo y decir, en honor a la verdad, que no es efectivo. Nunca sucedió.» «En mayo de 1961 fui ordenado sacerdote, poco después abandoné la Unión Sacerdotal, con la que no tuve, a partir de entonces, contacto alguno; asumí el cargo de profesor de filosofía en el Seminario Pontificio y luego me dirigí en 1964 con una beca a Alemania. Allí abandoné el sacerdocio (con dispensa pontificia), formé una familia y trabajé hasta mi jubilación hace unos años en instituciones de educación de adultos.»

Después de medio siglo, el arquitecto Juan Pablo Zañartu se sintió impactado al conocer el testimonio de Hamilton, Cruz, Murillo y Batlle, y consideró su deber dirigirse al fiscal Armendáriz. «Han transcurrido cincuenta años desde este incidente que cambió mi vida, alejándome del camino de la Iglesia y dejándome con un profundo vacío existencial hasta hoy (…) Cuando se reveló la historia del padre Karadima y la parroquia de El Bosque me sentí asombrado, pues se trataba de víctimas mucho más jóvenes que yo. Es decir, había una continuidad a partir de los años sesenta».

«Profecías» del padre Hurtado

Además de la historia de la Virgen del Cerro Concepción, Fernando Karadima insistía ante sus seguidores en la importancia que para él tuvo el padre Hurtado. Algo que muchos repiten hasta el cansancio, pese a que —como indica el ex vicario de Pastoral Social, Alfonso Baeza—, solo mostraba una faceta espiritualista que no respondía a la integridad del santo jesuita[5].

Días después de que se conociera el fallo del Vaticano, *El Mercurio* publicó una carta que ilustra el malestar provocado por la utilización del santo chileno de parte de Karadima y sus seguidores en la propia familia del jesuita: «Como sobrinos del padre Hurtado nos gustaría dejar bien claro que Alberto Hurtado fue un guía espiritual de excelencia para cientos de jóvenes chilenos de su época. El padre Hurtado recogía a niños que vivían debajo de los puentes para darles casa, comida y educación, mientras que este señor hacía justamente lo opuesto. (…) Fue nombrado santo de la Iglesia Católica, a diferencia del cura Karadima, a quien le gustaba que sus seguidores le llamaran "santo" o "santito", y que ha sido condenado nada menos que por la Santa Sede», protestaron María Victoria, Carmen, Isabel y Luis Alberto Cruchaga Gepp[6].

---

[5] Ver capítulo VI: «Cantera de vocaciones».

[6] *El Mercurio*, 22 de febrero de 2011. Sección Cartas al director. Caso Karadima II.

En el mismo diario, el 23 de febrero, María Victoria Cruchaga explicó: «Nos empezó a molestar la asociación que Karadima hacía con la imagen del padre Hurtado (...) cuando empezó a verse envuelto en problemas, comenzó a recalcar su cercanía»[7].

La sobrina directa de Hurtado, agregó: «Tengo la certeza de que las malas costumbres no las aprendió de nuestro santo». Y su hermano Luis Alberto, completó: «Creemos que el padre Hurtado no estaría nada de contento con la actitud de este caballero. Estamos planteando esta crítica en memoria y en recuerdo de él, pues su figura significa mucho para los católicos chilenos».

Jimmy Hamilton recuerda que Karadima les contaba incluso de unas «profecías del padre Hurtado» dirigidas a él. «Decía que él era su más cercano discípulo y que fue uno de los únicos que se acercó a su lecho de muerte en el hospital de la Universidad Católica. Y que el padre Hurtado le anunció tres profecías.»

—¿Eso lo contaba él?

—Sí, era su carta de presentación.

—¿Y cuáles son esas profecías?

—La primera profecía es que le había dicho «vas a estar siempre rodeado de jóvenes, vas a ser un polo de atracción para los jóvenes que se van a acercar a Dios y a la santidad.

»La segunda consistía en que a muchos de esos jóvenes "los vas a encaminar al sacerdocio".Y aseguraba que el padre Hurtado le expresó una tercera profecía, que era una cosa personal que le había dicho él, pero que no la podía repetir. Todos suponíamos que sería que lo iban a canonizar, que iba a ser igual de santo que el padre Hurtado», concluye el médico.

«El tipo vivía en estas cuestiones absolutamente mágicas de profecías y contaba todas estas cosas», comenta Jimmy Hamilton.

---

[7] *El Mercurio*, 23 de febrero de 2011. «Malestar entre parientes: Familiares del padre Hurtado rechazan vinculaciones con Fernando Karadima.»

«Él insistía en que era un elegido de Dios. Y decía que todos sus pecados y sus debilidades no tenían ninguna importancia ante Dios, por ser el elegido. Era una cosa menor, ya había sido elegido por Dios y se lo había dicho el padre Hurtado.»

Visiones y mitos

Para Juan Carlos Cruz, en la relación de Karadima con el padre Hurtado hay mucho de mito. «Él daba una visión como que eran íntimos amigos. Yo creo que él es tan enfermo que contaba un cuento y después se lo creía. Lo contaba tantas veces que ya pasaba a ser verdad para él.»

Y relata un episodio: «Él me prestó una cruz para dar la Prueba de Aptitud Académica, "la cruz del padre Hurtado". El cuento en esa época era que el propio padre Hurtado se la había dado. Que él fue el último en estar en el lecho de su muerte y que le regaló la cruz. Y para ciertas ocasiones difíciles se la prestaba a los jóvenes. Pero después, él mismo modificó la historia. Como se puede ver en YouTube, en una entrevista, dice: "Yo llevé esta cruz que la tenía en la mano y se la pasé al padre Hurtado para que me la bendijera". Entonces, la verdad parece ser que la cruz era de Karadima y que el padre Hurtado simplemente se la bendijo».

Según Juan Carlos Cruz, «a él le encantaba contar que se iba con el padre Hurtado a cuanta parte había, pero los jesuitas no le creían».

—¿Crees que es mentira?

—Creo que es exageradísimo. No dudo de que puede haber conocido al padre Hurtado y haber estado con él alguna vez, pero es una exageración grande lo que cuenta.

Muchos ex miembros de El Bosque piensan hoy que el abuso de la invocación al padre Hurtado por parte de Karadima era una herramienta de «marketing religioso» que utilizaba ante los jóvenes y sus feligreses.

Le pregunté a José Andrés Murillo, que fue novicio de la Compañía de Jesús:

—¿Has hablado alguna vez con los jesuitas sobre esta vinculación espiritual de Karadima con el padre Hurtado?

—Mucho... La visión de los jesuitas es que Karadima quería entrar a la Compañía de Jesús y que el compadre no tenía «paño», como dicen los psicoanalistas, como que no tenía cabeza para entrar a su orden. Y el discurso de Karadima después era que el padre Hurtado se dio cuenta de que los jesuitas lo miraban muy mal y por eso lo mandó al clero diocesano.

Según Murillo, esa versión del ex párroco no es muy creíble «porque el padre Hurtado era un jesuita hasta la médula».

Quienes se han interiorizado en la vida del padre Hurtado aseguran que el sacerdote vivía la religiosidad desde el punto de vista de los pobres, no de los sectores más poderosos, a los que muchas veces fustigó. El padre Hurtado de la camioneta verde que recogía a los pobres y lanzaba calificativos quemantes contra el egoísmo de los sectores acomodados, no refleja mucho lo que representa el cura de El Bosque.

Su inquietud por «la cuestión social» y su palabra crítica le significaron a Alberto Hurtado Cruchaga ser tratado de «cura rojo». Nada de obsecuente, fue mirado con desconfianza y hasta antipatía por muchos de su medio social. Muy diferente a Karadima, que «ha buscado el contacto con los poderosos y echaba a los mendigos de El Bosque, para que no afearan la entrada de su parroquia», argumentan quienes coinciden con la defensa de sus sobrinos.

Qué dicen los jesuitas

Una de las primeras voces provenientes de la Iglesia que respaldó las denuncias de las víctimas que acusaron a Fernando Karadima fue Antonio Delfau Soria, sacerdote jesuita de cincuenta y seis años, director de la revista *Mensaje*, fundada por el padre Alberto Hurtado. Delfau, quien además de sacerdote es ingeniero comercial de la Universidad Católica y psicólogo de la Pontificia Universidad Gregoriana de Roma, sabía ya de la historia de José Andrés Murillo, ex novicio de la Compañía de Jesús, antes de que se conociera públicamente.

Antonio Delfau conoció a Karadima cuatro décadas atrás, cuando vivía con su familia en la avenida Pocuro, cerca del colegio y de la parroquia. Cursaba en ese entonces la enseñanza media en el San Ignacio de El Bosque.

En su oficina de la calle Cienfuegos 21, donde el padre Hurtado está muy presente en un cuadro y en diversos libros de la estantería, conversamos durante cerca de tres horas.

Antonio tenía quince años en marzo de 1970, cuando murió de cáncer su padre, el arquitecto Raúl Delfau Salas, «un hombre muy católico, hijo de catalanes», comenta. «El golpe de la muerte de mi papá fue muy fuerte, no sentí mucho apoyo espiritual en el colegio San Ignacio, porque en esa época los jesuitas estaban más interesados en trabajar con los pobres, tenían bastante abandonado el San Ignacio del Bosque». Unos compañeros de colegio lo convidaron a la parroquia «y ahí conocí a Karadima».

Se confesó con él y empezó a ir a las reuniones «no tanto por lo que hablaba el cura, que era bien latero». A diferencia de muchos jóvenes que se sintieron atraídos por la oratoria de Karadima, Delfau es categórico: «Encontré siempre malas sus prédicas, desde el primer día».

«Era un ambiente bastante elitista, pero era entretenido en ese tiempo, porque también iban mujeres a la iglesia, y de ahí salían muchas fiestas», señala Antonio Delfau. Ese año, Salvador Allende llegó a La Moneda. Ya había empezado la Reforma Agraria, con Eduardo Frei Montalva. Y para ese mundo «fue una época de crisis en que los campos eran expropiados. Recuerdo una familia que tenía seis fundos y cada año que íbamos a fiestas a esa casa iba disminuyendo la cantidad de pavos que nos daban, de acuerdo a los campos que iban perdiendo», comenta el jesuita.

La Iglesia Católica en ese tiempo era enjuiciada por muchos que encontraban en la parroquia de El Bosque una suerte de refugio con ritos más tradicionales que los impulsados por la jerarquía y el Concilio Vaticano II.

Monseñor Alejandro Huneeus, fundador de la parroquia —quien murió en 1989— vivía en esa época en El Bosque. El sacerdote Daniel Iglesias era el párroco, y Fernando Karadima, como vicario, ya era una figura marcadora por sus prédicas, sus reuniones con jóvenes y sus direcciones espirituales. Cuenta Antonio Delfau que el entonces seminarista Felipe Bacarreza, actual obispo de Los Ángeles, era «ayudante de Karadima».

«Los monitos de El Bosque»

Pero Delfau se aburrió luego de las reuniones de Karadima y dejó de ir, aunque siguió asistiendo a la parroquia. «Durante muchos años fui a la misa de ocho todos los días. Esas misas las celebraba el párroco, Daniel Iglesias, que predicaba bastante mejor, pero tenía dificultad en la voz. Estuvo en el Concilio, era biblista.» Entretanto, Delfau estudió ingeniería comercial en la Universidad Católica entre 1973 y 1977.

Admite el director de *Mensaje* que «él tenía una lucha interna. Por un lado, escuchaba a los jesuitas que decían que había que preocuparse de los pobres, que comprar dólares en la época de Allende era un pecado; pero yo necesitaba esa devoción, ese silencio, ese rito bien hecho, esos meses de María muy fervorosos de El Bosque, y no me sentía del todo cómodo en ninguna de las dos partes. Yo necesitaba mucho a Dios».

El mismo Delfau se pregunta: «¿Por qué no fui más cercano a Karadima?», y se responde: «Creo que porque soy muy crítico, y preguntaba en todas las reuniones por qué no había más acción social en la parroquia, por qué no se hacían más actividades con los pobres».

—¿No te ofreció nunca ser secretario?

—Sí. Para uno era bien impresionante que le dijeran: «Tú eres mi secretario». Pero poco después me di cuenta de que todos eran sus secretarios, que era una especie de anzuelo. Y cada vez que me veía, me repetía: «Tú eres mi secretario», pero nunca crucé el umbral del mundo privado, no sé por qué. Te estoy hablando del año setenta, yo tenía quince años. Nunca vi algo incorrecto sexualmente, debo decirlo francamente. Él era cariñoso sí…

Delfau encontraba a Karadima «un poco meloso, pegote… pero no recuerdo haber visto nada más. Nosotros en mi casa nos reíamos, mi mamá hablaba de "los monitos de El Bosque", porque eran todos iguales, todos uniformados, todos con chaqueta y corbata».

Él no recuerda haber usado chaqueta azul para ayudar en misa ni tampoco tuvo a Fernando Karadima como director espiritual. No participaba en la Acción Católica, pero conocía a toda la gente que frecuentaba la iglesia.

«Cuando yo era joven, en la segunda mitad de los setenta, el Mes de María —entre el 8 de noviembre y el 8 de diciembre— en El Bosque era famoso, porque cada semana predicaba un "grande", como Jorge Medina, José Miguel Ibáñez Langlois, Raúl Hasbún; predicó también monseñor Adolfo Rodríguez, el español del Opus Dei, el primero en llegar; alguna vez otro, que no era tan conservador. Los jesuitas por supuesto que no iban, no estaban invitados. Era como un gran festival de prédicas muy interesantes, muy bien hechas y creo que una semana predicaba Karadima.»

Antonio Delfau hace memoria y comenta: «Jaime Guzmán iba a misa casi todos los días a El Bosque en mis tiempos. Yo lo veía. Y muchos de los gremialistas también concurrían. Por ejemplo, Alberto Hardessen, que era de la Universidad Católica y estuvo metido en el problema de La Familia». Se refiere al escándalo que en 1976 involucró a la cooperativa de ese nombre que había sido creada por destacados gremialistas de la Universidad Católica para administrar fondos del bienestar estudiantil y concedía préstamos a interés a los alumnos[8].

«Todos ellos iban porque era una parroquia bien atendida, donde te acomodaba mucho el silencio, la liturgia, la no participación. En otras parroquias te empezaban a meter en grupos, a pedirte cosas, aquí no te pedían nada y siempre había confesores», señala Delfau.

En esos tiempos, a unas cuadras de El Bosque, en la misma comuna de Providencia, otros jóvenes concurrían a la parroquia Universitaria, que funcionaba en un galpón próximo a la iglesia de la Anunciación, en la plaza Pedro de Valdivia. Allá, en las misas con guitarra y canciones, participaban estudiantes y ex profesores de la Universidad Católica que, domingo a domingo, tenían un lugar de encuentro en la época de dictadura.

Un rosario imaginario

—¿Qué saben ustedes, los jesuitas, de la verdadera relación de Karadima con el padre Hurtado?

—Sabemos que hay mucho de fantasía en la historia que él cuenta del padre Hurtado. Es un padre Hurtado que él acomodó, lo espiritualizó en extremo; alargó enormemente las horas de oración que hacía el padre Hurtado, que no eran tantas; incluso le puso un rosario en la mano que no figura en ninguna parte, en las numerosas fotos que tenemos de él, existe un CD con fotos del padre Hurtado y en ninguna lleva un rosario en la mano. ¡En ninguna! Y después hay unas entrevistas que le hacen al padre Karadima donde él cuenta que los últimos cinco o seis años de la vida de Hurtado las pasó a su lado...

---

[8] Entre los miembros del directorio de la cooperativa que actuaba como financiera estaban Alberto Hardessen, por entonces vicerrector Económico de la UC, y el actual senador Hernán Larraín, que era el vicerrector de Comunicaciones. A raíz del escándalo, hasta Jaime Guzmán Errázuriz debió enfrentar una orden de arraigo durante 24 horas, decretada por el juez Sergio Dunlop. Más antecedentes en *La privatización de las universidades. Una historia de dinero, poder e influencias.* Copa Rota, 2005, y en revista *Mensaje*, N° 257, marzo de 1977.

—Y que fue uno de los últimos que estuvo con él en el lecho de su muerte…

—Pero resulta que en ninguna cronología, en ninguna biografía o estudio serio sobre el padre Hurtado aparece su nombre. Hay muchas personas nombradas que fueron significativas en la vida del padre Hurtado por distintas razones. Por dar un ejemplo, Marta Cruz-Coke, que fue presidenta de la Acción Católica, pero que, además, el padre Hurtado la casó y bautizó a su hija. Es cierto que Karadima lo conoció, junto con otros montones de personas, pero hay ahí mucho de exageración.

—Karadima le hablaba a sus seguidores de las «profecías» que el padre Hurtado le habría anunciado a él.

—Esas cosas no calzan con la personalidad de Alberto Hurtado. Creo que lo que uno puede decir, para no faltar a la verdad ni especular, es que hay que hacer el cruce de los datos y de las informaciones para darse cuenta de que hay mucho de fantasía y de omisión respecto a lo que verdaderamente fue Hurtado. También hay omisión de parte de otros; por ejemplo, el Hogar de Cristo se encargó por un tiempo de reducirlo a la parte de beneficencia. Pero es un hecho que el padre Karadima agrandó enormemente la relación que tuvo con Hurtado.

«Quinientos mil jóvenes»

Una de las principales preocupaciones de Fernando Karadima en su feudo de El Bosque fue ir tejiendo redes entre los sectores más acomodados de la sociedad capitalina. En un comienzo, el barrio Las Lilas, donde está la parroquia, era un excelente lugar para tender esos hilos.

A lo largo de su carrera fue trabajando los métodos, mezclando lo espiritual con lo netamente social: prédicas, reuniones de jóvenes, dirección espiritual, administración de sacramentos, visitas, almuerzos y comidas en casas de vecinos y amigos que le parecían interesantes. Así surgían lazos que se fueron haciendo tupidos.

«Pido se considere que mi palabra valga, pues tengo tanta gente que ha pasado por acá, serán quinientos mil jóvenes desde los años cincuenta con los cuales he trabajado. Mis manos han sido consagradas para tomar la hostia y no podría hacer nada inmoral con ellas», declaró enfático Karadima al fiscal regional Xavier Armendáriz cuando lo recibió en la parroquia El Bosque.

Ese día, como en muchas otras ocasiones, lo acompañaban, además de dos abogados, su incondicional ayudante Francisco Costabal González, presidente de la Acción Católica por diez años.

La cifra de jóvenes «que ha pasado por acá» llega a ser aterradora si se tienen en cuenta las poco pías actitudes de monseñor. Pero no todos serían sus elegidos. Estos debían reunir características especiales.

Antonio Delfau recuerda a los presidentes de la Acción Católica de los años setenta, cuando él asistía a misa diaria en la parroquia: el empresario José Antonio Rabat Vilaplana, de familia catalana como él, que «no sé por qué siempre hubo misterio sobre el motivo de su desaparición de El Bosque». Rabat después se acercó al Opus Dei. En cambio, otros «presidentes» de ese tiempo siguen cercanos a Karadima: «Domingo Jiménez, creo que él sigue incondicional; Sergio Morales, es hermano de Juan Esteban, y Juan Pablo Bulnes, que no sé si tuvo ese cargo».

El periodista Juan Carlos Cruz comenta: «A veces escuchaba críticas sobre el padre Fernando, porque le gustaba rodearse de gente de buenas familias y de tipos buenosmozos. También oíamos que a las mujeres no les ponía atención. En el círculo de hierro eran todos jóvenes de "buenas familias", del barrio alto y todos de bastante buena pinta», comenta. Y reitera algo que siempre le llamó la atención: «Las mujeres eran de segunda categoría, ellas no podían ser sacerdotes y a las pocas que se metían a monja las usaba para decir cuán bueno era El Bosque para las vocaciones y las anotaba en sus logros».

Enojos con las Carmelitas

Según Antonio Delfau, en el tiempo en que participaba en El Bosque «a las niñas que tenían vocación religiosa Karadima las mandaba a Viña, al convento de las Carmelitas Descalzas, pero la madre priora, que ya murió, una santa mujer a quien conocí, parece que una vez le paró el carro a Karadima, diciéndole: "Mire, aquí, dentro de este convento la que manda soy yo...Y entonces eso lo enfureció y de un día para otro toda la gente que las iba a visitar no pudo ir más». Ese incidente habría provocado —dice Delfau— «que Francisca Salinas, que es monja carmelita y amiga mía desde los tiempos de El Bosque, haya pasado como treinta años sin hablar con su hermano Tomás Salinas, sacerdote de Karadima».

—¿Cuándo fue eso?

—Ellas entraron a fines de los setenta al convento, y creo que esto fue relativamente rápido, puede haber sido el ochenta y tantos.

—Una de las características de la personalidad de Karadima es el desprecio hacia las mujeres y en la Acción Católica les daban tareas secundarias...

—Pero hay que tener cuidado con la caricatura, porque también había niñas que según he descubierto después no lo soportaban; iban a misa, a las fiestas con gente de la parroquia, y aunque él quería intervenir en sus pololeos no se dejaban dominar. Conozco varios casos. Recuerdo a una niña que me contó que el padre le había dicho que iba a ser él su director espiritual y ella le respondió: «No, padre, yo elijo a mi director espiritual»; eso lo había enfurecido.

La dureza de Karadima y sus seguidores en temas familiares fue uno de los motivos que llevó a Antonio Delfau a distanciarse de El Bosque. «Me chocaba por sobre todo la dureza de castigar a gente que no tenía nada que ver en una situación determinada. Recuerdo el caso de Rafael Errázuriz, a quien echaron de la Acción Católica porque su hermana de veintiséis años que estudiaba Arquitectura pololeaba con un hombre separado. Los papás vivían en Parral y los hermanos, que estudiaban en la universidad, tenían un departamento en Santiago. ¿Qué derecho tenía el hermano de obligarla a pelear? Y lo echaron por esa razón.»

A raíz de ese episodio, Antonio Delfau le dijo a Sergio Morales Mena, presidente de la Acción Católica de esa época: «Ustedes se me cayeron con esta cuestión de Rafael Errázuriz, lo encuentro lo más ridículo que hay; para mí, esto no tiene nombre. ¿Qué culpa tiene él que su hermana esté pololeando con un separado? ¿En qué mundo viven?».

Pasó un tiempo y una tarde su mamá le anunció: «Dos monitos de El Bosque están en la puerta de la casa, y vienen a hablar contigo oficialmente». Antonio Delfau los recibió. «Eran Sergio Morales, cuya hermana Verónica era compañera mía en ingeniería comercial de la Católica, y creo que el otro era León Larraín. Había cierta confianza, porque yo había estado estudiando en casa de los Morales y, además, los visitantes habían estudiado en el San Ignacio». Les reiteró lo que pensaba, y su distanciamiento fue mayor.

Por esa época, Delfau empezó el retorno hacia los jesuitas. «Habían cambiado las cosas desde que dejé el colegio. Había otros curas, mucho más acogedores, más inteligentes para mi gusto y me invitaron algunos compañeros y empecé a dejar la parroquia de El Bosque y a volver hacia los jesuitas, donde encontré una espiritualidad que me acomoda más.»

En 1979, tras titularse de ingeniero comercial y trabajar un tiempo en el BCI, Antonio Delfau ingresó al noviciado de la Compañía de Jesús.

Efebofilia y sometimiento

Por lo que se ha podido investigar hasta ahora, parece ser que la preferencia de Fernando Karadima no serían los niños chicos, aunque hay testimonios sobre algunos que han sido sus predilectos desde que eran muy pequeños. Pero más que un pedófilo, en estricto rigor, su problema sería la efebofilia, es decir, la atracción sexual por los adolescentes y jóvenes. No es casual que siempre se le viera rodeado de jóvenes altos y buenosmozos, como elegidos «con pinzas», de lo que dan fe quienes lo conocen. Siempre hombres, nunca en su séquito tuvieron lugar las mujeres. Y a ellos los subyugaba en nombre de Dios.

«Creo que le gustan los adolescentes, de dieciséis para arriba y puede llegar hasta los veintitantos o más. Ese es su *target group*», señala Juan Carlos Cruz.

En algunos casos, «el proceso» de preparación de sus eventuales víctimas empezó antes. Muchos que después formaron parte de su séquito llegaron de niños, recibieron la primera comunión en el Bosque y desde antes de tener uso de razón sus padres los llevaban, concurrían a reuniones y admiraban al sacerdote.

Hoy Jimmy Hamilton ve el feudo de El Bosque como «una maquinaria armada tendiente a lograr los objetivos de Karadima. Como una industria que le permitía elegir entre los jóvenes más vulnerables, los que reaccionarían de alguna manera sometida ante su perversión».

«Él los buscaba no solo por la cuestión religiosa y las vocaciones que entregaría a la Iglesia, sino que quería devorárselos», sostiene Hamilton. «Su pasión y su pecado es su pacto mefistofélico de querer saciar sus pasiones con lo que él consideraba que era lo que se merecía, y que a sus ojos era lo mejor de la juventud chilena.»

—¿Está claro que Karadima es homosexual? —le pregunto a Juan Carlos Cruz.

—Sí, es gay, totalmente. Sobre eso no hay duda.

—¿Nunca se le han conocido mujeres…?

—No, siempre se ha interesado por hombres guapos, el patrón es el tipo de buena pinta, alto, blanco. Segundo, que sea de buena familia, y tercero, que tenga plata. No todo tiene que estar en uno, pero esas características para él eran lo máximo.

A las mujeres jóvenes aparentemente las miraba en menos. Las «esclavitas» en la iglesia solo servían para tareas secundarias, dicen quienes vivieron en ese submundo. Las mayores, en cambio, si tenían fortuna y mucha fe, podían ser fuente de suculentos ingresos. Algunas le agradecían favores como el haber obtenido una «nulidad matrimonial», que con buena voluntad monseñor se prodigaba en ayudar a conseguir, gracias a sus contactos en los entresijos de la Iglesia. Se cuenta que ese fue el caso de Pilar Capdevila, quien tras su separación de un primer matrimonio obtuvo la nulidad religiosa para casarse con Eliodoro Matte, uno de los dueños de la Papelera, la Compañía Manufacturera de Papeles y Cartones.

«Conejeo» en el Verbo Divino

Para afianzar su poder, Fernando Karadima Fariña tuvo ventajas de partida: El Bosque le dio un acceso natural a gente de clase alta que en los años cincuenta y sesenta vivía en el barrio Las Lilas. Con el tiempo, muchos fueron migrando hacia Vitacura, Las Condes y La Dehesa, mientras la población de la comuna de Providencia empezaba a envejecer. Ya no era habitual en los alrededores de la iglesia colorada encontrarse con tantas familias numerosas con niños y jóvenes. Pero eso no fue un problema mayor para el párroco ni razón para cambiar de barrio.

Los colegios desempeñarían un papel cada vez más importante en su trabajo «pastoral». Y entre ellos, uno fue el elegido como especial semillero desde donde nutrir su Acción Católica: el Verbo Divino, ubicado en la avenida Presidente Errázuriz, cuatro o cinco cuadras más arriba de Tobalaba, en la comuna de Las Condes, en territorio de la parroquia de Santa Elena. El Verbo Divino pertenece a la misma congregación de los padres del antiguo Liceo Alemán de Bellavista, que en abril de 1950 decidió abrir sus puertas en el barrio alto.

La cercanía y el hecho de ser uno de los colegios preferidos de la elite en aquellos años, donde estudió el actual presidente de la República, Sebastián Piñera, y una larga lista de políticos y empresarios, provocó que fuera la principal «cantera» de seguidores para Karadima.

Entre muchos otros, estudiaron en el Verbo Divino los hermanos Tocornal Vial y Francisco Prochaska, a quien Karadima llevó a vivir con él en la parroquia. También son ex alumnos del Verbo el obispo de Linares Tomás Koljatic, los sacerdotes de la Pía Unión Samuel Fernández —ex decano de la Facultad de Teología de la Universidad Católica—, y Diego Ossa, el vicario de El Bosque, hasta enero de 2011.

En los ochenta, recuerda Juan Carlos Cruz, Karadima mandaba a «conejear» al Verbo Divino. Para esto, el cura inventaba actividades. Por ejemplo, les indicaba: «Díganle a sus compañeros que el próximo miércoles vamos a imponerles el escapulario a todos los del Verbo Divino. Entonces venía un montón de jóvenes y él tenía un ejército de personas que los distribuía para llevarlos a El Bosque».

—¿Dónde recibían a ese contingente de posibles reclutas?

—Por norma, en la reunión grande que había los miércoles a las siete de la tarde en el salón principal. Los hacía pararse y todo el mundo los aplaudía. Era una táctica muy buena. A veces los invitaba los sábados. Los embolinaba y los hacía sentirse importantes: «Soy un nuevo guerrero del Señor». Te creías estar a otro nivel y ahí caían algunos. Otros escapaban y muchos se quedaban. El Verbo Divino era sin duda un productor de bosquianos importantes.

—¿A qué atribuyes que el Verbo Divino haya sido el semillero para los jóvenes de El Bosque? —le pregunto a Jimmy Hamilton quien, como dirigente de la juventud parroquial, ayudó a Karadima a reclutar seguidores en los años ochenta y noventa.

—Creo que el Verbo Divino, a pesar de ser un colegio de una congregación, no vivía con entusiasmo ni deslumbramiento su fe ni su condición sacerdotal. Tenían unas pastorales muy débiles y eran incapaces de entusiasmar a los jóvenes hacia una vocación religiosa. Parecían más preocupados de los scouts y de otras actividades. Y Karadima, con su cuento del padre Hurtado, se aprovechó de esta debilidad y de la cercanía del colegio a la parroquia.

Comidas y contactos

En el territorio de la parroquia del Sagrado Corazón, a pocas cuadras de la iglesia colorada, está el colegio San Ignacio de El Bosque, de los jesuitas. Sin embargo, dice Hamilton, «el San Ignacio tiene una pastoral mucho más potente que el Verbo Divino, con una impronta mucho mayor». No obstante, uno de los discípulos más queridos por Karadima es un ex alumno de ese colegio: Andrés Arteaga Manieu. Y también el obispo castrense Juan Barros Madrid, y su sucesor como párroco, Juan Esteban Morales. Asimismo, Fernando Kardima se preocupó de tender redes hacia el colegio Tabancura del Opus Dei, aunque estaba físicamente bastante más lejos. Su llegada a las familias le permitía captar el interés de los jóvenes. «Cuando iba a las casas a comer, hacía los contactos con los cabros, y cada uno de los que eran de tal o cual colegio se transformaban en una especie de puntas de lanzas en sus respectivos establecimientos», indica Jimmy Hamilton, quien muchas veces lo acompañó en esas visitas.

En el Tabancura estaba José Tomás Salinas Errázuriz, quien después se convirtió en sacerdote de la Pía Unión, lo mismo que Antonio Fuenzalida Besa, hijo del dueño de la empresa de turismo Cocha. «Cuando fueron seminaristas, no podían decir que venían del Tabancura, sino de la parroquia El Bosque, y no podían mencionar el colegio. Pero mientras eran estudiantes, cada uno de ellos estaba encargado de reclutar más estudiantes en los colegios y de invitarlos a las reuniones.»

—¿Este reclutamiento se producía más en el colegio que en la universidad?

—Partía en el colegio. Porque a esa edad los jóvenes son mucho más vulnerables ante sus «encantos». Entonces preparaba a los jóvenes, él los iba modelando, los hacía a su pinta. Los más grandes, los universitarios, no caen tan fácilmente en el cuento. Los que uno ha visto incondicionales, como el mismo Andrés Arteaga, llegaron muy chicos. Arteaga llegó a los siete años a la parroquia. Nunca ha conocido otro mundo. Juan Esteban Morales llegó a los seis o siete años también. Sus padres se los llevaban a Karadima. Morales ha sido el delfín toda la vida. De alguna manera, les robaba los hijos a esas familias. Después los utilizaba para robarles cabros a los colegios y los empezaba a trabajar en edad preadolescente y adolescente. Y de ahí empezaba a manejar sus vidas —indica Jimmy Hamilton.

Manipulación y abuso de poder

Gonzalo Emilio de la Cuesta Gálvez, ingeniero agrónomo de cuarenta años, sucesor de Jimmy Hamilton como presidente de la Acción Católica, estuvo en ese cargo desde 2001 hasta 2004, según indicó al fiscal Xavier Armendáriz[9].

De la Cuesta había llegado a El Bosque en 1989 para su «confirmación y me fui entusiasmando con el grupo y la acción espiritual, hasta llegar a ir todos los días». Aunque no era de los más cercanos al padre Fernando —dice—, «me nombró presidente del grupo de jóvenes».

Confirma el ex presidente de la Acción Católica que «en El Bosque la figura de Karadima era totalmente central; era la autoridad máxima, indiscutida e indiscutible, no se le podía llevar la contra, todo debía hacerse como él lo disponía». Afirma que Karadima «manipulaba absolutamente a la gente, en especial a través de otros, en el sentido de mandar recados o reprimendas a través de terceros». Y eso le pasó a él.

---

[9] Declaración de Gonzalo Emilio de la Cuesta Gálvez, nacido el 5 de febrero de 1971, chileno, casado, ingeniero agrónomo, ante el fiscal regional Xavier Armendáriz, 7 de junio de 2010.

En una oportunidad, lo reprendieron por «la simple razón de preguntarle a un sacerdote que estaba de visita cómo rezaba. Me retaron porque "el padre Fernando ya nos había enseñado a rezar". Me fui de El Bosque en 2004, pues no quería que Karadima me casara, menos mi señora, lo que provocó el enojo de Karadima».

La verdad —dijo Gonzalo de la Cuesta al fiscal Armendáriz— es que «este ambiente tan cerrado y de verdadero endiosamiento de Karadima terminó por hartarme, en especial, la falta de libertad».

Recuerda en su declaración que Juan Carlos Cruz, del que fue amigo, aunque ya se había alejado de El Bosque, le decía que «si veía algo raro o si pasaba algo, no lo aceptara, aunque no mencionó nada sexual en concreto».

De la Cuesta declaró que nunca vio ni supo nada «de contenido sexual explícito en El Bosque», pero afirmó: «Las acusaciones que se han levantado contra Karadima las creo absolutamente», porque este ambiente «sin contrapeso alguno», es propicio «para que se pase de un abuso de poder a un abuso sexual».

—Entre los personajes sometidos llama mucho la atención el padre Francisco Javier Errázuriz, el padre Panchi, quien en el juicio se amparó en el secreto de confesión para no declarar. Dicen muchos que Karadima lo trataba mal —le comenté en una de nuestras conversaciones a José Andrés Murillo.

—Sí, y se notaba el desprecio de Karadima por él. Lo trataba muy mal.

—¿A qué lo atribuyes?

—Debe haber razones desde espirituales hasta sociales. Karadima es un arribista... y aquí tiene a este personaje bajo su tutela. Es capaz de hundir a este cura que era de una condición social más alta. Él era como el heredero espiritual legítimo de monseñor Alejandro Huneeus, fundador de la parroquia. Da para interpretarlo así: Karadima se roba dos herencias, la espiritual del padre Hurtado y la de monseñor Huneeus.

Médicos en la familia

El doctor Sergio Guzmán Bondiek, profesor de Medicina de la Universidad Católica y cuñado del acusado sacerdote, fue también citado por el fiscal Xavier Armendáriz. El doctor Guzmán expresó que conocía a Fernando Karadima desde aproximadamente 1960, «porque en esa época mi hermano Leonardo me llevó a la parroquia de El Bosque, donde él ejercía su ministerio». Concurrió hasta 1966, cuando «me alejé, pues contraje matrimonio con la hermana del padre Fernando y quise "separar aguas" para evitar inconvenientes».

Más adelante, Sergio Guzmán Bondiek, indicó: «De lo que conozco a Fernando, digo que es una persona de carácter fuerte, de mucho carisma, de ideas muy claras y definidas, y por tales características absolutamente capaz de ejercer mucha influencia en las personas, incluso decisiva en cuanto a su vida y acciones. Por esto mismo, ha moldeado con su sello el trabajo espiritual o pastoral de la iglesia El Bosque».

Y Sergio Guzmán sabe de esa influencia de cerca, porque tiene un hijo sacerdote, Gonzalo Guzmán Karadima, ordenado por el arzobispo Francisco Javier Errázuriz el 25 de noviembre de 2004.

Guzmán conoce por razones profesionales a James Hamilton, ya que son médicos de la misma especialidad e, incluso, siendo presidente de la Sociedad Chilena de Cirugía, fue quien dio la bienvenida oficial al doctor Hamilton en 2004. Su hijo, también médico, Sergio Guzmán Karadima, urólogo, profesor de la Universidad Católica, tampoco ha rendido nunca pleitesía al tío que muchos llamaban «santo».

Distinto es el caso del doctor Leonardo Guzmán Bondiek, reumatólogo de la Clínica Alemana, casado con Carmen Anrique. Seguidor y amigo de Fernando Karadima por más de medio siglo, ha sido uno de los médicos de cabecera de monseñor.

«Me encuentro ligado a la parroquia de El Bosque desde hace muchos años, pues empecé a ir desde que tenía unos diecinueve años y hasta hoy voy a misa allá», declaró Leonardo Guzmán, de setenta años, ante el fiscal Armendáriz.

Señaló, además, que esta larga experiencia ha sido «muy positiva para mi vida espiritual» y, además, en la parroquia, «conocí a mi cónyuge con quien me encuentro casado desde hace treinta y siete años. Todo ello implica, naturalmente, haber tenido estrecho contacto con el padre Karadima, aunque por circunstancias de la vida nuestro contacto ha sido más estrecho en algunas épocas que en otras. También lo he tratado profesionalmente».

Los Guzmán Anrique

El doctor Leonardo Guzmán negó en forma rotunda haber visto u oído alguna circunstancia que tenga algún «tipo de relación con los hechos que se investigan, respecto de conductas sexuales del padre Karadima con algunas personas vinculadas a la parroquia».

Admitió que conoce a James Hamilton «y tampoco me puedo explicar el motivo por el cual se levanten estas acusaciones». Eso sí, descartó haber sabido de situaciones relacionadas con «alguna confabulación contra el padre Karadima», como intentó plantear su defensa.

Leonardo Guzmán y Carmen Anrique son consuegros de Jorge Karadima Fariña y Ximena Labbé. El 13 de noviembre de 2004, María José Karadima y Leonardo José Guzmán Anrique se casaron en la iglesia de El Bosque. Y, por supuesto, quien ofició el matrimonio fue «el padre Fernando».

La influencia de Karadima en esta familia ha sido fuerte. Pablo Guzmán Anrique es sacerdote de la Pía Unión de El Bosque y Vicente José, también guiado por el cura, está terminando sus estudios en el Seminario y se pronunció a favor de Karadima en la Fiscalía.

No obstante, José Fernando Guzmán Anrique, el menor de los hermanos, de veintiséis años, declaró ante el fiscal Armendáriz, en mayo de 2010, en un tono muy diferente al de su padre y su hermano Vicente José.

José Fernando dijo conocer a Karadima desde niño, «pues es cercano a mi familia y participé en la parroquia de El Bosque hasta aproximadamente 2003». Pero entregó una visión crítica sobre monseñor y su feudo: «El ambiente de El Bosque es de un grupo de gente de clase alta, conservador, cerrado, totalmente manejado por Karadima, quien impone su voluntad y ejerce un poder y una influencia absoluta. Él le dirige la vida a quienes forman su círculo más cercano, no se le puede discutir ni llevar la contra»[10].

José Fernando Guzmán manifestó su completo desacuerdo «con la forma en que él entiende la espiritualidad y su manera de ver la vida». Según el joven Guzmán, Karadima «abusa del poder que tiene sobre la gente y puede llegar a despojarlas de su voluntad». Todo eso —explicó— «hizo que yo me alejara de El Bosque y solo asisto a ceremonias como un matrimonio o algo así». Destacó también ante el fiscal que vio «mucho de un grupo social cohesionado por el poder y el dinero, que naturalmente atrae a otros por la posibilidad de integrarse a él».

Y calificó al ex párroco como «una persona manipuladora que sabe distinguir entre las personas para detectar cuáles son más vulnerables». Por último, respondió al fiscal que le parece natural la defensa que «ha hecho la gente más cercana a Karadima de su figura, dado que se trata de personas que han construido su vida, sus valores y su conducta sobre la base de la figura de Karadima y no les debe ser fácil aceptar que ello se derrumbe».

Fernando Batlle, cercano de Guzmán en El Bosque —entre 1988 y 1995—, mencionó en su primera declaración ante Armendáriz, el 22 de abril, que José Fernando le contó que Karadima «le hizo tocaciones a su hermano Francisco»[11].

En una nueva declaración, ante la consulta del fiscal, Batlle entregó más detalles. Dijo que José Fernando Guzmán le contó que «creía absolutamente» en las denuncias, pues «sabía lo que

---

[10] Declaración de José Fernando Guzmán Anrique, nacido el 15 de marzo de 1984, chileno, soltero, estudiante, ante el fiscal regional Xavier Armendáriz, 20 de mayo de 2010.

[11] Declaración de Fernando José Batlle Lathrop, nacido el 23 de febrero de 1977, chileno, soltero, abogado, ante el fiscal regional Xavier Armendáriz, 10 de junio de 2010

pasaba en El Bosque, ya que Karadima le agarraba el paquete a él y mencionó que, en la casa de su familia había manoseado a su hermano Francisco, que es mayor que José y hoy vive en Estados Unidos». Según señaló Batlle ante el fiscal, «todo esto no lo dijo calmado; fue como un desahogo. No me señaló fecha de estos hechos ni dijo cuántas veces ocurrió»[12].

También José Fernando Guzmán —de acuerdo a esa declaración— le habría contado a Batlle que Francisco Guzmán había sufrido mucho por esta situación, pero «también me dijo que esto no lo iba a decir, dado que su familia estaba muy involucrada con Karadima, que algo así afectaría mucho la salud de su padre».

Francisco José Guzmán Anrique se casó con Marianne Koeler Duncker en una ceremonia celebrada en la parroquia de El Bosque, el 28 de octubre de 2006.

«Todo es falso»

Como este, habría muchos otros casos que, por consideraciones familiares o porque aún las víctimas no terminan de asumir lo que les ha ocurrido, no se conocen.

El fiscal Xavier Armendáriz trató de seguir este hilo y le preguntó directamente a Fernando Karadima por los Guzmán Anrique. El cura respondió: «Conozco y mucho a la familia Guzmán Anrique; fui por unos cinco años a almorzar a su casa, que queda muy cerca, los días viernes, hasta hace unos diez años atrás. Hace unos quince años que no veo a José Francisco, no me conoce, no sé por qué dice lo que dice de mi persona; lo vi por última vez cuando él tenía once años, nunca participó en la parroquia, aunque puede que haya asistido a misa. No es efectivo lo que se me lee y que habría declarado Fernando Batlle respecto de José y su hermano Francisco, ello es totalmente falso»[13].

---

[12] Declaración de Fernando José Batlle Lathrop, nacido el 23 de febrero de 1977, chileno, soltero, abogado, ante el fiscal regional Xavier Armendáriz. 10 de junio de 2010.

[13] Declaración de Fernando Salvador Miguel Karadima Fariña ante el fiscal regional Xavier Armendáriz, 29 de junio de 2010.

La negativa de Fernando Karadima no constituye novedad. Pese a la numerosa cantidad de testigos que han declarado haber visto «toqueteos», Karadima desmintió todo eso en sus declaraciones ante el fiscal y ante el juez Valdivieso.

Sigue sosteniendo su absoluta inocencia y que nada de lo denunciado ha ocurrido. «Que había una investigación en mi contra lo supe recién en 2009, en la casa del cardenal, donde fui por otros motivos y me comentó esta situación, pero me dijo que no la creía. Veo que esta gente ha actuado como en un arreglo, obraron mal por no encararme, debieron venir a mí», sostuvo Karadima en su declaración ante el fiscal Xavier Armendáriz.

En esa oportunidad, contó que supo el día antes del programa de televisión *Informe Especial*, y «traté de hacer alguna gestión para que no saliera, pero no se pudo, estaba preparado desde antes».

Se amparó en el secreto de confesión para no referirse a James Hamilton, y de los otros tres denunciantes dijo que tenían en común «que todos quisieron ser sacerdotes y yo no les veía vocación».

«En cuanto a tocaciones en los genitales, eso jamás lo he hecho, en modo alguno. Yo soy afectivo con los jóvenes y la gente que me conoce sabe que puedo dar un abrazo, un beso en la frente, pero jamás tocarle los genitales a nadie. Eso jamás lo he hecho con nadie, ni tampoco darle un beso en la boca a nadie», alegó.

«Movimientos casuales» en 2010

Uno de los más ilustrativos testimonios en este sentido es el del ingeniero civil Ignacio del Valle Valenzuela, quien concurrió a la Fiscalía como testigo de la defensa de Karadima. Del Valle, de veintiocho años en ese momento, señaló que ha participado «activamente en El Bosque desde 1997». Antes frecuentaba la parroquia e incluso hizo su primera comunión allí en 1990.

Declaró que Fernando Karadima «ha sido mi director espiritual y como tal le he pedido consejo muchas veces, hemos veraneado juntos, muchas veces estudié en ese recinto, y estuve, obvio, muchas veces con el padre en distintas dependencias de la parroquia e incluso en su pieza, algunas veces solos, aunque siempre circula gente que entra y sale libremente y el padre suele andar con más de una persona»[14]. Pero lo más curioso vino después.

Tras insistir en que no le creía a «las personas que hablan en contra del padre, pues todo este tiempo he visto una conducta correcta del padre con toda la gente», al final en su declaración Ignacio del Valle admitió: «Lo único que puedo referir, pero yo creo que fueron gestos, lo más probable casuales, es que este año en dos oportunidades, la primera como a principios de año y la otra hace algo más de un mes atrás, es que al acercarme al padre, como para saludarlo o despedirme, estando él sentado, ha levantado el brazo y golpeó suavemente mi zona genital, pero como digo, creo que fueron simples accidentes de movimiento corporales de ambos y nada más».

¿Ingenuidad? ¿Acostumbramiento a un clima erotizado? Resulta extraño que el juez Leonardo Valdivieso haya dejado pasar estos hechos ocurridos, según el propio testigo, en 2010, y no se haya interesado por indagarlos.

Pero hay algo más en la declaración de Ignacio del Valle: «De besos indebidos tampoco nada he visto o sabido, salvo que hace años atrás, cuando iba caminando por el pasillo que lleva al dormitorio del padre, un corredor que es largo, vi al padre despedirse de beso con Sebastián Söchting, pareciéndome que se lo dieron en la boca, pero de esas situaciones que, como son rápidas, son casuales y que nos pasan a veces a todos; la verdad no me llamó nada la atención».

Las críticas de la sobrina

Soledad Latorre, trabajadora social con magíster en Psicología Clínica, participa en la Fundación para la Confianza, creada por

---

[14] Declaración de Ignacio del Valle Valenzuela, nacido el 18 de enero de 1982, soltero, ingeniero civil, ante el fiscal Xavier Armendáriz. 13 de mayo de 2010.

José Andrés Murillo. Ella hizo la primera comunión en El Bosque y es sobrina en segundo grado de Karadima.

«Estoy convencida de los testimonios y creo que pueden haber muchas víctimas más. Por la forma de abuso que se describe, esto pudo haber partido mucho antes y durar hasta después de 2005», señaló en una entrevista de *The Clinic*[15] en noviembre de 2010.

Según Soledad Latorre, «él y su madre fueron figuras muy apegadas a lo material. Yo puedo decir que vi harto lujo y ostentación».

La familia de su abuela —tía de Karadima por el lado Fariña— «se ha empobrecido —señala—, aunque en su minuto pudo haber tenido cierta alcurnia». Agrega que no sabe «exactamente cómo era la familia por el lado de Karadima».

Las críticas de la sobrina no son aisladas ni exageradas. El gusto por el lujo, los restaurantes caros y el buen vivir, son características de Fernando Karadima que surgen en diversas conversaciones y en declaraciones judiciales.

Su afición por los autos y los viajes parecen haber sido parte de su manera de ser. Para llevar ese tren de vida se valía de su red de contactos: donantes y benefactores que creían apoyar una causa religiosa o algunas obras sociales o le pagaban favores.

Incluso la sobrina agrega: «Creo y podría decir sin temor a equivocarme, con los antecedentes que hay, que ha habido un enriquecimiento a propósito de este cargo a través de las donaciones que él ha recibido y gestionado».

Con peinetas de hueso

Riguroso en el vestir, Karadima suele usar pantalones oscuros, por lo general grises, con su *clergyman*, como se conoce la camisa que usan los sacerdotes en reemplazo de la tradicional sotana, y su cuello «romano». Le gustaba comprarse las camisas

---

[15] *The Clinic*, 4 de noviembre de 2010. Entrevista: «Soledad Latorre: sobrina de Karadima, "Creo que pueden haber muchas víctimas más"».

en Europa o Estados Unidos, porque «consideraba ordinarias las chilenas», recuerda Jimmy Hamilton. «Salía con el cuello típico de los sacerdotes[16], si iba a comer a un restaurante se lo sacaba y se abría el botón de la camisa. Era un gesto clásico», señala. «Y siempre con la chaqueta, con la cruz, como se visten los curas más conservadores. Criticaba en forma permanente a cualquier cura que se vistiera más informal. Decía que siempre había que parecer sacerdote», anota Hamilton.

Pero no cualquier sacerdote. A él se le veía «todo el tiempo muy arreglado y bien peinado; se compraba sus peinetas de hueso y otras cosas similares a todo lujo. Se preocupaba de mantener las uñas limadas perfectas y de andar impecable. Y uno de sus grandes temas ha sido su salud».

—¿Es hipocondríaco?

—Muy hipocondríaco. Sufría siempre de reflujo, de esto o de lo otro. Siempre tenía algún mal y tenía que estar rodeado de los mejores médicos de Santiago. Y no solo eso, sino que, además, tenía que tener un trato especial. Los médicos lo tenían que ir a ver, y en lo posible tener sus médicos de cabecera a quienes consultaba porque no les creía siempre todo, entonces cruzaba información con uno y otro. Todo el tiempo estaba con algún tipo de medicamento.

—¿Quiénes han sido esos médicos?

—Uno era Leonardo Guzmán Bondiek, a quien le preguntaba muchas cosas, y su médico de cabecera, Santiago Soto. A él yo quise contarle alguna vez esto, pero no lo hice para no afectar su relación médico-paciente. Porque uno como doctor tiene que serlo de quien sea, aunque venga el peor de los criminales a pedirle ayuda; si está enfermo, uno lo va a atender igual. El Juramento Hipocrático no hace distinciones. Pero en este caso, siempre estaban los médicos alrededor. Y Juan Esteban Morales, que además es doctor, ejerció un tiempo.

---

[16] El cuello de los sacerdotes es conocido como «cuello romano».

El aseo y los remedios

El periodista Juan Carlos Cruz también estuvo un período al servicio personal de monseñor. «Hacía de todo. Desde hacerle la cama hasta darle el remedio antes de dormir. Le daba un amparax y su ranitax antes de cada comida. Esos eran los medicamentos de siempre, pero sé que tomaba muchos más. El padre era tremendamente hipocondríaco y necesitaba ir al doctor a cada rato», confirma.

Recuerda Juan Carlos que les decía que «el diablo lo molestaba mucho y que esta era su penitencia». Pero también, según Cruz, la salud «era la excusa para no atender gente». Así —recuerda— «había que decir el padre esta delicado de salud o fue al doctor», cuando no quería recibir a alguien.

«Si no era por enfermedad, se tenía que decir, "el padre fue a la Curia". La verdad es que muchas de esas idas a la Curia eran salidas a comprar casetes y luego discos compactos de los mejores tenores y cantantes que le gustaban; Beniamino Gigli y Carlos Gardel eran sus preferidos, entre otros muchos. Yo llegué a ser un maestro en este tipo de cantantes ya que lo acompañaba a las compras y me quedaba en la pieza mientras los oía... y era sin parar.»

En el entorno de Karadima siempre había jóvenes que lo servían y que en cierto sentido se iban rotando. Estaban, además, los que Jimmy Hamilton llama «los eunucos de palacio». Según él, esa era una situación más permanente.

—¿A quiénes te refieres?

—A esas personas que quedaban suspendidas en el aire, porque no se iban de cura, pero tampoco ejercían la profesión *full*, como el propio Juan Esteban Morales, que después dejó de ser eunuco, se fue al Seminario, pero ya bastante mayorcito. El mismo Francisco Costabal, que aparece en las cámaras como una especie de guardia de Karadima, y de Juan Pablo Bulnes. Costabal es uno alto, grande, rubio, un cabro muy inteligente, muy capaz, que ha sido presidente de la Acción Católica desde hace varios años. Es su secretario personal, y está ahí completamente cegado y suspendido en el aire. Está en el limbo; no se va de cura, no se casa. Ha estado ahí porque lo atiende a él, sirve a Karadima.

Fajos de billetes y monedas de oro

—¿Por qué le hacían ustedes la pieza? —le pregunto a Juan Carlos Cruz.

—Porque no le gustaba que nadie entrara. Tenía que ser uno de nosotros. Ahí tenía los equipos de música más modernos. Y usaba otra habitación para guardar los que no usaba. Coleccionaba relojes, trenes, lapiceras.

Recuerda las imágenes que vio en ese lugar: «Cuando yo le limpiaba la pieza tenía acceso a sus pertenencias privadas. Pude ver los fajos de billetes y sobre todo la cantidad de cheques de cierta gente que le daba plata. Era increíble».

Los orígenes de ese dinero —explica Cruz— eran de «benefactores externos, en su mayoría empresarios o antiguas feligresas y algunos curas de su círculo que recibían herencias. Pero también jóvenes que ya trabajaban o que recibían de sus padres algún dinero. Fue muy público entre nosotros que Diego Ossa, por ejemplo, tenía una cierta cantidad de plata y se la regaló, y él decía "es tan santo este niñito". Yo no tenía ni un peso. Pero cuando tenía algo de plata se la regalaba. Aunque fuera poco, uno sentía como un deber hacerlo».

—¿Y para qué quería el dinero?

—Cuando uno se lo daba lo dejaba abierto, porque era para lo que él quisiera. Y obviamente para «los pobres». Pero era tan misterioso, porque él tenía en esa época los mejores equipos de música, compraba a destajo relojes de pared.

—¿Y qué hacía con tantos?

—Los guardaba y muy rara vez regalaba. Era de una codicia y de un afán de tener, sin razón. Le llegaba un equipo nuevo y el viejo lo guardaba.

—¿Los curas diocesanos no tienen voto de pobreza?

—No, no tienen voto de pobreza. Hacen promesas de castidad y de obediencia, y se efectúan ante el obispo de la diócesis. Pero pueden tener bienes, aunque se entiende que debía tener una vida sobria.

—¿De qué porte era la pieza?

—Bastante amplia. Tenía un escritorio, un librero, un clóset, la cama, la televisión y el baño al lado. Era fanático de la música. Tenía que ir a comprarse la mejor radio para su auto, debía ser alemana: Blaupunkt. Y la instalaba donde un tipo especial. Y era tan maniático que siempre nos llevaba a tres, y cuando nos deteníamos, por lo menos uno tenía que quedarse en el auto para que no se lo fueran a robar. Normalmente, dos nos quedábamos en el auto esperándolo. ¡Y a menudo por tres horas!

—¿Él manejaba?

—Sí, y también le manejaba Prochaska.

—¿Saliste fuera de Santiago con él?

—Al campo, a Requínoa, al fundo de Juan Carlos Dörr y la María Elena Bulnes. Le dejaban la casa de domingo a martes.

Según Juan Carlos Cruz, en su tiempo, el cura contaba siempre que «el Rucio Matte y la Pilar Capdevila le daban mucha plata; se mostraba orgulloso de eso». Por lo que Karadima decía, según recuerda Cruz, estos y otros benefactores le habrían financiado también sus viajes a Europa.

«El viaje al que fui con él duró casi tres meses. Fueron vacaciones en las que se gastó, por lo que calculamos entre compras y todo, en esa época, cerca de quince mil dólares. Eso fue como entre 1983 y 1984», cuenta el periodista.

Pero hubo algo que llamó más la atención de Juan Carlos Cruz: «Cuando empecé a hacerle la pieza me pedía que le ordenara el clóset y me comencé a topar con una cantidad enorme de monedas de oro guardadas entre los calcetines. ¡Escondía las monedas ahí!».

«Era impresionante toda esta plata que tenía guardada, que según decía le regalaban, y ver cómo acumulaba cosas», comenta Cruz.

«Una de las actitudes más neuróticas era que si entrabas a la pieza, no se podía mirar», continúa el periodista. «Si uno se quedaba observando el equipo de música, te llamaba la atención. Si alguien miraba mucho, no podía entrar más a la pieza, porque se enojaba: "Ese niño mira mucho y no le tengo confianza". Al poco tiempo entendí la razón. Él tenía los mejores equipos de música que había en el país en esa época. No solo uno, sino que varios. Apenas salía uno nuevo se lo compraba o se lo regalaban algunos de sus amigos millonarios a los que había que tratar con guante blanco para agradecerle sus regalos y asegurar que siguiesen cooperando.»

Amontonaba objetos en el clóset. Y cuando este le quedó chico, «tuvo que usar la pieza del lado para seguir amontonando. No regalaba nada».

Los viajes

Jimmy Hamilton corrobora: «De acuerdo al catálogo de Karadima, los pecados graves eran la desobediencia, en primer lugar, seguido de la soberbia y la avaricia», pero eran aplicados a los demás, jamás a sí mismo. De acuerdo a esos criterios, Karadima generaba un ambiente «en que nosotros teníamos que estar regalándole plata. Entonces si yo, ya mayor, estaba ganando más, tenía que darle cada cierto tiempo algo. Recuerdo a otros como Tomás Salinas —de Salinas y Fabres— que iban con cheques por grandes cantidades. O señoras ricachonas que le llevaban varios miles de dólares. Él estaba permanentemente recibiendo dinero. Y decía "¡qué milagro de Dios. Cada vez que doy alguna plata a alguien, recibo más. Dios da el ciento por uno!". Pero no tenía ninguna sensibilidad social».

Los viajes eran parte de las diversiones anuales o bianuales de Fernando Karadima. «Tenía un buen sistema. Tenía muy buenas inversiones. La Divina Providencia le generaba mucho dinero, que era con el cual viajaba él e invitaba a muchos jóvenes», señala Jimmy Hamilton, quien fue uno de quienes lo acompañaron.

—¿Adónde y para qué?

—A Europa, a Estados Unidos. A recorrer lugares santos, iglesias, capillas.

—¿A algún punto en especial, a conversar con alguien en particular en el extranjero?

—De repente hablaba del padre Miguel, que según él era un monje muy santo con el que iba a conversar a un monasterio en Frascati, Italia. Y la enseñanza del padre Miguel era que le decía «mire, padre, debajo de cada una de estas tejas hay cinco demonios que nos atormentan todos los días». Él nos contaba estos cuentos para decirnos que tuviéramos cuidado con el demonio. Nos contaba también de unos sacerdotes o monjes muy santos —según decía— que iba a ver a España —señala Jimmy Hamilton.

«Algunos jóvenes se pagaban los viajes —recuerda Juan Carlos Cruz—, otros eran invitados de Karadima». Juan Carlos Cruz participó en uno de estos recorridos a comienzos de 1983 junto con Guillermo Tagle Quiroz, el economista y ejecutivo del IM Trust, quien ha sido en los últimos años uno de los asesores financieros de Karadima y de la Pía Unión Sacerdotal; Francisco Prochaska, Gonzalo Tocornal y Hans Kast.»

—¿Y adónde fueron?

—A Lourdes y a Madrid. Era una lata, porque al padre no le gustan los museos, no le gusta hacer turismo, y lo único que hacíamos era comprar, ir a ver relojes; tenía tanta plata que él compraba relojes, de pared y lapiceras, e íbamos a comer a buenos restaurantes.

—¿También se compraba los atuendos religiosos?

—Exacto y otra cosa de la que era fanático es de las figuritas Anri que compraba en Roma. Son unas imágenes de santos de unas maderas carísimas. Era aburrido y la suerte es que Hans y yo teníamos el Eurail Pass y nos separábamos de él y hacíamos panoramas entretenidos. Nos fuimos un mes a la casa de la familia de Hans en la Selva Negra en Alemania.

Su sobrina Soledad Latorre dice que ella también escuchaba de estos viajes: «Me enteraba, porque mi abuela me contaba: "Mira, tal regalo me lo trajo Fernando en el último viaje". No sé adónde eran los viajes ni quién los financiaba».

Autos y benefactores

En lo que respecta a las comodidades, Karadima siempre quería lo mejor. Según relata Juan Carlos Cruz, «se compró un nuevo auto Volkswagen Golf al poco tiempo que yo llegué. Esos autos no eran muy comunes en Santiago en esa época, así que lo traía a través de una fundación alemana o por Caritas, que les daba unos descuentos bien grandes a los curas, según decían. También él me contó que sus benefactores le proporcionaban grandes cantidades de dinero para él y se compraba miles de lujos. Al poco tiempo, se compró otro Golf, y este era espectacular, último modelo».

Según Jimmy Hamilton, quien le pagaba los autos era Eliodoro Matte, el presidente de la Papelera, al menos desde el tiempo que él estuvo. Y anota que siempre los cambiaba por la misma marca y el mismo color: Volkswagen Golf blanco. «Debe haber sido para disimular», comenta. Eliodoro Matte y su señora Pilar Capdevila, confirma Hamilton, han sido unos de sus principales benefactores. «Estuve varias veces en su casa, construida por Christian de Groote, en Zapallar. Le pasaban a Karadima la casa por fines de semana completos. También era muy cercana a él la hermana de Eliodoro, Patricia Matte.»

—¿Cuáles serían los principales benefactores de Karadima?

—Los Bulnes Cerda, los Matte, José Said; los Salinas de Salinas y Fabres; es decir, los Salinas Errázuriz, todos Opus Dei con señoras supernumerarias. Cada cierto tiempo, Karadima les pedía «regalitos». Y ellos le daban cheques por varios millones de pesos.

Tomás Salinas Errázuriz es cura de El Bosque, y Jaime Tocornal, que era nieto del Cholo Vial, también —señala Hamilton.

Otro empresario muy cercano a Fernando Karadima es Domingo Jiménez Olmo, dirigente de Sonapesca y Corpesca, ingeniero civil industrial, gerente general de Pesquera Coloso, casado con Anita Manterola, hermana del sacerdote Javier Manterola. Son hijos del corredor de propiedades Javier Manterola Vergara y de Ana Covarrubias. Jiménez, quien de joven fue presidente de la Acción Católica, está estrechamente ligado con los Izquierdo Menéndez, dueños de Pesquera Coloso, entre otras pertenencias.

—¿Qué hacía Karadima con la plata que le daban? —le pregunto a Jimmy Hamilton.

—La guardaba y la metía en algunas cuentas raras que se las manejaba Guillermo Tagle Quiroz, director ejecutivo de IM Trust, hijo de Guillermo Tagle, que fue fiscal del Banco de Chile. Él le compraba dólares y monedas de oro. Le hacía todas las movidas de las platas al cura.

Jimmy Hamilton confirma la historia de las monedas: «Sí, tenía en sus cajones metidas monedas de oro, además de una pistola, que según él era para espantar a la gente en la época de la Unidad Popular».

—¿Cómo es la relación entre las platas de El Bosque y las del Arzobispado?

—Ese es otro asunto. ¿Qué hace la Iglesia con el tema de las platas y el Bosque? Cuando el fiscal Armendáriz pidió investigar, el cardenal Errázuriz mandó a monseñor Fernando Chomali —un personaje que lo único que ha hecho son declaraciones erráticas—, para hacer una especie de revisión somera, superficial, y este dijo que todo estaba bien. Esos problemas de las platas motivaron que la Fiscalía pidiera una investigación acuciosa. Pero ninguna investigación de ese tipo puede hacerse en un día, como pretendió Chomali.

»Lo más interesante es que mi ex amigo Guillermo Tagle es el hombre que maneja tanto las platas de El Bosque como las del

Arzobispado y es un incondicional de Karadima. Ese hombre es el que lo sabe todo. Alguien a quien no le van a poder pillar un paso en falso.

—¿Qué cargo tiene en el Arzobispado?

—Es que no tienen cargos específicos. Puede ser responsable de las inversiones... Todas estas cosas son confusas. La Iglesia de Santiago se manejó durante mucho tiempo en el secretismo y en el oscurantismo, y esa falta de transparencia es la que ha provocado la caída en la credibilidad y el respeto por la institución.

Problemas con la competencia

Juan Carlos Cruz sostiene que Karadima «odiaba al Opus Dei». Sin embargo, entre sus cercanos, además de los Salinas Errázuriz, había otras familias de «la Obra». Sin ir más lejos, los Ossandón, que después separaron aguas.

—¿Cómo se conciliaba eso con la distancia que tú dices que le tenía al Opus?

—Creo que lo odiaba por un espíritu de competencia. Él odiaba a cualquiera más que por la diferencia teológica o de espiritualidad, porque le levantaban a los jóvenes. Y cualquiera que fuera competencia le suscitaba rivalidad. Él acogió a los Legionarios al principio, cuando llegaron a Chile, pero después los detestó; más encima, la casa de jóvenes de los Legionarios estaba en el territorio de la parroquia El Bosque, en la calle Tomás Guevara.

—¿Y cómo se explican sus amigos Legionarios como Eliodoro o Patricia Matte?

—Ah, el rucio Matte y la Pilar Capdevila... Es que Karadima no vociferaba en contra de los Legionarios, sino lo comentaba en el círculo más íntimo y solapadamente en las reuniones. Decía: «Para esto no los vamos a llamar, no los vamos a invitar». Y criticaba cosas que hacían en el Opus Dei o en los Legionarios. Él decía: «Eso aquí no lo hacemos».

—¿Cómo ves su red de poder? —le pregunto a Juan Carlos Cruz.

—Es muy importante la red de poder que fue construyendo Karadima. Él montó un imperio con distintas funciones: la cortina espiritual obviamente, y de la santidad. Es decir, un imperio de impunidad donde él podía hacer y deshacer sin que nadie se metiera. Esto ocurría físicamente en la ciudadela de El Bosque, donde él y los suyos se refugiaban. Y tenían un imán para capturar gente.

»Él no nació en una cuna de oro, en ese mundo, pero una forma de pertenecer a él era dominándolo. Que sus integrantes le ofrecieran sus respetos. Hay un tema de impunidad y de ir formando sacerdotes y después obispos que pudieran esparcir sus enseñanzas. Y con eso comenzaron a influir y replicar lo que veían en El Bosque. Ese es el cáncer más peligroso» —advierte Juan Carlos Cruz.

Además, «creo que es un psicópata, porque no entiende el daño que está haciendo, y sigue queriendo mantener ese poder», señalaba Cruz, un mes y medio antes de que se conociera el fallo del Vaticano.

Entre Maciel y Paul Schäfer

La actitud de Karadima trae a la memoria de Juan Carlos Cruz otras imágenes: «Es como Pinochet cuando uno lo veía en silla de ruedas, después de llegar de Londres, pero cerraba la puerta y se paraba a dar órdenes. Como Paul Schäfer. Un personaje absolutamente siniestro que no nació en cuna de oro, pero que sentía que debía haber nacido en una».

—¿Es muy arribista?

—Absolutamente —continúa Juan Carlos Cruz—. Se rodeaba de pura gente blanca, de buena familia y ojalá buena pinta. Era su forma de complementar a través de otros lo que él no había sido. Vivirlo y tener a toda esa gente bajo su poder era su objetivo.

—¿Es inteligente Karadima? —le pregunto esta vez a Jimmy Hamilton.

—No es muy inteligente. No es un tipo brillante, pero es terriblemente manipulador. Tiene una inteligencia práctica para sus objetivos que es impresionante. Si tú le pides una exposición y que lea un artículo de moralidad y haga un resumen, no lo hará. Nunca leía, no estudiaba ni preparaba una prédica. Solo leía sus libros de santos antiguos del año de la Cocoa, de la Edad Media. Y lo hacía de repente. Rezaba poco. Se basaba en el rosario todos los días. No era un hombre espiritual. No era místico, en el sentido de tener un amor por Dios. Yo creo que es ateo. Pienso que no cree en nada. Y su gran nexo es la Virgen María. Pero es un hombre de poca oración. Mostraba sus charreteras como un general. Hablaba de todas sus batallas libradas.

El tema del control y del sometimiento vuelve en innumerables anécdotas. «Un amigo mío de aquella época, Sebastián Reyes, estudiaba Economía en la Católica —cuenta Jimmy Hamilton—. Estuvo dos años en la parroquia. Le pidieron de la facultad que fuera a dar una charla a un colegio para fomentar que la gente entrara a Economía. Fue a hacerlo, pero no le contó a Karadima. El cura cuando supo esto lo expulsó de El Bosque por desobediente y por tener al demonio dentro. Sebastián obviamente se fue y nunca más volvió y dijo "este caballero está medio loco". Y así te puedo nombrar innumerables situaciones.»

Piensa unos instantes y comenta: «La gente hace un parangón entre Karadima y Maciel, pero yo creo que Karadima es una mezcla entre Maciel y Paul Schäfer. Karadima tenía control absoluto de todo lo que hacíamos. Él no tomaba, no fumaba, siempre compuestito, siempre controlado, salvo en su pasión y el abuso. En eso no tenía control, que es lo que está aflorando hoy. Pero en el resto tenía pleno control de todo. Con una maquinación perfecta. Maciel consumía drogas, era un tipo que estaba destruido. Schäfer era un tipo con un nivel de aberraciones y abusos notables».

«Algo que me impresiona ahora es la enfermedad de quien está dispuesto a llevarse al hoyo a todos los que pueda, porque una persona en su sano juicio ante estos hechos reales se inmola y reconoce: "la embarré, en efecto yo he sido así, y he cometido estas cuestiones"», comenta Jimmy Hamilton.

Pero él, nada. Se mantiene en la negación.

Solo hay algo que no desmiente: «Con respecto a que se diga que yo tengo influencia sobre la gente, puede ser efectivo, soy de carácter fuerte y puedo ser algo autoritario, la verdad, he necesitado de ello para estar en el sacerdocio estos años», le dijo al fiscal Armendáriz.

Y con la tozudez que ha mantenido durante todo el tiempo que han durado estos procesos, ante el joven juez suplente Leonardo Valdivieso, insistió en octubre: «Tengo la certeza de que estas cuatro personas se encuentran confabuladas para hacerme daño y dañar a la Iglesia, están dolidos pues tenían el deseo de seguir como sacerdotes católicos, pero carecían de vocación, según mi opinión, lo cual el tiempo me dio la razón, pues ninguno de ellos pudo continuar en sus respectivos noviciados; me refiero a los señores Batlle, Murillo y Cruz, pues respecto de Hamilton no me referiré»[17]. Palabra de Karadima.

---

[17] Declaración de Fernando Salvador Miguel Karadima Fariña ante el juez suplente del Décimo Juzgado del Crimen de Santiago, 27 de octubre de 2010.

Capítulo XIII

LA LIBERACIÓN DE PROCHASKA

Un símbolo del sometimiento a la voluntad de Karadima era Francisco Prochaska. En forma recurrente su nombre aparece mencionado en diversos testimonios como integrante del círculo de Karadima desde los años ochenta.

Lo describe Jimmy Hamilton: «Rubio, con pinta de extranjero, un cabro que entró a estudiar Ingeniería a la Católica y después Leyes. Karadima se encargó de que peleara con los padres, y se fue a vivir un tiempo a la parroquia. Y lo utilizaba para su servicio personal, para hacer el aseo de la pieza, limpiarle el baño. De repente Karadima determinó que lo que Dios quería era que dejara la universidad y que se dedicara *full time* a su atención personal. Después de eso, apareció algún otro que pudiera ayudar en eso y a Francisco le tincaron las Leyes y entró a estudiar nuevamente, pero también lo hizo retirarse. Y así pasaron años en que no se fue al Seminario ni completó una carrera ni se casaba y estaba de esclavo de Karadima».

—¿Después se casó?

—Después de varios años se casó ya mayor, tiene una hija única. Es un cabro buenísimo. Hizo algunos cursos, se dedicó a una parte más administrativa y Karadima le consiguió pega con sus amigos. Lo dejó sin titularse, porque era lo que Dios quería.

Según Juan Carlos Cruz, quien también lo conoció en la parroquia, «es hijo único de una familia escapada de la guerra, sus padres eran mayores, el cura les robó literalmente al hijo», y anota que Francisco había sido presidente del centro de alumnos del Verbo Divino.

Fernando Batlle sostiene que en El Bosque Karadima asignaba a cada uno un papel determinado. Recuerda a Prochaska: «Es un gallo que vivió ahí varios años. Le decíamos Chasa y, entre otras cosas, le grababa las prédicas. Él le solucionaba todos los problemas a Karadima, porque parece que es bien práctico e inteligente. Y el cura no era capaz de cambiar una ampolleta. Cualquier cosa que necesitaba, llamaba y preguntaba: "¿Dónde está Chasa?", y se producía una neurosis general, todos corrían para todos lados, mirándose unos a otros, y había que ir a buscarlo».

—¿Le grababa las prédicas?

—Chasa le grababa las prédicas en unos equipos de sonido que tenía Karadima.

De misa diaria

Francisco José Prochaska Vecsey, de cuarenta y siete años, nacido en Santiago el 2 de junio de 1962, casado con la bióloga Rocío Artigas, y padre de una hija de once años, es gerente de operaciones de la empresa computacional Dell. Debió comparecer el 5 de mayo de 2010 ante el fiscal Xavier Armendáriz y confirmó que «desde muy joven» concurre a la parroquia de El Bosque, «incluso a misa diaria hasta hoy»[1].

Sobre la acusación planteada contra Karadima, Prochaska declaró: «Me chocó absolutamente, pues jamás tuve ningún conocimiento, ni siquiera a nivel de rumor o broma, de nadie en cuanto a que él pudiese hacer algo así. Lo cierto es que todos mis años en la parroquia han sido de alegría y crecimiento espiritual, por lo que todo esto me parece de otra galaxia, algo total y definitivamente ajeno a mis vivencias con el padre y la parroquia. Yo creo que si hubiesen pasado cosas raras algo se hubiese sabido, pues el padre siempre andaba con gente acompañado y son muchos los

---

[1] Declaración de Francisco José Prochaska Vecsey, nacido el 2 de junio de 1962, chileno, casado, ante el fiscal regional Xavier Armendáriz, 5 de mayo de 2010.

jóvenes que circulamos por la parroquia. La casa fue siempre un lugar abierto y casi público».

En la misma ocasión, Prochaska reconoció haber sido amigo de Jimmy Hamilton, a quien definió como de «una personalidad muy fuerte, que sabe imponer sus ideas», pero deslizó que «si bien tenía grandes dotes de liderazgo, a la vez se le notaba con fuertes cambios de personalidad. Es posible que su complicada historia familiar haya influido en su comportamiento», dijo aludiendo a las denuncias. El argumento fue usado por muchos de los defensores en la indagatoria judicial que emprendió el fiscal Armendáriz.

Manifestó Prochaska, en aquella oportunidad, que no lograba explicarse «por qué levanta estas acusaciones más allá de entender que algo anda mal en su mente». Señaló que le parecía «contrario al sentido común haberlo visto como era, su familia, su vida diaria, llevar a su familia e hijos a la parroquia y luego plantear las acusaciones que hace».

Anotó sí en su declaración, a diferencia de los más recalcitrantes defensores, que no veía «un móvil especial de las acusaciones o haya sabido de alguna conspiración».

Después del fallo del Vaticano

Estaba escribiendo los últimos capítulos de este libro cuando José Andrés Murillo y Jimmy Hamilton, antiguos amigos de Prochaska en El Bosque, me aconsejaron que lo llamara. Me argumentaron que este personaje descrito antes como «esclavo de Karadima» parecía estar «en otra». Y quizá podría querer conversar.

Lo llamé el sábado 13 de marzo, sin demasiada expectativa. Le expresé mis motivos. En la conversación telefónica me costó convencerlo, porque quería «dar vuelta la hoja» y le molestaba el asedio de los periodistas. No quería exponer a su familia ni «verse involucrado en todo esto». Al final aceptó y antes de dos horas estuvo en mi casa.

Hasta enero de 2011, Francisco Prochaska seguía asistiendo a la parroquia El Bosque y aunque le impresionaron las informaciones recibidas en torno al caso, no había terminado de creer en la palabra de los denunciantes, aunque los conocía y había sido amigo de algunos de ellos. Sin embargo, se pronunció el Vaticano y el fallo de la Congregación para la Doctrina de la Fe fue decisivo para el Chasa.

Alto, rubio y ojos azules, con pinta de extranjero —como dice Jimmy Hamilton—, llegó decidido a contar parte de su vida, vestido con una polera gris oscura marca Nike y trayendo su Blackberry, que rápidamente apagó. Al escucharlo ahora, se percibe que la incondicionalidad que reflejaba su declaración ante el fiscal Xavier Armendáriz se esfumó. Incluso parece dispuesto a revisar lo dicho en Fiscalía: ya no hablaría de «otra galaxia», porque hay cosas y situaciones que ahora las ve de otra manera. Y asumió que el doctor James Hamilton, quien operó gratis a su padre y le prolongó la vida por tres años cuando estaba prácticamente desahuciado, dice la verdad.

Hoy no solo cree en la versión de sus antiguos amigos, sino que admite que pueden existir más víctimas que prefieren guardar en su intimidad sus experiencias. Aunque reitera que él no sufrió abuso sexual como los ya conocidos, asume que fue «usado por Karadima». Sus palabras y diferentes testimonios dan cuenta del abuso psicológico que experimentó Francisco Prochaska durante años.

El sometido aristócrata

Su historia es especial. Hijo único de austrohúngaros que llegaron a Chile después de la Segunda Guerra Mundial, la vida de sus padres se cargó de angustia: perdieron a su hijo durante más de diez años en manos de Fernando Karadima Fariña. Juan Carlos Cruz tiene razón: «El cura les robó al hijo», y aunque el aludido intenta relativizarlo y echarse culpas en esta situación, Karadima lo sometió fuertemente.

Prochaska cuenta sobre su pasado: «Mis padres nacieron en Hungría. Después de las guerras se movieron las fronteras y donde nació mi papá —que murió en 1999— hoy es Rumania, y donde nació mi mamá, actual Hungría, antes era el País Checo. Llegaron a Chile cada uno por su lado, hacia 1948. Se conocieron, se casaron y en 1962 nací yo».

Su papá había sido empresario, dueño de un molino en Rumania. «Estalló la guerra y con la invasión comunista tuvieron que huir. Terminaron viniéndose a Chile como inmigrantes al ver su país sometido, todo bombardeado. Mi abuelo fue muerto en la guerra en un atentado...» Su padre había estudiado molinería en una ciudad cerca de Dresde y cuando llegó a Chile era el único técnico en su especialidad. «Viajaba por todo el país con gran esfuerzo haciendo asesorías de molinos. Mi mamá había estudiado en las monjas del Sagrado Corazón en Budapest y es dueña de casa. La verdad es que ambos eran muy aristócratas allá. Pero acá pasamos a ser nadie.»

Francisco Prochaska dice que sus padres quisieron hacer lo que él quiere hacer ahora: «Apretar el botón *reset*, y emprender una "vida nueva", dejar atrás el pasado».

«Soy chileno —afirma Chasa—. Tuve una niñez muy feliz. Vivíamos en Manquehue con Latadía, en Las Condes. Mi papá y mi mamá siempre quisieron que yo tuviera la mejor educación posible. Con gran esfuerzo mi papá me llevó al Verbo Divino.» Fue el mejor alumno de su curso en sus años escolares, ganó todos los premios y cuando pasaba de tercero a cuarto medio, en 1979, fue elegido presidente del Centro de Alumnos del colegio.

«Este es el lugar»

Sus padres eran católicos y lo llevaron a misa desde niño, «pero por razones políticas no les gustaba mucho la Iglesia de la época del cardenal Silva Henríquez», dice Francisco Prochaska. Los comprende, porque «me sitúo en el contexto; mi mamá, en el fondo, es como la hija de un detenido desaparecido, porque mi abuelo fue muerto en la guerra por un atentado terrorista, cuyos detalles no conozco bien, pero no puedo pretender de ella otra cosa».

—Estaban de acuerdo con Pinochet y el golpe…

—¡Absolutamente! Si para ellos era la salvación. En ese ambiente, ellos me empujaban mucho para ir a misa, ser católico, y fui a dar a la parroquia de El Bosque por compañeros de curso.

—«Conejeaban» a los del Verbo Divino…

—Sí, mis amigos empezaban a ir, el padre Karadima alguna vez fue a dar una charla al colegio y me gustó cómo hablaba. Se refería a Dios directamente, la Virgen, la oración, la verdad de la Eucaristía. La gente joven iba a misa diaria. Vi personas alegres, profesionales, matrimonios. Entonces pensé: «Este es el lugar». Eso era en 1980, estaba en cuarto medio y cuando iba a las reuniones de los miércoles, el padre me presentaba: «Aquí está el presidente del Centro de Alumnos del Verbo Divino». Y yo me paraba.

Poco a poco, Francisco fue reemplazando su familia por la parroquia. «Mis padres fueron muy transparentes y buenos, pero como soy hijo único, cuando llegué a El Bosque empecé a encontrar mi familia ahí, mis amigos, mis hermanos.»

—¿En la Acción Católica, les fomentaban la misa diaria, como en el Opus Dei?

—Nunca hubo una identificación con el Opus Dei, pero la misa diaria era una recomendación implícita. Nunca nos obligaron, pero si uno no iba se preguntaban: «¿Qué le pasa a este gallo?».

—¿Cómo te integraste a la Acción Católica?

—Es difícil definirlo. Uno empezaba a sentir que era como una oportunidad. Hacíamos cosas muy lindas, acciones de caridad.

El señor Chasa

Prochaska cuenta con cierto orgullo que su sobrenombre «Chasa», como lo conocían todos en El Bosque, se lo puso un zapatero. «Los sábados en la mañana partíamos en un auto a las poblaciones a repartir ropa u otras cosas. El padre nos daba plata para comprar. Lo de Chasa surgió de un zapatero que vivía por la rotonda Quilín. Estaba acostumbrado a que fuéramos a dejarle cosas sábado por medio. Y por algún motivo ese día no fui. Un amigo me contó que este señor tenía una imagen de la Virgen y una vela prendida pidiendo que yo llegara. "Yo estaba esperando al señor Chasa", le dijo cuando se acercó. De ahí quedé con ese sobrenombre. No me desagrada; encuentro lindo que una persona necesitada se haya acordado de mí.» Además —comenta riendo—, «para mí es práctico, más simple que mi apellido».

A diferencia de muchos de los ex integrantes de la parroquia de El Bosque y desde luego de los ajenos a ella con que he conversado en estos meses, se advierte en Francisco Prochaska una cierta forma de referirse a Karadima todavía marcada por el respeto que le tuvo durante tantos años. Sigue diciendo «el padre» la mayoría de las veces que menciona al cura y a lo más omite su nombre y solo usa el artículo «él». Incluso a través de la entrevista advierte en más de una oportunidad que «no quiere darle en el suelo». Parece ser parte del proceso que está viviendo, en el que poco a poco se ha ido dando cuenta de cómo el cura lo había sometido.

—¿Cuándo empezaste a meterte más en la parroquia? ¿Fuiste un dirigido espiritual de Karadima?

—Empecé en esa época. Se me hablaba de la dirección espiritual y pensé que también tenía que tener un director. La primera vez llevé una lista de inquietudes y tuve una amplia conversación con él, muy bonita. Me dijo que las cosas había que hacerlas de a poco, que no eran de la noche a la mañana. La parte más importante de la dirección espiritual, me indicaba, reside en las reuniones, para ir formándose como católico, y después hay una porción menor que es cuando uno se confiesa o tiene una pregunta más personal.

Entre Ingeniería y la parroquia

Ese año, Francisco Prochaska había entrado a estudiar Ingeniería a la Universidad Católica. «Es una carrera pesada, yo tampoco soy un genio, había unos ramos que no me gustaron, que no me iba bien», señala con humildad.

—¿Pero te había ido bien en la Prueba de Aptitud Académica?

—Muy bien en la prueba y en el colegio. Y había ramos en los que me iba extraordinariamente bien, como la geometría descriptiva o la química, pero en las matemáticas abstractas, no. Era, además, un ambiente duro, competitivo. Había una sala con doscientos alumnos, pero estaba claro que cien se iban en la primera colada y nadie se inmutaba.

Agrega un comentario que llama la atención y que da para preguntarse cuánto habrá tenido que ver Karadima en la autopercepción de Francisco Prochaska: «Yo no me creo un tipo demasiado capaz. Quizá no habría logrado recibirme de ingeniero. Muchos me dicen que a lo mejor eso es discutible. Pero lo claro es que me empecé a dedicar más a la parroquia, tal vez refugiándome por un posible fracaso o quizá porque el padre cada vez me daba más entrada. Además, se empezó a despertar en mí una posible vocación sacerdotal».

—¿No venía de antes esa vocación?

—Siempre me había planteado que en la vida había que hacer cosas grandes. Pero nunca me había propuesto ¡ser sacerdote! Yo era bastante más ganso que mis amigos. Tenía otra formación, el rucio de pelo corto, que mientras los amigos jugaban fútbol hacía aeromodelismo, estudiaba electrónica, aprendía esas cosas.

»Con el paso del tiempo me iba entregando más a esta causa. Lo que veo ahora, mirando retrospectivamente, es que en la medida en que yo iba dando la mano, a lo mejor me iban tomando el brazo —señala Francisco Prochaska. Pero le cuesta todavía tomar distancia, enjuiciar al cura y deshacerse de las culpas que le inculcó Karadima—. Pero era porque yo daba la mano. Es muy importante eso, porque por lo menos en mi experiencia no es que a uno lo agarraran, no es que el padre Karadima me dijera: «Tú, ven para acá y haz esto», sino que «yo te pediría esto porque necesitamos tal cosa».

—¿Una acción más sutil?

—Sí, y en mi caso fue cada vez más hacia lo personal. Esto de llegar a ser el secretario personal de él para uno era importante.

—Lo del secretario personal en tu caso llegó más allá en términos prácticos…

—Claro, una cosa que va del blanco al gris y hasta el negro, de una manera que no te podría decir cuándo ni cómo empezó. Y como además yo era hábil para las cosas electrónicas y soy ordenado, cuando me encargaban algo cumplía, o cuando tenía que llegar a la hora, llegaba; le buscaba la música, y fui haciendo esas cosas.

—Y a Karadima le gustaba la música…

—Claro, entonces era una muy buena combinación.

—¿Qué pasó con tus estudios en la Universidad Católica?

—Comencé a dejar la universidad cada vez más hasta que la abandoné entre primero y segundo año. Y el tema de la vocación sacerdotal lo veía como una decisión que se iría a realizar en el tiempo, en mucho tiempo más.

«Dejar padre y madre»

—¿Cómo se produjo el conflicto con tus padres?

—Primero fueron los problemas de horario, porque en mi casa comíamos a las ocho, pero yo tenía que ir a la misa de ocho. Y el padre me comenzó a decir: «Tus papás no te pueden estar "manduqueando" tanto, ya eres grande». Y empecé a ser más crítico de mis papás —y en eso actué muy mal—. Veía que mis papás se oponían a lo que Dios quería de mí. Eso que estuviera peleado con mis papás para mí era como heroico, siguiendo eso de que «quien deja padre y madre y no mira atrás y bla, bla, bla"». Yo me sentía un santo con estas cosas. Y me costaba mucho, porque quería mucho a mis papás, pero les empecé a perder la confianza. En algún minuto, les decía: "Ustedes no quieren mi bien eterno. ¡Si yo los hice sufrir mucho, mucho!"».

—¿Qué te contestaban tus papás?

—Estaban desconcertados, fueron a hablar con otros sacerdotes, mi mamá me retaba mucho, ella es muy sanguínea, tampoco supo cómo enfrentar lo que estaba ocurriendo.

—¿Estuviste un tiempo nada más que sirviendo a Karadima?

—Exacto, estuve dedicado totalmente a servir al caballero, y después di la prueba de nuevo y me cambié a Derecho, porque quería estudiar algo humanista, pensando en que quería terminar siendo sacerdote.

En 1983, Francisco Prochaska empezó a estudiar Derecho en la Universidad Católica. «Al principio me encantó, porque eran las normas generales del Derecho, que son entretenidas, la Filosofía. Iba desde mi casa, pero no me mezclaba con mis compañeros de universidad. Yo era muy isla.»

—¿No te mezclabas? ¿Por qué?

—Muy poco, porque estaba preocupado de la parroquia, las reuniones, la misa diaria y todo eso era incomprensible para mis compañeros. Pensaba que no me iban a entender. Este gallo que va a misa todos los días… Empecé a estudiar y siempre seguía atendiendo al padre Karadima en diferentes cosas.

Con ese sistema de vida, Francisco «estudiaba a ratos. El requerimiento de tiempo para la parroquia era fuerte y la disputa con mis papás empezó a ser insoportable y entremedio me fui de la casa».

«Les decía a mis padres —continúa— que me habían echado y la versión de ellos era: "¿Por qué te fuiste?". Mis papás decían que no me querían ver más así y me planteaban: "O te vas a atender a los curas o te quedas con nosotros". Y para mí esto era la consagración del héroe. Me sentía ¡un santo! Mira lo que uno llega a pensar», comenta riendo, tratando tal vez de alivianar los recuerdos de los duros tiempos que vivió.

Prochaska asegura que quería mucho a sus papás «a pesar de que me porté pésimo con ellos. Era un conflicto interno que no te lo imaginas. Bajé diez kilos. Yo tenía veintidós o veintitrés años. Por otro lado, me empezó a ir mal en la universidad, porque estaba con la mente en esto, por la tensión con mis padres y, además, porque no me empezaron a gustar los ramos de derecho procesal, eso de tener que llevar los documentos a la casa del secretario del tribunal si está cerrado... entonces me empezó a aburrir».

Cuenta que, además, hubo un hecho que lo indignó: «Mi mamá fue a averiguar a la universidad qué pasaba conmigo. Y aunque podría haber sido lógico, consideré que era una invasión de mi privacidad. Tenía ya veintitrés años. Y simplemente dejé de ir a clases y me dediqué a atender al padre. Lo atendí durante mucho tiempo».

Fanatismos y neurosis

—¿Cuáles eran tus funciones en la parroquia?

—Atenderlo, como te contó Jimmy. Desde hacerle la pieza, el baño, acompañarlo, hacer todos los encargos imaginables e inimaginables para él y la parroquia. Las cosas de la parroquia, creo que las seguiría haciendo hoy. Las cosas personales, no.

Sin mediar pregunta, agrega: «Eran asuntos realmente personales, como pagarle cuentas, llevarle la ropa a una hermana o a alguien que la lavara. Y algunas veces eran cuestiones neuróticas. Me cuesta decirlo porque, por otro lado, tuvo actitudes muy lindas conmigo... Él se encargó —no sé cómo expresarlo— de tender una lienza a la que se le da y se le quita. ¡Pero sí eran cosas neuróticas! De repente, uno tenía que ir a comprar algún objeto determinado y todos los requerimientos que eso demandaba podían significar una semana de dedicación y podía ser de lo más estúpido».

—Expresión de todo su fanatismo por ciertas cosas materiales...

—Sí, había que comprar tal *compact disc* y buscarlo por cielo y tierra.

—¿Los relojes también le gustaban?

—Le gustaban los relojes antiguos. Yo también fui relojero alguna vez en mi casa. Mientras mis amigos jugaban fútbol, le arreglaba los relojes al vecindario y ganaba plata, cuando estaba en segundo medio. Después él quiso comprar un reloj antiguo, le regalaron uno de sobremesa. Tenía una obsesión con los relojes y me pedía que se los arreglara.

—¿Qué otro fanatismo tenía?

—La música y los relojes. La música clásica y los boleros que le recordaban su juventud. Había que buscarle discos antiguos, grabaciones originales de Pedro Vargas. Para mí, escucharlos era una lata.

Francisco Prochaska en esa época dejó de ir a fiestas. «A mí me gustaban las fiestas, me gustaban las niñas. Pero uno se inmoló. Entonces tenía que oír a Pedro Vargas en vez de escuchar a Air Supply. También tenía que arreglar el auto».

Recuerda una oportunidad en que a Karadima le regalaron «un auto de una fundación alemana al que le tuve que dedicar mucho tiempo».

—También le encantaban los autos…

—Pero el problema es que con los autos tenía una mezcla de ignorancia y neurosis. Porque en una oportunidad le regalaron un auto de importación directa que entraba liberado de impuestos. Hubo que ponerle todo lo que el vehículo no traía originalmente, y cambiarle la amortiguación por una normal, ponerle asientos atrás, etc. A mí me gusta la mecánica, pero eso no me entretenía. Pero para él era importante que Chasa fuera capaz de desarmar el auto y cambiarle la amortiguación. Y después reclamaba: «Quedó con el manubrio chueco». ¡Era agotador!

—¿Tú eras el que más manejaba su auto?

—Sí, habitualmente manejaba yo. Tampoco me gustaba que manejara él, porque lo hacía muy mal.

Trabajos en computación

Francisco Prochaska pasó así un largo período de absoluto servicio para Karadima, «hasta que me empecé a cansar». Y el joven se comenzó a cuestionar: «Yo quiero trabajo afuera, quiero salir de la parroquia».

«Un día, estaba tan agotado que lloraba como una Magdalena y Jimmy me acompañó.» Se lo planteó a Karadima y «él me ayudó a conseguir un trabajo, en la Pesquera San José».

—¿La Pesquera San José, donde es gerente Domingo Jiménez, muy cercano a él?

—Sí. Estaban Domingo Jiménez y Miguel del Río en esa época, también Sergio Morales. Eso fue un pituto de él, claramente. Le dedicaba medio día, me llevaba pega para la parroquia y trabajaba ahí en un computador.

«Me encantó la computación. Disfrutaba con eso. Me empezó a ir bien. Diseñé un sistema, trabajaba de noche, a veces escondido en mi pieza, hasta que un día hubo una fusión de empresas», cuenta. Después de eso lo llamó Cristián Kast para que trabajara con él en la cadena de restaurantes Bavaria, de propiedad de la familia. «Reconozco que para acceder a mi primer trabajo no tuve ningún mérito; mi mérito fue que lo hice bien. Y Cristián Kast me llamó porque lo había hecho bien, ya no lo consideré un pituto.»

—¿Cristián Kast también iba a El Bosque?

—No, no iba. Él buscaba —creo— un reemplazante de su hermano que es ingeniero comercial y se había ido de sacerdote. Fue muy cariñoso conmigo y tengo la sensación de que me veía un poco como a un primo. Trabajé en el Bavaria y me hice cargo de un área de computación. Trabajé mucho y simultáneamente seguía en la parroquia.

KARADIMA, EL SEÑOR DE LOS INFIERNOS

Después Francisco se fue a Empresas CIC con Miguel del Río, quien también en esa época era asiduo de El Bosque. «Me entrevistó con Pedro Tagle, hermano de Guillermo[2]. El padre debe haber hablado bien de mí. En CIC me fue bien. Después CIC estaba en un momento muy complicado y apareció la oportunidad de externalizar la computación de la empresa. El padre me dijo que le preguntara su opinión a Guillermo Tagle. Armamos la empresa, Trilogic. Partimos con ochenta empleados. Llegamos a tener dos mil quinientos, entre 1997 y 2007. Pero después estuvimos a punto de quebrar.

—Se daban en El Bosque redes entre empresarios y profesionales...

—Redes que también agradezco. Esas redes se me hicieron posibles en la parroquia. Si no ¿quién es Prochaska? Un hijo de inmigrantes. Y yo podría ser un empleado municipal timbrando papeles. Soy bueno para echarme al suelo y a lo mejor es por efecto de la vida con el padre. Puede ser —dice bajando la voz.

Grabaciones de curas españoles

—¿No habías perdido la continuidad con la parroquia?
—No la había perdido, en absoluto.
—Pero no le seguías haciendo las cosas a Karadima...
—No, pero igual de repente me llamaba. Al principio más, aunque cada vez menos.

Francisco Prochaska vivió diez años en El Bosque. Su pieza estaba en el segundo piso, «en la otra ala, no en la del padre». Entre sus tareas estaba grabarle las prédicas. «Las grababa en casetes. Había una caja de zapatos llena de prédicas y siempre las consideré como un patrimonio, porque el padre no escribía. Entonces era la forma de aquilatar esto. Y lo hice durante un año: le grabé

---

[2] Se refiere a Guillermo Tagle, asesor de Karadima en materias económicas, director ejecutivo del IM Trust y ex director de Santander Investments.

todas las prédicas. Todavía debe estar en alguna parte esa caja de zapatos.

—¿No escribía y tampoco leía?

—No escribía y leía poco, casi nada. Pero sí escuchaba muchos casetes de retiros y cosas así. También tenía problemas a la vista. Entonces, entre que le daba lata, le daba sueño y todas las cosas que podemos imaginarnos de una persona de sus características; lo que hacía él era escuchar.

Francisco Prochaska revela otra faceta del cura Fernando Karadima, tan famoso entre sus feligreses por sus prédicas y homilías: «Se conseguía casetes con retiros o con prédicas, charlas de curas españoles. Eran muy aburridos, pero él los escuchaba repetidamente. Él también se alimentaba de esto. Esto tiene muchos grises también».

Matrimonio y reencuentro

Su matrimonio y la enfermedad y muerte de su padre marcaron un giro en la vida de Francisco Prochaska. Al menos dejó de vivir en El Bosque, pero los lazos con Karadima se mantuvieron.

—¿Conociste a Rocío, tu mujer, en la parroquia?

—Sí, me la presentó el Flaco Murillo —dice riendo—. Fue a la salida de la reunión de los miércoles. Tenemos bastante diferencia de edad, yo estaba medio mayorcito. Me casé de treinta y cinco.

—¿Los casó Karadima?

—En El Bosque y llegaron todos mis amigos de allá. ¡Veintidós sacerdotes y dos obispos! Fue un matrimonio muy lindo, el 19 de marzo de 1999.

—¿Qué pasaba con la relación con tu madre?

—Había mejorado ya. En la medida en que empecé a trabajar, me empecé a preocupar mucho más de ella. Mi papá se enfermó y nunca dejé de preocuparme de ella. Él murió un mes antes de que yo me casara. Yo lo financiaba, lo iba a ver todos los días, sobre todo el último año.

—Fue un reencuentro…

—Fue tan así que en algún momento antes de morirse le propuse que le dieran la Unción de los Enfermos. Y me dijo: «Pero ¿sabes qué?, le voy a pedir al padre Fernando que me dé la Unción, aunque tú, Nancy, no quieras», dirigiéndose a mi mamá.

—¿A Nancy no le gustaba Karadima?

—No, nunca le gustó… Pero eso fue bonito, porque mi papá, en un acto de generosidad final, dijo: «No me quiero ir al otro mundo peleado con nadie». Aunque él no era de ir a misa, era un hombre bueno, bueno a gritos. Quedé muy en paz con él. Después, con mi mamá nos acercamos mucho, aunque para ella estaba claro que el padre la embarró. Además, ella no quería que yo fuera cura.

—¿Y la idea de ser cura se te pasó rápidamente?

—Lo de ser cura me duró varios años. Pero este ejercicio de pensar qué es lo que Dios quiere de mí, me hizo decir no, y tuve la valentía de decírselo al padre. Le tenía miedo, le tenía terror, pero siempre pensaba que al final tendría que encararlo.

«Me importa mi dignidad»

Francisco Prochaska se interrumpe. Me mira fijo y comenta: «Te estoy contando toda mi vida y para mí eres una desconocida, pero me libera». Y luego agrega: «Fríamente, también me importa mi honra, mi dignidad, y no quiero aparecer en tu libro o en Google solamente como "el esclavo de Karadima". Tendría que decir "el que fue esclavo de Karadima, pero que en realidad no era tan tonto"».

—Pero Karadima te sometió…

—Todo lo que te han dicho es verdad. Pero es importante ponerlo en perspectiva. Creo que yo mismo puse el plato para que se dieran muchas de las cosas que ocurrieron. Por eso, si me preguntaras hoy, ¿tendrías que odiar al padre?, te respondería con las tres palabras que me dice mi suegro, que es un tipo excepcional:

«Caridad, perdón y misericordia». Si hoy no existiera la prohibición de la Iglesia para visitar a Karadima, que gracias a Dios está, tendría un problema de conciencia terrible, porque por caridad y misericordia tendría que ir a visitarlo. Pero la Iglesia se encargó de ahorrarme ese problema.

—Sin arrepentimiento es imposible el perdón... Por eso llama la atención la fuerte negación de Karadima, que está llena de contradicciones —le comento.

—A mí tampoco me calza. ¿Sabes qué pasa? Antes del fallo, el padre juró ante el Sagrario. Por eso me costaba no creerle. Yo tenía clarísimo que se iba a plantear un tema de abuso de nosotros. Veía venir que este fallo sería malo para él. Sin embargo, para mí, al principio, con todo lo que quiero a Jimmy y todo lo que le debo, era poco creíble.

—¿En el primer instante no creíste sus acusaciones?

—No, yo me decía: «¿Cómo? ¿Cómo?». Para mí era increíble el hecho de que Jimmy hubiera llevado a sus hijos a la parroquia, y se lo dije a Xavier Armendáriz. ¿Cómo Jimmy los llevaba? Hoy creo que lo puedo entender, pero en ese momento para mí pesaba eso versus un señor que juraba ante el Sagrario.

»Por dentro tenía una controversia: me acordaba también de las cosas buenas que hizo conmigo y me preguntaba si estaría siendo traidor al creerle a los denunciantes.»

Un energúmeno

—¿Cómo le decías a él?

—Curita, nunca le dije santo. Pero creo que la gente le decía santo de un modo cariñoso. El padre era un hombre que necesitaba mucho que le demostráramos cariño. Era ansioso de cariño. Ahora pienso que quizá tuvo alguna carencia de niño. Algunos le decían «oiga, santito», pero es distinto cuando tú lo lees: «Le decían santo», a cuando a alguien le pones un sobrenombre. En todo caso, es impropio. Es como cuando me hacía así, dice insinuando un gesto de toqueteos que no llega a completar con la mano.

—¿Qué te hacía realmente?

—Él a mí me saludaba de beso, como hoy me saludo con mi suegro. Respecto de la tocada de genitales, nunca me hizo más que así [y da un golpe hacia la mesa con el revés de la mano]. Y tampoco fue directamente.

—¿Y palmadas atrás?

—Sí, pero también como un papá le puede hacer a su hijo. Es una cosa muy rara. Porque si tú me preguntas hoy si le haría algo así a alguien, ¡me muero, pues! No le haría eso jamás a nadie. Pero uno se lo toleraba y no veía nada de malo en eso. Me ha costado convencerme, pero después de haber sabido lo de Jimmy y habiéndolo asumido, ya uno no puede dudar.

—Todos cuentan de sus arrebatos, ¿era un energúmeno?

—Un energúmeno. De repente se enojaba y era espantoso. Y tú lo veías desencajado, a veces por tonteras.

—¿Con ustedes?

—Sí, con nosotros, además, el ser retado era un honor. Porque significaba que te tenía confianza. ¡Ay, no! si todo era...

—¿Por qué te retaba?

—Por diferentes cosas. Porque yo le había hecho un encargo de una manera diferente a la que él quería. Y le daba pataleta como un cabro chico. Por cosas que hubiera hecho con mis papás o por haber dicho algo que a él no le parecía. Por no estar ahí cuando me necesitaba.

—¿Te retaba solo o te tocó ser parte de los retos como tribunal?

—No me tocó que me retaran encerrándome en la sala, como le tocó a Jimmy. Pero sí tuve retos enviados a través de otros: «Oye, el padre está muy apenado contigo porque ayer te fuiste de allá de una manera muy fría». Y recibía un llamado por teléfono...

—¿Quién te hacía ese tipo de llamados?

—Diego Ossa, por ejemplo. A mí también me tocó dar recados a otros, y esto me cargaba. Y a veces di los recados en que les decía: «El padre mandó a decir esto, pero yo creo que tiene razón en esto solamente». Si él hubiera llegado a saber, me hubiera cocinado.

«Con las ruedas afuera»

Hay otra arista de esta historia en la que aparece Francisco Prochaska. La casa donde vivió Jimmy Hamilton y Verónica Miranda con sus niños, en Las Baleares 937, cerca de la parroquia, era suya. A su vez, se la había comprado en 2001 a Gonzalo Tocornal Vial, el ex presidente de la Acción Católica e incondicional de Karadima. Según la publicación electrónica *Ciper*, «fue Karadima quien intervino para que Tocornal le vendiera a Prochaska (en 3.036 UF, unos 64 millones de pesos); y fue él también el que convenció a Prochaska para que le arrendara la casa recién comprada a Hamilton».

Chasa cuenta que él compró la casa a Tocornal y en la firma de corredores P&G Larraín se la arrendaron a un señor por un año y medio, porque se estaba cambiando de una casa a otra, mientras construían. «Hasta que un día —no me acuerdo si fue Jimmy o el padre— me planteó que le arrendara la casa a Jimmy. Y en efecto él la arrendó. Hizo algunos arreglos, fue generoso, no me los cobró, fue muy buen arrendatario.»

Un día en verano —dice Prochaska—, «Jimmy se desapareció. Yo andaba en Viña. Y como amigo comencé a llamarlo; me contestó y me dijo que tenía problemas personales y que se iba a ir de la casa. "Me voy en tres semanas más y necesito que me hagas el salvoconducto para las mudanzas", agregó. Me extrañé muchísimo y le pregunté qué pasaba. "Son cosas, algún día conversaremos". Yo estaba en Puerto Varas y le mandé el salvoconducto por fax. Después, faltaba la devolución de la llave. Me la dejó en un sobre en la Clínica Alemana. "Algún día haremos un asadito como el que hicimos el año pasado en Puerto Varas", me dijo. Jimmy me había invitado a unas cabañas pagadas por él, porque ese verano me estaba yendo mal. Fuimos a pescar, lo pasamos muy bien. ¡Y que al año siguiente tu amigo se fuera así! Me dejó sorprendido».

Después de esa despedida a medias, Francisco Prochaska no supo más de Jimmy Hamilton, salvo por los comentarios que hacían en El Bosque. «De todo esto, lo único que vine a saber fue cuando el padre Karadima un día me dijo que Jimmy estaba tramitando su nulidad y que estuviera atento porque me iba a pedir ser testigo. Y en febrero del año pasado, agregó: "Reza, m'hijo, porque Jimmy anda diciendo que aquí son todos raros". Estábamos en la iglesia, frente a la imagen de la Virgen. "¿Qué onda, curita?", le pregunté. "¿Cómo puede decir eso?" Eso fue todo.»

La siguiente noticia la tuvo Francisco Prochaska el 21 de abril cuando apareció en *La Tercera* la información sobre las acusaciones contra Karadima. Su cuñada, Isabel Barrios, llamó a Rocío, su señora, sorprendida. «¿Pero cómo puede ser esta cuestión?», pensé. Cuando supo que se trataba de una denuncia efectuada por Jimmy Hamilton, «al comienzo creí que podía ser una exageración de Jimmy, no me lo explicaba».

A la semana siguiente vino el impacto de Televisión Nacional. Francisco Prochaska no terminaba de creer, aunque las dudas se fueron haciendo cada vez mayores. «Pero ahora, después del fallo del Vaticano...»

Para él no se trata simplemente de «acatar» como algunos de sus amigos de El Bosque. Poco a poco se ha ido convenciéndo de la veracidad de las denuncias y ya mira con otros ojos lo vivido.

«En su egoísmo, él me usó»

En esta nueva dimensión, Francisco Prochaska Vecsey reconoce haber sido sometido por Karadima.

—¿Se podría decir que tú estás en un proceso de aterrizar en la realidad respecto de Karadima y El Bosque?

—Sí, pero te diría que estoy con las ruedas del avión afuera, listas para el aterrizaje... Aunque creo que nunca voy a llegar a ponerme en la posición del denunciante, porque también viví muchas cosas positivas que hoy me hacen decirme: «No llegues más allá de decir la verdad a quien te la pregunte». Pero no quiero tomar la iniciativa; sé que hay gente que hoy no quiere decir cosas porque quiere guardar su privacidad.

»No es agradable que la gente ventile tus pecados, se ventile tu vida. Cosas que no estaban bien. Que fueron culpa mía o del padre, pero que no me dejan bien parado.

—Pero hay más víctimas, parece un hecho...

—Sí, claro.

—En algún momento antes, me dijiste «él me usó»...

—Sí, con egoísmo, no con premeditación. No creo que él haya sido una máquina de armar un grupo de degenerados. Más bien creo que en su egoísmo me usó —no quiero juzgar si lo hacía en forma consciente o inconscientemente—. Hizo que yo hiciera cosas que no hubiera querido hacer. Y deseo profundamente que esto haya sido producto de una enfermedad y que no lo haya hecho de manera consciente. También debo reconocer que al haber sido cariñoso conmigo, preocupado de mí «muy en buena», yo no me daba cuenta.

—Esto de la separación de los jóvenes de sus padres es una tónica, pero tu caso puede haber sido uno de los más dramáticos...

—Sí. Creo que el más dramático y ahí hay cosas en las cuales actué muy mal...

—¿Por qué te echas la culpa?

—Es parte del proceso. Sabes lo que pasa, es que lo encuentro imperdonable conmigo mismo. ¡Cómo pude ser tan huevón! ¿Entiendes? Es lo que siento que la gente se puede estar preguntando. ¿Cómo este compadre pudo dejarse manejar de esa forma? ¿Cómo puedo confiar en él ahora? Me consuelo con saber que no soy el único. No sé si me explico.

—¿Cuál crees tú que era el objetivo final de Fernando Karadima?

—Creo que, aunque parezca increíble, su objetivo no era premeditadamente malo. Pienso que él no estaba del todo consciente de lo que hacía. ¿Sabes que a veces me pidió perdón?... Una vez compré un televisor distinto al que él quería y me retó fuerte. Y al día siguiente me dijo que no había proporción entre lo que me dijo y lo que yo había hecho. Pero ¡ojo!, lo hacía muy pocas veces.

—¿También trataba de mal modo a los empleados?

—Sí, pero era una mezcla. De repente los gritoneaba y después nos señalaba: «Hay que regalarle una casa a la Silvia[3]». Yo no creo que él haya regalado esa plata de mala onda. Lo que pasa es que es imprudente, porque si va a regalar a uno, regálele a todos, porque tenemos ahora a un Mariano Cepeda indignado[4]. Pero a mí me tocó ver cosas de caridad increíble. Recuerdo a un niño pobre de Renca que un día llegó a pedir plata. Al padre le impactó tanto que adoptó a la familia y le arregló su casa. No había posibilidad de que los hubiera conocido de antes…

—¿Cuál es tu conclusión en este momento, después de lo vivido?

—A fin de cuentas hay hechos objetivos que están mal; yo no voy a juzgar al padre, lo va a juzgar Dios. Y personalmente voy a tratar de sacar lo mejor de mí para hacer una vida bonita de aquí en adelante. No tengo ganas de estar comprometido en asuntos de la Iglesia. Tal vez en el futuro. Sigo siendo católico, pero me gusta ir a misa donde se me antoja, sigo rezando, sigo pensando en una educación católica para mi hija. Él ha hecho mal, ha hecho daño, pero

---

[3] Se refiere a la compra de una casa efectuada por Fernando Karadima a la cocinera de la parroquia, Silvia del Carmen Garcés Bizama.

[4] Mariano Cepeda Becerra, jubilado, ex sacristán de la parroquia, tenía un juicio del trabajo con sus antiguos empleadores. Manifestó duras críticas hacia Karadima cuando fue interrogado por la Policía de Investigaciones. Con posterioridad, en una entrevista efectuada por *Ciper*, aludió a los toqueteos y besos, y afirmó que había visto al cura «acariciando» al sacerdote Andrés Arteaga, actual obispo auxiliar de Santiago.

no lo voy a juzgar. Me he llevado el medio zarpazo, pero ¿qué voy a hacer? ¿Me cambio a los mormones? ¿Me voy a los evangélicos? ¿Me hago judío? ¿Musulmán? ¿Acaso en las otras comunidades serán todos perfectos? Sigo siendo católico. Creo en Dios y creo que está feliz ahora que estoy conversando contigo.

Capítulo XIV

ACUSACIONES SACERDOTALES

En el kilómetro 10 del camino entre Puerto Varas y Ensenada, al borde del lago Llanquihue, la familia Kast Rist —dueña de los restaurantes Bavaria y de tierras ganaderas en el sur de Chile— construyó una casa de veraneo para Hans, el hermano sacerdote que pertenecía a la Pía Unión del Sagrado Corazón. Esa casa se destinó hace unos años como lugar de descanso para el padre Fernando Karadima, en ese tiempo un influyente y admirado clérigo. Se estilaba que los integrantes de la organización que tenían familias pudientes le hicieran aportes cuantiosos a «monseñor». En el caso de los Kast, la casa de veraneo ubicada a los pies de su extenso fundo sureño, era un aporte espectacular. Hasta allá iban constantemente los sacerdotes de la Unión Sacerdotal y eran invitados por el cura algunos de sus jóvenes de confianza.

Hoy, Fernando Karadima no quiere ni oír hablar de Hans Kast, el actual canciller del Arzobispado de Santiago y director del Archivo Eclesiástico, quien se transformó en determinante acusador. En su declaración ante el fiscal Xavier Armendáriz, Karadima fue especialmente duro con su antiguo discípulo, quien durante largos años lo llenó de orgullo.

«Encuentro una infamia y una falsedad lo que él dice. Fuimos muy cercanos durante veinticinco años, veraneé con otras personas en su campo del sur muchas veces, pero nos distanciamos en 2005», señaló Fernando Karadima al fiscal Xavier Armendáriz cuando lo interrogó en la parroquia de El Bosque[1].

---

[1] Declaración de Fernando Salvador Miguel Karadima Fariña, nacido el 6 de agosto de 1930, sacerdote, ante el fiscal Xavier Armendáriz, 29 de junio de 2010.

Flanqueado por sus abogados y por el inseparable Francisco Costabal, alegó: «No me explico por qué su actitud, quizás le cayó mal algo que le pude haber dicho sobre sus estudios o lecturas o sobre su intento de cambio de nombre»[2]. Y continuó: «Su familia me quiere mucho (…) Yo tengo cincuenta y dos años de sacerdocio y no me voy a ensuciar las manos o los labios con algo indecente».

La alerta de Kast

Las palabras de Kast ante el fiscal Xavier Armendáriz, el 10 de mayo de 2010, marcaron un hito en la indagación judicial y en la investigación de la Iglesia. Ese día, un sacerdote reconocido como serio y estudioso, con alto cargo en el Arzobispado y antiguo miembro de la Pía Unión, hacía fuertes críticas a Karadima.

Pero Kast fue incluso más allá y puso alerta roja sobre lo que todavía podría estar ocurriendo en El Bosque. Por primera vez un sacerdote se atrevía a hablar en voz alta de la posible suspensión de quien parecía el intocable señor de ese reino. Se abría la puerta con la declaración de Hans Kast para continuar avanzando después de las denuncias iniciales, mientras decantaban dudas y discusiones dentro de la propia Unión Sacerdotal. Tras su testimonio, los intentos de descalificación a las víctimas quedaban cada vez con menos asidero.

Tres meses después, diez sacerdotes —a los que se sumaron otros dos— separaron filas a través de una declaración pública en la cual manifestaron que les parecían verosímiles las acusaciones. Y tres de ellos denunciaron ante el fiscal situaciones anómalas. Se empezaban a resquebrajar las murallas del bien armado castillo de Karadima.

Hans Kast, quien también es párroco de San Pedro de Las Condes, especificó que no fue a declarar a la Fiscalía como canciller del Arzobispado. Pero como esa es la posición que ocupa,

---

[2] Según Karadima, Kast pensaba cambiar su nombre Hans por Juan, que sería la traducción al castellano.

su voz adquirió especial fuerza, aunque su declaración no fuera como vocero oficial de la jerarquía metropolitana.

Además de su peso eclesial, Hans Kast tiene otra característica que no es un detalle para Karadima y sus incondicionales. Hijos de alemanes, los Kast se integraron a la elite local como empresarios y políticos. Hans es hermano de Miguel, el fallecido ex ministro de Pinochet, y de José Antonio, actual diputado y jefe de la bancada parlamentaria de la UDI. Y, asimismo, tío de Felipe Kast Somerhoff, ministro de Mideplan.

Hans Kast conoció a Fernando Karadima en El Bosque en 1978 y, tal como ocurrió con otros jóvenes, el párroco se convirtió en su «guía espiritual» desde 1980 hasta que entró al Seminario Pontificio Mayor de Santiago, en 1985. En esa época estudió Ingeniería Comercial en la Universidad Católica. Llegó al Seminario junto a cinco jóvenes, entre los que estaba Juan Carlos Cruz, a quien había conocido en El Bosque. Se hicieron amigos, pero se alejaron después, cuando el «formador» Rodrigo Polanco y «todos los de El Bosque me hacían la guerra», según relata el periodista. Kast fue ordenado sacerdote en 1991 por el entonces arzobispo de Santiago Carlos Oviedo Cavada.

Cuenta Hans Kast en su declaración que después de ingresar al Seminario seguía conversando con Karadima, «aunque mantenía una distancia, hasta el año 2005», cuando se alejó definitivamente «por estimar que había poca libertad»[3].

«Procesos muy lentos»

Como canciller del Arzobispado, a Hans Kast —hoy de cincuenta años—, le tocó recibir en su oficina de la calle Erasmo Escala a Juan Carlos Cruz, Jimmy Hamilton y José Andrés Murillo, cuando concurrieron a entregar sus denuncias ante el procurador de justicia eclesiástica. Pero en esos días, en que se sentían poco

---

[3] Declaración Hans Kast Rist, nacido el 17 de marzo de 1971, sacerdote, ante el fiscal Xavier Armendáriz, 7 de junio de 2010.

acogidos por la jerarquía, nunca imaginaron el tenor que tendría después la declaración de Kast.

Jimmy Hamilton conoció a Kast en El Bosque y lo apreciaba mucho. A mediados de 2009 decidió tomar contacto con él. Se encontraron en la cafetería de la Clínica Santa María. «Le señalé que en El Bosque pasaban esas cosas que yo viví», indica Hamilton.

«Él me dijo que sabía que hubo cosas muy extrañas y que él estaría dispuesto a escuchar mi declaración en la cancillería. Le conté que no había tenido respuestas y que quería reforzar mi nuevo testimonio. Esta segunda declaración que efectué en el año 2009 fue contemporánea de mi proceso de nulidad. Él recibió mi declaración, frente a un colega suyo, un notario eclesiástico que trabaja en la cancillería. No me dio copia. Lo más curioso es que, en un clima amable, él me preguntó: "¿Tú estás buscando algún beneficio económico?". Ante eso yo le respondí que era obvio que no. No necesito beneficios económicos.»

Paralelamente, sus testigos ante el proceso de nulidad —Cruz y Murillo— cuando captaron que Karadima ocupó con ellos el mismo *modus operandi*, fueron a hacer las respectivas denuncias donde Hans Kast.

En agosto de 2009, tras conectarse con Jimmy Hamilton, Juan Carlos Cruz vino a Chile a declarar como testigo en el proceso de nulidad del médico. Pero no fue la única diligencia de este tipo que hizo. Ya había escrito veinte páginas con su propia historia. Tomó el *pendrive* con su «biografía», y el 14 de agosto, al día siguiente de su cumpleaños, partió al edificio de Erasmo Escala. Hans Kast lo recibió en su oficina y, en su calidad de canciller, le tomó la declaración.

Un año antes habían hablado por teléfono. Juan Carlos le comentó que estaba enterado de que se había alejado de El Bosque. Kast se lo confirmó, pero no entró en detalles sobre los motivos de su salida. Quedaron de verse en un próximo viaje para conversar, pero el encuentro no se efectuó. «Nunca lo llamé. Me costó perdonarlo, porque yo había sufrido tanto en esos tiempos del Seminario. Éramos muy amigos y me hizo la cruz cuando yo entré en conflicto con Karadima», cuenta en mayo de 2010, antes de saber lo que manifestaría Kast en la Fiscalía.

El encuentro en el Arzobispado en 2009 fue cordial pero tenso, según Cruz. Él le pasó su *pendrive* y el sacerdote lo conectó en su computador y lo fue leyendo. «Iba imprimiendo cada hoja que leía. Y cuando yo decía en alguna parte "eso era como una Gestapo", porque Rodrigo Polanco me hostigaba, Hans me decía "¿por qué no sacamos esta palabra?". Yo le pedí que la dejara. O cuando decía que "esto era como el KGB", me decía lo mismo. Al final, acuso a Juan Barros, Andrés Arteaga, Rodrigo Polanco, que participaron en todo eso y a quienes Karadima manipulaba. Hans me propuso que sacara los nombres de los obispos.»

Además, en varias oportunidades mientras leía —cuenta Juan Carlos Cruz—, le decía: «oye, yo no sabía nada de esto». Y a él le parecía raro, «porque yo vi que a él también le tocaron golpecitos y esas cosas».

—¿Se lo dijiste?

—No, no me atreví. Ahora se lo diría, pero en ese momento estaba un poco nervioso.

Después de esa declaración Juan Carlos Cruz regresó a Estados Unidos. «En octubre le mandé un e-mail a Hans, con copia a Cristián Contreras, obispo auxiliar de Santiago y antiguo amigo. Le decía que ya habían pasado dos meses y me parecía muy grave que no ocurriera nada. Y le hice ver que había otras dos personas que habían hecho acusaciones.»

José Andrés Murillo —recuerda Juan Carlos Cruz— «presentó su denuncia en 2003; Verónica Miranda, la ex señora de Jimmy Hamilton, en 2004; y Jimmy entregó la suya en 2005».

A los pocos días recibió una respuesta lacónica: «Juan Carlos, la investigación sigue su curso y la Iglesia no acostumbra informar de lo que está haciendo. Un cordial saludo, Hans Kast».

Para Juan Carlos la respuesta fue como un balde de agua fría. Tanto, que le mandó otro e-mail indignado a Cristián Precht, vicario general del Arzobispado, a quien conocía de los tiempos de seminarista, en el que le reclamaba por la situación. Me contestó: «Cálmate, porque estas cosas son muy lentas».

Poco sabían las víctimas qué destino habían tenido sus denuncias. Jimmy Hamilton cuenta que un día llamó a Eliseo Escudero, el primer promotor de justicia ante quien declaró, y este le dijo que los hechos denunciados le parecían «creíbles». Alguna pista similar tenía sobre su proceso de nulidad, pero no mucho más.

Extrañas conductas de «FK»

Premunido de un documento escrito «con los antecedentes que puedo aportar al respecto, cuyo contenido ratifico en todas sus partes», llegó Hans Kast el 10 de mayo a la Fiscalía ubicada en la calle Los Militares. En su declaración confirma lo que explica con más detalle en una carta dirigida al fiscal Xavier Armendáriz.

Kast describe a Fernando Karadima «de personalidad fuerte, dominante, posesiva, con gran influencia sobre las personas, con una memoria privilegiada. No es corriente que las personas de su círculo le rebatan o le discutan».

«Conozco a Lira, Murillo, Cruz y Hamilton, cada uno en distintos grados de cercanía y en distintas épocas (…) Lo que puedo decir de ellos es que me parecen personas veraces y de ninguna de ellas advierto que exista algún tipo de motivación, como podría ser un cierto grado de resentimiento u otro motivo, que los haya llevado a inventar situaciones. A Fernando Batlle lo ubico menos, pues era más joven.»

En la carta explica: «En 2005 me alejé de FK [Fernando Karadima]. Estuve más de veinte años relativamente cerca de él. Algunas de sus conductas extrañas referidas hacia algunos adultos jóvenes las noté en los últimos años previos a 2005. Mi ánimo no es desprestigiar a nadie, solo consigno algunos hechos de los que fui testigo directo».

Llama la atención la despedida de Kast en su carta: «Fraternalmente en el Señor que nos invita a crear en Chile ambientes sanos y seguros para niños, jóvenes y adultos vulnerables».

En un primer anexo a su declaración, el padre Kast resume ordenadamente una serie de hechos que él vio mientras era asiduo de El Bosque. «Hasta 2005 fui testigo de algunas actitudes que no están a la altura de lo que se espera de una persona responsable, pasando a llevar los límites físicos, emocionales y conductuales cuando estaba en un ambiente de confianza, más distendido, con muy pocas personas y sin público», señala antes de dar paso a una síntesis de extrañas situaciones observadas. En su escrito llama al cura por sus iniciales, «FK», y describe los «hechos de los cuales fui testigo»:

«A dos adultos jóvenes los besó en la boca al menos en una oportunidad a cada uno de ellos. Fui testigo casual (...) Una vez me había despedido en forma normal de FK afuera de su pieza personal, de su domicilio en avenida El Bosque 822; él quedó en despedirse de uno de ellos y al devolverme por algo para atrás, lo vi».

«Otra vez, en su pieza de su domicilio, le dijo a otro "que sea un beso con lengua".» Señala, además, que Karadima llamaba a «algunos adultos y jóvenes en términos femeninos, y a uno de ellos una vez le dijo que era "su dama de compañía"». En otra oportunidad se refirió a un joven como "pololo", indica Kast.

Agrega que a James Hamilton, «con el que tenía confianza, ya que era como su médico personal en algunas cosas, le decía que hicieran "cueto profundo". Cueto es palabra que FK usaba en doble sentido y proviene de un programa televisivo que hacía un señor Cueto sobre temas sexuales y el matrimonio».

Recuerda también que «a un adulto joven un tiempo le puso el apodo de Cueto. Más tarde, él le rogó que no lo siguiera haciendo, ya que todos percibían el doble sentido de la palabra. A este también le decía que hicieran "cuetos profundos". Con este ha tenido una dependencia de alguna manera afectiva: un tiempo hablaba todos los días por teléfono con él y se veían todos los días. Él debía ir todos los días a pesar de que vivía lejos. FK le dijo una vez: "Tengo este reloj para acordarme de ti"».

«Cuando estaba en un grupo del círculo más cercano, hablaba en ocasiones en doble sentido, soslayando temas genitales, tratando de que se entendiera como una broma, pero que en definitiva es el comienzo del *grooming*. El concepto de *grooming* tiene relación con la preparación de la víctima en un proceso de seducción donde el lenguaje no es indiferente.»

Como varios otros testigos, el sacerdote Hans Kast señala que vio también que «a un joven adulto al saludarlo le tocó una vez los genitales por fuera del pantalón, así como la parte de atrás [nalgas] y con palabras de doble sentido en "broma"».

Kast continúa: «Jugaba con el afecto, el doble sentido del lenguaje, bordeando los límites y a veces traspasándolos».Y recuerda algunos de los apodos: «Al señor José Andrés Murillo le decía "pinteado"», y «a un joven adulto le decía "ojitos verdes"». Así también, consigna en su documento que a un joven «le dijo que era bueno que no siguiera estudiando para que estuviera más cerca de él».

Menciona asimismo que «algunos jóvenes salían a veces a altas horas de la noche desde la parroquia por la puerta de atrás [calle Juan de Dios Vial]».

El padre Kast dedicó unas líneas al genio de Karadima: «Tiene un carácter que a veces es explosivo, dominador (además de una memoria privilegiada). Habría que preguntarse quién lo medicamenta con tranquilizantes y cuál es su historial medicamental».

Le llamó la atención también al actual canciller del Arzobispado que «una vez cuando pidió que se emitiera un certificado de la Curia, que le permitía tomar créditos en su tarjeta de crédito, y no se le otorgó porque el Departamento Jurídico de la Curia consideró que no correspondía, se molestó mucho».

Cuenta Kast que, en 2005, «después de estudiar cómo en muchos países elaboraban reglamentos de buenos tratos, le expliqué a FK la necesidad del buen lenguaje y el buen trato hacia todo, pero no entendió».

Reflexiones y preguntas

Después de describir lo observado, Hans Kast hace una serie de «reflexiones y consideraciones para el discernimiento» en las que, sutilmente y a través de preguntas, deja entrever apreciaciones suyas sobre el actuar de Karadima:

«Hay que preguntarse si tiene un conflicto de poder, pide ser reconocido como "director espiritual". A veces da la impresión de que quiere reemplazar la figura del papá de algunos jóvenes, subvalorando a los padres reales.»

«Cuando hay ausencia de padre, hay que evitar que alguien se aproveche a veces siendo seductor al principio, para después eventualmente abusar de su poder, que él lo ve quizá como dirección espiritual estricta.»

«Intuyo que las personas mayores (hoy mayores de sesenta) en la parroquia y cercanas a FK no son las que han estado en la parroquia en los años ochenta y noventa, ya que algunos casados (con sus cuarenta y dos años en esa época) no disponían del tiempo para quedarse entre los jóvenes que estaban con FK hasta tarde. Puede ser que hayan ido todos los días a misa y se hayan quedado un día a la semana a cenar o que FK haya ido a sus casas a cenar, pero en esas cenas FK se contenía y no era como lo era a veces entre los jóvenes en confianza o en un ambiente más distendido.

»Hay que preguntarse si no hay algo de "transferencia sociológica" entre FK y algunos de sus dirigidos, creándose una dependencia psicológica. Por ejemplo, cuando FK estaba en alguna ocasión deprimido, lo estaba también en algunas ocasiones uno de ellos. Hay que preguntarse si FK a veces se hace la víctima. Quizá sea conveniente un informe psiquiátrico. Hay que preguntarse si es de alguna manera manipulador y si hay personas a las que puede hacer sufrir con su poder.»

Más adelante, Hans Kast se manifiesta abiertamente intranquilo porque los hechos denunciados se estuvieran repitiendo hasta ese momento. «Estoy preocupado por algunos adultos jóvenes y la influencia que pueda hacerles directamente o a través de otras personas de su entorno más cercano», señala.

Apunta también su inquietud hacia quienes lo rodeaban en ese momento: «Hay que preocuparse si hay víctimas en el grupo más cercano a él. Hay que ayudar a esas personas a liberarse sanamente».

Hans Kast trata de explicar por qué algunos sectores no querían creer en las denuncias. «El círculo más externo de sus dirigidos y amigos lo ve en las cosas más formales: misas, les habla de Dios y de la santidad, y lo admiran ya que no ven el abuso afectivo en las víctimas más cercanas, ya que en el grupo FK se contiene y habría que preguntarse si no hay algo como un "encantador espiritual". Este grupo no entiende que pudiera existir un abuso y si hubiera algún reclamo lo más probable es que defiendan al padre diciendo que se trataría de calumnias de personas desleales con FK o que son personas desequilibradas (...) Incluso este grupo externo de sus amistades le puede llevar jóvenes para que les hable de Dios y los "dirija" espiritualmente, sin percibir que algunos de esos jóvenes, que sean vulnerables, puedan sufrir abuso de poder.»

¿Ambiente inflamable?

En las palabras de Kast se refleja una real inquietud a partir de lo que él vio y del carácter de Karadima, a quien conoció de cerca. Advierte la necesidad de «considerar que a veces un abusador "elige" a sus víctimas "vulnerables" de manera que si llegan a reportar en el futuro algún abuso no les van a creer porque dirán que se trata de una persona en situación de vulnerabilidad y no es creíble. Si después de un tiempo llegara una eventual víctima a reportar abuso de FK, desacreditar a la víctima por su "personalidad extraña o explosiva" no es razón suficiente para asegurar que no hubo abuso. Un abuso grave deja secuelas graves, es como matar el alma de una persona».

«Hay que preguntarse —continúa Kast— si se está ante un ambiente inflamable, en que basta una pequeña chispa para que pueda pasarse a un abuso mayor. Personalmente no vi ese paso (además, es casi imposible verlo, ya que ocurriría entre dos personas)», advierte.

Cuenta que él siempre trató de que se evitara «el lenguaje en doble sentido, pero en 2005 ya me cansé y me alejé, traté de que su entorno más cercano asumiera su responsabilidad y ayudara a FK a evitarlo y mejorar lo que veía como negativo, pero no era escuchado, era más fácil para algunos cerrar los ojos y mirar para el lado como si nada hubiera sucedido, minimizando el problema; quizás no podían hacer nada».

Hans Kast manifiesta en su escrito su inquietud por «ayudar a sanar de raíz lo que se ha dañado», y recomienda «ver la forma de evitar riesgos con medidas cautelares inteligentes». Por eso indicó la conveniencia de alejar al menos temporalmente a Karadima de su misión sacerdotal. Era la primera voz próxima a la jerarquía que planteaba algo así.

Según Kast, «el grupo más cercano está al parecer en un callejón sin salida». Y cree que «agradecería (sin decirlo) que a FK, si la autoridad competente estimara necesario para restablecer el bien común, se le aleje por un tiempo, quizás no por menos de seis años, del contacto con los niños, jóvenes y adultos vulnerables, a una vida retirada, sin tomar dirección espiritual hacia otros (…) prohibiendo visitas de menores de cierta edad (o que no tenga diferencia de edad menor de veinte años. Si él tiene ochenta, que lo visiten personas mayores de sesenta)».

Se anticipó también Kast a la idea de que Karadima abandonara El Bosque para evitar que «siguiera influyendo directamente o a través de un tercero». Mencionó en esa declaración la posibilidad de «alejarlo por un tiempo prudencial».

Y directamente planteó que «la pregunta de fondo» sería si «resulta conveniente que tal persona siga ejerciendo el ministerio público». Aunque resulte «difícil demostrar un abuso concreto, por el contexto de la vida global de ese ministro, a veces es conveniente pedirle que no ejerza el ministerio público».

«¿Es conveniente que esta persona siga influenciando de esa manera a otros? Y si hay riesgo para jóvenes vulnerables, ¿cómo evitarlo con medidas cautelares y pertinentes?», insistió.

Riesgo de imitación

Según Hans Kast, la dirección espiritual es clave en el ejercicio de la dominación. Considera «extraña» la visión de Karadima sobre este asunto, «ya que todos sus cercanos tendrían que tomarlo como director por una especie de lealtad-amistad-obediencia y, algunos lo llaman "santo". En las primeras misas cada "dirigido" ha tenido de alguna manera que explicitarlo», dice refiriéndose a la obligación, por parte de los sacerdotes de la Pía Unión, de demostrar la veneración que le tenían.

Por lo demás, Kast dejó planteado un elemento de preocupación que surge al conversar detenidamente sobre el tema: «Si no se da una señal de que las actitudes de abuso emocional son desviadas, se corre el riesgo de que algún "discípulo" el día de mañana imite conductas».

El 7 de junio de 2010, Hans Kast volvió a ir a la Fiscalía Regional a declarar ante el fiscal Armendáriz, quien le preguntó por el sentido del documento y le pidió algunas precisiones. En esa oportunidad, Kast aludió a la influencia de Karadima «sobre las personas que a veces puede ser mayor a lo conveniente». Y agregó que esto podría «generar una sumisión y puede ayudar a crear un ambiente o situación que podría ser proclive al abuso que se puede traducir en un abuso de carácter afectivo»[4].

---

[4] Declaración Hans Kast Rist, nacido el 17 de marzo de 1971, sacerdote, ante el fiscal Xavier Armendáriz, 7 de junio de 2010.

Volvió a insistir Kast en la «importancia de desactivar ese entorno». Precisó que «el entorno directo al que me refiero en mis comentarios lo constituyen las personas sabidas en esta investigación y que entiendo ya han comparecido a declarar». Y dio nombres: «Son fundamentalmente Diego Ossa, Julio Söchting y Juan Esteban Morales, que por lo mismo, y en especial los dos primeros, me parece que pueden ser víctimas de esta situación».

Hans Kast fue uno de los pocos testigos citados a declarar por el juez suplente del Décimo Juzgado del Crimen, Leonardo Valdivieso. El 2 de septiembre de 2010 ratificó en esa instancia los antecedentes entregados al fiscal Armendáriz. Al definir a Karadima, amplió y subió de tono la descripción: «Era de personalidad fuerte, un abusador de poder y además de abusador psicológico y sexual, dominante, posesivo, de gran influencia en las personas, con una memoria privilegiada como para acordarse de las cosas del pasado, muy hábil, no es corriente que personas de su círculo lo rebatan o le discutan, porque simplemente no lo acepta».

Amplió también sus apreciaciones respecto de las víctimas: «De Murillo y de Hamilton percibí que fueron acosados psicológica y afectivamente, esto yo lo presencié y ellos son personas veraces y no advertía en ellos un motivo para mentir acerca de este sacerdote»[5].

Señaló también ante el juez que él no sufrió abuso sexual de parte de Fernando Karadima, «porque yo no lo permití, manteniendo siempre un límite de sana distancia con él».

Y aunque dijo no haber visto situaciones de jóvenes o menores que hayan sufrido abusos sexuales después de 2005, indicó: «No tengo conocimiento aunque no los descarto».

---

[5] Declaración de Hans Kast Rist, ante el juez suplente del Décimo Juzgado del Crimen de Santiago, Leopoldo Valdivieso, 2 de septiembre de 2010.

En el alegato efectuado por el abogado Juan Pablo Hermosilla, el 8 de marzo, ante la Corte de Apelaciones, el profesional invocó el testimonio de Hans Kast y de otros tres sacerdotes que formaban parte de la Pía Unión Sacerdotal que testificaron en contra de Karadima: los dos hermanos Ferrada —Fernando y Andrés— y Eugenio de la Fuente.

Los hermanos Ferrada

El resquebrajamiento del castillo se fue haciendo más evidente en la medida en que los antiguos discípulos abandonaban al ex párroco de El Bosque y aportaban credibilidad al testimonio de las víctimas. Un segundo sacerdote apareció en escena ante el fiscal el 24 de mayo de 2010. El padre Andrés Ferrada Moreira, de cuarenta años, profesor del Seminario Mayor de Santiago y de la Facultad de Teología de la Universidad Católica.

Andrés Ferrada conoce a Fernando Karadima desde noviembre de 1988 cuando fue invitado por un amigo a la parroquia de El Bosque. Pero lo empezó a tratar más de cerca desde 1994. En los años 1995 y 1996 estuvo «en misión en la parroquia, lo cual implica ir un día a la semana y a veces también los sábados o domingos». El cura fue su guía espiritual durante un año, entre julio de 1999 y agosto de 2000. Después, Andrés Ferrada estuvo fuera del país —declaró al fiscal— hasta 2005, pero durante ese período tuvo «contacto telefónico asiduo con él». Y cuando volvió en 2006, siguió participando los lunes «hasta el día de hoy, en lo que llamamos la Unión Sacerdotal»[6].

Describió así a Karadima: «Se trata de una persona de carácter fuerte, colérico, que trata a las personas en principio con simpatía, pero también se puede enojar fácilmente». Además —dijo— «es capaz de ejercer una gran influencia en las personas, aunque ello naturalmente depende de quién se trate».

---

[6] Declaración de Andrés Gabriel Ferrada Moreira, nacido el 10 de junio de 1969, chileno, sacerdote, ante el fiscal regional Xavier Armendáriz, 24 de mayo de 2010.

En su testimonio, Ferrada corrobora lo planteado por las víctimas: «Puede ser muy manipulador, por ejemplo, a través de hacer pensar que la salvación depende de la obediencia a él». Agregó otro antecedente que los denunciantes habían reiterado: «Y no actúa solo en ello, sino que también con quienes conforman su grupo más cercano, en el sentido de que otros hablan por él, previamente puestos de acuerdo». Y continuó: «Sé que ha tenido rupturas con el padre Kast y con el obispo Bacarreza».

Confirmó también Andrés Ferrada haber visto en los años 1994 y 1995 «como costumbre suya el darle golpecitos en el trasero y ocasionalmente también en los genitales a los jóvenes. Esto lo vi y siempre en público, lo que me incomodaba, pero como que nadie hacía mayor cuestión».

Un mes después se sumó a las acusaciones el sacerdote Fernando José Ferrada Moreira, hermano de Andrés, seis años mayor, con quien en el último tiempo se encontraba distanciado, precisamente por culpa de Karadima.

Fernando Ferrada indicó al fiscal Armendáriz: «El padre Fernando es una persona de carácter muy fuerte y con gran influencia sobre los demás, que puede ser decisiva y que impone su voluntad confundiéndola con la voluntad de Dios. Por ejemplo, a mí me alejó de mi hermano Andrés, que entiendo ya declaró en esta causa, dado que él se apartó de la influencia del padre Karadima, lo que duró varios años. Y solo ahora hemos vuelto a hablar después de que en todo este tiempo no lo hacíamos, dado que esto ha sido un proceso paulatino de darme cuenta de lo que sucede».

Fernando Ferrada solicitó concurrir a declarar ante el fiscal por la arista del caso que se abrió en junio ante la denuncia de Óscar Osbén contra el sacerdote Diego Ossa Errázuriz, vicario de El Bosque en ese momento e integrante del círculo más estrecho de Karadima. Ferrada había llegado como vicario a la parroquia Jesús Carpintero de Renca cuando Ossa era el párroco. En marzo de 2009, Fernando Ferrada fue nombrado párroco y Ossa fue trasladado a El Bosque.

«En los primeros días de mayo de este año, creo que fue el día viernes 8, se me acercó a conversar Carlos Espinoza Díaz (...) quien me dijo que un antiguo acólito de la parroquia llamado Óscar Osbén Moscoso le había dicho que ocurrieron cosas de orden sexual con el padre Diego Ossa años atrás; no precisó fecha ni la sé, y que quería dinero (...) Aclaró que, por lo que tengo entendido, el padre Diego Ossa y Óscar Osbén se conocen hace muchos años, pues este lo siguió de la parroquia El Señor de Renca a Jesús Carpintero, y Óscar era muy regalón del padre Diego.»

El fiscal Armendáriz siguió la pista de esos pagos a Osbén en los que aparece involucrado incluso el obispo de Linares, Tomislav Koljatic, pasando una suma de dinero al ex acólito de parte de Karadima.

Siguiendo esa hebra se llegaron a detectar otros bonos especiales que habían beneficiado a la cocinera Silvia Garcés y a otros empleados de la parroquia; pero de acuerdo a las declaraciones ante la Policía de Investigaciones, todos los citados aseguran haber recibido el dinero como «ayuda humanitaria», lo que demostraría el «espíritu caritativo» del sacerdote.

El testimonio de Eugenio de la Fuente

Otro testimonio de peso en contra de Karadima proviene del sacerdote de la Pía Unión, Eugenio de la Fuente Lora, uno de los primeros en seguir los pasos de Hans Kast. Es en la actualidad párroco de la iglesia de la Medalla Milagrosa de Quinta Normal.

De la Fuente fue vicario de El Bosque entre 2001 y 2009, lo que implicó una vivencia muy cercana con Karadima, quien había sido su director espiritual durante casi veinte años. Y era parte de la Pía Unión Sacerdotal en 2010, cuando estalló el escándalo.

La descripción que hizo De la Fuente ante el fiscal Armendáriz coincide con la de muchos otros testigos. «Es enérgico, de mucho carácter, con mucha influencia en las personas, lo que depende también de las personas y de su historia de vida»[7], expresó. Karadima —dijo— «tiene tendencia hacia el mal genio, es muy autoritario y en asuntos importantes en los cuales él tiene una opinión definida, nadie le lleva la contra, salvo quizás el padre Juan Esteban Morales.»

Y «la verdad —dice De la Fuente— es que «el carácter de Karadima infunde temor». Por otro lado —declaró—, «también lo veo como una persona generosa y preocupada por los demás si les ve alguna necesidad». Manifiesta, asimismo, que «él fue capaz de formar un movimiento grande e importante dentro de la Iglesia de Santiago».

El ex vicario de El Bosque coincide también con los denunciantes principales respecto de la relación de Karadima con la jerarquía eclesiástica: «A Karadima le costaba relacionarse con la autoridad superior a él, por su personalidad y porque era muy celoso del poder que significó su posición central y sin contrapeso que ha tenido en la parroquia El Bosque por muchos años, la cual la tiene hasta el día de hoy».

«Gestos paternales excesivos»

En una parte de su declaración judicial, el padre Eugenio de la Fuente expone un contrapunto: la dicotomía entre la importancia que Karadima tuvo en su vocación —al menos así lo sentía cuando declaró ante el fiscal Armendáriz en junio—, y el darse cuenta del abuso psicológico y sexual que ejercía el ex párroco. Señaló, asimismo, que «por los hechos que se investigan, muchos han abierto los ojos y se han alejado de él».

Destaca que «en lo personal Karadima me significó poder construir una relación mucho más fuerte con Dios, tomar en serio mi fe y descubrir mi vocación sacerdotal; fue un instrumento del Señor para ello; sin embargo, en los últimos años de vicario

---

[7] Declaración de Eugenio de la Fuente Lora, chileno, nacido el 5 de diciembre de 1967, ante el fiscal regional Xavier Armendáriz, 7 de julio de 2010. La declaración ante el juez suplente del Décimo Juzgado del Crimen de Santiago, Leopoldo Valdivieso, fue el 2 de septiembre de 2010.

parroquial se me fue haciendo muy difícil la forma de relacionarme con él». Agrega que se sentía «oprimido por él, cansado, agobiado de la forma de relacionarse conmigo y con los que estaban en la parroquia de El Bosque, por su carácter duro y autoritario».

Explicó al fiscal: «Después de veinte años ya no fue mi guía espiritual, y me costó mucho tomar esa decisión, recé mucho por la cantidad de años y el vínculo de paternidad que había y se me decía que me podía traer consecuencias graves para mi sacerdocio, pues había una percepción de que uno estaba más seguro bajo el "alero" espiritual de Karadima. Conversé sobre mis dificultades con el padre Morales, hasta que luego de alejarme progresivamente (…) el propio Karadima me dijo que él dejaba de ser mi guía espiritual si yo le tenía miedo; y era efectivo que le tenía miedo. Yo tampoco quería continuar estando bajo su dirección espiritual» [8].

En esa época no rompió con la parroquia, a la que iba a veces. Hasta que a partir de abril de 2010, cuando empezó a saber «estas cosas que se están investigando tanto en la Iglesia, en la Fiscalía como en los tribunales, que se han sabido por la prensa o me enteré personalmente, ahora me he alejado del padre Karadima», declaró ante la justicia.

Testigos de cargo

Eugenio de la Fuente manifestó al fiscal que se había sorprendido por las acusaciones, «pues nunca había sabido nada relacionado con la esfera sexual en la parroquia El Bosque, aunque en esos tiempos vi gestos afectivos que consideré como paternales excesivos, sin contenido erótico, pero sí inadecuados o al menos imprudentes, cuando Karadima tenía gestos con los jóvenes que íbamos a la Iglesia, como por ejemplo, tocarles los genitales y a

---

[8] Declaración de Eugenio de la Fuente Lora, chileno, nacido el 5 de diciembre de 1967, ante el fiscal regional Xavier Armendáriz, 7 de julio de 2010.

veces el acercarse para dar un beso como lo hace un padre a sus hijos, Karadima sacaba la lengua y la pasaba por la mejilla».

Se refirió también al «vocabulario ambiguo como de contenido sexual» de El Bosque. Recuerda el mentado caso de la palabra «cueto», pero manifiesta que «nunca me dio la impresión de estar en algo como un ambiente de homosexualidad, sino que eran incoherencias en la conducta esperable de un sacerdote, que no calzaban en ello, que se dejaban pasar porque se veían como afectos paternales excesivos».

Señala Eugenio de la Fuente que él nunca confrontó a Karadima sobre esta conducta, «pero sí en alguna ocasión lo comenté con el padre Morales, quien era el único que en mi opinión podría hacerlo». El comentario —relata— «fue rápido o superficial en referencia a que, según mi comprensión de ese momento, dichos gestos podrían ser malinterpretados por quienes los vieran, me refiero a besos en la mejilla en público».

Ante una pregunta formulada por el fiscal Armendáriz, Eugenio de la Fuente respondió categórico: «Los padres Ossa y Morales son el círculo más cercano de Karadima, siguen en todo su voluntad, teniendo el padre Morales más capacidad que Ossa para decirle cosas».

Lo mismo que Hans Kast, De la Fuente fue categórico al contestar sobre las denuncias: «Respecto a las acusaciones que se investigan en contra de Fernando Karadima, yo conozco a Hamilton, Batlle y Murillo, y de ninguno imaginé un vínculo sexual con Karadima. Sin embargo, a partir de lo que dicen ellos y testimonios de amigos, he llegado a la convicción de que ellos dicen la verdad, a lo cual sumo una nueva comprensión mía de estos afectos paternales que he señalado antes».

Su nombre, junto al del canciller del Arzobispado, Hans Kast, y al de los hermanos Ferrada se escuchó varias veces esa mañana de marzo en los alegatos en los tribunales. Incluso Luis Ortiz Quiroga, el abogado de la defensa, no se atrevió a refutar los dichos de estos sacerdotes a los que calificó de «testigos de cargo».

Confesiones en la «U»

Tras un intercambio de e-mails en enero de 2011, finalmente nos conocimos después de que había salido el fallo del Vaticano. Llegó a mi casa un poco tímido y dispuesto a conversar al comienzo solo *off the record* —que después levantó—, el jueves 3 de marzo, unos días antes del alegato del abogado Juan Pablo Hermosilla en la Corte de Apelaciones. Lo primero que me dijo mientras tomábamos el primer café me quedó en la memoria: «Esto es un asunto de dominación humana como pocas veces se ha visto. Aquí lo fundamental es la dominación psicológica que el padre Fernando ejercía sobre nosotros». Habíamos quedado en que lo conversado solo me serviría como antecedente. No era el ideal, pero era importante conocer sus puntos de vista, dado que es uno de los sacerdotes que testificó en contra de su ex director espiritual ante la justicia.

Pocos días después, recibí un e-mail para que me comunicara con él. Lo llamé y nos encontramos de nuevo. Estaba más suelto y finalmente accedió a sostener una entrevista. Nos reunimos dos veces más. A él lo que más le preocupa, y por eso está dispuesto a conversar, es que nunca más se vuelva a repetir una situación como la protagonizada por Karadima. La entrevista quedó programada para el día subsiguiente.

Nos reunimos un jueves en la tarde, dos días después de los alegatos en la Corte, en la sala de Consejo del Instituto de la Comunicación e Imagen de la Universidad de Chile. Un espacio que no suele ser visitado por sacerdotes. Llegó con su formal *clergyman* —camisa gris— y chaqueta oscura. En sus manos traía una carpeta negra que depositó sobre la mesa. La figura de fray Camilo Henríquez miraba de reojo colgada desde la muralla. El tiempo se hizo corto, porque tenía que volver a celebrar misa en la tarde en su parroquia. Nos volvimos a juntar al día siguiente, en mi casa, para completar la conversación.

Eugenio de la Fuente Lora es el cuarto de cinco hermanos. Tiene cuarenta y tres años que apenas representa. Estudió en el colegio Tabancura del Opus Dei e Ingeniería Comercial en la Universidad Diego Portales.

Se incorporó a la parroquia del Sagrado Corazón a fines de los ochenta. Ocasionalmente iba antes con sus padres a misa, hasta que fue «invitado por mi polola de aquel entonces». A ella —que no pertenecía al movimiento de El Bosque— le gustaba el Mes de María con misa, y por eso empezaron a ir a la iglesia colorada. Comenzó a participar más activamente e ingresó «al grupo de jóvenes llamados de Acción Católica de la parroquia»[9], como declaró después ante el juez Valdivieso.

Al principio, el director espiritual de Eugenio de la Fuente fue Andrés Arteaga, quien en esos años era vicario parroquial de El Bosque. Pero al poco tiempo pasó a ser dirigido por Fernando Karadima.

—¿Te dijo alguna vez que fueras su secretario?

—Sí, claro.

—¿Tuviste acceso a la pieza?

—Sí.

Cuando llegó a El Bosque, explica, le atrajo ese ambiente «de gran potencia espiritual» que encontró en la parroquia. «Había mucha gente en la misa, una juventud que se veía muy bullente, sana y la gente llegaba ahí buscando grandes ideales y se predicaba el deseo de la santidad. Y eso me llamó la atención.»

Corte de pelo controlado

Eugenio de la Fuente tomó la decisión de ser sacerdote al final de su carrera universitaria. Entró al Seminario Mayor de los Santos Ángeles Custodios en Santiago en 1992, junto al actual párroco Juan Esteban Morales. «Pero él —dice— había estudiado Medicina e incluso había trabajado, y como tenía una experiencia humana mucho mayor que uno, entró directamente a Teología, fue

---

[9] Declaración de Eugenio de la Fuente Lora, chileno, nacido el 5 de diciembre de 1967, ante el juez suplente del Décimo Juzgado del Crimen de Santiago, Leopoldo Valdivieso, 2 de septiembre de 2010.

como una convalidación». De la Fuente fue ordenado sacerdote en la Catedral por el arzobispo Francisco Javier Errázuriz, el 3 de junio de 2000, «el año del Jubileo», destaca.

Tras un corto tiempo en la parroquia Santo Tomás Moro, en el sector Ñuñoa y Macul, fue destinado en abril de 2001 a El Bosque como vicario. Ahí estuvo hasta marzo de 2009. Ocho años que se le hicieron largos, bajo la dirección espiritual y la jefatura parroquial de Karadima. Todavía le cuesta criticarlo. Dice que él contribuyó a despertarle su vocación, que no lo quiere juzgar, que aún no comprende lo que pasó. A ratos solo responde con pocas palabras y hasta con monosílabos. En otras oportunidades se queda pensando la respuesta y da alguna vuelta antes de contestar. Aunque lo tuteo, él nunca abandona el trato de usted, como queriendo marcar cierta distancia.

Le pregunto por la dirección espiritual, esa extraña subyugación al que él mismo se vio sometido por veinte años, y comenta: «La dirección espiritual es rara de entender si se mira desde el prisma de todo lo que ha pasado. Lo que se busca es una persona que a uno lo guíe, lo aconseje, lo pueda ayudar a discernir, pero la decisión final debe ser de uno. Que sea libre y soberana esa decisión. Es lo que plantea la Iglesia en los documentos más importantes».

—Pero otra cosa sucedía en El Bosque —le señalo.

—Es que uno va entrando bajo ese prisma. Uno hacía un acto de confianza en un hombre que estaba muy en contacto con Dios y que planteaba que la dirección espiritual era la forma de descubrir la voluntad de Dios. Uno de buena fe iba como entregando un poco esa voluntad en muchos ámbitos. Y al final lo que primaba era la voluntad de él en muchos sentidos. Y eso se va haciendo progresivamente más agobiante a lo largo del tiempo.

—Al fin, era la voluntad de Karadima y no la de Dios —le digo.

—Sí, ahora uno lo ve claramente.

—¿Hasta dónde llegaba? Algunos hasta le pedían permiso para comprar algo…

—Dependía de las personas. Algunas, por su perfil vital, eran más sumisas y otras más libres. Algunos, si querían comprar algo iban y se lo compraban, y otros sentían que tenían que preguntarle a él. Esto se extendía a todas las actividades de la vida. Por ejemplo, con quién ir de vacaciones o si uno podía invitar al obispo a la parroquia. O cosas tan personales como ir a ver a los papás o cortarse el pelo.

—¿Le tenían que pedir permiso para cortarse el pelo?

—Sí, claro, no sé si todos… Esto podía llegar a ser muy profundo y dependía de las características de cada uno.

En el momento en que se refiere a este tema, su rostro refleja una contracción, un gesto de agobio contenido. Se lo hago notar.

—Te cambió la cara al hablar de estos ejemplos de sometimiento a la voluntad de Karadima.

—Es que fue como volver a vivirlo. Sentí por un instante esa opresión.

«Como un padre con su hijo»

—En El Bosque había ciertos estratos diferenciados. ¿También ocurría eso con los curas?

—Había sacerdotes más cercanos y otros menos.

Le cuesta hablar de las conductas que observó en Karadima: «Lo que vi está clarito en la declaración. En ese tiempo me parecían gestos paternales, tratando de adecuar las cosas seguramente; los encontraba excesivos, exceso de afecto, de kinestesia y como algunas tonteras. Y en cierto modo, por los frutos que mostraba y por lo que se hablaba de la santidad y de cosas muy importantes, dejaba pasar por alto esos gestos. Y yo me decía: "Son tonteras nomás". Pero después, cuando he rebobinado en estos meses, he visto las cosas de otra manera».

—¿Cómo analizarías la situación ahora?

—No me atrevería a juzgarlo. Creo que un psicólogo tendría que ver lo que sucede con el padre Karadima.

—Pero tú viste toqueteos en los genitales, palmadas en el traste… y besos cuneteados.

—No vi besos cuneteados, pero sí que todo el mundo saludaba y se despedía de beso.

—¿Se despedían de beso con él y entre ustedes?

—No, no, con él solamente. Yo no me despedía de beso de nadie más —dice sonriendo.

—¿Y no les parecía raro que este señor saludara de beso a los hombres?

—No, porque era el papá.

—Y los trataba de «m'hijito».

—El «m'hijito» era como una cosa anticuada nomás. «M'hijo» era lo que más decía y yo solo lo veo como una cuestión de lenguaje antiguo.

—¿A ti nunca te intentó hacer nada en ese plano?

—No, no.

—¿Y no oíste nada de esto cuando eras vicario?

—No…

—Es bien extraño eso de no darse cuenta…

—No darse cuenta de las cosas más graves, porque uno veía. Creo que lo define muy bien el fiscal Xavier Armendáriz cuando dice que yo lo veía como «afectos paternales excesivos».

—Todos, en las diferentes conversaciones que he tenido y en los documentos referidos a las declaraciones, repiten la muletilla de «como un padre con su hijo». Es bien impresionante cómo se planteaba en el rol de papá…

—Fuera de lo que corresponde a un sacerdote; ahora uno se da cuenta de ello.

Sorpresa y apoyo

Eugenio de la Fuente estaba en su parroquia en Quinta Normal el 21 de abril de 2010 cuando apareció la noticia de que Fernando Karadima enfrentaba acusaciones de abuso sexual.

«Era muy temprano. Estaba en la capilla rezando y me llamó por teléfono un joven de El Bosque para contarme que Fernando Paulsen había leído *La Tercera* en un programa matutino de Chilevisión. Había dado a conocer esta noticia que salió en ese diario por primera vez. Y no lo creí.»

—¿Y fuiste a apoyar al cura...?

—Sí.

—¿Es cierto que hiciste gestión para que otros feligreses lo respaldaran públicamente?

—Bueno, sí. Esto se supo un miércoles y unos días después me llamó un sacerdote cercano al padre Karadima y me pidió si podía hablar con don José Said para que dijera lo que él estimara, en el fondo que al menos manifestara que esperaba que hicieran un juicio justo. Y don José, que había sido feligrés de El Bosque y no podía imaginarse una cosa así, accedió.

—¿Ese fue el origen de la declaración que apareció en *La Segunda*?

—Así es. Don José lo hizo con la mejor voluntad y porque yo se lo pedí. Lo conozco y él confió.

—¿Crees que a toda esa gente que siempre ha ido a El Bosque, que son los feligreses habituales, le pasó algo similar?

—Para todos esos feligreses de misa dominical creo que debe haber sido algo totalmente inverosímil. La iglesia se repletaba para las fechas importantes, para los retiros de Semana Santa, y escuchar al padre Fernando predicando a mucha gente le hacía un bien enorme, lo dicen hasta ahora. Gente que incluso cree que todo es cierto, dice: «A mí me hace mucho bien escucharlo». Por esa razón, para mí es un misterio lo que le pasa al padre Fernando. No soy capaz de decir por qué le pasó esto. No sé si está enfermo, qué grado de conocimiento y de percepción de la realidad tiene. La gente veía eso y era muy difícil de pensar que fuera cierto.

—¿Cuál fue el momento en que tú dijiste «esto es verdad»?

—Desde *Informe Especial* en adelante. A partir de ese programa se fueron dando hechos que me permitieron convencerme de las cosas. Y pude revisar y rebobinar.

—¿Tuviste conversaciones con otras personas?

—Sí, claro. Pero el *Informe Especial* fue muy importante porque a Jimmy lo conozco, a Fernando lo conocí desde chico junto a toda su familia y a sus hermanos, a José Andrés lo conocí en todo su paso por la parroquia. Y estuvo veraneando conmigo en la casa de Puerto Varas, de los Kast. Y a Juan Carlos no lo conocía, porque él se fue antes de que yo llegara en 1989, pero había escuchado muchas veces hablar de él, dentro del historial de la parroquia. Y ahora nos hemos hecho amigos.

»Jimmy es lleno de vida, es travieso, es simpático, pero jamás iba a inventar una cuestión así. José Andrés, incluso la primera vez, no quiso aparecer en la televisión, hizo una declaración muy seria, no admitió preguntas, y Fernando se veía muy afectado. Además, hablaban de ciertas cosas que yo había vivido, como esos retos en que se juntaban para decirle a uno una cosa. Que el padre mandaba a uno a retarlo a través de otro eran situaciones que se vivían.

Una eternidad siniestra

—Dices en tu declaración que te agobiaste con el carácter de Karadima... Es distinto que lo diga un sacerdote y ex vicario suyo a que lo diga una de las víctimas...

—Sí, el padre tenía muy mal carácter.

—¿Es gritón?

—Sí, tiene muy mal carácter, no quiero patear al padre en el suelo, pero quiero que se entienda un contexto de algo que pasó y que no debe volver a pasar nunca más y que es el *modus operandi* errado para una cosa que fue muy triste.

—Ese mal carácter rebotaba en ustedes...

—Era la forma de ser de él, pero no tiene nada que ver con la verdadera dirección espiritual, con lo que debe ser un sacerdote para sus feligreses. Es cierto, ese mal carácter rebotaba en nosotros.

—Y los hacía estar atemorizados…

—Sí, con miedo.

—Además, les inculcaba miedo con el Infierno y con los demonios.

—Él hablaba un poco de esos temas. En ese ámbito yo no tenía tanto miedo, porque no enganchaba. Quizá porque he tenido una devoción muy fuerte al papa Juan Pablo II, a quien admiro mucho, y ese discurso teológico a mí no me entraba tanto.

—Ese discurso de la condenación a muchos les provocaba pesadillas con los infiernos que les pintaba. Con una eternidad mala…

—Parte de su predicación era eso, justamente una eternidad mala, el Infierno. Una eternidad siniestra. Hablaba de condenarse —que ya es una palabra tremenda— para siempre.

—El concepto de «siempre» lo reiteraba mucho al referirse a la condenación…

—Es una escuela antigua. Es parte de la predicación de una teología que no es más pura de la Iglesia, que se basa en que Dios se hace hombre por amor a nosotros y nos va a redimir para que tengamos una eternidad plena y feliz. Esa es la verdadera teología: un Dios salvador de amor y misericordia. El padre Fernando como que se quedó en esa escuela antigua, aunque también hablaba a veces del Cielo y de la misericordia de Dios, y en su predicación estaba muy presente la Virgen María.

—¿Qué decía en sus prédicas sobre el Infierno?

—En algunas ocasiones decía: «si es que el Infierno fuera como una roca y va cayendo una gota de agua cada mil años, y esa gota fuera socavando la roca hasta llegar a romper la piedra, aun así la persona sentiría que tendría salvación alguna vez. Sin embargo, eso en el Infierno nunca pasará». Y había una voz que decía «para siempre, para siempre». Era como un reloj o algo así que marcaba ese tiempo sin fin. Como queriendo remarcar el concepto de eternidad.

—¿Y el Cielo cómo era?

—No recuerdo exactamente, porque eran mucho más impactantes las imágenes que usaba para el Infierno. Pero alguna vez comentó que el padre Hurtado caminaba con él por unos campos, y él en ese Cielo le mostraba «la virgencita» y los lugares preciosos del Cielo, la alegría del Cielo, un poco como se lo imaginaba él. Pero claramente quedaba mucho más marcado lo que predicaba sobre el Infierno, por el terror que infundía.

—¿Qué pecados destacaba?

—La avaricia…

—Curioso, porque él tenía hartas cosas materiales de las que no se deshacía. ¿O era para que le dieran plata los feligreses?

—No, no apuntaba para allá.

—¿Pedía plata para los pobres y se la dejaba para él?

—Eso es una caricatura, porque él tenía como una especie de misericordia con la miseria.

—Un jardinero de El Bosque de los que fue a declarar nos contó que le había dado plata para una operación de su mujer y lo quería mucho por eso. Y dijo que no creía nada de las acusaciones y le caía mal Benedicto XVI después del fallo…

—Debe haber sido así. Pero no tengo noción de haber percibido que esas ayudas las diera para que los jardineros o los empleados le taparan cuestiones. No podría decirlo. A él le bajaba como una conmiseración fuerte hacia la gente que veía en una situación imposible.

—¿Y el trato con el personal cómo era?

—Él tenía mal genio.

—¿Entonces de repente si veía a alguien afligido podía querer ayudarlo?

—Sí, sí, sí.

«Me cansé de sentirme oprimido»

El rol del vicario —que es designado por el obispo— es ayudar al párroco en lo que necesite, explica Eugenio de la Fuente. «En lo pastoral o en las actividades de la parroquia. Estaba para ayudar en todo lo que significa la vida pastoral.»

—Cuando eras vicario eras un típico Karadima boy. ¿Te retaba?

—Sí me mandó retar y me retaba muchas veces.

—¿Por qué?

—Por cosas de la parroquia, su funcionamiento como vicario y también por cosas personales.

—¿Mandaba en El Bosque como un señor feudal?

—Sí.

—¿Por qué se produjo en tu caso la pelea con este señor feudal?

—Diría que me cansé de tener miedo y sentirme oprimido.

—¿Oprimido en tus decisiones personales y pastorales?

—Vitalmente. No quiero profundizar más en eso.

—¿Qué hizo Karadima cuando un sacerdote como tú le señaló eso? A las víctimas les decía que tenían el demonio adentro. Pero el vicario no podría tener el demonio adentro...

—Todo el mundo podía tener el demonio adentro —dice sonriendo.

—¿También te lo dijo?

—No me lo dijo de esa manera, pero había distintas formas de decir que uno estaba mal. Desobediente... Pero de verdad no quiero entrar más en eso, porque son cosas personales de él y mías...

—Fue un período bien complicado de tu vida...

—Complicado, pero la decisión fue pacificadora. Y el proceso no fue tan lento como pensé que iba a ser. El distanciamiento definitivo ocurrió cuando fui nombrado vicario en otra parroquia. Y después mantuve una amistad con el padre. No me mandé cambiar de El Bosque, sino que iba a verlo. No rompí definitivamente en una pelea.

—¿Cuándo terminaste la dirección espiritual?

—En marzo o abril de 2009, después de irme de la parroquia.

—¿Cómo tomaron los sacerdotes de la Pía Unión la decisión del arzobispo Francisco Javier Errázuriz de sacarlo de párroco en 2006?

—Yo lo consideraba un acto de injusticia tremendo, porque había sacerdotes mucho mayores que él, mucho más dañados en su salud, más imposibilitados pastoralmente, que seguían hasta los noventa años siendo párrocos. No lo podía comprender.

—¿Es cierto que hubo manifestaciones críticas frente al arzobispo en ese momento?

—Sí.

—¿En qué se expresaron?

—[Silencio y luego responde.] Bueno, había una actitud interior crítica hacia el arzobispo. Considerábamos que el padre Fernando había sido un aporte tan grande a la Iglesia de Santiago que no dejarlo un par de años más con todos los frutos que estaba dando no tenía razón de ser. Y criticamos esa decisión.

—¿El cardenal Errázuriz solo esgrimió el tema de la salud y la edad?

—No, también la cantidad de años que llevaba el padre Karadima de párroco, y eso era un argumento razonable, considerando los criterios de la Arquidiócesis, pero uno no lo encontraba así en ese momento. Para uno, viendo la cantidad de gente que iba a la parroquia, a cuánta gente veía que le hacía bien la prédica del padre Fernando, cómo salían felices los que iban, la cantidad de juventud que se juntaba y las vocaciones que surgían, uno decía: «Cómo no va a valer la pena dejarlo dos años más». Uno pensaba que era una situación digna de excepción.

—¿No tenías idea de que había denuncias ante la Iglesia?

—No, ni juicios ni presentación de querellas.

—En 2006 fue nombrado párroco Juan Esteban Morales. Tú eras vicario, ¿Karadima seguía siendo el dueño de El Bosque?

—Sí.

—¿Cómo era tu relación con Juan Esteban Morales?

—En justicia, tengo que decir que Juan Esteban me apoyó mucho y me acogió en momentos en que me sentía muy agobiado y cansado.

—Era como tu jefe…

—Era mi párroco, pero yo no lo sentía tanto como mi jefe. Mi jefe seguía siendo el padre Fernando. Con Juan Esteban era muy amigo y le sigo guardando cariño.

Características de secta

—¿Hasta qué punto consideras que lo que se generó en El Bosque tiene características de secta?

—En la medida en que se formó esta dependencia del padre Fernando tiene características de secta. Visto ahora, en perspectiva, el conjunto de personas sobre las cuales el padre Fernando logró entrar tan profundo a su conciencia, se puede decir que El Bosque adquirió esas características. Toma la forma de secta cuando el corazón asume la convicción de que el padre Fernando era un hombre santo, y el padre Fernando exige una adhesión incondicional a su persona.

»No me refiero a la gente que va a misa el domingo. Esas personas cuando saben esta verdad, sufren, lloran. Al principio, lo encuentran inverosímil, pero después lo aceptan.

—Respecto a lo de santo, él habría influenciado para que le dijeran «santo» y muchos le decían así…

—Lo de santo era como un sobrenombre que se le decía a él y también una especie de muletilla que se usaba en el trato de unos con otros. Como era un ambiente de parroquia, religioso, de repente alguien le podía decir a uno: «¿Oye, santo, cómo has estado?».

—¿También se trataban entre ustedes de «santo» como quien se trata de «compañero» o «camarada»?

—Sí, entre nosotros, era como una especie de muletilla. En ese sentido, como yo lo percibí, independiente de que al padre Fernando se le consideraba un santo, lo del trato era como una cosa más liviana de contenido. Era parte de una jerga.

—Pero también se creía que cuando muriera lo iban a canonizar...

—Había algunos que tenían esa idea. No fue una cosa que se hablara tan expresamente, pero creo que algunos estaban convencidos de que el padre era un santo. Yo aceptaba eso a regañadientes, porque es un hombre con carácter terrible, una persona difícil en el trato. Pero a veces uno pensaba que ha habido gente tremendamente positiva para la historia, no solo en el ámbito de la Iglesia, con mal carácter, porque nadie es perfecto en todo. Y en ese sentido uno podía pensar: «Puede ser».

Para Eugenio de la Fuente «es importante ver cómo se gestó este cóctel que permitió una historia como la que pasó». Y se preocupa de recalcar: «En primer lugar, en la Iglesia no hay cabida para una cosa así; la Iglesia no es una secta».

—Pero pasó...

—Tal como pasa al interior de un Estado o con la tragedia de Jonestown, donde se suicidaron todos adentro de una casa[10]. Las personas que contiene la Iglesia son parte de una sociedad pluricultural y pluriambiental. Entonces, si una persona que trae una enfermedad basal combina esto con la autoridad que le da su sacerdocio, es un cóctel explosivo, pero ni se acerca en un cero por ciento a lo que es la Iglesia. Es sumamente importante darse una vuelta por un perfil psiquiátrico de la persona del padre Karadima para ver qué fue lo que permitió que esto ocurriera.

---

[10] Alude al suicidio masivo de la secta Templo del Pueblo en Guyana en 1978, donde murieron más de novecientas personas, incluyendo doscientos setenta niños. La secta había sido fundada por James Warren Jones en Indiana, Estados Unidos, en 1953.

Conciencia y libertad

Según el padre De la Fuente, «lo más importante es lo sagrado que es la conciencia del hombre y el tema de la libertad» y, en este caso —señala—, al haber dominación, se ha anulado u «obstaculizado la libertad de jóvenes que tenían grandes ideales».

—Y transforma esto en una sumisión a su persona —le comento.

—Sí.

—Y los priva de libertad, los hace temerosos.

—Sí.

Busca explicaciones para comprender los porqué del actuar de Fernando Karadima: «El hecho de que haya surgido fue producto de un problema basal del padre Fernando».

«Creo que hay un conjunto de cosas que generaron su personalidad, que fue sacerdote y que tenía un carisma muy potente para atraer gente. Su parroquia estaba siempre llena. Tenía como un don humano, una predicación fuerte, con mucha convicción en lo que decía. En el llamado a la radicalidad del camino para ser santo. Y de ahí, de esa atracción que provocaba, uno comenzaba a confiar en que a través de él uno lograría el camino de la santidad. A uno lo convencía de eso. Y ahí está el problema.»

Eugenio de la Fuente sostiene: «Nos convencía de que la santidad se lograba a través de su dirección espiritual y de una obediencia completa a él. Y ahí es donde se distorsiona la verdadera doctrina de la Iglesia Católica sobre el respeto a la conciencia, que define la Iglesia, y a la libertad, que describen el Evangelio, Jesucristo y la Iglesia. Se habla de que Jesucristo respeta absolutamente la libertad. Cuando se fue el joven rico, él lo miró con tristeza, pero no lo presionó».

Desde las primeras conversaciones que sostuvimos hasta la última entrevista, Eugenio de la Fuente insiste en su inquietud porque una historia como la de Karadima no se vuelva a repetir.

—¿Qué harías tú para que en realidad fuera un «nunca más»? —le pregunto.

—La apertura a la justicia eclesial, civil, conversaciones como esta, y tratar de ser un sacerdote de acuerdo al perfil que nos muestra Jesucristo y la Iglesia, son la mejor forma de aportar para que esto no vuelva a ocurrir. Y junto a eso, estar atento para no dominar ninguna conciencia.

Para él, algo esencial «es que la gente entienda que la del padre Karadima no es la forma de guiar al ser humano en la Iglesia. Yo en algún momento creí que lo era y me doy cuenta claramente de que no lo es. Porque no correspondía a lo que mi corazón me pedía, y forcé mi corazón hacia eso».

En ese sentido —señala—, «la verdadera guía que hace un sacerdote de acuerdo con la doctrina de la Iglesia es el respeto sagrado a la conciencia que aparece en el Concilio Vaticano II y la certeza de que un acto para que sea realmente bueno requiere la libertad soberana que Cristo nos regaló».

Después de la traumática experiencia vivida en El Bosque y de captar la magnitud de la dominación de la que también fue víctima, el padre Eugenio de la Fuente ha buscado textos de la Iglesia Católica que refuerzan la importancia de la libertad del hombre en la búsqueda de Dios. En su carpeta negra lleva dos páginas con algunos párrafos destacados en amarillo. Son citas del documento *Gaudium et Spes* del Concilio. Me muestra una: «La conciencia es el núcleo más secreto y el sagrario del hombre, en el que este se siente a solas con Dios, cuya voz resuena en el recinto más íntimo de aquella».

Y señala una referencia a la libertad, del mismo documento: «La orientación del hombre hacia el bien solo se logra en el uso de la libertad (...) La verdadera libertad es signo eminente de la imagen divina del hombre»[11].

---

[11] Constitución Dogmática *Gaudium et Spes* 16-17. Concilio Vaticano II. Referencia a «Dignidad de la conciencia moral» y a «Grandeza de la libertad». El otro documento que Eugenio de la Fuente menciona sobre estos temas es la Carta Encíclica *Veritatis Splendor*, 38-39, de Juan Pablo II, que desarrolla el concepto «Dios quiso dejar al hombre "en manos de su propio albedrío"».

«No me costó firmar la declaración»

El proceso vivido durante el último año no ha sido fácil para Eugenio de la Fuente, como tampoco para los otros sacerdotes que formaban la organización impulsada por Karadima.

—¿No te ha planteado dudas sobre tu vocación sacerdotal el remezón que has experimentado?

—No. Creo firmemente que la Iglesia fundada por Jesucristo y habitada por el Espíritu Santo, a pesar de la debilidad y pecado de sus hijos, sigue siendo el faro referente del amor sin límites al cual está llamado el hombre, y la puerta hacia los horizontes infinitos de los grandes anhelos del corazón humano.

»El dolor de todas estas situaciones nos impele a trabajar por ser cada vez mejores para que pueda resplandecer limpia y transparente la auténtica imagen de la Iglesia. Estoy feliz de ser sacerdote —dice, con voz firme, el párroco de Nuestra Señora de la Medalla Milagrosa.

—¿Hasta cuándo participaste en forma activa de la Unión o Pía Unión Sacerdotal?

—Yo seguí participando en la Unión Sacerdotal durante el comienzo de 2010, pero de a poco dejé de ir.

—¿Se siguen reuniendo los lunes en El Bosque en la misa de diez de la mañana?

—Supongo, yo no he ido.

—¿Y qué hacen el resto del día?

—Se dividen en pequeños grupos que almuerzan juntos. Es poco común que se junten todos a almorzar.

—¿Hasta que se hicieron públicas las denuncias Karadima encabezaba esa misa y las actividades?

—Sí, hasta que estalló todo esto. El obispo le pidió que no ejerciera el ministerio público como medida cautelar. Estuvo un tiempo viviendo en la parroquia y después se fue a distintas casas.

—¿Les costó mucho dar el paso de firmar la declaración en que señalan que las denuncias eran verosímiles?

—Puedo hablar por mí y no me costó. Sabía que era un momento doloroso porque había muchos amigos ahí, gente que uno sigue apreciando, y en ese sentido tuvo algo de dolor, pero en cuanto a la decisión, no. Eso fue en agosto.

· —Y declaraste dos veces en el juicio, antes y después de eso...

—Fue muy especial, algo que nunca pensé que me iba a tocar en mi vida.

Cuenta, sin embargo, que se sintió muy bien con el fiscal Xavier Armendáriz. «Una persona muy humana. Es un tipo con el que uno se siente cómodo conversando, aunque no estaba en absoluto en mi ADN ir a hacer una declaración a la justicia».

—Y el otro juez, Valdivieso, ¿te entrevistó?

—No lo conocí, a mí me entrevistó la actuaria.

—Y después de todo, ¿te sigues sintiendo parte de la Unión Sacerdotal?

—No, ya no —dice el párroco Eugenio de la Fuente, sin dudar.

Capítulo XV

LA MENTE DEL PERVERSO

Sentados en una terraza del edificio nuevo de la Clínica Santa María en Bellavista una soleada mañana de abril de 2010, días antes de que apareciera su primer testimonio en la televisión, James Hamilton, con su bata blanca de médico, se apronta a dar un diagnóstico. Mientras tomamos un café, me señala categórico: «Karadima es un perverso». Es un personaje «que tiene trastocados los conceptos de bien y mal, y que logró mantenerme "embrujado"».

James Hamilton se sometió a un psicoanálisis durante seis años para asimilar lo que había vivido. Y para comprender que no es tan fácil salir de las redes de una mente insana. Para dejar de sentirse culpable. Para volver a vivir.

En esa conversación, una de las primeras que sostuvimos, Jimmy Hamilton manifestó: «Karadima no ha dejado de abusar, porque va en contra de su naturaleza. Su pasión es la dominación. Es un cazador furtivo que identifica a sus "presas" y las caza. Y la presa deja de ser persona para ser un objeto de sus deseos y pasiones».

—¿Cómo definirías el perfil de esas «presas»?

—Son jóvenes, con algún tipo de daño, con debilidad en la estructura familiar; ingenuos, bondadosos, alegres, creyentes, confiados. Y son capaces de «deslumbrarse».

—¿Los abusos eran simultáneos o uno detrás de otro?

—Simultáneos. Eso lo supe después de lo que viví en El Bosque, porque siempre pensé que era el único al que le ocurría algo así. Pero por otro tipo de testimonios supe que hubo relaciones homosexuales entre jóvenes, lo que para mí fue una sorpresa. Nunca pensé en eso. Uno de ellos se fue a confesar con Karadima y le contó lo que había ocurrido. Entonces el cura se dedicó a destruir paulatinamente al otro, porque su regalón, que integraba su harem, le había ido a confesar. Que hubiera alguien compitiéndole en cuestiones eróticas lo desquiciaba.

En la etapa previa al abuso sexual, Karadima iba «tanteando» el terreno de sus posibles «presas», describe Jimmy Hamilton. Y visto con ojos de hoy, sus víctimas comprueban que de esa manera, poco a poco, el cura iba detectando hasta dónde podía llegar con sus «elegidos».

—Las otras víctimas sufrieron abusos más cortos en el tiempo que tú…

—Ellos tuvieron la suerte, el coraje, la valentía, la estructura familiar para saber que eso estaba mal y se fueron. Y cuando se fueron eran «hijos del demonio». Pasaban por una especie de cartelera de desacreditación, como todos los que se han ido de El Bosque.

Cuenta Jimmy Hamilton que siendo presidente de la Acción Católica veía alejarse a otros jóvenes. «Y sin sospechar por qué se retiraban me decía a mí mismo "a estos cabros les falta fe y fidelidad hacia la Iglesia, hacia su director espiritual, ¡cómo se pueden ir!". Nunca pensé que a ellos les pasaban las mismas cosas. Creía que yo era el único.»

—Pero esto con el cura, ¿no era como un enamoramiento de tu parte también? —le pregunto.

—No —la voz se enronquece—, era sometimiento. Nada más. Él me decía de repente «somos pololos». Él me decía esa *huevá* y a mí me caía como patada en la guata, porque en el fondo de mi corazón esto me generaba culpa, pero él tenía un dominio total sobre mí. Yo le había entregado ese dominio. Nunca me gustó, después me generaba repugnancia.

«La realidad es la realidad, el perverso no lo va a dejar de ser nunca. No se le ha puesto el nombre de perverso a él y no se le ha puesto el nombre de víctima a la víctima. Y nunca se ha podido definir a los encubridores. Pero aquí tienes el triángulo oculto del secreto», me decía antes de que la Iglesia, en febrero de 2011, diera a conocer el fallo del Vaticano, donde se les reconoce de manera «oficial» el estatus de víctimas a él y a los otros acusadores principales que habían hecho las denuncias públicas.

Afirma James Hamilton: «Karadima le hizo un daño a la sociedad, pervirtió a tipos generosos. Podrían haber sido personas que bien encaminadas estarían hoy trabajando en sus pegas, entregadas a la solidaridad, a la justicia, a la bondad, porque así eran ellas».

Le inquieta lo que ocurre en el entorno del ex párroco de El Bosque y cree que se debe indagar a fondo por las complicidades u ocultaciones que pueden haberse generado, y por el riesgo que esto implica para la sociedad. Por eso, también le parece fundamental que se investiguen todas las redes del ex párroco, como lo reiteró en su impactante participación en *Tolerancia Cero*, el domingo 20 de marzo de 2011.

En muchas oportunidades habíamos conversado sobre este tema en el último año. Jimmy Hamilton advierte «la repetición de costumbres en los "hijos de Karadima". Hay muchos que hacen esto». Sostiene que hay «una red doctrinaria de perversión. Es un problema enorme. Las personas en sí no son malas —reitera—. El drama proviene de una nebulosa entre el bien y el mal. En dilucidar qué es lo que está correcto y qué incorrecto. Y se educa a gente y se le enseña una nueva moralidad. Entonces heredan eso».

«La pasión de Karadima es subyugar, es la dominación», reitera el doctor Hamilton y argumenta que «esa pasión no puede eliminarse o prohibirse. Y si están libres y en condiciones, lo van a seguir haciendo.» Unas semanas después, un día de junio de 2010, agregó: «Sacerdotes como Diego Ossa hasta hoy son abusados. Karadima le dice en las noches que lo vaya a acompañar porque está tan triste y solo...».

Las definiciones del «padre Cero»

Con mucha cautela me recibió en un lugar eclesiástico la mañana del último día de 2010 para tratar el tema del caso Karadima.

Fue uno de los pocos sacerdotes que antes de que el arzobispo Ricardo Ezzati diera a conocer el fallo del Vaticano accedió a conversar, aunque bajo un estricto compromiso de no citarlo por su nombre y sin grabar su voz. Lo rebauticé como «padre Cero», considerando que sus apreciaciones —de las que tuve que tomar apuntes— pueden ser de interés.

Conoce a algunos de los denunciantes y sabe de procesos eclesiales y civiles en curso. Entre sus preocupaciones están los abusos sexuales y psicológicos que afectan a la Iglesia sobre los que ha leído y estudiado. Él ha analizado el tema de lo que llama «la mente del abusador» y su funcionamiento. Explica así el «proceso de elaboración del trauma»: en primer lugar, el abusador «embauca a las víctimas de alrededor de quince años y hasta los dieciocho; segundo, abusa de ellas a partir de los dieciocho, y en la tercera fase, manipula; esto —dice— es continuo y puede durar muchos años».

Según el padre Cero, la descripción que hace la siquiatra francesa Marie-France Hirigoyen en su libro *La mente del abusador*, calza como «de manual» con la personalidad de Fernando Karadima. La especialista explica que el abusador no tiene empatía con la víctima, por lo que tampoco siente culpabilidad ni se arrepiente. «Nunca se arrepentirá. Es parte de la perversión», explica el padre Cero. Agrega que los abusadores perversos como tipo psicológico «son "planos". No tienen emociones verdaderas». Coincide con otros especialistas en que Karadima presenta «efebofilia» —la atracción sexual que sienten las personas adultas hacia adolescentes que han superado la pubertad— y abusó de «efebos» elegidos por él.

Las constantes alusiones al padre Hurtado y a la Virgen María al padre Cero no le parecen más que muletillas para asegurarse la adhesión de los jóvenes: «Otras herramientas para manipular».

Opina que Karadima tiene una «personalidad desestructurada». Prefiere no usar el término de psicópata —dice serio—, «porque podría ser causa de eximirlo de pena. Pero tiene rasgos de personalidad psicopática que lo constituyen en un perverso, un abusador».

Al padre Cero no le parece extraño que el mismo Karadima hubiera sido abusado. Alude también a eventuales situaciones vividas en su infancia. «Su familia tenía muchos problemas económicos. Lo típico de una personalidad como la suya es una baja autoestima que para afianzarse recurre a acciones de poder, lo que implica control de las mentes de las personas, búsqueda de riqueza y abuso sexual.»

Y agrega que un agravante del mal ejercicio del poder en derecho penal es que esté revestido de autoridad. Y en el caso de Karadima —dice— «aún es peor, porque lo ejerce en nombre de Dios».

Seducción de *grooming*

El sacerdote Hans Kast, en el documento que acompañó su declaración ante el fiscal Armendáriz en la primera etapa del proceso ante la justicia, agregó un anexo en el que cita «algunos elementos para entender el tema del abuso sexual». La fuente es monseñor Stephen Rossetti, del Saint Luke Institute en Washington, Estados Unidos, uno de los expertos a nivel mundial en abuso sexual[1].

Los conceptos que emite Kast coinciden con lo señalado por el padre Cero y con otras opiniones expertas. Por ejemplo, al indicar: «Muchas veces el abusador no reconoce el mal que hace; ahí está su enfermedad, no tiene empatía con el dolor ajeno».

Un punto especialmente interesante que recoge el padre Kast de los planteamientos de Rossetti es que «el abusador efebofílico tiene una atracción inapropiada hacia jóvenes y hará todo lo posible por llegar a ellos. Va violando los límites en forma escalonada». Cualquier semejanza con la realidad que instauró Karadima en El Bosque no parece mera coincidencia ni es casualidad. Por

---

[1] Sobre declaración de Hans Kast ante la justicia, ver capítulo 14: «Acusaciones sacerdotales». Hans Kast agrega como referencia en su documento el sitio web www.sli.org

el contrario, se puede concluir que su comportamiento en efecto resulta «de manual».

Kast aporta otro antecedente sobre el abusador basado en palabras de monseñor Rossetti: «Comienza con una seducción de *grooming*», esto significa que va de a poco ganándose la confianza[2] de la víctima. «Minimiza el dolor ajeno y busca racionalizar sus conductas de abuso.» A la vez, agrega: «abusa de drogas médicas» y resalta que «maneja mal sus emociones y su sexualidad. Es patético e infantil».

Señala el padre Kast los diversos tipos de abusadores descritos por Rossetti: pedófilos, efebófilos, compulsivos sexuales, neuropsicóticos, narcisistas. Y añade que entre uno y dos tercios de los abusadores sufrieron ellos mismos de abuso.

Una característica que consigna el documento que se cumple con exactitud en el caso Karadima es que este tipo de abusador «no se relaciona con iguales o pares, sino con inferiores… Rey de los jóvenes». Esas palabras recuerdan, sin ir más lejos, la afición de Karadima de andar siempre con séquito y el tratamiento de «rey» que le daban algunos de sus seguidores más cercanos, como el actual obispo de Linares Tomás Koljatic, según testimonios de las víctimas.

Los abusadores efebofílicos «buscan hábilmente la forma de tener acceso a jóvenes, y en ambientes de confianza pierden el pudor o la inhibición», destaca monseñor Rossetti. Y señala un dato que también menciona el padre Cero: «A veces espera que las víctimas cumplan la edad para que no sea delito, pero el *grooming* ha comenzado antes».

Otra conducta que se advierte en el ex párroco de El Bosque: «Minimizan su responsabilidad: el joven llegó a mí; era un juego; el joven necesita la figura del padre. Tocarse no es sexo. Niegan y manipulan. No reconocen el problema».

---

[2] El concepto de *grooming* se usa también para referirse al proceso de acoso sexual a través de Internet en el que paso a paso el abusador se gana la confianza de la víctima.

El padre Rossetti advierte que los abusadores tienen «otra lógica mental» y muchas veces «no entienden el mensaje que se les da para que mejoren su conducta. Uno se puede quedar con la impresión de que entendieron, que quieren salir del problema, pero en el fondo muchas veces o no comprendieron o no quieren hacerlo».

Hans Kast cita también a la religiosa Angela Ryan, quien desde la Conferencia Episcopal Católica de Australia lleva más de veinte años «dedicada a ayudar a fomentar ambientes sanos y seguros para niños y personas vulnerables de la Iglesia». Como otros especialistas, Ryan advierte que «es casi imposible ser testigo de un abuso sexual grave». Pero es posible —indica— «descubrir patrones de conducta que van delatando al abusador, y como un puzle uno puede ir armando todo el contexto. Todo abusador deja una huella que lo delata».

El «hechizo» según Murillo

En un artículo que se titula «Mitos y realidades del caso Karadima», escrito en noviembre de 2010, José Andrés Murillo ahonda en algunos conceptos que permiten comprender cómo ocurre la dominación que ejercía el cura en sus seguidores[3].

«El poder abusivo de Karadima es tan grande que realiza lo que algunos profesionales, refiriéndose al abuso sexual intrafamiliar, llaman el "hechizo". La confianza que gana un sacerdote es solo comparable a la que hay dentro de una familia», dice Murillo. «Karadima aislaba a sus víctimas respecto de sus familias y antiguos amigos. Hay testimonios que hasta el día de hoy acusan a los denunciantes de haber mantenido amistades extraparroquiales como si se hubiese tratado de una falta, cuando en realidad, en mi caso, fue lo que me salvó de haber caído en el hechizo más profundo», señala.

---

[3] El artículo «Mitos y realidades del caso Karadima», de José Andrés Murillo, fue publicado por el diario *La Segunda*, el 1 de diciembre de 2010.

Según el doctor en Filosofía, este proceso se desarrolla con el apoyo de ciertos mecanismos: «Karadima transformaba a su víctima en absolutamente dependiente del círculo de la parroquia, de modo tal que, a la primera orden suya, la víctima era aislada y castigada por el grupo —por ejemplo, se le quitaba el saludo de todo el círculo de la parroquia, es decir, de su nuevo círculo afectivo—. Ante eso, el joven debía volver a ganar la gracia de Karadima, obedeciéndole ciegamente. Como sistema perverso es perfecto, pues la víctima no es capaz de acudir afectivamente a su familia, a sus amigos».

Respecto del abuso sexual, también José Andrés Murillo da algunas pistas: «Una persona puede reaccionar orgánicamente con una excitación ante una tocación cuando no es capaz de verla como un abuso. Se da una disociación corporal y afectiva profunda. Algo se rompe definitivamente, como lo expresa Jimmy Hamilton. Y si luego el abusador lo envía a confesarse por el abuso que él mismo ha cometido, entonces la víctima pensará que él es responsable de esta reacción exclusivamente orgánica. Entrará en un círculo abusivo esclavizante que puede durar años o, en muchos casos, para siempre».

Sin sentido de identidad

Aunque no le da ese nombre, Murillo también alude en su escrito al *grooming*: «Karadima "trabajaba" a muchas de sus víctimas cuando eran menores para pasar fácilmente al acto cuando eran mayores de dieciocho. Moldeaba un carácter incapaz de defenderse, fragilizándolo, haciéndolo dependiente de su voluntad, disociándolo». Según José Andrés Murillo, «esta disociación tiene consecuencias gravísimas para la vida de las personas, pudiendo gatillar incluso una esquizofrenia, personalidades robóticas, "zombies", como las que se ven en la mirada triste y perdida de algunos de los que defienden hasta hoy a Karadima».

El enfoque del padre Cero es coincidente: «El problema dramático que encierra el abuso y la manipulación es que a las víctimas se les anula su identidad». Según el sacerdote, Karadima interfirió en la formación de su carácter más íntimo. «Es el problema de los que siguen defendiéndolo, que no tienen identidad, y su modelo es "el padre". Han perdido el sentido de identidad y eso es profundamente delicado.»

Aunque no todas —indica el padre Cero—, la mayoría de sus víctimas estaba pasando por una crisis antes de llegar a El Bosque o «venía de familias disfuncionales. Algunas tenían escasos diez años cuando se vincularon a la parroquia. Hasta los quince, los introducía en su mundo, y después se acercaba a ellos».

Al padre Cero le inquieta que, de no resolverse bien este problema mayor, «más de algún caso pudiera terminar en suicidio ante esa falta de identidad». Porque hay que agregar que uno de los aspectos más graves es que la manipulación se hace en nombre de Dios. «Él usa con sus víctimas una fórmula que es justamente hacerlas sentirse culpables ante Dios. Más aún, sentir que han pecado con un sacerdote. En el caso de Karadima —dice el padre Cero—, incluso considero más grave la manipulación que el abuso sexual mismo. Eso destruye a la persona. Y es manipulación en nombre de Dios.»

Un larguísimo camino

De acuerdo al análisis de José Andrés Murillo, el hecho de que un abuso pueda durar veinte años solo se explica si se tiene en cuenta que la víctima entró en contacto con su victimario cuando era «menor, o era vulnerable, con carencia de padre, con dudas sobre su vocación profesional y el sentido de su vida, y cuando además se le exige una confianza ciega en su director espiritual».

El mismo «hechizo» —según José Andrés Murillo— es lo que provoca que las personas abusadas se demoren tanto tiempo en denunciar. «Es muy difícil asumir que uno ha sido abusado, que la persona en la que uno confiaba como si fuera Dios en la Tierra ha sido capaz de transgredir límites personales, corporales y sexuales. Generalmente pasan muchos años antes de que una persona no solo le cuente a otro lo que le sucedió, sino incluso pueda contárselo a sí mismo, asumirlo.»

Indica que «el principio de la sanación es ser capaz de asumir el abuso, y la justicia la que puede devolver la identidad a una persona abusada».

«Cuando la justicia —ya sea eclesiástica o una sanción social— establece que una persona ha sido abusada, entonces esta puede identificar sentimientos —sin nombre, confusos y auto-destructivos— que antes tenía bloqueados. También este proceso puede hacer que el mismo abusador se asuma como tal, se abra a la verdad, por dura que sea, y comience el largo camino de la reconciliación», sostiene el doctor en Filosofía.

«El camino que va entre el abuso y la denuncia es larguísimo», insiste José Andrés Murillo, y eso lo hace reforzar su apreciación de que hay muchas otras víctimas cuyos casos no se han conocido todavía.

En este sentido, Murillo aborda otro punto de contexto que explica las dificultades previas a una eventual denuncia: «Para la gran mayoría de los abusados es mucho más fácil morir en el silencio, no quemarse, sufrir secretamente lo que a uno le ha pasado». Sobre todo, agrega, si esto ocurre en Chile en los sectores altos, donde «es más difícil hacerse cargo de lo vivido, pues las cosas adicionalmente no se hablan; todos quieren parecer o tener más que ser, las personas prefieren callar los abusos, la violencia intrafamiliar, y hasta la enfermedad es algo que muchas veces se esconde». Según Murillo, Karadima «aprovechó esta condición de la sociedad chilena para llevar a cabo sus abusos».

Sin embargo, advierte que las consecuencias de callar el abuso son peores. «La negación y la disociación, al no asumir que lo que se ha vivido es un abuso, pueden tener consecuencias de por vida. Destruyen la alegría, la capacidad de amar, de comprometerse con alguien, rompe en la posibilidad de confiar, de tener fe incluso en Dios.»

Además, señala que «si la persona no es capaz de darse cuenta, de ponerle el nombre de abuso a lo que vivió, entonces tampoco podrá defenderse de otras situaciones de abuso de poder». Por eso, insiste en la importancia de reconocer y denunciar, porque a su juicio «no hay ninguna verdad peor que la mentira que la oculta».

«Un artista de la manipulación»

Ex alumno del Instituto Nacional y de la Universidad Católica, profesor titular de Derecho Penal de la Universidad Diego Portales, el abogado Juan Pablo Hermosilla Osorio ha acompañado desde abril de 2010 a tres de las víctimas del caso Karadima[4]. Desde el primer momento, este abogado de cincuenta años, de pasado izquierdista, se muestra admirado por la valentía de sus defendidos, e impactado por todo lo que ha sabido y lo que sigue conociendo al develarse las cortinas del submundo que existía en El Bosque.

Sentados a ambos lados de su amplia mesa de vidrio, en su oficina me repitió más de una vez, durante la serie de entrevistas que tuvimos, que este caso es uno de los más estremecedores que le han tocado en su vida. Y suele compararlo con los de derechos humanos que conoció de cerca cuando colaboró con la Vicaría de la Solidaridad en los años ochenta.

Al abogado Juan Pablo Hermosilla le impacta la actitud de Fernando Karadima: «Este acto miserable final de seguir negando es impresionante». En las declaraciones que ha efectuado el sacerdote ante el fiscal Armendáriz y ante el juez Valdivieso se le repasaron uno a uno los nombres de las personas que lo habían acusado por sus actos. «Y el cura siempre termina negándolo todo. Uno se da cuenta de que hay algo de miseria humana. La

---

[4] Aunque originalmente Juan Pablo Hermosilla representaba a los cuatro denunciantes —Hamilton, Cruz, Murillo y Batlle—, en febrero de 2011 Batlle le retiró el poder que le había otorgado antes.

falta de una mínima calidad humana que deslinda en una psicopatía. Por último, pudo tener la dignidad para decir "ya estoy viejo, me voy a morir"», señala Hermosilla.

—Jimmy piensa que ni siquiera cree en Dios... —le digo.

—Yo creo que es ateo... Lo raro es cómo logra conciliar dos mundos incompatibles. Uno que dice promover la santidad, la fe religiosa, dura y conservadora. Y al mismo tiempo otro, que sostiene con un grupo de gente, muchos de ellos sacerdotes, que son víctimas o cómplices de una actividad permanente completamente contraria a lo que él predica. ¡Y que esto persista durante tantos años! Esto tiene que ver con la capacidad infinita de manipulación. Karadima es un artista de la manipulación.

—De hecho, la gente sobre todo se pregunta «¿y cómo tanto tiempo?»...

—Él los va haciendo cómplices y los va metiendo en un mundo difícil de comprender. Uno que no es católico, lo intuye, pero no lo entiende. Quizá sea más posible de comprender para una persona que cree en la fe católica, que tiene una imagen del sacerdote; a este le decían «santo» y él tenía el discurso de ser el discípulo del padre Hurtado (...) Pero al mismo tiempo, hacía cosas durante la confesión y decía que no estaba mal lo que hacía (...) Por eso, resulta tan irreconciliable, tan esquizofrénica la forma como él plantea su discurso oficial en relación con la manera de tratar a sus víctimas; tanto, que al final los abusados creen que el responsable no es el cura sino ellos mismos.

Como en muchos otros diálogos a lo largo de esta investigación surge en la conversación con Juan Pablo Hermosilla el nombre de Paul Schäfer y la similitud de ese caso con el de Karadima: «El tema tiene que ver con las estructuras de poder, disciplinarias, potentes, con un líder que siempre pone un fin altruista, de carácter político, social o religioso, y al final uno descubre que todo es *bullshit*, como dicen los estadounidenses, es una patraña. Esto no es más que una construcción de poder para abusar, para satisfacer sus impulsos sexuales, porque el tipo es un pervertido».

Según el abogado Hermosilla, incluso «la palabra psicópata, como pasa con Schäfer, se queda corta, porque uno piensa en el psicópata como el tipo que con tal de robarse un auto es capaz de matar a una persona. Aquí no se trata de individuos actuando en forma marginal, irreflexivamente, sino que de personas que ocupan posiciones de poder y tienen un reconocimiento social muy importante, y que a pesar de eso, fríamente, son capaces de llevar a cabo perversiones sin ningún miramiento».

Como Schäfer en Colonia Dignidad, Karadima en su «colonia virtual» se basaba en la obediencia y en la imposición de la jerarquía. Es ambicioso e inescrupuloso. Es un depredador de voluntades débiles o inseguras. Llegó a tener una gran influencia incluso en quienes tenían más seguridad. Hay situaciones tan inverosímiles como que el cura llamaba a médicos de su círculo para decirles qué tenían que diagnosticar y hasta en eso algunos le obedecían. En otras oportunidades, significó quiebre o ruptura con quien discutió sus designios.

Karadima estableció incluso una coa propia de El Bosque, como en una secta, con palabras que solo manejaban los «iniciados». Mandaba a retar. Infundía respeto y miedo.

Su afición por el poder, el dinero y sus impulsos sexuales descontrolados que lo llevaron a abusar de sus propios «discípulos», configuraron la doble vida de Fernando Karadima. El santo y admirado cura proveedor de vocaciones sacerdotales, a quien le gustaba relacionarse con los que considera aristócratas o con quienes le pueden proveer dinero, llegó a tener —durante décadas— más influencia en la Iglesia Católica y en la elite conservadora que muchos obispos, empresarios y políticos. Un «ingeniero social» que hizo todo para imponer su voluntad. Que sabía lo que quería y cómo conseguirlo. Que tejió tupidas redes de control, apoyo y protección.

En la consulta del siquiatra

Una tarde de marzo de 2011, mientras nos tomábamos un café en la Universidad de Chile con la periodista Faride Zerán[5], conversábamos sobre los contenidos de este libro. Nos detuvimos en las diferentes aristas de la personalidad de Fernando Karadima y sus estrategias de manipulación a sus víctimas. Surgió entonces la idea de consultar a un «especialista externo» al caso, que permitiera darnos más pistas sobre el personaje desde el punto de vista psiquiátrico. Apareció así sobre la mesa el nombre de Niels Biedermann Dommasch.

Biedermann es médico siquiatra chileno de origen alemán, nacido en Hamburgo, Alemania, y doctorado de la Universidad de Heidelberg. Es profesor asociado de la Universidad de Chile, y miembro de la comisión de un doctorado que imparten las universidades de Chile y Católica en conjunto con la Universidad de Heidelberg. Ya solo por esos títulos —pensamos— sería interesante su opinión sobre Fernando Karadima.

Pero el profesor Biedermann, además, ha asesorado a las víctimas de Colonia Dignidad durante los últimos años y fue miembro del Instituto Latinoamericano de Salud Mental y Derechos Humanos, ILAS, una organización que desde tiempos de la dictadura trabajó en apoyo a las víctimas de la represión política. Parecía el siquiatra indicado para que nos diera un trasfondo teórico, ilustrado con su experiencia, sobre la perversión de Karadima y los efectos en sus víctimas, considerando además que la analogía con Schäfer aparece con frecuencia.

Cuando lo llamé, aceptó de inmediato recibirme, pese a que —como me advirtió— él no ha tenido relación con el caso Karadima. Pero sí lo había seguido por la prensa e incluso había escrito

---

[5] Faride Zerán Chelech, premio Nacional de Periodismo 2007, fundadora y ex directora del Instituto de la Comunicación e Imagen (ICEI), profesora titular de la Universidad de Chile y autora de numerosos libros, entre otros: *O el asilo contra la opresión* y *La guerrilla literaria. Huidobro, De Rokha, Neruda*. Fue asimismo directora de la revista cultural *Rocinante*.

un artículo —inédito— sobre «el significado de la perversión» después de conocer el testimonio de las cuatro víctimas del sacerdote.

Me citó a su consulta, en el edificio médico Apoquindo, una noche de marzo, después de atender a sus pacientes. Conversamos con soltura, durante más de dos horas, sobre las profundidades de la mente del «perverso». Me recordó eso sí el profesor Biedermann, en varias oportunidades, que sus apreciaciones las vertía sin conocer directamente ni haber tratado a Fernando Karadima.

El escrito[6] —que me entregó al iniciar nuestro diálogo— me impresionó por la pertinencia de sus palabras para entender aspectos del caso del ex párroco de El Bosque y «su reino». El documento y la conversación sostenida con el médico ayudan a comprender lo que a ratos parece inexplicable. Al ser observadas desde la mirada del siquiatra, las piezas del puzle se van ordenando.

El doctor Biedermann explica, por ejemplo, que «cuando actos que merecen el repudio generalizado se muestran ligados a personajes de los que jamás hubiéramos pensado algo así, porque se ubican literalmente por encima de toda sospecha, surge fuertemente la sensación de estar en presencia de algo perverso, con todas sus connotaciones de tergiversación, ocultamiento, degradación y destrucción».

«La reacción frente a las denuncias sobre prácticas pedófilas ejecutadas por dignatarios de la Iglesia Católica «suele causar sorpresa, duda y finalmente indignación. El sacerdote, que en un inicio encarnaba la personificación del bien, ahora representa el mal», continúa.

Indica Biedermann, asimismo, que si se les sigue la pista a las víctimas, «la otra sorpresa consiste en observar su confusión y lo difícil que les resulta salir fuera de la influencia que el victimario adquirió sobre ellas. Esto último puede contribuir a que se ponga en duda su testimonio», advierte.

---

[6] Niels Biedermann, «El significado de la perversión», mayo de 2010. Inédito.

Huellas del lado oscuro

Agrega el profesor Biedermann que «esta respuesta gana en fuerza, mientras más respetado sea el victimario, en especial si es alguien que en su imagen pública observaba todas las reglas de la probidad y había adquirido la admiración de la comunidad dentro de la cual se movía. Se descubre entonces que siempre ha llevado una doble vida: la oficial y respetada, y la oscura y oculta. Algo se ha pervertido en él y ha logrado incluir a otros en el círculo de su perversión».

Según Niels Biedermann, «los pedófilos más exitosos logran investirse de alguna función que les otorgue un rango de autoridad sobre sus víctimas y les permita un grado de inmunidad dentro de su ámbito social».

No se puede dejar de pensar en Karadima al escuchar sus palabras: «Su vocación y carrera incluso pueden haber sido motivadas en forma semiconsciente por la fuerza de su pulsión sexual». Por eso, dice, «los campos profesionales que se prestan sobre todo son los religiosos, docentes, deportivos y los de la salud. Desde esa posición, el pedófilo puede tergiversar frente a su comunidad todas las huellas que han dejado sus actos perversos, dando lugar a la percepción de un abnegado compromiso social, en especial con la juventud. En ese momento, el pedófilo ha extendido la mistificación a la comunidad en que se mueve. Pero para lograrlo no ha recurrido a la capacidad de convencer, sino a la seducción».

Explica que «la acción del perverso sobre su comunidad consiste en atraerla hacia sí y seducirla. El seducido, a su vez, cuando despierta de la fascinación inducida por el seductor, descubre el elemento de engaño en que ha caído».

Paso a paso —continúa el doctor Biedermann—, «el perverso infiltra con esta táctica elementos de perversión en su comunidad. No ha sido su guía como ellos creían; los ha manipulado. No han estado compartiendo mano a mano un objetivo común; han sido utilizados para sus fines».

Indica el siquiatra que «a sus seguidores se les plantea el dilema de que si reconocen la realidad deberían aceptar que no notaron el elemento de falsedad inherente a sus gestos, actitudes y palabras, lo dejaron actuar impunemente. Sin querer se han transformado en sus cómplices. Esto vale tanto para los miembros de una comunidad de la Iglesia que ha cobijado a un pedófilo en su interior —o han sido guiados por él— como para los miembros adultos de la ex Colonia Dignidad, al develarse la pedofilia de su líder, hasta entonces negada colectivamente».

«Poco a poco, los bienintencionados seguidores del perverso descubren que han estado al servicio de su lado oscuro, cuya existencia creían ignorar», indica Niels Biedermann. «En cierta forma, a los seducidos de la comunidad —explica— les comienza a pasar algo parecido que a los seducidos sexualmente, entran en un estado de confusión.»

Señala el doctor Biedermann que el siquiatra argentino Reynaldo Perrone llama a la respuesta que el pedófilo induce en su víctima «el hechizo», por la fuerza hipnótica que tiene sobre el abusado. Y agrega: «El perverso en funciones de liderazgo también logra esparcir parte de este hechizo sobre su comunidad. La cautiva y en esto reside la contaminación, porque las huellas del lado oscuro, aun las más sutiles, siempre han estado ahí».

«Esto transforma la descontaminación en un proceso largo y difícil, de profunda revisión de múltiples aspectos, de diferenciación entre la falsedad y la realidad, progresivo distanciamiento entre las emociones generadas por la seducción en que se ha caído, y de aceptación del duelo que provoca la pérdida de todo un mundo en que se había creído.»

«Consumo y destrucción»

—¿Cómo defines al perverso? —le pregunto a Niels Biedermann.

—Perverso se llama, en el sentido clásico, al que pervierte valores, los tuerce, los va torciendo siempre un poco. Eso lo hace paso a paso. En la teoría psicoanalítica, las perversiones eran consideradas originalmente como alteraciones de la pulsión —del deseo— sexual, que la desviaba del objetivo de llegar a una relación sexual, completa entre dos personas adultas del sexo opuesto.

»Posteriormente, los estudios sobre la perversión han ido centrando su atención de manera progresiva en el tipo de relación que establece el perverso y su víctima. Esta consiste básicamente en una relación de consumo y destrucción. Al perverso no le importa el bienestar y el sentido futuro de esa persona, le importa satisfacer su deseo e incluso puede desarrollar una íntima satisfacción en degradar a la persona que desea», señala el médico.

Aclara el doctor Biedermann que esto marca «una diferencia fundamental entre homosexualidad y perversión», lo que muchas veces no se tiene en cuenta al hablar de estas situaciones. «El homosexual no solo desea a una persona del mismo sexo, sino que puede enamorarse de ella, establecer un vínculo y proteger y cuidar al ser amado al igual que el heterosexual», señala.

Muy distinta es la situación del perverso, que puede ser homosexual —como Karadima— o heterosexual, como otros.

«Narcisista maligno»

En el «fenómeno de la perversión» un elemento clave desde el punto de vista de la víctima, según el siquiatra, es la confusión. Esto ocurre porque «se toma algo que es reconocido como una verdad universal y se va usando y torciendo punto a punto en la realidad, para adecuarlo a las necesidades del perverso que lo dirige».

Según el profesor Biedermann, «los perversos exitosos con frecuencia tienen un tipo de personalidad especial. Está el narcisista maligno, que es un concepto que viene del psicoanálisis. Tiene rasgos del narcisismo en el sentido de que busca la dominación de los demás, no busca relaciones de afecto mutuo, exige lealtades unilateralmente, busca ser un objeto de admiración y de temor, y se siente libre de usar a los otros a su amago, sin culpa. Parte del narcisismo maligno es la degradación del otro y, con frecuencia, la homogenización de los otros.

Cuando le pregunto el doctor Biedermann por Fernando Karadima, responde que por lo que él ve podría corresponder a esas tres categorías: perverso, narcisista maligno y psicópata.

—¿En qué se traduce esa búsqueda de la homogenización de sus víctimas por parte del narcisista maligno?

—Entre ellos, son todos dominados y al final desprovistos de su campo individual. Lo que en general se usa en todas las sectas es la referencia a un valor superior, y la religión es lo más adecuado; puede ser la política también, pero en general es la religión, como un valor reconocido, aceptado y que no es discutible, porque los valores religiosos son revelaciones de índole divina de una vez y para siempre y que deben ser aceptados.

En ese sentido —señala Biedermann—, «hay una estructura en que la obediencia es parte de las relaciones. Todos nos tenemos que someter a lo divinamente revelado, que es un valor que viene de una fuerza muy superior a nosotros y a la cual le debemos subordinación. El jefe de secta o el perverso es el único que se levanta como intérprete de esa ley, pero la usa no en el sentido de la liberación individual, sino del aplastamiento individual».

«En general, el temor a la condena es más importante que la búsqueda de la salvación, es decir, el demonio en la secta suele ser más importante que Dios, por el miedo al demonio… La referencia al demonio es la generación del temor, del miedo. Y el miedo es un instrumento de dominación, y desde ahí se van falseando, poco a poco, los valores.»

En ese ámbito entra la manipulación —prosigue el profesor Biedermann—: «Hay dos cosas que busca el narcisista maligno o el perverso, una es la dominación y otra es la manipulación del otro, es decir, el manejo del poder. Como no suelen tener sentimientos de culpa, son libres de manipular a los demás; por lo tanto, también las lealtades son solo unidireccionales; el jefe puede dejar caer, degradar a cualquiera, en cualquier momento, pero la lealtad hacia él tiene que ser absoluta. Y también exige, en nombre de la fuerza divina, el sometimiento y la apertura absoluta del otro».

La confesión, un instrumento de control

Llama la atención un punto que destaca el doctor Biedermann: «En general en estos casos se utiliza la confesión». Dice que Paul Schäfer también confesaba, «pese a que él era protestante; eran grupos principalmente bautistas y entre ellos no existe la confesión, sin embargo Schäfer la instauró, porque es un instrumento de dominación y de control».

—Karadima utilizaba la confesión y la dirección espiritual...

—La dirección espiritual, que tiene una expresión en alemán que significa «cuidado del alma», es un término técnico también usado por Paul Schäfer.

Otro mecanismo importante para el dominio del otro —explica el siquiatra— es «evitar las vinculaciones personales, es decir, entre los otros». De nuevo, los testimonios sobre la falta de posibilidades de desarrollar amistades reales entre los miembros de la Acción Católica, y las tensiones familiares de los jóvenes de El Bosque con sus padres, alimentadas por Karadima, saltan a la memoria mientras conversamos.

«Los otros tienen que tener una pobre capacidad de relación mutua y de intercambiar reflexiones; todos tienen que estar dirigidos hacia el líder. Entonces no solo se destruyen los lazos familiares, sino que también se rompen las posibilidades reales de compañerismo entre ellos», explica Biedermann.

—Según las víctimas de Karadima, el cura les cortaba o deterioraba los lazos familiares, los mandaba a retar y los hacía competir. Generalmente el que tenía una jerarquía un poco mayor era el que debía retar. Los que ahora son obispos, por ejemplo, Andrés Arteaga, es recordado en ese rol —intervengo.

—Introdujeron un elemento de maltrato mutuo, porque así se destruyen las relaciones de lealtad mutua y la única relación de lealtad real que vale es hacia el jefe. Y como el jefe define lo que es bueno o malo, cualquier otra definición es inválida —dice Biedermann.

—Define lo que es bueno o malo y se lo achaca a la voluntad de Dios. Y si hacían cualquier cosa que no estuviera de acuerdo con la voluntad de Dios, o con la voluntad de él, podía ser motivo de condenación... —le comento.

—Sí, claro. Y ahí está el tema del demonio. En la Colonia Dignidad también el demonio estaba en todas partes. El demonio estaba presente en forma física, con olor a azufre. Las personas que secundaban a Schäfer en los abusos hablaban de que la sexualidad era inducida por el demonio. Hasta las erecciones nocturnas de los niños eran súper vigiladas y los despertaban para castigarlos en ese momento, y les aplicaban un *shock* eléctrico, porque con eso se espantaba el demonio que se estaba posesionando de ellos. El demonio estaba siempre presente.

—En El Bosque Karadima hablaba del demonio y del Infierno con imágenes que daban la sensación de un tiempo indefinido y eterno —agrego.

—Con eso se aumenta la dependencia respecto del líder, porque el sentimiento fundamental tiene que ser el temor. Entonces, lo que aparece inicialmente como el amor y la elevación sobre los demás, lo que les da una sensación de bienestar y de valor, es progresivamente degradado por el miedo —señala el médico siquiatra.

Miedo y confusión

En este cuadro, dice el doctor Niels Biedermann, el miedo es el sentimiento preponderante. «El miedo a hacer las cosas mal, el miedo a haberse salido del camino recto, la desconfianza del propio criterio, de decidir sobre lo que es bueno o malo; el reemplazo por un criterio ajeno, la sustitución de las relaciones interpersonales por dogmas que tienen que ser bien proyectados, pero que además siempre son puestos en duda en cuanto a su capacidad de correcta interpretación. Entonces, yo tengo que obedecer un dogma, pero a lo mejor lo hago mal; y él único que sabe siempre lo que es bueno o malo, es el líder. Esto me obliga cada vez a recurrir a él, porque yo estoy lleno de dudas.

»Cuando aparecen los elementos de perversión sexual, cuando se tuercen las cosas, en el momento en que soy objeto de toqueteos, de que no puedo hablar de eso, de que entro en el hechizo, de que compartimos algo más que un pecadillo —el cual no se puede mencionar en público—, agrego un elemento más de confusión», continúa el doctor Biedermann.

Esa confusión lleva a las víctimas a percibir lo «torcido» como «algo que es permitido, algo que se puede hacer, que puede ser lúdico o reinterpretado como una ayuda espiritual, como lo hacía Schäfer; así está aparentemente desprovisto de su carácter destructivo y es revalorado incluso como algo positivo y permitido».

—Todas las víctimas hablan de confusión ante ese tipo de situaciones y, en ocasiones, muy profunda.

—Y esa confusión, paradójicamente, aumenta más mi dependencia. Me pone en el dilema: me autoafirmo en mis percepciones, lo que me significaría romper con el líder y al mismo tiempo romper con todo lo que he creído, romper con la estructura en la que me he metido y me he organizado, o aceptar la confusión.

»Por lo tanto, para la víctima significa una caída al vacío. Si acepto la confusión, esa confusión me lleva a una dependencia todavía mayor del líder, ya que he desestimado mi propia capacidad de decidir. Entonces la confusión, que es una alerta de que algo está pasando, se transforma en un nuevo sometimiento, donde yo sigo descalificando cada vez más mis percepciones, porque al final le tengo miedo al Infierno —señala.

La alternativa de rechazar la confusión —explica el doctor Biederman— implica «perder toda la estructura armada, significa el Infierno, y psicológicamente es más fuerte perder la estructura, porque ¿qué me queda?». Este dilema es especialmente crítico debido a que «las personas más proclives a entrar a una secta son aquellas que de alguna manera necesitan una estructura externa más fuerte, o sea, ya tienen dudas, tienen una inseguridad a un nivel más profundo. Muchas veces no proyectan los miedos, pero existen, y algunos tienen una necesidad de pertenencia. Y las sectas dan una sensación de pertenencia fuerte y, además, la conciencia del líder arma algo que atrae. Y desde la atracción el perverso puede empezar paso a paso a revertir los valores».

Parecidos con Schäfer

—Hay algunos que han sido atraídos cuando ya eran adolescentes, pero hay otros que han sido capturados desde niños. ¿Eso complica más la posibilidad de salir de la secta? ¿Les cuesta más? —le pregunto al doctor Niels Biedermann.

—Eso es peor. Cuando se es adulto uno tiene una estructura más armada, que podrá ser débil pero existe; en cambio, en los niños se impide que se arme esa estructura. En general, mientras más se caiga en el ámbito del perverso, más se deteriora la formación de la personalidad. Provoca la incapacidad de desarrollar las propias fuerzas creativas, se lleva a un cierto aislamiento frente a los demás, a una insegurización en los niveles de relación con los otros, y esto es más fuerte en los niños que en los adultos que entran en las manos de sectas destructivas.

—¿Cómo funciona la reproducción de estos comportamientos? ¿Es posible que Karadima haya generado otros «demonios» abusadores que estén en acción?

—Puede haberlo hecho en la medida en que adquieran poder. En el momento en que sientan que dentro de la estructura se les ha adjudicado poder de manipular y usar a los demás, pueden caer en lo mismo.

—¿Se imitan este tipo de actuaciones?

—Sin duda que tienden a transformarse en conductas que invitan a la repetición, a menos que causen conflictos internos y malestar, entonces se sale. O que el abusado tenga una jerarquía baja. En ese caso, más bien lo que él cosecha finalmente es el resentimiento, la humillación, y sale de eso con mucha rabia, que es la forma por la que trata de recuperar la identidad destruida. Pero si tiene una jerarquía alta y ha sido gratificado, corre mucho más peligro de imitar las conductas.

—Por lo que hemos hablado, ¿verías elementos en común entre Schäfer y Karadima?

—Sí. Está la manera de erigirse en jefe. De usar el poder abusivamente, de envolver a los demás en las redes de poder. Y de decir que se está al servicio del crecimiento del otro, pero hacer lo contrario: restringirlo, someterlo y manipularlo...

Sin culpas ni arrepentimiento

—Muchas personas me han dicho que Karadima sería un psicópata. Tú lo mencionabas también...

—Psicópata es un término general, que antes designaba la personalidad psicopática, descrita por Kurt Schneider, siquiatra alemán de mediados del siglo XX, quien ordenó las denominaciones psiquiátricas (...) Schneider decía que el que tenía personalidad psicopática sufre o hace sufrir; el psicópata en la versión actual es el que hace sufrir pero no sufre él mismo.

«Un rasgo característico del psicópata es que no tiene culpa. Y, por lo tanto, se siente libre de manipular a todos los demás. Además —dice— un psicópata presenta otros rasgos como sentir menos miedo que las demás personas. Por eso —indica Biedermann— pasan el polígrafo —el "detector de mentiras"— con mayor facilidad[7]. Ellos tienen menos fuerzas inhibitorias...»

—¿Son mentirosos?

---

[7] Explica el doctor Niels Biedermann que el cambio de la conductancia cutánea que se mide es menor en un psicópata, y la capacidad de la reacción suele ser más rápida.

—Claro, porque pueden disponer libremente en su relación con el otro, no sienten la culpa al mentir. Eso es lo que actualmente se llama psicópata, que no hay que confundir con psicótico, aquel que tiene una perturbación de su sentido de la realidad. El psicópata sabe perfectamente cuál es la realidad. Sabe cuáles son los valores, pero los utiliza.

—¿Tienen remedio estos personajes?

—No… porque son gratificados y, en general, cuando son presionados desde afuera, es decir, cuando caen en manos de la justicia, se adaptan. Todo eso está exclusivamente relacionado con su adaptación a la realidad y con mitigar las consecuencias que la sociedad les puede aplicar por sus actos. Pero no experimentan un proceso real de arrepentimiento, porque para ellos no hay nada de qué arrepentirse, no hay una relación vinculante con el otro, nunca la han tenido.

—Entonces, ¿no podría esperarse una actitud de arrepentimiento…?

—No, lo que hay es una muy buena adaptación al manejo del poder. En ese sentido, pueden ser presos modelos dentro de la cárcel y después seguir haciendo lo mismo cuando salen… Saben muy bien cómo acomodarse.

El duro proceso de las víctimas

—¿Y qué pasa con las víctimas entretanto?

—Las víctimas, desde el momento en que han formado parte de una estructura que tiene la forma de una secta, tienen que seguir un largo proceso de revisión de todo lo que han pasado para poder salir de la confusión.

»La gente de la Colonia Dignidad, por ejemplo, tiene una estructura bastante ética; conceptos de fidelidad en sus relaciones de pareja que formaron, de preocupación por los hijos, de un estricto rigor y valor del trabajo, de honestidad en la relación con los otros. Pero eso está mezclado con una dificultad de establecer relaciones personales; de poder decidir sobre sí mismos las cosas y, sobre todo, de poder manejar conflictos con los otros, sin caer en una oposición entre salvación y demonización. Persiste en ellos la tendencia a demonizar al otro, lo cual ya es una reproducción del tipo de relaciones humanas generadas dentro de la estructura de la secta —describe el profesor Biedermann.

Para las víctimas, «poder reordenarse es un proceso lento y que significa confrontar paso a paso ideas en que se ha creído y que están ancladas inconscientemente en el sistema de valores y de la conducta. Eso tiene que ser confrontado con la realidad: es poner dolorosamente en duda ideas que en un momento determinado fueron sentidas como muy valiosas. Incluso con el crecimiento personal descubrir que no, que fue todo lo contrario», advierte.

El doctor Biedermann continúa: «Se pasa por un proceso de confusión y duelo, pero, sobre todo, lo que va a ser más difícil es que la estructura que uno se iba armando, mientras más tiempo estaba en la secta, se resquebraja, y entonces hay que estar muy seguro de qué es lo que lo reemplaza. Se corre el peligro de derrumbe psicológico, estado de angustia, depresiones, todo tipo de síntomas».

—¿Denunciar y contar con ayuda psiquiátrica sería fundamental?

—Es absolutamente necesario, porque tienen que ser capaces de ir saliendo paso a paso de la confusión, externalizar. Porque mientras más tiempo, mayor es la posibilidad de quedar atrapados en la perversión y de sufrir la pérdida de estructura —concluye el médico.

Una foto bajo el sagrario

El doctor James Hamilton recuerda que, durante su permanencia bajo la dominación de Karadima, «había transformado a la parroquia en su familia. Sentía que esa era mi familia. Y así como hay familias que tienen todo tipo de defectos, virtudes y pecados, esta era la mía. Me había sentido adoptado por este "papá" de esta familia», me relató en otra conversación en el invierno de 2010.

Le costó salir de esa «colonia virtual», como él mismo la define. Cuando las dudas empezaron a surgir se daba en su interior un conflicto: «¿Cómo va a ir mi palabra contra la de este hombre que ha formado cincuenta sacerdotes, cinco obispos, que todo el mundo lo considera un santo? ¿A quién le van a creer? ¿A uno que es un hombre que viene dañado por problemas familiares, necesitado de afecto, buscando una familia, con un montón de carencias afectivas, o a un sacerdote que ha demostrado un fruto a nivel eclesiástico nunca visto en Chile?».

—¿A esa altura, tu diagnóstico sobre Karadima ya era crítico? —le pregunto.

—Claramente. El problema es que yo al principio me sentía un traidor. Cuando yo me fui de la parroquia, a comienzos de 2004, primero andaba con susto. Trabajaba en la Clínica Alemana y me daba miedo toparmelo cuando él iba a dar la comunión a los enfermos. Recuerdo que estaban haciendo unas construcciones y había una pasarela. Tenía que atravesarla desde los estacionamientos. Yo pasaba por ahí bien rápido, mirando como para el lado, porque me daba miedo encontrarlo. Más de alguna vez sucedió y me hice el leso.

»Con este profundo sentimiento de culpabilidad, de Judas, de haber traicionado esta obra maravillosa que era este movimiento, esta parroquia, este sacerdote santo, empecé mi proceso de terapia —cuenta.

Ese año inició un tratamiento con un psicólogo y «empecé a confrontar mi realidad con la visión de otros. Cuando uno vive un ambiente de perversidad y se crea una nueva moralidad, uno la toma casi como algo normal. Y cuando uno empieza su terapia, se inicia un proceso descarnado de ir viendo cuál es la visión de los demás. Uno comienza a verse en un espejo que es completamente distinto, a ver una visión diferente y crítica, y a generar grietas profundas en el alma y en el corazón. Y a descubrir el error profundo en el cual estaba».

Poco a poco, dice, «va apareciendo una esperanza de no sentirse tan culpable, tan traicionero, sin tanto temor».

Jimmy Hamilton estaba en ese proceso cuando le contó a una amiga psicóloga que trabajaba en protección de testigos de la Fiscalía lo que le había pasado. «Una mujer muy encantadora, inteligente, que me dio la confianza para hacerle esta confidencia un día que salimos a comer. Ella vio en mí el terror que me provocaba esto, y me dijo: "Ya es el momento de que lo enfrentes". Al comienzo le contesté: "Te volviste loca, por ningún motivo, no me atrevo". A los pocos minutos, le dije: "Tienes toda la razón, vamos". Esto era un viernes y resolvimos ir el sábado. Yo sabía que los sábados uno podía pillar a Karadima en la tarde.»

Partieron a la parroquia de El Bosque el médico y la psicóloga esa tarde de 2005. «Ya había pasado el invierno, empezaba, creo, la primavera. Entramos por el pasillo que está antes de la nave central de la iglesia, y fuimos a la oficina del secretario, Guido Chacón. Se sorprendió al verme y le pedí hablar con el padre Fernando. Bajó rápidamente, nos saludó y me hizo pasar a una salita.»

La psicóloga se quedó esperando afuera, «no me acuerdo cuánto tiempo, creo que como tres cuartos de hora», dice Jimmy Hamilton.

—¿Cómo fue el encuentro?

—Conversé con él y le señalé que en esencia venía a manifestarle el daño profundo que me había hecho, que me había destruido mi corazón y que me había destruido como persona. Pero que lo perdonaba. Pero si yo sabía que esto le había ocurrido a más gente, ya la situación sería distinta, ya no sería yo solo el que iba a llegar. Y me fui. Él me dijo que admiraba mi actitud evangélica y que por favor lo acompañara adentro de la casa sacerdotal a la capilla interna para que fuéramos a rezar.

»Entramos a la capilla, se acercó al sagrario, lo levantó y sacó una foto de mi matrimonio en que estábamos con Verónica, mi ex mujer. Y me dijo: "Mira, te hemos tenido permanentemente aquí debajo del Santísimo Sacramento para rezar por ustedes, para que puedan arreglar su vida y quiero que sepas que te tengo presente todo el tiempo, y me encantaría que pudiéramos ser tan amigos y tan cercanos como antes". Claramente hacía alusión a esos horribles tiempos.

—Bien extraño eso de la foto. ¿El sagrario es el tabernáculo?

—Sí, el tabernáculo; es una pieza de joyería grande, donde se guardan los copones con las hostias. Y él levantó el sagrario, y debajo siempre hay una especie de pañito para que no se raspe, y al sacar ese pañito apareció esta foto de la Verónica y de mí.

»No puede haber preparado esto en el momento en que yo estaba afuera y yo llegué de sorpresa —comenta Jimmy Hamilton—. Eso me dejó impactado, y cuando me dijo que quería que fuésemos "tan amigos como antes" y hacía alusión a esa especie de relación global que tenía conmigo... entonces indudablemente sentí que él me estaba transmitiendo que volviéramos a su normalidad.

—En esa visita de 2005, ¿no te hizo nada?

—No, pero lo sentí como un acoso. Porque una persona que te lleva adentro, a la capilla, te hace ver la foto guardada debajo del sagrario, en que te está demostrando casi una especie de devoción, como una suerte de amor incondicional y te ofrece ser tan amigo como antes, te está acosando. Creo que todas estas cosas son finalmente acosos y son delictuales, porque está tratando de embrujarte, demostrando una especie de devoción por ti, que además te produce repugnancia, porque uno no sabe de qué está hablando. La referencia al «antes», cuando había permanente dominación, no solo sexual, sino psicológica, es fuerte. Entonces el «seamos tan amigos como antes» lo traduzco, ya más lúcido, como el «déjame seguir dominándote como antes, déjame seguir abusándote como antes».

Ese episodio le mostró a James Hamilton que de parte de Fernando Karadima había «cero arrepentimiento. Cero conciencia de su enfermedad. Y lo que sí me sirvió a mí es que yo me liberé de él. Y, hoy día, si alguien me pregunta: "¿Tú le tienes odio?" No. "¿Lo quieres ver en la cárcel?" No... Pero es un ser perverso».

—¿Y si lo declaran enfermo?

—Me da lo mismo que lo declaren enfermo o que lo confinen en un monasterio o la justicia lo envíe a la cárcel. Pero considero que él es un problema social, porque él formó gente. Y hay muchos otros sacerdotes de su grupo, no todos, que pueden ser del mismo estilo. Y tengo serias sospechas por algunos elementos sobre la posibilidad de que haya otros sacerdotes que también abusan y utilizan. Esto no se puede volver a repetir en las generaciones que vienen.

Conversamos sobre este punto también la mañana del 20 de marzo en mi casa, el mismo día del programa *Tolerancia Cero*, que se difundió esa noche en Chilevisión. En esa oportunidad, junto a Juan Carlos Cruz, quien había venido por unos días a Santiago, reiteraron ambos la importancia de investigar el entorno de Karadima. Y reafirmaron que los obispos de la Pía Unión Andrés Arteaga, Tomás Koljatic, Juan Barros y Horacio Valenzuela, así como el párroco Juan Esteban Morales, al menos habían sido testigos de toqueteos y besos, igual que ellos. Eran parte de ese reino de Karadima, de esa «colonia» de El Bosque.

Capítulo XVI

LA TRAMOYA DE LA PÍA UNIÓN

El caso de Fernando Karadima Fariña es distinto al de cualquier cura abusador, no solo por la influencia que ejercía en su parroquia y entre sus «dirigidos» espirituales. A lo largo de los años fue configurando una estructura de poder que le permitió ejercer su dominio en El Bosque y dentro de la Iglesia chilena.

Cuando sus primeros discípulos empezaron a ordenarse de sacerdotes, el ex párroco se apoyó en la armazón de la Pía Unión del Sagrado Corazón para mantenerlos conectados. Esta asociación sacerdotal había sido impulsada en 1928 por monseñor Alejandro Huneeus y algunos destacados sacerdotes diocesanos, pero Karadima le dio otro cariz y usó esa «institucionalidad» para fortalecer y expandir la influencia de su feudo.

En apariencia era una inocente y piadosa organización que al comienzo se llamó Unión del Amor Misericordioso, y después fue conocida como Pía Unión Sacerdotal del Sagrado Corazón o Unión Sacerdotal de El Bosque. Algunos de sus integrantes me corrigieron cuando usé la palabra «Pía» en conversaciones con ellos. Da la impresión de que no les gusta ese término, quizá para evitar las ironías que puede provocar tal contrasentido con lo que en los últimos meses se ha develado. O porque la sigla de Pía Unión Sacerdotal (PUS) puede evocar una infección.

No obstante, el término de «Pía Unión» está contemplado dentro del derecho canónico para algunas organizaciones sacerdotales que no son órdenes tradicionales ni congregaciones. Sin ir más lejos, el Opus Dei logró el estatus de Pía Unión en 1941, antes de ser declarado Prelatura por el papa Juan Pablo II. También pueden existir pías uniones de frailes —que pueden ser que curas o hermanos que no celebran misas ni administran los sacramentos—, monjas e incluso laicos que se someten a reglas espirituales específicas. Dentro del derecho canónico, las pías uniones son consideradas «terceras órdenes» u «órdenes terciarias».

Desde el siglo XIX

Antes de que Fernando Karadima llegara a este mundo existía la Unión Sacerdotal del Amor Misericordioso, la que a través de los años dio paso a lo que terminó siendo la Pía Unión de El Bosque. Su prehistoria se remonta a fines del siglo XIX y fue idea de un grupo de prominentes sacerdotes de la Arquidiócesis de Santiago. Uno de los principales impulsores fue monseñor Ramón Ángel Jara[1], obispo de Ancud y de La Serena, y un famoso escritor y orador eclesiástico. Jara es el autor del soneto «Retrato de una madre», que muchos aprendimos en los años escolares. Y acuñó la frase que quedó impresa en el monumental Cristo de Los Andes que pronunció cuando lo bendijo en su inauguración en marzo de 1904: «Se desplomarán primero estas montañas, antes que argentinos y chilenos rompan la paz jurada a los pies del Cristo Redentor».

Otros de los firmantes de esa solicitud planteada por primera vez en 1888 fueron monseñor Rafael Eyzaguirre, por entonces rector del Seminario Mayor de Santiago, y el presbítero Roberto Vergara Infante, quien llegó a ser el tercer rector de la Universidad Católica, fundada en ese mismo año.

La propuesta de estos sacerdotes era formar en Chile una organización de acuerdo al modelo de la «Unión Apostólica del

---

[1] Monseñor Ramón Ángel Jara (1852-1917) estudió en los Sagrados Corazones y Derecho en la Universidad de Chile, pero en 1874 dejó los estudios para ingresar al Seminario, y fue ordenado sacerdote en 1876. Aparecen firmando la solicitud los siguientes sacerdotes: F. A. Infante, Rafael Eyzaguirre, Ramón Ángel Jara, Guillermo Cartes, Pedro Infante, Rodolfo Vergara, Baldomero Gross, Eliodoro Villaforte, P. Marchant Pereira, Luis Eduardo Izquierdo y Prudencio Contardo. La transcripción de los nombres se ha hecho a partir de las firmas manuscritas que allí aparecen, por lo que pueden adolecer de error. Fuente: Arzobispado de Santiago.

Sagrado Corazón de Jesús», constituida en Francia para «la santificación del clero secular». Esta había recibido la aprobación de los pontífices Pío IX y León XIII, quien un año antes, en 1887, impactó al mundo católico con la Encíclica *Rerum Novarum*, que ponía el acento en la «cuestión social».

El 8 de junio de 1888, el grupo solicitó verbalmente a monseñor Joaquín Larraín Gandarillas, obispo auxiliar de Santiago y primer rector de la Universidad Católica, la autorización para establecer la Unión Sacerdotal del Sagrado Corazón en el Arzobispado capitalino. Pero como crear entidades dentro de la Iglesia Católica no es asunto fácil, acordaron que antes de «erigirla canónicamente», es decir, de darle legalidad eclesial, los sacerdotes asociados ejercitarían por algún tiempo las prácticas impuestas a los miembros de la Unión Apostólica nacida en Francia.

Los mismos sacerdotes nombraron a la directiva de su agrupación: José Alejo Infante, como superior; Rafael Eyzaguirre y Ramón Ángel Jara, como asistentes; y Luis Enrique Izquierdo, como secretario. El padre Infante era otro influyente hombre de la curia, cuyo nombre quedó grabado en la historia de la Iglesia chilena por haber propuesto al arzobispo de Santiago, Mariano Casanova, la construcción del monumento de la Virgen en el cerro San Cristóbal, en 1903, como homenaje al cincuentenario del dogma católico de la «Inmaculada Concepción» de la madre de Jesús.

La Unión del Sagrado Corazón, que actuaba de hecho como tal, contaba también con sacerdotes adherentes en La Serena y Concepción.

Pasaron, sin embargo, cuarenta años antes de que el Arzobispado aprobara el 21 de agosto de 1928 la constitución en Chile de la «Sociedad Unión Sacerdotal del Amor Misericordioso del Sagrado Corazón de Jesús». De acuerdo a los archivos eclesiásticos, la petición de formar parte de la Asociación la firmaron diecisiete sacerdotes. Entre ellos, Francisco Javier Bascuñán Valdés, Manuel Menchaca, Francisco Vives, Alejandro Menchaca, Alejandro Huneeus Cox, Edmundo Rivera, Juan Salas Infante, Eduardo

Van, Ramón Munita Eyzaguirre, Alfredo Alvarado, Alfredo Fariña y Francisco Ramírez[2].

«No» al seminario propio

Al parecer, la Unión Sacerdotal, a partir de 1950 —explican en fuentes del Arzobispado—, ha usado indistintamente los nombres de Pía Unión Sacerdotal del Amor Misericordioso del Sagrado Corazón de Jesús y el de Unión Sacerdotal del Sagrado Corazón.

Sus estatutos fueron modificados solo en una oportunidad, para adecuarlos a las disposiciones del Concilio Vaticano II. Según esos documentos, la Unión Sacerdotal del Sagrado Corazón de Jesús «es una asociación clerical constituida para fomentar y apoyarse en la búsqueda de la santidad sacerdotal en el ejercicio propio del ministerio»[3].

Aunque en un primer momento no se hablaba de la formación de los sacerdotes en una suerte de «noviciado» propio, como ocurre con las congregaciones, en una oportunidad, el 5 de julio de 1956, la Unión Sacerdotal habría requerido por escrito al Vaticano que los miembros de la organización no asistieran al Seminario diocesano[4].

Esto se suma al hecho que recuerda el padre Alfonso Baeza de que Fernando Karadima «y los de El Bosque» iban desde su casa parroquial a clases a la Facultad de Teología de la Universidad Católica, pero no alojaban en el Seminario.

El Vaticano, no obstante, frenó esa aspiración formalmente. En carta fechada el 9 de abril de 1962, el cardenal Valerio Valeri, prefecto de la Sagrada Congregación de Religiosos, respondió una aparente consulta de la Unión Sacerdotal chilena señalando

---

[2] Las firmas de los restantes resultan ilegibles en los antiguos documentos, según un informe sobre «Antecedentes históricos de la Unión Sacerdotal del Sagrado Corazón», preparado especialmente por el Departamento de Opinión Pública del Arzobispado de Santiago, marzo de 2011.

[3] Estos estatutos fueron formulados al tenor de los cánones 278 y 302 del Código de Derecho Canónico de 1983.

[4] Documento del 5 de julio de 1956. Arzobispado de Santiago.

la conveniencia de que «la formación de los clérigos, miembros o aspirantes de la Unión la reciban en el Seminario diocesano, junto con los demás sacerdotes».

En esa fecha, Fernando Karadima —ya ordenado sacerdote— era vicario parroquial de El Bosque. Ante esa realidad no echó abajo su sueño de tener su propia «escuela» de aspirantes al sacerdocio y mantuvo su influencia a través de mecanismos que llevó adelante por décadas: la confesión, la dirección espiritual, las reuniones semanales y, más tarde, el control a través de «formadores» de sus filas que fueron llegando al Seminario. Entre estos, los ex seminaristas recuerdan a Rodrigo Polanco, quien llegó a ser rector del Seminario Mayor entre 2002 y 2009, y actualmente es vicedecano de la Facultad de Teología de la Universidad Católica; y Andrés Arteaga, el obispo auxiliar de Santiago y hasta hace poco hombre fuerte de la Pontificia Universidad Católica, además de director de la Pía Unión.

Pero no solo el Seminario es fundamental en la formación de sacerdotes. La Facultad de Teología de la Universidad Católica es otra plaza clave hasta donde Karadima extendió sus hilos. El mismo Arteaga, antes de ser vicegrancanciller, fue vicedecano de la facultad desde 1998 hasta el año 2000. Otro connotado discípulo de Karadima, Samuel Fernández Eyzaguirre, fue decano hasta marzo de 2010 y en la actualidad es director del Centro de Estudios Alberto Hurtado. Y el mismo Rodrigo Polanco es hoy vicedecano de esa facultad. En la lista de académicos jóvenes aparece también uno de los más noveles incondicionales de Karadima, Julio Söchting Herrera, quien vivía en El Bosque cuando estalló el escándalo.

Poco a poco, y sin que el resto de los integrantes y dirigentes de la Iglesia chilena se diera mucho cuenta, el ex párroco fue así expandiendo su reino, en una peculiar tramoya, a través de la principal arquidiócesis del país.

A pesar de la negativa oficial del Vaticano de 1962, Karadima mantenía su idea del «seminario propio». Quienes estuvieron cerca de él durante veinte años, como el propio James Hamilton, recuerdan los intentos fallidos por lograrlo. «Él trató de hacer un seminario paralelo, pero no le funcionó. Nunca se concretó. Pero la formación de sacerdotes fue una carta que Karadima usó mucho en tiempos del cardenal Raúl Silva Henríquez y después, de Fresno. Dicen que Fresno se espantaba cuando Karadima le contaba que sus niños «vivían en un Seminario hostil», como calificaba el cura al Seminario Mayor, cuenta Hamilton.

Ante ese proyecto frustrado, la estrategia fue «apretar filas» en la Pía Unión, la que pasó a ser el núcleo de la red que le permitía expandir su imperio más allá de los límites parroquiales a través del dominio que ejercía sobre sus discípulos.

Los estatutos establecieron que la Unión Sacerdotal está regida por un director y dos consejeros que —en teoría— duran tres años en sus cargos. No obstante, Andrés Arteaga fue director de la Unión desde 1989 hasta 2010, cuando debió dejar el cargo como consecuencia de la intervención impuesta por el Arzobispado.

Directorios a su medida

En esa oportunidad, cuando ya estaba avanzada la investigación por los abusos de Karadima, el Arzobispado designó como director interino de la Pía Unión a Fernando Vives Fernández, sacerdote de los Sagrados Corazones, que ejerce como vicario de la zona cordillera. A la vez, completó la «directiva» transitoria con Samuel Fernández Eyzaguirre, el ex decano de Teología, que seguía hasta ese momento «leal» a su antiguo mentor; y Javier Barros Bascuñán, que fue parte del grupo de firmantes de la carta que separó filas en agosto.

La personalidad jurídica civil[5] de la Pía Unión data del 13 de agosto de 1948: veinte años después de tener su reconocimiento canónico. Sus estatutos ante la ley chilena señalan que se trata

---

[5] La personalidad jurídica civil la obtuvo por Decreto N° 3308, del 13 de agosto de 1948.

de una fundación cuyo objeto es «promover la formación de un vínculo espiritual íntimo entre los miembros de ella, sacerdotes seculares y candidatos al sacerdocio, a fin de procurar la ayuda recíproca entre ellos tanto espiritual como temporal, el apostolado de las misiones, especialmente en parroquias, y el fomento de las vocaciones sacerdotales».

Las disposiciones referidas a la directiva coinciden con las del derecho canónico: tres personas integran el directorio con las mismas características. Estipula, además, que dentro de las atribuciones del directorio están la de acordar los gastos y las medidas que crea convenientes para la marcha de la fundación; resolver los casos no previstos por estatuto; y administrar los bienes de la fundación con «las más amplias atribuciones, incluso las que correspondan a su conservación, explotación, cultivo, enajenación o gravamen».

Pero la clave del asunto para Karadima era designar en esos cargos directivos a discípulos suyos de la máxima confianza. De hecho, quienes integraban hasta agosto de 2010 esa cúpula pertenecían a su círculo más cerrado: acompañaban a Arteaga, Antonio Fuenzalida y Tomás Salinas Errázuriz.

Surge la parroquia

La parroquia del Sagrado Corazón, entretanto, fue creada el 28 de mayo de 1945. Antes de eso, desde el 24 de septiembre de 1939 existía la iglesia de la Pía Unión Sacerdotal del Amor Misericordioso, que funcionaba dentro de la jurisdicción de la parroquia de San Ramón, de avenida Los Leones con Providencia.

El decreto que autorizó la iglesia de El Bosque[6] señala que la iglesia «funcionará anexa a una casa, que según expresa voluntad de la fundadora se establecerá para sacerdotes».

Monseñor Alejandro Huneeus, muy cercano al arzobispo de Santiago, cardenal José María Caro, le dirigió una carta formal el

---

[6] Este decreto cita el canon 1162 del Código de Derecho Canónico del año 1917.

14 de mayo de 1945, en la que le solicitó transformar la iglesia en parroquia. Huneeus señaló al cardenal Caro que esta sería atendida por los sacerdotes que formaban parte de la Pía Unión que vivían junto al templo.

En esa época, Huneeus obtuvo el legado de Loreto Cousiño Goyenechea, la viuda de Ricardo Lyon, quien le donó la propiedad de la manzana entre El Bosque, Eliodoro Yáñez, Las Hortensias y Juan de Dios Vial, y la mayor parte de los recursos que le permitieron construir la iglesia colorada, su torreón y las demás construcciones de la casa parroquial.

La asimilación entre la Pía Unión y la parroquia es tal, que ambas tienen el mismo Rut y comparten a su representante legal, que actualmente es el párroco de El Bosque, Juan Esteban Morales, quien pese a que desde niño comenzó a ir a esa iglesia ha declarado que nunca ha visto nada extraño. Incluso después del fallo del Vaticano, Morales visitaba todos los días a su mentor.

Avisos comerciales

Atrapados en el gueto de la Pía Unión Sacerdotal, aunque no vivieran bajo un mismo techo, sus integrantes respondían a un mismo patrón de conducta. Esto no es extraño si se considera que Fernando Karadima, desde antes de que ingresaran a estudiar al Seminario, había sido su director espiritual. Y esa tutela la mantenía después de ordenados: todos tenían a Karadima por guía y lo debían ver al menos una vez a la semana en la reunión de los lunes. Todos debían mantenerlo como director espiritual y cualquier decisión importante —e incluso algunas bastante triviales— la consultaban con «su padre», cuya fotografía estaba colgada en sus habitaciones particulares. A él le habían dedicado su primera misa, a él tenían que agradecerle cuando escribían un libro y manifestarle su adhesión cuando eran ungidos obispos. Era un compromiso de fidelidad para toda la vida.

Los jóvenes de la Acción Católica y los sacerdotes integrantes de la Pía Unión Sacerdotal competían por estar junto a él, porque quien estaba más cerca era considerado el mejor. Era fundamental para ellos ser reconocidos por «el padre Fernando». Tener un lugar a la diestra de este hombre sobrenatural, con poder absoluto sobre las conciencias de sus «guiados».

De manera simultánea, Karadima iba construyendo el aura de su «prestigio». Juan Carlos Cruz anota un detalle ilustrativo sobre la forma de ser y actuar de Karadima: «Todos teníamos que decir, cada vez que hablábamos en público, que el padre Fernando era nuestro director espiritual y que gracias a él estábamos buscando la santidad. ¡Dios perdone al que no lo hiciese!».

Incluso hoy —destaca Juan Carlos Cruz—, «si uno lee los discursos de los que ya son obispos, todos mencionan a Karadima en la misma forma en que se nos fue instruido: mi padre espiritual, su ejemplo de oración, su santidad… Siempre hay que pasar el comercial de Karadima. Siempre. En la primera misa, en la nueva parroquia, al despedirse de una parroquia, al tomar una diócesis, al despedirse de esa diócesis, cuando los visita el padre Fernando; en fin, en todo acto público».

En efecto, basta ver los libros escritos por discípulos de Karadima o las homilías de «sus» obispos: siempre llevan las frases alusivas de rigor.

Así, recibiendo las adulaciones y «agradecimientos», Karadima seguía construyendo su imagen de «santo» y movía los hilos de manera magistral para dominarlos, mientras expandía su reino. Los cerca de cincuenta sacerdotes repartidos por las distintas comunas de la Región Metropolitana eran rigurosamente obedientes a sus instrucciones. Su voluntad no se ponía en duda. Y si alguien se cruzaba en su camino terminaba mandado al Infierno.

El mecanismo de la «dirección espiritual» implicaba la obediencia absoluta, como señala el padre Eugenio de la Fuente[7], quien en cierto sentido fue una excepción, ya que se alejó de

---

[7] Ver capítulo XIV: «Acusaciones sacerdotales».

a poco: cuando en 2009 acordó con Karadima que el cura no seguiría siendo su director, se mantuvo como miembro de la Pía Unión Sacerdotal. Iba los lunes a El Bosque, compartía la misa, un rato de conversación y la comida con sus compañeros párrocos para luego volver a su parroquia.

En ocasiones anteriores, la situación había sido distinta. Cuando se retiró el hoy canciller del Arzobispado, Hans Kast, la ruptura fue total. Karadima y muchos de sus *boys* hablaban mal de él, como antes del actual obispo de Los Ángeles, Felipe Bacarreza, a quien se le «había metido el demonio» unos años antes.

La silenciosa distancia de Bacarreza

Felipe Bacarreza, actual obispo de Los Ángeles y ex auxiliar de Concepción, estudió en el colegio Saint George, donde fue compañero y amigo de Carlos Alberto *Choclo* Délano —uno de los dueños del grupo Penta— y de Nicolás Hurtado Vicuña, empresario y supernumerario del Opus Dei. Antes de entrar al Seminario, Bacarreza —hoy de sesenta y un años— había estudiado Ingeniería Civil en la Universidad Católica. Con fama de hombre inteligente y muy conservador, Bacarreza se ordenó sacerdote en 1977.

En la década del setenta, fue el discípulo predilecto de Karadima. Poco después de ordenarse, Bacarreza tenía dirigidos espirituales, entre los que se encontraba Francisco Gómez, recuerda James Hamilton. «Entonces se produjeron unos celos espantosos de Karadima con este sacerdote que es mucho más inteligente que él y se comenzó a producir una rivalidad», dice el médico.

Conocido como uno de los obispos más conservadores de la Conferencia Episcopal, se distanció, no obstante, de su mentor. Fue a estudiar a Roma y volvió a Santiago. Pero tras un período en que fue párroco de Nuestra Señora de la Paz, en la zona cordillera de la capital, en 1983 viajó de nuevo al Vaticano, donde trabajó durante nueve años en la Congregación para la Educación Católica.

Karadima y sus discípulos de El Bosque decían que Felipe Bacarreza «se puso orgulloso, porque tanta ciencia ahí en Roma lo había vanagloriado». «A cualquier persona que se le cruzara en el camino el cura la descalificaba. "Muy inteligente, pero loquito, m'hijo, ensoberbecido", nos comentaba, refiriéndose a Bacarreza», señala Hamilton, y «nos decía que también se le había metido el demonio». Similares recuerdos mantiene Juan Carlos Cruz, quien cuenta el enojo que provocó en Karadima y sus seguidores el hecho de que se sentara a tomar desayuno en una mesa en que estaba Bacarreza, cuando aún iba al Seminario.

De regreso en Chile, Felipe Bacarreza fue obispo auxiliar de Concepción y actualmente es titular de Los Ángeles. Fue también rector de la Universidad Católica de la Santísima Concepción, entre el 1 de enero de 1996 y el 31 de diciembre de 2000.

No hubo después un mayor acercamiento, pese a que Bacarreza fue nombrado obispo en 1991, mientras se encontraba en Italia. Felipe Bacarreza no apareció en defensa de su antiguo director espiritual. Tampoco ha defendido en público a las víctimas.

Aunque muy rígido en aspectos de moral familiar, Bacarreza fue también uno de los primeros disidentes de El Bosque. «No es de la confianza de Karadima. Como es el más antiguo, pienso que podría haber captado cosas que los otros no captaban. O haber escuchado algo en Roma que él confrontó aquí», señala Juan Carlos Cruz. Pero si fue así, guardó silencio.

«Bacarreza es muy conservador, muy preocupado de las formas, de los manteles, de las velas», señala el sacerdote jesuita Antonio Delfau. Y cuenta una anécdota de un sacerdote jesuita que celebraba misa todos los domingos en la catedral de Concepción cuando él era obispo auxiliar. «Lo hacía por prestar un servicio a la diócesis, porque necesitaban curas, y cuando asumió Felipe como auxiliar en Concepción, mandó a llamar a este padre, quien ingenuamente creyó que le iban a dar las gracias por celebrar misa todos los domingos a las once de la mañana en la catedral. Y Bacarreza lo llamó para decirle que tenía que usar casulla para celebrar la misa, que no podía hacerlo solo con estola.»

Antonio Delfau comenta que siempre le llamó la atención que en las parroquias populares, donde el sistema es más bien de pequeñas comunidades, se imitara el modelo de El Bosque, hasta con el rezo del Rosario antes de la misa. «He visto una serie de cosas que eran por lo menos extemporáneas para la tradición que traían esas comunidades en esos lugares.» Y la impresión que le producían los sacerdotes de la Pía Unión era de «un poco rígidos, un poco autoritarios pero apreciados en su humildad o tal vez en su seudohumildad».

Obispos con complicaciones

Después de Felipe Bacarreza, el primero de los discípulos de Karadima que llegó a ser obispo es Horacio Valenzuela, el actual titular de Talca, quien recibió el nombramiento en 1996. Fue obispo auxiliar de Santiago y después destinado a Talca, donde reemplazó a monseñor Carlos González. De cincuenta y siete años, es a la vez gran canciller de la Universidad Católica del Maule. Antes de llegar al episcopado había sido vicario de Talagante y párroco de Mallarauco, de la parroquia de Nuestra Señora del Carmen de Ñuñoa y vicario de la zona oeste.

A Horacio Valenzuela se le complicó la situación justo cuando el caso Karadima estaba al rojo vivo: tuvo que actuar con prontitud y suspender al sacerdote y ex rector del Santuario del Carmen de Curicó, Francisco Javier Cartes, quien enfrenta una investigación canónica por abuso a un estudiante del Instituto San Martín de esa ciudad. Valenzuela decidió encarar el tema ante la prensa después de que el diputado democratacristiano Roberto León lo emplazó acusándolo de «trasladar la escuela del silencio de Karadima a regiones».

Unas semanas antes, Horacio Valenzuela había señalado a la radio Bío-Bío que había que esperar el resultado de la apelación de la sentencia ante el Vaticano. Después de conocida la situación de Cartes, su tono cambió[8]. Señaló que se fiaba del «trabajo que hizo la Santa Sede; es muy serio, así es que confío plenamente en su competencia, aunque no tengo conocimiento del proceso. Yo tengo el juicio de la Iglesia, acepto ese juicio y creo que él es culpable, asumo lo que ha dicho la Iglesia».

Sobre la situación de Cartes se supo después que la directora del Instituto, Marcela Hormazábal, presentó una denuncia ante la Fiscalía, tras un informe de la psicóloga que trató al menor, que decía que habría sido víctima de abusos sexuales. El acusado hacía clases de religión en el colegio San Ramón y en el Instituto San Martín, y pertenece a la congregación Hijos del Corazón de María, según informó El Mercurio[9].

Otro tipo de problema encara Tomislav Koljatic, el obispo de Linares, quien aparece citado en los expedientes de la investigación sobre Karadima por haber entregado un pago a Óscar Osbén, a propósito de la «solicitud» que este hiciera a Diego Ossa Errázuriz, el vicario de El Bosque que aparece involucrado en una situación de connotación sexual con el ex sacristán de la parroquia Jesús Carpintero de Renca.

Tomás Koljatic Maroevic tiene cincuenta y cuatro años. Hijo de padres croatas radicados en Chile, estudió en el colegio del Verbo Divino e Ingeniería Comercial en la Universidad Católica. Se integró a El Bosque desde sus tiempos de estudiante. «El Tommy» es conocido como uno de los preferidos de Karadima, a quien le decía «santo» o «rey». Fue durante casi diez años responsable de la Pastoral Universitaria del Campus Oriente de la

---

[8] La Tercera, 26 de marzo de 2011. «Obispo de Talca lamentó presunto abuso contra menor cometido por sacerdote en Curicó».

[9] El Mercurio, 27 de marzo de 2010. «Suspenden a sacerdote por presunto caso de abuso sexual a un menor.» El epígrafe de la nota, indica: «Directora del Instituto San Martín de Curicó lo denunció a la fiscalía».

Universidad Católica en Santiago y más tarde estuvo a cargo de la parroquia María Reina de los Apóstoles.

Koljatic fue consagrado obispo auxiliar de Concepción en 1998 y desde 2004 es titular de la diócesis de Linares. Aparte del asunto del cheque, Jimmy Hamilton y Juan Carlos Cruz aseguran que los obispos Koljatic, Valenzuela, Arteaga y Barros fueron testigos de los toqueteos y «besos cuneteados» por parte de Karadima.

Las negativas del obispo castrense

En las últimas semanas, el más beligerante defensor del ex párroco ha sido el vicario general castrense, obispo Juan Barros Madrid. Este obispo tiene el grado de general de brigada del Ejército y ha reiterado ante cámaras y grabadoras que nada de lo que se dice sobre Karadima es cierto. Que nunca vio nada en El Bosque, aunque las víctimas y testigos afirman que estaba junto a ellos cuando Karadima efectuaba toqueteos y daba besos a sus discípulos.

A las pocas horas de que la ministra en visita Jessica González tomara declaración a Francisco Gómez Barroilhet, quien sostiene que una carta que firmó junto a otros jóvenes en los años ochenta sobre extrañas situaciones en El Bosque fue a parar a la basura, Juan Barros salió con fuerza a defenderse.

«Me apena enormemente la acusación», señaló el vicario castrense. «En esta situación me he visto envuelto injustamente. Ayer el señor arzobispo señaló que era injusto generalizar (…) Niego absoluta y categóricamente las cosas que se han dicho respecto de supuestas acciones mías.» Y refiriéndose a lo que ocurría en El Bosque, agregó: «En abril del año pasado ya lo dije, yo jamás he sabido de esto»[10].

Juan Barros Madrid es contemporáneo de Koljatic. Tiene cincuenta y cinco años —nació en Santiago el 15 de julio de 1956— y estudió en el colegio San Ignacio de Pocuro. Desde esa época empezó a participar en la parroquia El Bosque, en la Acción Católica,

---

[10] *La Nación*, 23 de marzo de 2011. «Obispo castrense se defiende de acusaciones.»

y Fernando Karadima fue su director espiritual durante cuatro décadas. Aunque estudió tres años de Ingeniería Comercial en la Universidad Católica, interrumpió esa carrera para entrar al Seminario. Fue secretario privado del arzobispo de Santiago, Juan Francisco Fresno, desde 1983, y lo ordenó sacerdote el mismo cardenal Fresno el 29 de junio de 1984. Continuó siendo su secretario hasta 1990, sin perder su estrecho contacto con Karadima y El Bosque.

Barros fue párroco de Nuestra Señora de la Paz en Ñuñoa y de San Gabriel en Pudahuel. En mayo de 1993 fue nombrado director del área eclesial de la Conferencia Episcopal de Chile y en noviembre de 1994, Juan Pablo II lo designó obispo. Su primer cargo lo desempeñó en Valparaíso como auxiliar del obispo Jorge Medina Estévez. Luego siguió en la diócesis porteña con el cardenal Francisco Javier Errázuriz y después con el obispo Gonzalo Duarte. En 2000, el papa Juan Pablo II lo nombró obispo de Iquique y desde noviembre de 2004 es el obispo castrense.

En noviembre de 2004, Juan Barros Madrid se despidió de su grey como titular de Iquique para asumir el nuevo cargo episcopal. En la homilía, junto con recordar que había llegado a Iquique el 20 de noviembre de 2000, cuatro años antes, hizo un homenaje a su mentor: «Durante estos años, varias veces ustedes me habrán escuchado referirme con especial gratitud al sacerdote que es mi guía espiritual hace más de treinta y cinco años, el querido padre Fernando Karadima Fariña. Su testimonio de consagración y espíritu apostólico, su sabia claridad en el consejo y también otros generosos apoyos, han redundado en mi bien personal y de esta querida diócesis. Que Dios nos mantenga unidos por muchos años y en la común aspiración de santidad».[11]

En una conversación sostenida con Jimmy Hamilton y Juan Carlos Cruz uno de los últimos días de marzo de 2010, me insistían sobre el problema de estos obispos de la Pía Unión, tan

---

[11] Homilía de despedida de la diócesis de Iquique, Santiago, 22 de noviembre de 2004.

cercanos a Karadima. Según Jimmy Hamilton, «Karadima usaba a Juan Barros, usaba sus charreteras de general». Juan Carlos Cruz, dice que en los años ochenta, cuando era secretario del cardenal Fresno, «también lo usó en su caso para violar el secreto de confesión y actuó para que me echaran del Seminario».

Jimmy Hamilton recuerda una anécdota curiosa. Él presidía la Acción Católica en 1987 para la visita del papa Juan Pablo II a Chile y, por lo tanto, le tocó trabajar en los preparativos. Barros era el secretario del arzobispo Fresno. En esa ocasión «trató de acercarse a mí y me regaló un rosario que le había dado el Papa. Le conté a Karadima y él me dijo que no me acercara, que no me convenía estar cerca de Juanito, como le decía, que me tenía que cuidar de él. Me impresionó, cuando parecía tan cercano...».

Insultos a Clotario Blest

Antonio Delfau, el director de la revista *Mensaje*, trae a la memoria otra anécdota sobre Juan Barros.

—¿Conoces al obispo castrense? —le pregunto.

—Estaba un curso más abajo que yo en el colegio, lo conozco «naranjo». Salió en el 73, yo salí el 72.

—¿Y qué tal es?

—Yo lo encontraba poco inteligente, la verdad. Tengo una anécdota de él muy impresionante. En 1972 fue Clotario Blest al colegio San Ignacio del Bosque a darnos una charla, invitado por los jesuitas obviamente, y estábamos todos los terceros y cuartos medios. Yo estaba en cuarto y Juan Barros, en tercero.

»Nos encontrábamos todos frente a este hombre notable que era Clotario Blest, con su barba blanca, con su overol azul de obrero, y yo, que en esa época me consideraba más bien de derecha, quedé cautivado por el personaje que nos hablaba de su estadía en la cárcel. Entonces se levantó Juan Barros y lo insultó. Le dijo que era un comunista de mierda, no me recuerdo bien las palabras, pero lo trató de payaso, fue una cosa bien violenta, en ese momento salté y defendí a Clotario Blest...

Continúa Delfau con su relato: «Recuerdo que a la salida de la capilla se me acercaron varios profesores que eran más izquierdosos que todos nosotros juntos. Estaban muy impresionados de que yo hubiera defendido con esa vehemencia a Clotario Blest cuando no calificaba en ese *target*».

Director por doce años

Andrés Arteaga Manieu, obispo auxiliar de Santiago y hasta marzo vicegrancanciller de la Universidad Católica, fue nombrado obispo en 2001 sin haber pasado siquiera por ser cura párroco. Simplemente saltó del vicariato de El Bosque al episcopado y llegó a ser el más influyente de los obispos «creados» por Fernando Karadima. No solo porque era desde 1987 el director —o presidente como lo suelen llamar— de la Pía Unión Sacerdotal, sino por los cargos que tiene y ha tenido en la Conferencia Episcopal, por su papel en la Universidad Católica —donde había sido instalado por el cardenal Francisco Javier Errázuriz— y por el rol que le asignaba Karadima dentro de la Unión y de la propia Acción Católica de la parroquia.

Andrés Arteaga Manieu tiene cincuenta y dos años —nació en enero de 1959— y es el mayor de siete hermanos. Llegó a la parroquia desde niño, cuando estudiaba en el colegio San Ignacio de El Bosque.

Fue ordenado sacerdote en 1986 y asumió como vicario parroquial en El Bosque. En 1989, Karadima lo nombró director de la Pía Unión Sacerdotal. Hasta el momento de estallar el escándalo era el brazo derecho de Fernando Karadima y uno de los obispos más poderosos de la Iglesia chilena. Cuando se conocieron las denuncias, dio su incondicional respaldo a su mentor.

Arteaga ha tenido diversas responsabilidades en el ámbito educacional, doctrinario y pastoral en la Iglesia de Santiago. En

1996 fue nombrado por el cardenal Errázuriz presidente de la Fundación Educacional Sagrados Corazones, que administra el colegio del mismo nombre, que en el pasado fue Padres Franceses de la Alameda. Desde 1993 se desempeña como profesor de la Facultad de Teología de la Pontificia Universidad Católica de Chile. En 1998, el cardenal Carlos Oviedo lo nombró vicedecano de esa facultad, y en 2000 Errázuriz lo nombró vicegrancanciller de la Universidad Católica de Chile; además, estaba a su cargo la pastoral de la principal universidad católica del país.

Desde julio de 2001 es obispo auxiliar de Santiago y tiene responsabilidades en diversas comisiones de la Conferencia Episcopal de Chile.

Para algunos que conocen de cerca al obispo Arteaga, sería una de las principales víctimas de Karadima, a quien siempre ha defendido, al punto de que hizo cometer errores garrafales al arzobispo Errázuriz, como se ha podido establecer con su incondicional defensa.

En medio de un clamor de estudiantes y ex alumnos en su contra, Andrés Arteaga Manieu debió dejar en marzo su cargo de vicegrancanciller. Perdió el poder que había ejercido durante diez años en la universidad, pero se mantuvo como obispo y con sus demás cargos eclesiales, pese a las dolencias físicas que le ha acarreado su delicado estado de salud, con seguridad agravadas por la tensión de los últimos meses.

Obispo ante la PDI

Arteaga debió declarar ante la Policía de Investigaciones (PDI) el 15 de septiembre de 2010, a propósito de la investigación que se abrió en la Fiscalía por los pagos extra a los empleados de El Bosque. En la oportunidad, señaló: «Soy sacerdote hace veinticuatro años, ligado a la parroquia Sagrado Corazón de El Bosque, asimismo, cuando se reformaron los estatutos de la Unión

Sacerdotal en el año 1989, fui nombrado como director de la Unión de clérigos»[12].

Admitió ante la policía que existe una «relación de dependencia entre la parroquia y la Unión Sacerdotal, por lo mismo el Rut que se utiliza es el mismo para ambas instituciones».

Explicó también que constituyen la Unión «sacerdotes diocesanos, quienes voluntariamente manifiestan su intención de pertenecer a esta asociación, asimismo la componen padres y obispos». Señaló que en ese momento la integraban alrededor de treinta y cinco sacerdotes.

Cuando los detectives le preguntaron si la organización poseía patrimonio, respondió: «Debo señalar que posee cuatro propiedades, una de ellas una casa en la calle Carlos Antúnez, dos departamentos en calle El Bosque frente a la parroquia, y un departamento en Parque Las Lilas. Además de la propiedad donde se encuentra la parroquia. (…) También se ubica en esta propiedad una consulta médica, la que paga arriendo a la parroquia».

Declaró, asimismo, que la Pía Unión «tiene instrumentos financieros en el mercado» que se «relacionan con depósitos a plazo, los que son administrados por el consejo económico de la parroquia».

Agregó Arteaga que la Unión cuenta con «algunas subvenciones de la Municipalidad de Providencia, que se entregan dentro de los ingresos de la parroquia, entre otras cosas». Dijo que no conocía mayores detalles, pero que Guillermo Tagle «podría explicar con mayor precisión estos temas, ya que es miembro del comité económico». Precisó, eso sí, que «las rentas por concepto de propiedad ascienden a tres millones quinientos mil pesos» y que él nunca había recibido «dineros de feligreses o donaciones para la Unión Sacerdotal». Tampoco tenía firma autorizada para firmar cheques. «Solamente la tienen el párroco y, al parecer, la señora María José Riesco», declaró. Y dijo desconocer donaciones

---

[12] Declaración de Andrés Arteaga Manieu, entrevistado por la PDI en dependencias de la Casa Central de la Universidad Católica, el 15 de septiembre de 2010, dentro de la indagatoria encargada por el fiscal Xavier Armendáriz.

que les hizo Fernando Karadima a la cocinera Silvia Garcés y a la secretaria María José Riesco. «Los dineros donados por el padre son personales, no corresponden a los dineros de la Iglesia.»

Arteaga y la secta

José Andrés Murillo, uno de los principales denunciantes contra Karadima, no trepida en calificar de «secta» a la Pía Unión Sacerdotal. «El mismo Vaticano ha sido bien claro en eso», me decía una mañana de marzo, después de conocerse el fallo de Roma y el anuncio de la «visita apostólica» a la Unión Sacerdotal del Sagrado Corazón. «La Iglesia Católica es siempre muy prudente en sus declaraciones y sentencias, y todo lo que dice hay que multiplicarlo. Cuando dice que someterán a investigación la "eclesialidad" de los procesos formativos de la Pía Unión Sacerdotal, hasta hace poco presidida por Arteaga, lo que está diciendo es que estamos frente a una secta, que lo que ha creado Karadima no es parte de la Iglesia Católica sino de una secta.»

Según Murillo, Arteaga «es el típico representante de una secta, con fidelidad ciega al fundador, al gurú, al maestro o lo que sea, que en este caso es Karadima».

Para el doctor en Filosofía no hay por dónde confundirse: «Hay que decirlo con todas sus letras: Karadima creó una secta y sedujo a gente muy inteligente, al menos con una alta capacidad de raciocinio, como el caso de Arteaga. Él es capaz de razonar, de sacar conclusiones, de analizar textos y acumular conocimiento, pero no es capaz de orientarse entre ellos porque su capacidad, su sentido de la orientación, han sido manipulados por el gurú Karadima. Y, a la vez, a Karadima le sirve un personaje como Arteaga para mostrar una imagen sólida. Utiliza su capacidad de raciocinio pero distorsiona su sentido de la orientación».

José Andrés Murillo dice que no le extraña que el obispo haya aceptado a regañadientes el fallo del Vaticano después de haber defendido en forma acérrima a Karadima ante el cardenal

Errázuriz y ante la opinión pública. «Para muchos —dice— es un tipo inteligente, buen profesor, incluso buena persona. Es como Adolf Eichmann, uno de los ideólogos de la solución final de los campos de exterminio nazi. No era un monstruo, era un hombre razonablemente bueno, buen padre de familia, sin odio, inteligente, pero su capacidad para distinguir la realidad, para orientarse en el mundo, había sido perturbada en este caso por una ideología fuerte: el nazismo.»

Afirma Murillo que el caso del obispo Arteaga es parecido. «Su capacidad de orientación está perturbada por otra ideología: la férrea convicción de que Karadima es un santo —o lo era— y que ha sido perseguido injustamente, como se persigue a los santos y a los próceres, constituyéndolos justamente en santos y próceres», indica.

Por eso —dice— Arteaga «no es capaz de decir que Karadima abusó. Tal vez fue abusado en su sentido más profundo de ver la realidad, le trastocó la brújula, si se puede decir así. Tal vez no le hizo nada de carácter sexual, o tal vez sí, pero él no puede creerlo, porque tiene escamas en los ojos y cree que defender a Karadima es defender la fuente de la verdad, entonces no se le puede culpar estrictamente hablando; no hace el mal de manera deliberada, al menos en el plano de la intimidad de su conciencia. Arteaga no es un hombre malo (…) Arteaga está desorientado y ha hecho daño creyendo que hace el bien».

Según José Andrés Murillo, «ese es el peligro más grande de toda secta: lograr que personas sanas, inteligentes, normales, se vuelvan totalmente anormales a partir de una pérdida en el sentido de la orientación. Y un abuso sexual, que es un abuso a lo más sagrado de una persona, al espacio del amor, del afecto, de la entrega, de la procreación, logra, muchas veces, distorsionar el sentido de la orientación. Los sacerdotes muchas veces no se dan cuenta de esto porque están dedicados a negar, reprimir, combatir o, en el mejor de los casos, sublimar su sexualidad. Y no se dan cuenta de la sacralidad del sentido de la sexualidad. Cuando es violentada por algún medio, es violentado el sentido más básico de la realidad».

«Asociación ilícita» y ruptura

Conversando con Jimmy Hamilton, un día de mayo de 2010, me decía: «Aunque parezca una teoría conspirativa perfecta, me parece que la Pía Unión Sacerdotal de El Bosque se transformó casi en una especie de asociación ilícita, porque están encubriendo crímenes. Todo lo que es el encubrimiento tiene que ser develado para que no vuelvan a repetirse estos hechos».

Pero a la vez, advierte: «De todo corazón creo que hay sacerdotes que han salido de ahí que son gente muy buena. Que trabajan con mucha fe y devoción en parroquias y que lo hacen muy bien. Creo que hay muchos de ellos que no tuvieron idea de esto. Vivieron este ambiente erotizado, lo consideraban normal».

Tres meses después, la convicción sobre la «verosimilitud» de lo que habían denunciado James Hamilton, Juan Carlos Cruz, José Andrés Murillo y Fernando Batlle, llevó en agosto de 2010 al quiebre de la Pía Unión, cuando diez sacerdotes firmaron una declaración pública que entregaron al diario electrónico *Ciper*, marcando sus diferencias con Fernando Karadima.

«Queremos hacer público nuestro distanciamiento de los encuentros de la Unión Sacerdotal del Sagrado Corazón de Jesús a razón de los hechos que se han cometido en los últimos meses y que nos parecen verosímiles», señalaron los sacerdotes. Y agregaron: «Estamos y hemos estado totalmente abiertos a colaborar con la justicia civil y canónica y en plena comunión con la autoridad de nuestra Iglesia de Santiago y con la Santa Sede y el Santo Padre, el Papa».

Los firmantes pertenecen a parroquias de distintos puntos de Santiago: Eugenio de la Fuente es párroco de la iglesia La Medalla Milagrosa de Quinta Normal; Sebastián Vial Cruz, de la parroquia María Magdalena de Puente Alto; Sergio della Maggiora Silva, de Colina; Andrés Ferrada Moreira es encargado académico del

Seminario Mayor; y su hermano Fernando, párroco en la iglesia Jesús Carpintero de Renca; Sergio Cobo está a cargo de la parroquia San Carlos Borroneo de La Reina; Francisco Walker Vicuña, ex vicario judicial de Santiago, es párroco de Cristo Crucificado; Samuel Arancibia Lomberger es vicario de la parroquia Santa María de Las Condes. Los dos últimos firmantes son los hermanos Javier y Jorge Barros Bascuñán. El primero es párroco de Santa Marta, mientras que el segundo de la iglesia de La Pincoya. Unos pocos días después se plegaron a esa posición Cristóbal Lira, párroco de Santa Rosa de Barnechea, y el capellán de la Fundación Las Rosas y párroco de Santo Toribio, Andrés Ariztía.

Según el abogado Juan Pablo Hermosilla, «a la Pía Unión hay que tratarla con cuidado porque creo que, pese a que dentro tenía una estructura y estaba controlada por un individuo que no ponía esto al servicio de la Iglesia, del proyecto colectivo de la religión católica, sino que al servicio personal, y en ese sentido es una secta, así como esta causa ha mostrado cosas bien miserables de la condición humana, ha mostrado gestos notables y que tienen que ver con gente de la propia Unión Sacerdotal. Hay personas que han tenido la valentía, después de estar años y años sujetos al yugo de Karadima, de enfrentarlo. Gente que reconoce el temor que le produce esta situación, pero que tienen esta especie de matriz moral básica correcta de decir que esto no es aceptable y ayuda a que se investigue».

Por eso —dice—, «cuando hablamos de la Unión Sacerdotal hay que recordar a esos sacerdotes que se salieron, al propio Hans Kast, que formó parte de la Unión Sacerdotal. Aquí hay gente noble, que a costos personales mayores está dispuesta a ayudar y apoyar a las personas que han denunciado».

Llanto en el santuario

—¿Consideras que El Bosque funcionaba como una secta? —le pregunto a Antonio Delfau.

—Sí, totalmente.

—¿Se podría eso extrapolar no solo a lo que estaba pasando en la parroquia sino también a la Pía Unión?

—Por supuesto; además, todas estas personas se mantuvieron unidas al núcleo central, siempre, hasta este quiebre que hubo en agosto de 2010, que es muy reciente. Si uno toma todos los años que estuvieron unidos, es mucho tiempo.

Antonio Delfau, por su pasado de feligrés de El Bosque, mantenía un cierto trato amable con Fernando Karadima y algunos de sus sacerdotes, sin tener idea de lo que ocurría en esa parroquia. Pero al interior de la Compañía de Jesús confiesa que tuvo algunas discusiones porque consideraba que le habían «regalado al padre Hurtado en bandeja a Samuel Fernández y a este grupo, entonces algunos me decían que yo era un mal pensado, que habían sido tan rigurosos en su trabajo». Esto lo señalaban porque Fernández se ha dedicado a escribir una serie de libros sobre el padre Hurtado, que publicaba en la editorial de la Universidad Católica, con las consabidas dedicatorias a su maestro Fernando Karadima.

Entre las anécdotas que guarda Antonio Delfau, recuerda un episodio que le ocurrió con Samuel Fernández justo el día en que se dio a conocer esa carta que marcó un cisma en la Pía Unión.

Se encontró con el ex decano de Teología a la salida de la misa del padre Hurtado, el 18 de agosto de 2010, en el santuario del santo. «Siempre nos saludábamos, él muy diplomático. Yo escuchaba a mis hermanos jesuitas que trabajaron en la Facultad de Teología de la Católica, que siempre lo alababan.»

Ese día —dice Delfau—, «creo que era el único de El Bosque, no estoy seguro, pero había muy pocos que no eran jesuitas. A la salida de la misa, en la sacristía, me estaba sacando los ornamentos rápido para irme, y se me acercó él, y me dijo: «Antonio, yo tengo que hablar contigo, estoy muy sentido contigo». Le respondí: «Bueno, claro, cuando quieras». Agregó él: «No, pero aquí no». Estábamos en el museo del padre Hurtado, que estaba funcionando como sacristía; entonces nos metimos por un pasillo. Y ahí, de buenas a primeras, se puso a llorar; se quebró en una forma horrorosa, y me repetía: «Quiero hablar contigo, no quiero dejar pasar, pero no puedo hablar».Y no podía hablar, lloraba y lloraba. Al final me dijo: «Es que hoy pasó algo tremendo».

Antonio Delfau creía que el afán de Fernández por conversar se debía a las críticas declaraciones en torno a Fernando Karadima que había hecho público. O tal vez a un episodio que había vivido en Roma en octubre de 2005, cuando en la víspera de la canonización del padre Hurtado se encontró con Samuel Fernández en la oficina del sacerdote Paolo Molinari, quien llevaba el proceso de santificación. Fernández escribía en su *laptop* un discurso sobre el padre Hurtado para que lo pronunciara el papa Benedicto XVI, y el padre Molinari se lo mostró a Delfau. Tras leerlo rápidamente, le dijo a Molinari: «Esto podría ser dicho de cualquier monje, de cualquier cura, de cualquier persona piadosa y espiritual, aquí no hay ningún rasgo de lo más característico del padre Alberto Hurtado, esto es como una especie de plástico con el que se podría envolver a cualquier persona para decir que es santa». Se lo señaló delante de Samuel, en forma bastante agresiva —dice—, y este no respondió nada en esa ocasión.

Esa tarde, mientras lloraba en el santuario, me dirigí a él: «Mira, Samuel, cuando quieras conversar, yo encantado». Pero la conversación no se produjo. Cuando llegó a su casa, Antonio Delfau comentó el incidente con otros jesuitas. «Hoy tiene que haber pasado algo muy grave, les dije.Y uno de mis compañeros se conectó a Internet y se encontró con la declaración de los diez sacerdotes que se retiraban de la Pía Unión. Fue justo el 18 de agosto, el día del padre Hurtado.Y Samuel no me llamó después. Tampoco lo hice yo. Esa conversación no la hemos terminado».

—Y no firmaba la declaración.

—¿Él? ¡Pero cómo se te ocurre! Por eso mismo parece que ese día se sintió muy traicionado por los que abandonaron.

«Orfandad horrorosa»

—Los integrantes de la Pía Unión están viviendo un proceso muy fuerte, como si fueran cayendo de a poco en la realidad —le señalo a Antonio Delfau en marzo de 2011.

—Sí, debe ser durísimo.

—Algunos se van dando cuenta de los abusos psicológicos y la dominación que ejercía Karadima sobre ellos mismos. ¿Qué hará la Iglesia al respecto? Porque además de la investigación tendrá que ocuparse de dar orientación a estos curas —reflexiono.

—¿Te refieres a contenerlos? —pregunta Delfau.

—Sí, porque muchos deben estar bien dañados… Quizás algunos sufran incluso crisis sacerdotales o crisis personales psicológicas…

—Pero obvio, porque uno puede decir: «A ver ¿sobre qué construyó su vocación?» Los de El Bosque tienen un estilo, además, que nunca muestran agresividad. Reflejan una especie de amabilidad, de estar como medio agachados, siempre como medio sonriendo, y esa cuestión se puede caer.

—¿Quién tomará el toro por las astas? ¿El arzobispo Ricardo Ezzati, la Conferencia Episcopal Chilena?

—Ese es otro de los problemas que tiene la Iglesia Católica. Por constitución, cada obispo es un señor feudal absoluto y por lo tanto nadie puede meterse en el reino del arzobispo de Santiago.

—¿Qué opinan ustedes? Los jesuitas dicen cosas que nadie se atreve a decir…

—Nosotros estamos un poco exentos de esa problemática, les molesta mucho que uno diga esto, pero nosotros somos una orden universal que tenemos que tener respeto por los ordinarios de cada lugar, y no tenemos que contrariarlos, pero tenemos una vocación universal. Y, por lo tanto, no tenemos voto de estabilidad, de quedarnos siempre en una diócesis, y nos mueven por Chile o el mundo como quieren, entonces estamos al otro lado. Pero estos jóvenes sacerdotes que sí pertenecen a una diócesis, me imagino que muchos estarán complicados y como huérfanos, sobre todo si han tenido un padre tan autoritario y fuerte. Se quedaron huérfanos y de una orfandad horrorosa. Yo no lo había pensado de ese modo, había pensado más en la impunidad, pero la verdad es que es razonable.

—Entre los Karadima *boys* hay algunos que estudiaron en el San Ignacio de El Bosque como Arteaga…

—Yo solía ser más cercano a Arteaga, y cada vez que encontraba que había algo malo en la Iglesia, se lo decía. Creía que era una persona razonable, abierta. Pero teníamos discusiones. En una oportunidad me dijo: «Ustedes los jesuitas, que se creen tan amplios, que tienen tanto mundo, que conocen a tanta gente… si los amigos de ustedes son cuatro gatos y me los fue nombrando en forma irónica… Como diciendo: "Ustedes que se sienten tan amplios, que tienen tentáculos por toda la sociedad y todo…".». Me ridiculizó y algo de razón le encontré, porque a veces nuestro mundo no es tan grande como a nosotros nos gustaría pensar que lo es. Pero fue bien agudo, bien doloroso, porque fue una reacción a la crítica de decir que ellos vivían en un mundito enano».

¿Chivo expiatorio?

Antonio Delfau confirma que Andrés Arteaga ha tenido en los últimos años mucha influencia «ideológica, política y religiosa» en la Iglesia y en la Universidad Católica. Cuenta, asimismo, que su hermano Felipe Arteaga, ingeniero civil, es muy cercano a los jesuitas. «Y ha sufrido mucho. En realidad, toda la familia ha sufrido horrores, pero Felipe lo que me reprochaba es que todos los dardos se hayan cargado contra Andrés Arteaga, que es el gran chivo expiatorio de esta debacle, y eso es un poco injusto».

—¿Qué dices tú al respecto?

—La verdad es que le encuentro un poco de razón, porque son cinco obispos o cuatro, y algunos ni han abierto la boca, pero el que ha perdido más hasta ahora es Arteaga.

—Desde un comienzo fue el más duro en las declaraciones en defensa de Karadima y en contra de las víctimas, y además era el director de la Pía Unión.

—Sí, pero Rodrigo Polanco también fue durísimo; claro que Polanco no tenía un cargo tan importante, ya había dejado de ser rector del Seminario.

—Es bien impresionante que a todos estos obispos de El Bosque los mantengan como tales, incluido Arteaga... Sigue siendo obispo auxiliar de Santiago una persona cuyo grado de complicidad no se ha investigado todavía —le comento.

—Sí, y hay acusaciones por lo menos informales de dos de las víctimas, que ahora uno tiene que considerarlas víctimas y además tener más respeto por sus declaraciones, porque el Vaticano les dio la razón. Sí, todo eso yo lo veo. Pero hasta ahora ha sido el más perjudicado.

—¿Conoces a Tomás Koljatic?

—Fue compañero mío en la Católica, desde el primer año hasta el último.

—Y regalón de Karadima...

—Yo tenía muy buena opinión de él como compañero de universidad. Claro, son esas personas que tú nunca sabes lo que piensan realmente, porque son tan dijes, tan amables, tan sonrientes... Yo soy muy directo, entonces me cuestan mucho esas relaciones diplomáticas... Me mandó tarjeta de Pascua..., después de todo lo que yo he dicho. Incluso yo hablé de una posible defensa corporativa, pero me mandó tarjeta de Pascua, por e-mail —porque ya no se usan las otras—, pero era personal: «Querido Antonio». Y yo se la contesté. Me hice el de las chacras y le contesté: «Feliz Navidad para ti también»...

—Koljatic estaba instalado en la pieza de Karadima cuando este le ofreció un whisky a Murillo antes de su episodio de abuso.

—Sí, me lo contó José Andrés.

«Sufrimiento grande»

—¿Qué está pasando en la Pía Unión? —le pregunté al padre Eugenio de la Fuente a fines de marzo.

—No sé bien lo que está pasando. Hay varios que están haciendo un esfuerzo. Hay amistades profundas y comprendemos que hay un terremoto de tal magnitud que para todos ha sido un momento de sufrimiento muy grande, y en ese sentido la gente reacciona de manera distinta: unos salen de la casa corriendo, otros ponen la calma, otros se quedan y la casa les cae encima. Algunos están haciendo esfuerzos para renovar vínculos y recuperar antiguas amistades, porque allá hay gente muy buena. Muy buenos sacerdotes.

—Pero hay otros que se resisten. Y todavía insisten en esperar lo que diga la apelación al fallo del Vaticano.

—Como no los he visto, no le puedo decir…

—El obispo de Talca, Horacio Valenzuela, en una entrevista de radio Bío-Bío se manifestó en compás de espera frente a la apelación ante el Vaticano.

—Sí, supe de esa entrevista, en que al parecer no hubiera querido decir lo que dijo, pero tiene una entrevista en el diario *El Centro* de Talca donde manifiesta más profundamente su opinión. Hay gente, buenos amigos, buenos sacerdotes, a los que esta situación los pilló peor parados. Están reaccionando y de a poco están abriéndose.

—Hablabas de terremoto, otros hablan de estado de confusión, de shock…

—Es un proceso.

—¿Pueden estar en estado de meditación o reflexión?

—Definitivamente, sí.

—¿Debería seguir existiendo como tal la Unión Sacerdotal?

—Sobre eso no me atrevo a emitir un juicio. Eso tiene que formularlo la Iglesia después de la visita canónica, y debe ver si se pueden sanar todas las incorrecciones o las distorsiones que había, sobre la base de los problemas que generó la persona de Fernando Karadima.

—Si el espíritu de Karadima sigue vivo, ¿te parece adecuado que siga subsistiendo la Pía Unión?

—En ese caso, no.

—El sentido de secta estaba presente en la Pía Unión. Esto de que alguien se portara «mal» y lo retaran es propio de una secta. Y quienes retaban eran los sacerdotes de la Pía Unión más cercanos a Karadima.

—Y retaban porque otras veces les tocaba a ellos ser retados. Era parte del esquema de la persona de Fernando Karadima. A mí me tocaron las dos cosas: ser retado y retar.

—¿Estás arrepentido de haber retado?

—Obvio.

—¿Y también te tocó ser retado en público?

—Sí, eso era parte de la manera de ser del padre Fernando. Era muy impulsivo.

—¿Los sentaba? ¿Cómo era?

—No era un asunto de «sentémonos para retar a alguien». En el fondo, estaba pasando algo o se sabía tal cosa de alguien y entonces podía retar a una persona en ese momento.

¿El reino se derrumba?

A comienzos de abril de 2011 una nueva carta proveniente de la Pía Unión saltó al escenario. Esta vez se trataba de quince sacerdotes que hasta ese momento se consideraban cercanos a Karadima, que con ocasión de la Asamblea Plenaria de los obispos de Chile de Punta de Tralca dirigieron una misiva al arzobispo de Santiago Ricardo Ezzati[13] para que la leyera en esa reunión.

En el escrito —de una carilla— señalan: «Cada uno de nosotros a distinto ritmo ha vivido un proceso interior muy doloroso, para tomar conciencia de la real dimensión y el significado de los

---

[13] La carta está fechada el 1 de abril de 2011.

hechos sancionados por la Santa Sede, referidos al padre Fernando Karadima. De acuerdo a nuestra experiencia, inicialmente nos resultaba muy difícil creer, y ahora queremos escuchar, acoger y acompañar a quienes tanto han sufrido. Hemos requerido de mucho tiempo para recorrer este largo y difícil camino a la luz de la investigación y de la realidad de los hechos. Hoy quisiéramos dar señales claras de nuestro dolor. Hacemos nuestro el dolor de las víctimas, y queremos acompañarlos con respeto y solidaridad».

«Además —expresan los firmantes— lamentamos mucho que estos hechos hayan repercutido tan negativamente en nuestra sociedad y en nuestra Arquidiócesis. Por eso, como sacerdotes de su clero, le reiteramos nuestro deseo de trabajar por la comunión en nuestra querida Iglesia de Santiago.»

Más adelante señalan que «con sinceridad y humildad, quisiéramos dejarnos conducir por usted para iniciar un camino de renovación y de profundización de nuestro ministerio sacerdotal».

Se despiden reiterando su «total disponibilidad para todo lo que usted quiera pedirnos como sacerdotes».

En esta oportunidad, muchos de los firmantes pertenecían al núcleo más estrecho de Karadima. Entre ellos, Tomás Salinas y Antonio Fuenzalida —miembros de la directiva de la Pía Unión hasta agosto de 2010—; el ex decano de Teología, Samuel Fernández; Jaime Tocornal Vial, «histórico» integrante de la Pía Unión; lo mismo que el vicedecano de Teología, Rodrigo Polanco, quien en la primera hora había hecho una férrea defensa de Karadima; Gonzalo Guzmán Karadima, sobrino del ex párroco y su primo Pablo Guzmán Anrique. Otros de los firmantes de este nuevo grupo de «disidentes» son Cristián Hodge, profesor de la Universidad Católica; Nicolás Achondo; Pablo Arteaga Echeverría; Juan Ignacio Ovalle; Francisco Cruz; Rodrigo Magaña; y Jorge Merino. En la versión original también aparecía la firma del vicario de la zona centro y párroco de El Sagrario, Francisco Javier Manterola Covarrubias, pero el mismo 5 de abril, cuando se conoció públicamente el documento, este retiró su firma. Cuando los periodistas le preguntaron al respecto, no dio detalles. Solo se amparó en «razones personales».

El proceso de «darse cuenta» al parecer avanzaba, mientras se contaban los días para el inicio de la «visita apostólica» y se hacían preguntas sobre a quiénes llamaría a declarar la ministra en visita Jessica González. Aunque no lo dicen expresamente en su carta, se podría suponer que esa «disposición» implicaría no solo una actitud espiritual, sino también la voluntad de colaborar con la justicia.

Los nombres del párroco Juan Esteban Morales, del vicario Diego Ossa y del joven sacerdote Julio Söchting, que vivían en El Bosque, no aparecen en esta carta. Tampoco figura ninguno de los obispos.

«Él estaba aislado»

Francisco Javier Errázuriz Huneeus, el padre Panchi, tiene ochenta y seis años y es sobrino del fundador de la Pía Unión del Sagrado Corazón, monseñor Alejandro Huneeus. Tal vez el único resabio de esa Unión que crearon aquellos sacerdotes que a comienzos del siglo pasado dieron forma a la organización sacerdotal. A través de diversos testimonios se puede percibir que es un hombre bondadoso y amable. Escuchó de «pecados de pureza» y a lo largo de su vida tiene que haber visto todo lo que otros relatan. No obstante, se acogió al «secreto de confesión» y no quiso hablar.

Los interrogatorios de los empleados ante la Policía de Investigaciones llaman la atención porque manifiestan pena y cariño por él. Y varios hablan de los malos tratos que recibió de Karadima.

—¿Es cierto que estaba como incomunicado? —le pregunto a Eugenio de la Fuente.

—Tanto como incomunicado, no. El padre Francisco es un hombre muy de Dios, muy entregado al Señor, un hombre que tiene un gran cariño por los enfermos.

—Hay gente que me ha dicho que «es una de las víctimas de Karadima» en el sentido de que lo sometió… —le señalo.

—Sí. Era parte de ese feudo sobre el que usted me preguntó.

—¿Era un lacayo?

—Son palabras fuertes… Él estaba dentro de ese esquema en el que estábamos todos, pero como no era miembro del círculo de los jóvenes tampoco tenía una amistad con otros para compartir momentos buenos, y en ese sentido era más triste.

—¿Era el único aislado de los curas?

—Era el que estaba más aislado. Como vicario parroquial, también me tocó retar al padre Panchi —confiesa De la Fuente.

—¿Retarlo por qué?

—Por distintos motivos, porque no llegaba a la hora, por cosas así. Él concelebraba la misa conmigo, confesaba, iba a ver enfermos, tenía más libertad que nosotros, en el sentido de que se manejaba más libremente por el interior de la parroquia. Pero él también tiene un carácter sumiso. Es parte de su manera de ser. Y su tío, en cambio, era de un carácter fuerte, tremendo, según cuentan.

Capítulo XVII

DETRÁS DE LOS SILENCIOS

La arquitectura del templo resulta imponente. Fue construido en piedra amarilla y rodeado de jardines, arriba, entre los cerros del sector Los Trapenses en Barnechea. Al parecer, el dinero de los feligreses de ese sector en La Dehesa ha hecho posible levantar esa construcción, tan impresionante que es conocida como «el *mall* de la fe».

El padre Juan Debesa, párroco desde 2008 de Nuestra Señora Madre de la Misericordia, como se llama formalmente la iglesia, tiene un largo currículo en parroquias y cátedras en sus más de cincuenta años de vida y veintisiete de sacerdocio. Antes fue párroco de la Inmaculada Concepción de Vitacura y vicario de Santa Elena, de Santo Tomás Moro y de Nuestra Señora del Carmen de Ñuñoa. Ha sido profesor del Seminario y es especialista en Patrística, la disciplina dedicada a estudiar a los padres de la Iglesia, además de colaborar en la Pastoral de la Universidad Católica en el campus El Comendador.

De mediana estatura, grueso y semicalvo, aparece en mangas de camisa entre los corredores de su espectacular parroquia, la tarde del 29 de diciembre de 2010. Le había pedido a su secretaria una hora para conversar con él. Llegué puntualmente a la cita a las seis de la tarde. En un comienzo, me recibió muy atento y me hizo pasar a su oficina, tal vez pensando que sería una feligresa con algún problema que consultarle.

Al presentarme y contarle el objetivo de mi visita, su actitud cambió radicalmente. Nos encontrábamos sentados en sendos sillones. Yo sabía —le comenté— que de joven él había pertenecido a la «Acción Católica de El Bosque» y después se había alejado de Fernando Karadima. Quería que me contara sobre esos tiempos de los años setenta, cuando él estudiaba Historia y luego entró al Seminario Mayor. Pero no alcancé a formular más interrogantes sobre el controvertido cura.

«Secreto de confesión»

—No le voy a hablar de eso. Yo di mi informe escrito al cardenal Francisco Javier Errázuriz y él me dijo que con eso bastaba. No tengo nada más que decir —señaló seco el padre Debesa.

—Usted participó de la parroquia El Bosque en su juventud, quería que me contara de esa época...

—Me fui en 1978 y nunca más volví ni tuve nada que ver con El Bosque —me dijo en tono cortante.

A insistirle, se puso nervioso y me espetó:

—Si hubiera sabido que usted es periodista, no la habría recibido. No voy a hablar.

—¿Y por qué tanto secretismo, padre? Conversemos *off the record*, por último...

—No, ya le dije que no voy a hablar, y estoy bajo secreto de confesión.

—¿Cómo es eso, padre? El secreto de confesión no tiene nada que ver con lo que usted me está diciendo. El secreto de confesión es el que le debe guardar como sacerdote a una persona que se confiesa con usted. Si yo le estuviera contando un pecado en busca de la absolución, podría ampararse en el secreto de confesión, pero no se trata de eso —le argumenté.

Más tenso aún, cambiando incluso de color y francamente molesto, me reiteró:

—No voy a hablar con usted y menos para un libro. —Y agregó incómodo—: No me siento libre con su actitud, me siento presionado.

Tras decir esas palabras se levantó del asiento, con ademán de dar por terminada la frustrada entrevista, mientras yo permanecía sentada. Le pregunté:

—¿Me está echando?

—No, no la estoy echando, pero no me interesa hablar de esto. Tengo cosas más importantes que hacer.

—¿Más importantes que los abusos cometidos por Fernando Karadima que tienen estremecida a la Iglesia chilena?

La pregunta quedó en el aire. Avanzó por la puerta y me hizo pasar hacia afuera. Fue la despedida, y con un escueto «Que le vaya bien» cerró el áspero diálogo.

Al bajar, detuve el auto antes de tomar de vuelta el Camino Real —así se llama la calle donde está la parroquia— para hilar el episodio vivido con otras referencias que tenía de este sacerdote. Me habían contado que en sus tiempos de joven seguidor de Karadima el cura de El Bosque lo trataba mal, era casi como un «negrito de Harvard» entre los jóvenes rubios de ojos claros que siempre lo han rodeado. Recordé que Luis Lira me había hablado de él con mucho aprecio. Y que otra persona me dijo que Debesa debía saber «mucho de otros tiempos». Trataba de imaginar por qué tanta inquietud, tanto temor de hablar sobre su antiguo guía, por qué tanto silencio. ¿Qué sabía? ¿Qué ocultaba? ¿Qué había declarado al promotor de justicia eclesiástica? ¿Sobre qué le pidió silencio el cardenal? ¿Sería que en realidad guardaba un importante secreto de confesión en torno al caso?

Después he sabido que la ruptura de Juan Debesa con El Bosque fue fuerte, que su familia era asidua a la parroquia por años, pero que como con muchos otros que «desaparecieron» de la iglesia colorada y se alejaron de la Pía Unión, las razones quedaron en el misterio. Uno de los tantos misterios de esta Iglesia Católica que hizo posible que existiera un Karadima dueño y señor de voluntades durante medio siglo.

Complicidad culpable

Cuando James Hamilton lanzó en televisión su impactante afirmación sobre el ex arzobispo de Santiago Francisco Javier Errázuriz —«el cardenal es un criminal»— era la culminación de un proceso, más que una expresión que se hubiera arrancado de los labios del médico sin meditar.

Muchas veces, durante el transcurso del año que ha pasado desde que llegó a mi casa el 12 de abril de 2010 a contarme su historia, Jimmy me habló de la complicidad culpable de la jerarquía eclesiástica católica y de grupos de interés que protegían a Fernando Karadima. Conocí en detalle las inquietudes de estas víctimas que se atrevieron a dar la cara, supe de las numerosas puertas que golpearon, de los e-mails que intercambiaron, de los trámites y los silencios. Del dolor y la angustia que les provocaban las descalificaciones ante sus testimonios y, en particular, las palabras severas de algunos conspicuos sacerdotes.

En muchas oportunidades, James Hamilton me insistió sobre la «complicidad» de importantes dignatarios que no hicieron nada. Porque no les creían, por conveniencia o por simple desidia. O por todo eso y porque el secretismo ha sido una característica milenaria en la Santa Iglesia Católica.

Jimmy Hamilton me reiteró hace unas semanas, cuando el caso Karadima tenía convulsionada a la Iglesia chilena, lo que me había planteado en más de una ocasión desde el comienzo: «El encubrimiento nos ha traído un inmenso dolor y el riesgo evidente de que hechos como los denunciados se sigan repitiendo».

El médico habla de «el doble pecado». Lo define como «una situación de gravedad extrema, porque la conducta de quien comete el abuso está en una especie de límite difícil de definir entre enfermedad y maldad. Sin embargo, el ambiente de encubrimiento no está en una disyuntiva moral. Ellos no tienen "una enfermedad" aparentemente. Ni tienen un trastorno o algún tipo de pasión desordenada. Están en su sano juicio y con todos sus poderes. Tienen todas las posibilidades de actuar, sancionar, evaluar, pero por sobre todo de acoger al que ha sido dañado en lo más profundo de la telaraña del alma».

«El secretismo es el gran pecado de personas que tienen todas las posibilidades, un razonamiento lógico, que tienen "una formación moral" y ética, que son «pastores» que están para velar por «las ovejas», enfatiza el médico. «Su omisión es culpable —argumenta— porque crea situaciones de dolor y de pecado permanente. Y la víctima, al no tener el apellido de víctima, queda como acusador o "hipotético" acusador de "hipotéticas" acciones. Por lo tanto, no se le puede dar la atención que le corresponde y necesita. Por eso, son culpables.»

—¿A quién te refieres concretamente? —le pregunté en aquella ocasión.

—A la autoridad de la Iglesia.

Y fundamenta sus juicios: «Puedo decirlo con conocimiento de causa de manera absoluta. Porque cada vez que yo he intentado acercarme al cardenal Errázuriz, que sería como "la" persona indicada, dado su carácter de arzobispo e investido cardenal por el Papa, lo único que he recibido es silencio. Es más, delante de mí, el padre Percival Cowley, de los Sagrados Corazones, solicitó una entrevista para acompañarme a conversar con el cardenal, y el secretario de Errázuriz le dijo que no tenía tiempo».

Agrega Jimmy Hamilton: «Percival para mí ha sido una persona fundamental, porque fue el primer sacerdote a quien le conté todo esto, aparte de las denuncias. Fue al primero a quien abrí mi corazón. Y lo más lindo fue que me acogió como un pastor. Y me dijo "en todo esto yo no encuentro culpa". Y yo le iba a contar mi culpa, mi pecado».

—¿Por qué se te ocurrió llegar adonde Percival?

—Porque mi querido amigo, el doctor Carlos Trejo, que trabajó en la Comisión de Derechos Humanos del Colegio Médico, un hombre sumamente honorable y gran médico, es muy amigo de Percival, y me sugirió que lo hiciera. En algún momento conversé con él y le conté que había tenido algunos problemas y violencias de este tipo. Carlos Trejo lo llamó y Percival me recibió. De hecho, hasta el día de hoy me ha ofrecido celebrar una misa privada para nosotros, como una forma de acogernos. De mostrarnos otro Cristo.

—¿En qué etapa estabas respecto de los otros procesos cuando acudiste a Percival Cowley?

—Desde el punto de vista eclesiástico se habían establecido las denuncias que se hicieron en 2004 por mi ex mujer, y en 2005 por ella y por mí. Ella renovó su denuncia y yo hice la mía de manera formal, como corresponde, ante el promotor de justicia, firmada, notariada, sin embargo no nos dieron copia. No sé por qué motivo misterioso, Verónica se pudo conseguir después que alguien le pasara una copia que ella tiene de esa primera declaración suya, que fue en 2004.

Médico de hospital público

Dice Jimmy Hamilton que en esa época estaba «en una condición de harapo humano». Lo único que le salvaba la vida —dice— «era la satisfacción que tenía de poder operar pacientes en el hospital, a gente muy pobre que estaba muy agradecida y que yo sabía que todo lo que hiciera iba a ser sin ninguna retribución material. Era totalmente gratuito. Sentía que estaba pagando mis pecados atendiendo a esa gente con una abnegación total, de lunes a domingo, a la hora que fuera. Recuerdo haber tenido que partir a las cuatro de la mañana porque habían baleado a una chiquilla de quince años y tenía que llegar a operarla».

—¿Esto era en el Hospital Padre Hurtado?

—Sí, en el Padre Hurtado, que es un hospital público que se vinculó después con la Universidad del Desarrollo y la Clínica Alemana. Fui jefe de servicio durante ocho años y fundé el Servicio de Cirugía.

Su realización profesional le permitía mantenerse a flote y no desmayar. Sus logros como médico y profesor universitario contrapesaban en parte su profunda desolación en esos años durísimos. «Mi primera generación de alumnos en el examen nacional de Medicina sacó el primer lugar en cirugía y segundo lugar en el examen general. Participé en la comisión curricular, hice clase en primer año de Introducción a la Medicina, de Investigación en segundo año, así es que mi carrera absorbía gran parte de mi energía», cuenta.

«Pero desde el punto de vista humano sentía un sufrimiento constante que no tenía alivio, pensaba que ya no tenía remedio. Sentía una sensación de daño profundo, estaba destruido. Uno siente que no se puede recuperar.»

«Como una ciudad terremoteada»

—¿En qué momento decidiste hacer un psicoanálisis?

—Cuando me fui de la parroquia en 2004 y me fui de mi casa, contándole a mi ex mujer que había pasado todo esto. Primero fui a hacer psicoterapia con Ignacio Ilabaca, un súper buen psicoterapeuta que me apoyó mucho y que logró que no me muriera en vida. Me lo recomendaron el doctor Trejo y el jefe de Psiquiatría del Hospital Padre Hurtado, Francisco Aliste, quienes me apoyaron en ese tiempo. Estuve un año en terapia.

Después, Jimmy Hamilton creyó que estaba en condiciones de batírselas por sí mismo, pero al poco tiempo volvió a sentir la «sensación de estar dañado internamente». Eso —relata— «me hizo buscar la posibilidad del psicoanálisis como una última opción. Conceptualmente, no sabía mucho de qué se trataba, pero sabía que si había algo que podía enfrentarme a mí mismo, a mis terrores y mis daños, dados mis falencias y mi destrucción interna, no me quedaba otra que asumir ese camino. Es como si yo fuera una ciudad terremoteada o bombardeada, como Hiroshima; si la quiero reconstruir no me queda otra que ir a mirar a todos los muertos, toda la destrucción, todo lo que hay, porque sobre la base de algo tenía que volver a construir».

Le seguía repercutiendo algo que le decía siempre Karadima cuando él trataba de alejarse: «Mi gran angustia era que se me confirmaba algo que incluso me repetía el cura: "que yo era un hombre frío, sin sentimientos"».

Mantiene silencio unos segundos. Y reflexiona en voz alta: «En esa parroquia me perdí a mí mismo. El psicoanálisis fue la opción de tratar de ver si mi corazón existía todavía en alguna parte».

Tres declaraciones a tres obispos

El peregrinaje por oficinas del Arzobispado partió en 2004 con la declaración que hizo Verónica Miranda Taulis, su ex mujer. Lo que ella quería era denunciar lo que le habían hecho a su marido. Ya estaban separados de hecho. «Ahí se inició la primera denuncia formal frente a un promotor de justicia», recuerda.

—¿Cuándo supiste que ella había hecho esa presentación?

—Lo supe hace tres días —me dijo el 30 de abril de 2010. Tenemos una copia del testimonio que se consiguió Verónica.

A finales de 2005 presentó su propia denuncia. La patrocinó el obispo auxiliar Cristián Contreras a pedido de Jimmy Hamilton. «Patrocinó mi declaración y una nueva declaración de Verónica ante el mismo monseñor Eliseo Escudero, y el notario eclesiástico. Se redactó un documento de denuncia que yo leí y firmé. Verónica hizo lo mismo por separado. En ese momento había ya dos denuncias.»

Antes de eso existió la carta de José Andrés Murillo a monseñor Ricardo Ezzati, en ese entonces obispo auxiliar de Santiago. «La hizo a través del vicario de Educación de esa época, Juan Díaz. Murillo también redactó desde Francia una declaración jurada, que le envió al cardenal Francisco Javier Errázuriz. De manera breve, en una página, resume los hechos y cuenta que se había ido a entrevistar también con monseñor Andrés Arteaga, quien no le había dado ninguna fe a sus relatos», señala Hamilton.

—Entonces ya estaba Murillo en la historia… —le comento.

—Sí, Murillo y las dos declaraciones de Verónica Miranda, más la mía. Así, en 2005 y comienzos de 2006 ya había por lo menos tres declaraciones a tres obispos: Ezzati, Contreras —que escuchó todo esto—, y el cardenal Errázuriz, a quien le llegaron los testimonios formales firmados, de los cuales no nos dieron copia.

»Después de estas declaraciones volví a llamar a Contreras para preguntarle en qué iba mi proceso y el obispo me dijo que no sabía nada —señala Jimmy Hamilton—. Me dijo que era un proceso interno del cual no me podía informar. Entonces llamé directamente a monseñor Escudero, quien me dijo que no tenía ninguna información que darme. Sin embargo, Contreras me hizo una infidencia y me dijo que Escudero comentó, no sé si por escrito, que los testimonios eran creíbles. Hasta ese extremo se limita y se contiene el proceso eclesiástico de denuncia.

Los «motivos» del cardenal

En una entrevista al cardenal Errázuriz publicada en la revista *Qué Pasa* en febrero de 2011, tras dejar el cargo de arzobispo y pocos días después de que Ezzati diera a conocer el fallo del Vaticano, la periodista Ana María Sanhueza preguntó a Errázuriz:
—En ese momento, a mediados de 2005, usted detuvo la investigación, ¿por qué lo hizo si ya había dos testimonios?
—Por una parte, me pareció necesario recibir más antecedentes. Por otra, cometí una equivocación: pedí y sobrevaloré el parecer de una persona muy cercana al acusado y al acusador. Mientras el promotor de justicia pensaba que era verosímil la acusación, esta otra persona afirmaba justamente lo contrario.[1]

---

[1] Revista *Qué Pasa*, 25 de febrero de 2011. «En un primer momento pesó el renombre que tenía el padre Karadima.» Entrevista al cardenal y ex arzobispo de Santiago, Francisco Javier Errázuriz.

—¿Qué persona? —inquirió la periodista.

—No voy a dar nunca su nombre. Porque en el fondo es responsabilidad mía, primero haber pedido ese parecer y, segundo, haberle creído. Me quedó la duda, naturalmente, y por eso mismo dejé en suspenso la investigación, y no cerré la causa.

En la oportunidad, el cardenal reconoció que en 2003 «llegó una primera denuncia, y lamentó no haber creído que era fidedigna». Era la de José Andrés Murillo.

Y a modo de justificación, explicó: «En mis años de experiencia sacerdotal han sido varios los episodios en los que he comprobado calumnias graves. También he conocido acusaciones a partir de las alucinaciones que sufría una persona. Por eso, no creo de inmediato las acusaciones que llegan. Por otra parte, estaba la fama que tenía el padre Karadima, tanto por la formación de innumerables jóvenes que le guardaban gratitud, como por la cantidad de vocaciones que habían partido al Seminario después de haberlo tenido a él como director espiritual. También, todo el círculo más cercano a él decía que era una persona sabia y santa. En verdad, cuando alguien tiene esa fama es muy difícil creer una acusación tan fuerte».

Agregó el ex arzobispo: «Esa acusación, escrita por don Andrés Murillo, decía expresamente que no quería un procedimiento eclesiástico. Las cosas cambiaron cuando en agosto del 2009 llegó una tercera acusación con denuncias similares».

Para el sacerdote jesuita Antonio Delfau, refiriéndose a los dichos de Errázuriz, «hacer excepción de personas, decir que era una persona de bastante prestigio, va totalmente en contra del Evangelio». Por eso, en las entrevistas posteriores —dice— el cardenal «no va quedando muy bien, lamentablemente».

Otro punto que molesta a Delfau de los argumentos del ex arzobispo es «esta distinción entre cosas que podría haber hecho mal, pero la gran labor que hizo, este empate permanente». Se refiere a la «carta famosa que tuvimos que leer en abril de 2010, que tuve que leer yo en misa. Esa carta de la misa es horrorosa, es un empate permanente y Jesús no es de empatar. Lo siento en el alma, pero no es así. Esa carta refleja un punto de derecho y uno del revés, un punto para María y uno para José, es no perder nunca, y en la vida hay que perder, hay que jugársela. ¡No, es una cosa increíble, increíble!».

En posteriores entrevistas el cardenal Errázuriz fue más explícito en reconocer errores, en especial tras los calificativos de Jimmy Hamilton. A través del diario *La Segunda* defendió que «No es criminal el que sabe buscar la verdad con ponderación y serenidad».Y agregó: «En primer lugar, no creo que hayan seguido ocurriendo abusos [por parte de Karadima].Yo tomé algunas providencias de modo que eso no ocurriera»[2].

El cercano Arteaga

No había que ser muy osado en las conjeturas para imaginar que la «persona muy cercana al acusado» que consultó Errázuriz era su obispo auxiliar Andrés Arteaga, el ex director de la Pía Unión Sacerdotal. La suposición quedó confirmada después de filtrarse una parte de los documentos del Vaticano que incluyen un informe del ex arzobispo, a través del diario *La Tercera*[3]. De acuerdo a la versión publicada por ese diario, el 3 de abril, «Arteaga hizo llegar su opinión sobre el religioso y los denunciantes en junio de 2006».

La versión de Arteaga —consigna el matutino— está incluida en las casi doscientas cincuenta páginas que tiene la investigación eclesiástica realizada en Chile en contra de Karadima.Agrega que para la elaboración de su informe, Arteaga tuvo acceso al testimonio de James Hamilton y de José Andrés Murillo. En el documento, indica el artículo, «el obispo auxiliar expresó que conocía a Karadima por más de treinta y cinco años de manera muy estrecha.Aseguró que este tenía una vida pública intachable, que

---

[2] *La Tercera*, 27 de marzo de 2011. «Caso Karadima. El expediente que envió la Iglesia al Vaticano.»

[3] *La Tercera*, 3 de abril de 2011. «El testimonio con que el obispo Arteaga defendió a Karadima.»

era un modelo estimulante como sacerdote católico y que, desde su punto de vista, el párroco estaba entregado a su misión de fe».

Arteaga añadió que «muchos fieles, laicos, sacerdotes y obispos podían entregar el mismo testimonio que él estaba dando», agrega *La Tercera*. Junto con señalar que Karadima había sido «extremadamente prudente en el trato con las personas», intentó descalificar a las víctimas.

Las gestiones de Percival Cowley

Cuando Jimmy Hamilton me habló de Percival Cowley me impresionó que justo fuera ese sacerdote el que lo había acogido. Lo conocía en persona desde hace muchos años. Casi medio siglo saqué la cuenta. Al comenzar los años sesenta, él era un joven y estudioso sacerdote de los Sagrados Corazones —Padres Franceses—, proveniente de Valparaíso. Entre otras actividades, era asesor espiritual de las comunidades de los Sagrados Corazones, un movimiento en el que participaban ex alumnos laicos de los colegios de la congregación.

A través de la vida nos seguimos encontrando y hemos mantenido algún contacto. Lo recuerdo en la Universidad Católica de principios de los setenta, cuando él era profesor en la Facultad de Teología y encabezaba el Frente Cristiano de la Reforma; lo seguí viendo bajo la dictadura en la parroquia Universitaria de Pedro de Valdivia en los setenta; me lo encontré en alguna ceremonia en los ochenta, los noventa o en las más recientes de este siglo.

Más de alguna vez lo había ido a ver a su sencilla casa de madera al lado del colegio de Manquehue, en la calle Padre Damián de Veuster. Comparte esa vivienda con Fernando Vives Fernández, el vicario de la zona cordillera, de la misma congregación, quien desde agosto de 2010 ha actuado como interventor de la Pía Unión Sacerdotal de El Bosque.

Percival Cowley es estudioso y reflexivo. Sin estridencias y con argumentos sólidos, no trepida en poner a las cosas el nombre que considera pertinente. No se censura cuando algo le parece inadecuado o incorrecto.

El ex capellán de La Moneda de los gobiernos de Ricardo Lagos y Michelle Bachelet me recibe en su pequeña salita, la tarde del 11 de marzo de 2011. Ya nos habíamos reunido meses antes y me había reiterado la solidaridad con las víctimas que expresó desde que estallaron las acusaciones contra Karadima a través de medios de comunicación.

Percival Cowley ratifica que él supo de lo ocurrido con James Hamilton hace ya un tiempo. «Se produjo a raíz de una confidencia que Jimmy hizo a Carlos Trejo, un médico mayor que él, con quien somos muy amigos. Carlos me habló de esto y le mandé decir a Jimmy que viniera a verme si quería conversar. Llegó aquí y ese fue el primer contacto que tuvimos. Yo no lo conocía, y ahí me contó todo esto.»

—¿Te contó la situación en detalle?

—Sí, lo suficiente.

—¿Le creíste de inmediato?

—¿A Jimmy? ¡Pero desde luego! Estas cuestiones son tan tremendas que nadie las cuenta si no son verdaderas. Nadie inventa estas historias.

«Esto debe haber sido en 2005 ó 2006. Yo pesqué el teléfono e hice una pregunta, a un obispo muy amigo, de mucha confianza. Le pregunté con quién había que hablar sobre este asunto en el Arzobispado de Santiago, y que me diera seguridad, dada la gravedad del tema… Este obispo me dijo que llamara a Ricardo Ezzati, que era obispo auxiliar de Santiago.»

—Cuando llamé a Ezzati, me dijo textual —o casi—, que iba a tratar ese mismo día de hacer algo, porque iba a estar con el arzobispo Errázuriz. «Le voy a decir lo que tú me estás diciendo», me respondió. Yo sentí que había cumplido con la tarea encomendada. Pero pasó el tiempo y alguna vez hablamos por teléfono con Jimmy y en otro momento él volvió, y cuando le pregunté en qué estaban las cosas, me dijo que no había pasado nada.

»Delante de él tomé el teléfono, llamé a la casa del arzobispo, hablé con el secretario, quien en todo su derecho me preguntó cuál era el tema de la entrevista que yo estaba pidiendo. En todos los años que él estuvo de arzobispo, yo nunca pedí una audiencia, nunca le quité un minuto de su tiempo al cardenal...

—¿Tú estabas de capellán de La Moneda en ese momento?

—Sí, claro. Y cuando el secretario me preguntó sobre el asunto, le respondí: «es un tema grave y urgente». Bien, ahí quedamos. Pasó el tiempo y no ocurría nada.

«Eso es mentira»

Años después, Percival Cowley se encontró con el arzobispo Errázuriz en el funeral del padre Ignacio Ortúzar, en junio de 2009. «En ese momento yo me acerqué a él y le dije: "¡Pero Francisco Javier, ¿qué pasa con esto? Te llamé y no pasó nada!". Y cuando le dije eso, ¿sabes cuál fue la respuesta del arzobispo? Enfurecido, me contestó: "Eso es mentira". No sé si me estaba diciendo que yo era un mentiroso, que lo que yo le estaba diciendo era mentira, no sé, pero esa fue la forma en que me trató y me tapó la boca, furioso.»

Todavía Percival Cowley se molesta al recordar la reacción del cardenal Errázuriz. Para él, hijo de inglés, formado en la cultura sajona, el tema de faltar a la verdad es crítico. Y por cierto no era el caso.

El sacerdote manifiesta otro motivo de enojo con el cardenal Errázuriz. El hecho de que el procurador de justicia Eliseo Escudero haya quedado como responsable de no hacer nada, según Percival Cowley «no tiene nombre». Y comenta: «Yo me enteré por la entrevista publicada en *Ciper*[4] de las cosas que hizo Eliseo. Pesqué el teléfono y lo llamé: «Te estoy llamando porque estoy en falta contigo, porque tú fuiste nombrado promotor de justicia,

---

[4] *Ciper*, 1 de diciembre de 2010. Entrevista a Eliseo Escudero, Gustavo Villarrubia y Juan Andrés Guzmán. «Habla primer investigador eclesiástico de Karadima: "El caso me daba asco".»

y pasaba el tiempo y no ocurría nada, y yo decía "Eliseo debe ser dejado, pasivo, no toma estas cuestiones en serio, ¡cómo es posible…!"».

Percival Cowley concluyó entonces que Escudero no era el responsable de demorar la investigación eclesiástica sobre Karadima. En la aludida entrevista, el promotor de justicia precisó que había tomado el caso por encargo del cardenal Errázuriz en mayo de 2004 y lo dejó a comienzos de 2006, cuando culminaba su período. En el intertanto, elaboró tres informes para el cardenal, en los que le advertía sobre la verosimilitud de los hechos.

Escudero ante el fiscal

En la declaración ante el fiscal Xavier Armendáriz efectuada por Escudero el 18 de junio de 2010, ya daba pistas en el mismo sentido. El ex promotor de justicia de la Iglesia señaló que había recibido las denuncias de Verónica Miranda, James Hamilton, José Andrés Murillo y «al final de mi período, en septiembre del año pasado —se refiere a 2009—, recibí por escrito otra del señor Juan Carlos Cruz»[5].

Indicó Escudero a Armendáriz: «Sobre la base de estas declaraciones y actuaciones le envié algunos informes al señor cardenal, que eran una valoración de ellos, indicando que yo les otorgaba credibilidad a los denunciantes». Agregó el ex promotor de justicia que en esos informes él sugirió «algunos cursos de acción, dado que las decisiones sobre ello debía tomarlas el señor cardenal».

Cuando el fiscal le preguntó por Fernando Karadima, Eliseo Escudero indicó: «Se trata de un sacerdote muy carismático, capaz de ejercer una muy poderosa influencia en sus fieles y que ha llevado adelante una labor pastoral de la cual han surgido unos cincuenta sacerdotes, varios de ellos hoy obispos. El padre Karadima

---

[5] Declaración de Eliseo Escudero Herrera, 77 años, nacido el 28 de diciembre de 1932, español, ante el fiscal Xavier Armendáriz, 18 de junio de 2010.

es una figura central de la parroquia El Bosque y sin duda que le ha impreso un sello muy marcado a todo el grupo que ha formado en sus años de trabajo. Por otro lado, el grupo de sacerdotes y obispos es claro que tiene un peso de importancia en la Iglesia chilena de hoy».

En esa declaración, Escudero mencionó que su nombramiento como promotor de justicia caducó en septiembre de 2009 y continuó la labor el padre Fermín Donoso.

Intenté conversar con Escudero en los días previos a Navidad de 2010. Pero fue imposible pasar la barrera de su secretaria que, con voz asustada y cortante, me dijo por teléfono que ya el padre no quería saber nada más con periodistas ni menos hablar de Fernando Karadima. Los velos de silencio solo se descorrían en forma excepcional para volver a cerrarse.

«Falta de respeto con Eliseo»

Eliseo Escudero Herrera, de nacionalidad española, radicado en Chile, fue por muchos años el presidente del Tribunal Eclesiástico y después de dejar ese cargo pasó a ser el promotor de justicia. Antes había sido decano de la Facultad de Teología de la Pontificia Universidad Católica de Chile (PUC) y el primer rector de la Universidad Católica de la Santísima Concepción, entre 1991 y 1996, cuando esta nació como «hija» de la PUC. Más tarde fue vicegrancanciller de la Universidad Católica, hasta que lo reemplazó Andrés Arteaga.

En marzo de 2008, Escudero celebró cincuenta años de vida sacerdotal en la misma ceremonia que Fernando Karadima. A esa fecha, era párroco de Santo Toribio, donde su vicario era el sacerdote de la Pía Unión y ex decano de Teología, Samuel Fernández. Ambos sacerdotes vivían en la misma casa parroquial, lo que aumentaba las sospechas de «filtraciones». Percival Cowley conoció a Escudero cuando era profesor de Teología y Escudero era decano de la facultad.

Cuenta Percival Cowley que cuando lo llamó en diciembre, le dijo: «"Estoy en culpa contigo porque hemos pensado estas cosas de ti y me doy cuenta de que estaba equivocado yo, tengo que pedirte disculpas"». Y Eliseo me contestó: «"Tú comprendes que yo tenía este encargo, no podía defenderme, no podía decir nada"».

«La impresión que quedó —señala Percival Cowley— es que Eliseo continuó con esta investigación hasta el minuto en que nombraron a Fermín Donoso. Entonces, yo decía: en todos estos años no ha hecho nada. Y Eliseo me contó que en 2006 había entregado el tercer informe mostrando la verosimilitud de las denuncias. Percibo esto como una falta de respeto con Eliseo, a quien se le pidió una misión de confianza y frente a quien se es desleal, porque se lo dejó en la peor situación.»

«Poco interés»

Según Percival Cowley, «el poco interés» que le puso el ex arzobispo a la situación que se vivía en El Bosque se refleja en otro hecho: «Fernando Vives, que ya era vicario de la zona oeste, supo del problema por mí. Le tocó asistir al cambio de párroco en 2006 —cuando Karadima dejó el cargo aunque mantuvo su poder—, con la parafernalia que aquello significó y que se reflejó en la publicación de *El Mercurio*. Y Fernando Vives hizo esto a nombre del arzobispo, que sabía todo y no le dijo ni una sílaba. Un vicario es el que representa al obispo, es su hombre de confianza. Tiene que tener toda la información para poder moverse, para no hacer el ridículo y Fernando no tenía idea.

Percival Cowley agrega: «Y después [Errázuriz] dice en la revista *Qué Pasa* que no podía recibir a los cuatro [querellantes] porque él era pastor, pero juez también. Pero habla con Karadima, y ahí deja de ser juez. ¿Por qué recibe a uno y no a los otros? Y luego, esta frase "brillante", donde dice que él no creyó en las denuncias porque estaba tan cerca de aquella persona que todo el mundo conocía... Tiene que ser Arteaga, pues».

—Sí, es Arteaga, pero lo más insólito es que existieron dos promotores: Escudero en la primera etapa y luego Fermín Donoso, que vieron lo que ocurría… —le digo.

—Fermín despachó la investigación en poco tiempo. Pero cuando se dice que la Iglesia va tan rápido en relación a los tribunales civiles, no es tan así, porque la situación en la Iglesia se sabía hacía mucho tiempo —señala Percival Cowley.

Más allá de las omisiones del «anterior arzobispo» —como dice Cowley—, el sacerdote se refiere a otro aspecto relativo a los silencios y las inercias de la Iglesia: «Yo trabajé un tiempo en la Conferencia Episcopal, hace veinticinco años, y ya entonces planteaba que había que hacer un estudio de sociología religiosa de la parroquia El Bosque, porque había estado ahí concelebrando misa dos o tres veces con Karadima, en algún funeral o lo que fuere… ¡Y carisma tenía cero! La prédica y lo demás eran frases aprendidas, cosas repetidas. Y uno veía a estos muchachos de pelito corto, la chaquetita azul, camisa blanca, la corbata, los pantalones, y uno los comparaba con los cabros en otros lados, entonces, uno decía: "¿Qué está pasando aquí?". La palabra *epíscopo* en griego significa vigilante; es el pastor que está vigilando la unidad, la armonía, el amor, la caridad. ¿Qué pasó con Gómez? ¿Quién rompió la carta?

—Se dice que fue Juan Barros, aunque él lo niega —le comento.

—Eso es lo que dicen, que la carta no habría llegado a don Pancho —Cowley se refiere a Fresno—, y si hubiese sido Juan Barros, bueno, él venía también de ahí —indica Percival Cowley.

—Las víctimas aseguran que Karadima lo puso ahí como secretario para blindar en su momento al arzobispo Fresno, seguramente en alguna negociación implícita o explícita por tantas vocaciones que proveía… —le planteo.

—No sé, pero en Punta de Tralca, estando en un retiro, entré a una de las capillas que hay y me senté al fondo a rezar. De repente, entró don Pancho con Juanito Barros; se pusieron adelante y empezaron a rezar en voz alta, y lo hacían por situaciones complejas que estaban ocurriendo. Y yo reflexioné: "qué complicado que el arzobispo de Santiago ponga a un cura recién ordenado, cabrito joven, sin experiencia, de secretario".

—Incluso asumió ese cargo meses antes de que se ordenara —le menciono.

—Lo cual, en términos objetivos —de lo contrario sería un juicio sobre don Pancho que no me corresponde— es imprudente. El secretario del arzobispo de Santiago tiene que ser un hombre de cierta experiencia, no puede ser un niño —sostiene Percival Cowley.

Una mirada un poco triste

Un día, hace unos doce o trece años, Antonio Delfau fue a El Bosque a un funeral, «que yo presidía. A la salida, casualmente me encontré con el padre Fernando Karadima en el claustro. Y lo saludé: "Padre cómo está usted, qué es de su vida", me contestó: "bien, Antonio"… Y me impresionó porque me dijo: "Oye, Antonio, tú me conoces a mí de toda la vida. Mira, te quiero decir una cosa: hay un chiquillo que estuvo aquí en la Acción Católica, medio rarito, su familia es bien disfuncional. Bueno, este chiquillo he escuchado que quiere entrar a la Compañía de Jesús y yo no quiero llamar a tu provincial, porque van a creer que estoy tratando de interferir, pero tú me conoces a mí, Antonio —me dijo—, y yo te quiero poner en alerta porque este cabro es un cabro loquito, loquito —usó esa expresión: 'loquito'—, y yo te pido, por favor, que tengas mucho cuidado con él. No vayas a pensar que es por rivalidades, o porque yo quisiera que fuera sacerdote acá, porque no quiero que sea sacerdote", me dijo algo así. "Ya, Padre, le dije yo, muchas gracias." Me dio el nombre, evidentemente, porque si no, no lo habría sabido».

Después del encuentro, Antonio Delfau fue directamente a hablar con su provincial, que era el padre Juan Díaz, y le dijo: «¿Sabes?, el padre Fernando Karadima me advirtió que teníamos que tener cuidado con un cabro que está postulando a los jesuitas».

—¿Y transmitiste el recado creyéndole a Karadima?

—Totalmente. Lo curioso es que yo era uno de los entrevistadores de los candidatos en la Compañía, quizá por ser psicólogo, no sé, pero yo he entrevistado a candidatos hace muchos años. Entonces me tocó entrevistar a José Andrés Murillo, que era el aludido.

Visto con ojos de hoy, dice Delfau, «creo que cometí un error en la entrevista, porque él me contó que había estado en El Bosque y yo le dije "ah, yo también estuve y tengo buenos recuerdos", o algo así. Y creo que eso puede haber hecho que Murillo se inhibiera de contarme lo que había vivido. Entretanto, yo había dado mi recado al provincial, y lo que sigue lo supe hace poco: el provincial a su vez le advirtió al maestro de novicios y al encargado de las vocaciones, que yo había dicho que había que tener cuidado con él».

»Ahora, recuerdo también la reunión que tuvimos para decidir si entraba o no Murillo a la Compañía. Yo era parte de esa reunión por ser uno de los entrevistadores, y en la entrevista Murillo me pareció impecable y no encontré ninguna razón para que no ingresara. Pero esperamos de todas maneras el informe psicológico, que hacía un psicoanalista famoso, laico externo a nosotros, y la opinión de mis otros hermanos sacerdotes. En general, las opiniones fueron bastante buenas para Murillo. Yo recuerdo que el único "pero" que señalé fue que le encontraba una mirada un poco triste y me preguntaba si no podía tener un poco de "depre"», recuerda el director de *Mensaje*.

Encuentro en otro funeral

José Andrés Murillo entró a la Compañía de Jesús y «a mí se me olvidó todo este cuento», dice Antonio Delfau. Pasaron los años y un día Rodrigo García Monje, un sacerdote jesuita, a hablar con Delfau para preguntarle qué podía hacer porque «había ido un chiquillo a decirle que Karadima había abusado de él, y que él había mandado una carta al cardenal y Errázuriz no había hecho nada. De repente hice el link que no había hecho nunca antes».

—Tenías todas las variables... —le señalé.

—Tenía todas las variables, pero no el nombre del personaje, aunque sabía que el cabro había salido de la Compañía, que había salido bien, porque había comprendido que no era su vocación, pero era bien querido y se había ido a estudiar a Francia un doctorado en Filosofía. Y por algunos datos que me dijo Rodrigo, quien no me dio el nombre, hice la relación. ¡Qué malo, qué malo! Concluí: Karadima por protegerse me usó a mí, para que nosotros no lo admitiéramos en la Compañía de Jesús.

»Ahí supe por primera vez algo; debe haber sido en 2005 —dice Antonio Delfau—. Todavía no conocía yo a Murillo, ni Murillo me había contado nada. Mucho después vine a conocerlo, cuando me ofreció un artículo para la revista *Mensaje*, y al final me contó... Recuerdo haberle dicho: «Esto es muy grave y tú tienes que seguir insistiendo». Yo encontraba increíble que no se investigara.

Hasta ahí Antonio Delfau sabía lo de José Andrés Murillo. Pero en otro funeral que tuvo que oficiar en una parroquia de Santiago, ató un nuevo cabo de esta historia... «Conocía hacía tiempo al cura de esa iglesia, porque habíamos sido compañeros de colegio, y yo sabía que había dejado El Bosque hace muchos años. Le pregunté si había escuchado alguna vez de abuso por parte del padre Karadima, porque para mí era una novedad absoluta. Y me sorprendió, porque me dijo: "Sí". Pero no me entregó detalles.»

Antonio Delfau prefirió guardarse el nombre del sacerdote y no sabía si había declarado en la investigación enviada al Vaticano.

En esa época de la que habla Delfau, José Andrés Murillo había conversado con el maestro de novicios de entonces —hoy superior— Eugenio Valenzuela y con el padre Juan Díaz. Le había escrito al cardenal Errázuriz y se había reunido en julio de 2005 con el obispo auxiliar Ricardo Ezzati. Pero nada sucedía. Nada.

Filtración en el tribunal

A las denuncias de Verónica Miranda y James Hamilton ante el promotor de justicia se sumó por esos años otra situación. Hacia 2007, convencidos de que su matrimonio había fracasado, decidieron iniciar el proceso de nulidad eclesiástica. Y el motivo —o *dubio*, como se denomina en derecho canónico— fue el de abusos cometidos por el director espiritual a Jimmy.

«Frente a este juicio, el cardenal Errázuriz pidió a un investigador especial. El caso recayó en el padre Eugenio Zúñiga del Opus Dei, quien tenía la labor de hacer un proceso rápido y acelerado y sumamente secreto. Y los testimonios que empezaron a llegar comenzaron a avalar de manera fuerte y de primera fuente los abusos cometidos por el cura», explica Jimmy Hamilton. «Estos entregan no solo hechos concretos sobre el abuso que yo viví, sino que también aportan datos sobre el contexto de abusos que existía», agrega.

»Y ocurre que este proceso de nulidad se filtró desde el principio», acusa.

—¿Cómo fue esa filtración? ¿Adónde habías presentado la solicitud de nulidad?

—Yo llamé a mi mamá que se había anulado y ella me dijo que su abogada estaba con mucho trabajo, pero que podía recomendar a otra persona. Recomendó a Valeria López, abogada estable del Tribunal Eclesiástico. Tiene la oficina en el Tribunal, al lado de la Catedral. Ella es uno de los «patronos estables», como se les llama a los abogados en el Tribunal Eclesiástico. Son quienes asisten a las parejas que tratan de anularse.

Se juntó con ella por primera vez en 2008. «Ese año solo conversé con la abogada Valeria López, quien me orientó con todos los datos y papeles que yo necesitaba. En ese momento no tuve ánimo para escribir mi "biografía". No fui capaz de remover de nuevo todo el dolor. Sentía que me estaba liberando de todo esto y no quería volver a vivir la experiencia. Entonces, aunque fuera escribir diez o doce páginas, me costaba. Por eso, me mantuve en suspenso hasta marzo de 2009.»

Cuenta que en la Semana Santa de ese año, en Vichuquén, «un día de lluvia, con la chimenea prendida, mirando al lago, me armé de fuerza, tomé mi computador y me puse a escribir mi relato». Pensaba —dice Jimmy Hamilton— juntarse con la abogada Valeria López con todos los papeles para reiniciar su proceso de nulidad. «Intercambiamos e-mails y se estableció el vínculo de secreto profesional. Le entregué a Valeria el resumen. Ella lo recibió, lo leyó y me mandó de vuelta un e-mail donde destaca que le parece que hay causales de nulidad y que sería muy importante que nos juntáramos para editar, ponerle nombre y conceptualizarlo. Se trataba de entregar un documento que hablara de falta de libertad o de falta de madurez, que serían las causales, según me explicó.»

Visita inesperada

Se encontraba Jimmy Hamilton a la espera de esa reunión con la abogada eclesiástica, cuando de pronto un día, en la Clínica Santa María, la secretaria le anunció: «El presbítero Juan Esteban Morales desea hablar con usted», y le pasó la llamada.

Al otro lado de la línea, Morales lo saludó «con mucho afecto», recuerda Jimmy Hamilton. «Me preguntó cómo estaba y tras las típicas palabras formales, me dijo que necesitaba hablar un tema personal conmigo.» El médico gastroenterólogo le preguntó al párroco de El Bosque, que también es doctor: «¿Cómo? ¿Problema personal tuyo, de salud?».

Morales le respondió afirmativamente. Era un lunes en la tarde y estaba con la consulta llena. Lo citó para el día siguiente en la Fundación Médica San Cristóbal, en Vitacura, donde también atiende.

«En realidad —comenta— preferí que fuese algo más bien formal para que hubiera testigos. De hecho, mi secretaria y todo el mundo lo vio. Primera vez que iba un sacerdote a verme, así es que les llamó mucho la atención.» Esto fue el 28 de abril de 2009, en la fundación ubicada en la avenida Luis Pasteur. «Ahí se dio este diálogo en el que en vez de conversarme de un problema personal de salud, como había dicho, me planteó otra cosa.»

Aunque Morales es algo mayor que Hamilton, fueron muy cercanos en El Bosque. «Y en esa conversación me llevé la sorpresa de que este mismo sacerdote, que había sido muy amigo mío, que estaba junto con nosotros y que es el que yo menciono cuando me ocurrieron todas estas cosas, este hombre en quien yo buscaba apoyo, me iba ahora a visitar por este asunto… Juan Esteban me indicó que había recibido mi testimonio a través del padre Francisco Javier Walker, presidente del Tribunal Eclesiástico y párroco de la iglesia Cristo Crucificado de Renca. Era integrante de la Pía Unión, después dejó el cargo y luego fue uno de los firmantes de la carta que dio credibilidad [al fallo del Vaticano]».

—¿Cómo le llegó tu testimonio a Morales?

—Acuérdate de que estaba Valeria López, la abogada, y nos íbamos a reunir para trabajar los documentos. Pero entremedio, antes de que yo pudiera juntarme con ella para trabajar los testimonios, apareció Morales.

—¿Qué te dijo?

—Me dijo que él había tenido en sus manos el testimonio, que se lo había entregado Francisco Walker Vicuña, que era el jefe de Valeria López. Ella le entregó el testimonio a Juan Esteban y él se lo pasó al presidente de la Pía Unión Sacerdotal, Andrés Arteaga, después de una misa de la Pía Unión.

«¡Reza el Rosario!»

—¿Cómo era tu relación con Morales cuando estaban en El Bosque?

—Juan Esteban Morales siempre tenía una actitud de contención conmigo. Después descubrí que lo que trataba era que yo no me espantara y probablemente me mantuviera ahí cerca del círculo.

Se acuerda de otra anécdota: «Hace tres o cuatro años me tocó operar a la señora de un doctor muy prestigioso, a quien yo quiero mucho, de algo bastante grave. Ella estuvo en su recuperación en la UTI de la Clínica Alemana y pidió la comunión, y fue el padre Juan Esteban Morales. Y cuando me vio ahí, mientras yo estaba terminando de escribir las anotaciones médicas, Juan Esteban se acercó y en un gesto notable, que lo encontré de película, pescó un rosario y me lo puso en el pecho. Y me dijo "¡Reza el Rosario!", "¡reza el Rosario!", así como diciendo: "Te exorcizo, Satanás". Eso fue dos años antes de que me llamara tan amable para este asunto personal».

—Y cuando te fue a ver a la Fundación San Cristóbal, ¿te pidió misericordia?

—Claro, con todos esos antecedentes que había conocido, Juan Esteban me indicó que me venía a pedir por misericordia, porque el padre Karadima estaba muy enfermo, que por favor desistiera de hacer este proceso de nulidad y de involucrar a gente que pudiera ser afectada. Que en particular evitara hacer comentarios sobre la persona del padre —se refiere a Karadima— porque se podría producir mucho daño. Y que el padre no lo podría resistir dada su salud.

—¿Qué le respondiste tú a Morales en esa ocasión?

—Le dije: «Tú estuviste adentro igual que yo y sabes todo lo que pasa. Estoy abismado que en lugar de tener una actitud solidaria conmigo, habiendo sido yo una víctima, estés más preocupado de la imagen de alguien, cuando tú debes ser el pastor que cuida el rebaño. Y me impresiona que no me creas». Ante eso, él me dijo una frase para el bronce —que yo dije en *Informe Especial*—: «Porque te creo, te pido misericordia».

—Pero después Morales negó esa frase.

—La niega. Pero estos curas se van de perjurio... Imagínate que tratan de decir que yo soy el mentiroso... Ese día que me fue a ver Juan Esteban comprendí su estrategia, aquello que siempre había vivido: echarme la culpa y responsabilizarme a mí. Quería hacerme responsable de los actos del cura para protegerlo. Después de todo el psicoanálisis que he hecho me di cuenta de lo que estaba haciendo y le manifesté a Juan Esteban que no iba a ceder y no dejaría mis derechos básicos como cristiano y seguiría adelante con el proceso.

—¿Crees que a Karadima lo van a declarar enfermo como a Pinochet...? —le pregunté.

—Sí, seguro, para que no dé testimonio y no sea juzgado.

—¿Ustedes captaban algo especial entre Karadima y Morales?

—Veíamos que era el más cercano al cura y se quedaba en las noches más que nadie.

Matrimonio nulo ante la Iglesia

Después de esa especial visita, Jimmy Hamilton de inmediato llamó a la abogada Valeria López para contarle lo que había pasado. «Ella me dijo que, dado lo delicado del caso, en realidad se vio en la obligación de entregarle toda la información al presidente del Tribunal. Ante eso, le respondí: "Te entiendo, te voy a mandar un e-mail en el que te narraré esto que pasó y no seguiré naturalmente contigo en el proceso y buscaré otro abogado eclesiástico". Ella me contestó por e-mail, de manera lacónica, que informó al presidente del Tribunal Eclesiástico. Me escribió: "Entiendo tu decisión y espero que te vaya bien en todo". Con esas palabras tácitamente me reconoció todo lo que yo le decía.»

—¿Y qué hiciste entonces? —le pregunto.

—Tomé como abogado eclesiástico a Francisco —Paco— García de Vinuesa, religioso marianista, que fue profesor de derecho canónico de todos estos, incluso de los obispos. Entonces empezó el proceso con él.

Mantenía, así, dos procesos ante la Iglesia: uno por la nulidad y el otro por las denuncias por abuso. En el de nulidad matrimonial testificaron el médico Alfonso Díaz; su mamá, Consuelo Sánchez; Juan Carlos Cruz y Andrés Murillo. Sería ese el punto de partida para lo que vendría después. Juan Carlos Cruz, después de declarar como testigo, se decidió también a hacer su propia denuncia ante la Iglesia.

Entretanto, la inquietud cundía en el círculo cerrado de El Bosque. Una muestra de ello fue que, «un día, el obispo Andrés Arteaga le planteó al sacerdote Eugenio Zúñiga, que llevaba la causa de nulidad, que acogiera la declaración del párroco Juan Esteban Morales», relata Jimmy Hamilton. La Pía Unión se ponía en acción como una red de apoyo a Karadima.

Al final, más de un año después de iniciado el proceso, en octubre de 2010, el tribunal interdiocesano del Arzobispado de Santiago concedió la nulidad religiosa a James Hamilton y Verónica Miranda, tras estimar que los abusos existieron. El veredicto del tribunal estableció que el matrimonio no existió por «falta a la debida libertad para ingresar en el matrimonio por haber sido abusado sexual y psicológicamente por su director espiritual, antes y después del matrimonio», según el dictamen del tribunal.

Consignó el documento el «impacto destructor profundo que la situación de abuso produjo en la persona» de Hamilton, «hasta el punto de perder la claridad para distinguir el bien del mal, lo correcto de lo incorrecto (…), y de no saber si él era el inductor o el inducido, el culpable o la víctima».

El defensor del vínculo se abstuvo de alegar. No tenía argumentos para defender su postura. Los testimonios de Verónica Miranda, de Cruz y Murillo fueron clave. Además, Hamilton fue sometido a informes psiquiátricos por el médico Ramón Florenzano y por la psicóloga Beatriz Zegers, los que avalaron su veracidad.

Como en otras oportunidades, el abogado del ex párroco Juan Pablo Bulnes trató de relativizar el irrefutable fallo: «La defensa canónica del padre Karadima declara que, de existir una sentencia de la Iglesia de Santiago confirmando las acusaciones contra el mencionado sacerdote, ésta aún no se encuentra a firme y está sujeta a revisión de parte del Tribunal de Apelación. El fallo al cual se refiere la información publicada tendría el único alcance de dilucidar la validez o invalidez del matrimonio del señor Hamilton, por lo que de ninguna manera permitiría establecer la veracidad de las acusaciones que él ha formulado»[6].

Asimismo, alegó que la defensa del padre Karadima no sabe de la sentencia aludida, «pero conociendo el derecho común y el de la Iglesia, tiene certeza de que las conclusiones de la sentencia de nulidad solo alcanzan a las partes que han participado del juicio y no pueden extenderse a quien no ha participado, de ninguna manera, en él». Y agregó: «El padre Karadima no fue citado a declarar ni ha participado en forma alguna en el proceso aludido, por lo que ningún juez podría establecer una responsabilidad sin, al menos, escuchar a quien se inculpa».

Ese fallo sobre el proceso de nulidad matrimonial sería la antesala de lo que vendría cuatro meses después, cuando el obispo Ezzati dio a conocer, en febrero, el veredicto del Vaticano sobre los abusos. Pero entretanto los denunciantes —todavía no se les llamaba «víctimas»— tuvieron que soportar el cierre del proceso legal dispuesto con prisa por el juez suplente Leonardo Valdivieso, después de que el fiscal Xavier Armendáriz se vio obligado a dejar la causa.

Patrón de conducta establecido

Antes de que se conociera ese fallo, conversando con el abogado Juan Pablo Hermosilla en su oficina de calle Miraflores, a fines de

---

[6] *La Tercera*, 11 de octubre de 2010. «Defensa del sacerdote: el fallo del tribunal solo es transitorio.»

diciembre de 2010, este comentó: «Es fuerte mirar la cantidad de acciones y omisiones que permitieron que esto durara en forma sistemática tantos años. No solo es la jerarquía que descartaba denuncias, sino también gente de alrededor que prefirió mirar para el lado, o personas que se anduvieron volviendo loquitas y que estiman que es normal que un sacerdote anduviera agarrando a un cabro adolescente, a un mocetón de quince o dieciséis años, tocándole los genitales o pasándole la lengua por la cara. Y esto muchos lo vieron, porque lo hacía en público».

Como indica Hermosilla, «una cosa que ha quedado clara es que no fueron casos puntuales reiterados en el tiempo, sino que responden a un patrón de conducta establecido y afianzado durante décadas». Probablemente —dice el abogado— «este patrón se empezó a instalar en los años sesenta y quedó ya firme a partir de los setenta, comienzos de los ochenta y de ahí no se movió hasta hace pocos meses».

«Numerosas personas han sido víctimas. Por eso uno se acuerda de los atentados a los derechos humanos, no solo por los abusos de poder, sino también por lo masivo. Aquí, fácilmente son varios cientos de cabros abusados, en veinte o treinta años. No es que se hayan juntado los únicos cuatro casos. ¡No! Estos fueron los más valientes, pero los abusos pueden ser enormes.»

Agrega Hermosilla: «Una de las cuestiones pendientes es saber cuál es la verdadera razón por la cual las denuncias que se hicieron en la Iglesia desde hace treinta años no se consideraron. Tiene que haber una razón precisa».

El abogado señala su extrañeza ante la actitud de las autoridades eclesiásticas. Refiriéndose al episodio de la carta de comienzos de los ochenta, cuando era arzobispo Juan Francisco Fresno, señala: «Incluso si boto al tarro de la basura la denuncia, me acerco a Karadima y le digo "te voy a aguantar esta, no lo voy a investigar, pero no lo hagas más". Hubiera bastado que el arzobispo hubiera hecho eso, para evitar que numerosos jóvenes hubieran tenido estos impactos en sus vidas, que les han significado costos emocionales y personales inmensos».

«Coautoría e impunidad»

«No me compro la versión de que Fresno fuera una mala persona o que el cardenal Errázuriz fuera frívolo en el tema de las denuncias. No creo», señala Hermosilla. «Pienso que hay algo de fondo. Y no lo digo en términos jurídicos, sino de las dinámicas más bien sociales. Aquí hay una especie de coautoría de quienes supieron y miraron para el lado. Alguien le garantizaba la impunidad a este señor.»

—¿Tiene que ver con la estructura propia de la Iglesia Católica?

—Sí, esto ha sido muy desfachatado. Porque en casos como el del obispo Francisco José Cox, hace unos años, hubo una persona que apareció y no alcanzó a hacer la denuncia formal y se llegó al pacto que permitió sacarlo del país. Pero hubo una reacción al menos para contener. Y aunque fuera mal hecha, hubo una suerte de medida para tomar el control. Acá no ha habido eso. Y ese es el dato que puede llevar a sospechar: ¿habrá mucho tejado de vidrio? ¿Habrá otras informaciones?

—Y como la Iglesia es tan jerarquizada, los que saben tienen miedo de hablar... —le digo.

—Efectivamente es miedo. Da la impresión de que es por el manejo de poder del cual se escribía mucho en la Ilustración, pero hoy ya no se escribe al respecto. La Iglesia simuló como que se democratizaba, pero no lo ha hecho, y tiene problemas, no solo con el tema sexual. El tema de las platas, el tema del manejo ideológico. En este caso, los que nos han entregado información lo hacen con un cuidado enorme, juntándose conmigo de incógnito, haciendo «puntos», como en los tiempos de Pinochet, evitando hablar por celulares, aterrados.

Preguntas de Delfau

Antonio Delfau manifiesta también que «este abuso de poder permanente de Karadima, que ahora veo muy nítido a la luz de los hechos, no puede haber sido solo producto de su mente afiebrada, enferma o lo que sea, tiene que haber tenido algún soporte».

—¿En qué sentido?

—¿Cómo puede ser que una persona durante cuarenta años expulse gente a su capricho, seduzca a algunos, torture psicológicamente a otros, los mantenga a todos unidos obedientes en esta unión sacerdotal, todos los lunes ahí rindiéndole pleitesía, todos siendo dirigidos espirituales? Y han pasado todos por el Seminario. ¿Y los rectores del Seminario? ¿Y los padres espirituales del Seminario? ¿Y los obispos de Santiago? ¿Y los otros obispos que mandaban a sus seminaristas ahí? ¿Y el nuncio apostólico?

A Delfau le preocupa que la Iglesia no investigue a fondo «todas las repercusiones y ramificaciones del caso, y se circunscriba a aislar al culpable. Yo creo que esto amerita una indagación a fondo», insiste.

El sacerdote jesuita ve que «hay un modo de proceder enfermo que no se puede aislar del resto de la actividad que ejerció Karadima… A mí me llama mucho la atención que haya personas que crean que las vocaciones sacerdotales, los rosarios, las misas, los matrimonios, los bautizos se puedan separar estrictamente de un *modus operandi* muy, muy, muy dañino, enfermo, poco evangélico, nada de cristiano, cruel, de abuso de poder, de abuso psicológico, de culto de la personalidad, de dependencia afectiva».

Recuerda que los discípulos de Karadima «han tenido muchos de los cargos importantes de la Iglesia en Santiago por bastantes años», y están los obispos «creados» por él.

«Cualquier cristiano se puede preguntar perfectamente "¿qué garantías tengo en una diócesis dirigida por un obispo de que si existe algún tipo de abuso va a ser acogido, investigado y sancionado? ¿Qué garantías hay para los católicos de debidos procesos si en la Arquidiócesis de Santiago hubo todas las arbitrariedades que hubo y todas las dilataciones y todas las demoras y todas las luchas intestinas que nosotros sospechamos que hubo, porque no nos consta?»

—¿A qué atribuyes la demora y las arbitrariedades?

—Me da la impresión de que es una lucha de poderes. Las razones específicas habría que preguntárselas al cardenal Errázuriz, que parece un gran Hamlet titubeante.

Capítulo XVIII

EN LA HORA DE LAS VÍCTIMAS

La pesadilla no terminaba para las víctimas de Karadima con el solo alejamiento de la parroquia. No únicamente por los malos recuerdos, sino que también por los dardos que les lanzaban a los «traidores» que tenían el «demonio adentro», según cuentan sus ex discípulos.

Los tentáculos del ex párroco, que seguía siendo el dueño de El Bosque, perseguían al doctor James Hamilton hasta su trabajo, durante esos días en que dentro de la Iglesia se filtraba su relato personal escrito para su proceso de nulidad. Y se comentaban con sigilo las denuncias entrampadas en carpetas reservadas en los escritorios obispales. En forma simultánea, el médico empezó a tener problemas en la Clínica Alemana, donde operaba a sus pacientes y tenía su consulta. El camino se le hacía aún más cuesta arriba mientras cundían por los pasillos del recinto de Vitacura rumores que apuntaban a lesionar su prestigio profesional, que —aparte de sus hijos— era lo único que le iba quedando.

Con su característico estilo directo, James Hamilton acusa al doctor Juan Schiller: «Un médico muy cercano a Karadima, que encabezó una campaña de denostación a *full*, que contrastaba con mi desempeño profesional; incluso llegaron a decir que yo no tenía título», dice el médico gastroenterólogo, titulado en la Universidad de Chile, que en ese tiempo era el jefe del servicio de Cirugía del Hospital Padre Hurtado. «Karadima influyó directamente en la Clínica Alemana a través de Schiller», afirma Hamilton.

«El doctor Juan Hepp, también cirujano, que era el subdirector de la Clínica Alemana, me dio su respaldo, pero a los seis meses el jefe de servicio de Cirugía, Jorge León, del Opus Dei, me echó. Cuando le pregunté por qué, me dijo: "La clínica no da explicaciones"».

El doctor Hamilton tuvo que dejar de atender en consulta, y preguntó cómo tenía que hacer para seguir operando a sus pacientes en la clínica. «Te tienes que recertificar», fue la respuesta. «Tuve que recertificarme, entregar un currículo que fue el mismo que entregué al concurso de cargos del Hospital San José y en otros lados, que me gané en primera instancia.» Lo absurdo —cuenta— fue que «de la Clínica Alemana me mandaron una carta en la que me dijeron que no fuera más a consulta y después me enviaron otra tras la recertificación en la que lo único que hacen es alabarme».

Maciel chileno

En agosto de 2009, Juan Carlos Cruz viajó a Santiago para acompañar a su madre, que debió someterse a una operación, y a testificar para la nulidad matrimonial de Jimmy Hamilton. Aprovechó para presentar su propia denuncia ante la Iglesia. Fue el primer encuentro con quienes se convertirían en sus inseparables compañeros en los meses siguientes. José Andrés Murillo ya había formulado años antes su denuncia y se había conectado con Jimmy Hamilton, a quien conocía de los tiempos de El Bosque, aunque Murillo es mucho menor.

Fueron los tres a comer al restaurante Venezia, en el barrio Bellavista. «Estábamos Jimmy, Murillo y yo. A él no lo conocía. Nos dimos un gran abrazo, fue realmente emocionante. Conversamos y nos contamos lo que nos había pasado», recuerda Juan Carlos Cruz.

—¿No estaban en ese momento decididos a ir por la vía legal?

—Queríamos hacerlo por la Iglesia. Darle una chance de sacar la investigación adelante, pero cuando vimos que ni nos pescaban y era una chacota, empezamos a evaluar presentar la denuncia a la justicia. Analizamos que sería duro, pero ya veíamos qué era lo que había que hacer. Todos dijimos sí. Y nos contactamos constantemente por teléfono y por e-mails —señala Cruz.

Tras el encuentro se reabrieron heridas, quedaron muchas inquietudes, pero también ideas que daban vueltas: había elementos comunes en todas las historias y surgía la necesidad de hacer algo en conjunto en vista de la pasividad que veían en las autoridades de la Iglesia.

—¿Y Fernando Batlle cuándo se sumó?

—Se unió a nosotros en enero o febrero de 2010. Él es amigo de Murillo. Entre ellos hablaron y Batlle al comienzo no quería; después se unió y nos planteó la idea de consultar al abogado Juan Pablo Hermosilla —recuerda el periodista.

A Juan Carlos Cruz, viviendo en Estados Unidos, le habían impactado los casos de abusos en distintas partes del mundo que salían a la luz, y en particular la historia de Marcial Maciel. Y justo por esos días, Televisión Nacional difundió el programa *Informe Especial* sobre el fundador de los Legionarios de Cristo que se proyectó en agosto de 2009. Karadima aparecía a los ojos de Juan Carlos Cruz como «el Maciel chileno». Conversó el asunto con la periodista Paulina de Allende Salazar y con la editora Pilar Rodríguez, amiga de su infancia.

«En noviembre —creo— me junté con ella y con Murillo. Cuando vine para la Navidad, ellas me filmaron. Eso fue en enero en mi casa. Querían tener mi testimonio por si el caso explotaba. Y estaban trabajando en el reportaje como para julio o agosto, pero cuando esto reventó entrevistaron a los demás», cuenta Juan Carlos Cruz.

«Nosotros habíamos compartido los testimonios y nos habíamos dado cuenta del *modus operandi*. Percibimos que se trataba de una situación siniestra de un tipo perverso», señala Juan Carlos.

Reunión con el abogado

Juan Pablo Hermosilla estaba fuera de su oficina ese día de la primera semana de abril de 2010, cuando su secretaria le informó: «Lo llamó el abogado Fernando Batlle». Hermosilla dice que hubo algo en el tono de la secretaria que lo hizo pensar que se trataba de un asunto especial. «Ella me dijo que lo notó tenso. El llamado había sido como a las doce. Tipo dos de la tarde lo llamé de vuelta.»

—¿Me llamaste? Soy Juan Pablo Hermosilla —se identificó el abogado.

—Ah, qué bueno que me devuelvas el llamado tan rápido. Estoy con un problema —respondió Fernando Battle, por el otro lado de la línea.

«Al notar su voz —cuenta Hermosilla—, le dije: "tengo media hora a las tres de la tarde"». Y, al poco rato, Fernando se instaló en mi oficina. Estaba muy nervioso y me contó en veinte minutos su situación y la de las otras tres víctimas. Me describió abusos que son propiamente delictuales y otros personales, psicológicos gravísimos. Después me preguntó si los defendería.

»Cuando le respondí afirmativamente, se paró y me abrazó con los ojos llenos de lágrimas. Entendí que eso reflejaba el desamparo que ellos habían tenido durante tanto tiempo, golpeando puertas sin que nadie los pescara. Sintió probablemente que era el primero que no solo les creía sino que les daba el apoyo incondicional y modesto que uno puede dar en un caso así», recuerda el abogado penalista.

«Cuando nos juntamos al día siguiente con Jimmy y él y, comunicándonos por cámara, con Juan Carlos, que estaba en Estados Unidos, se emocionaron», relata.

Antes de ese contacto con Hermosilla, Jimmy Hamilton había conversado con otros abogados. Le hablaron de sumas importantes de dinero que debían poner sobre la mesa. Siguieron buscando hasta dar con quien consideraron la persona adecuada. «Lo asumí como un caso de derechos humanos y lo tomé con un compromiso propio de una causa de esa índole. Son personas abusadas en sus derechos básicos por otro con un poder tremendo», señala el profesional.

Círculo virtuoso

La primera conversación con Juan Pablo Hermosilla sobre Karadima la sostuve en agosto de 2010, cuatro meses después de que fueran presentadas las denuncias en la Fiscalía, y todavía el abogado se manifestaba sorprendido por lo que sucedía en El Bosque. Le extrañaba que hubiera germinado ese extraño «reino» sin que en apariencia nadie se hubiera dado cuenta.

No obstante, dice, «este tipo que había montado una organización tan perfecta, tan ordenada, tuvo la mala suerte de cruzarse con cuatro personas que se apoyan unas con otras a partir de las tragedias tremendas que ha vivido cada una, y se provocó un círculo virtuoso que las fortalece; eso sí, con costos personales indecibles», sostiene Hermosilla.

Menciona el abogado que, al contactarse y conversar entre ellos, hicieron un análisis y aprendieron de la experiencia de lo ocurrido en torno a Marcial Maciel. «Ellos se dieron cuenta de que plantear su denuncia de a uno los fragmentaba. Todas las denuncias contra Maciel mientras fueron individuales daban bote. Y solo colapsa el sistema de Maciel cuando se juntan. Porque ahí ya no aparece creíble el que le digan a uno que está mintiendo.

«Los hechos se precipitaron —recuerda Hermosilla— cuando el diario *La Tercera* gatilló este tema, antes de tiempo para nosotros. Tuvimos que salir corriendo, y por suerte apareció en un contexto adecuado, porque fue cuando hicieron la declaración los obispos.»

Según Juan Pablo Hermosilla, la reacción de los defensores de Karadima «fue de manual», porque salieron a atacar y a descalificar a los denunciantes. «Ese ha sido el estándar siempre que se habla de abusos. Pero aquí ya se toparon con problemas.»

Cree Hermosilla que si los denunciantes hubieran efectuado las denuncias de a uno, habrían sufrido un embate desde el punto de vista de su imagen pública.

Los medios de comunicación, sin duda, han jugado un rol importante en esta historia desde el comienzo. Y eso que la defensa de Karadima y algunas voces de la Iglesia llaman «publicidad excesiva» no ha sido otra cosa que ejercicio del periodismo.

«El impacto que provocaron las entrevistas de Jimmy Hamilton y Juan Carlos Cruz en el *New York Times*, y el reportaje de *Informe Especial* contribuyeron a las credibilidad de los testimonios, desde el primer momento», señala Hermosilla. «Nadie iba a creer que el *New York Times* les iba a dar el espacio que les dio sin chequear que la historia era verosímil antes. Por lo tanto, a ellos los ayuda legítimamente la credibilidad que inspira ese diario. Y a su manera, en Chile, lo que ocurrió con el programa *Informe Especial* de Televisión Nacional.»

Destaca el abogado: «La notable valentía, la lucidez de darse cuenta de que esto había que pararlo por razones éticas profundas, no solo por reivindicaciones de sus proyectos de vida, sino de evitar que siguiera pasando a otras personas. Ellos intuyeron que si no salían y no pagaban estos costos, esto iba a seguir sucediendo. Porque además sabían que había herederos de Karadima. Y se podía morir él, pero vendrían otros».

Poder y susto

Desde la primera conversación con sus defendidos, Juan Pablo Hermosilla tuvo más o menos claro que el problema era doble: «Por un lado, la existencia de esta organización de poder comandada por Karadima, montada hace muchos años, destinada a generar espacios para abusar de personas frágiles, porque él era muy hábil para encontrar ese tipo de personas. Y dos, que existiera una estructura que hiciera que cuando alguien se arrancaba y salía a denunciar, diera bote».

—¿Crees tú que al comienzo las víctimas le tenían miedo al propio Karadima? —le pregunto.

—Sí, por supuesto. Es que es lógico, porque si uno ve el poder en forma cruda desde el lado penal, y no lo define en forma romántica o política, sino como la capacidad de hacer daño,

Karadima tiene una capacidad gigantesca. He visto a pocas personas en la historia con tal capacidad de hacer daño. Porque si uno mira a los delincuentes comunes que pueden ser particularmente agresivos, ellos producen un impacto biográfico enorme, tremendo, pueden matar personas, pueden violar personas, dejarlas muy traumadas, pero son momentos de entrada y salida. Este otro se instalaba en tu proyecto de vida, y era capaz de mantener el control por el temor hasta el día que fuera. Hasta hoy eso se percibe.

Al escuchar y leer los testimonios en el proceso indagatorio realizado por el fiscal Xavier Armendáriz —señala Hermosilla—, se advierte «el poder y el susto de la gente ante Karadima», dice. Por eso, considera que «se parece tanto a lo de derechos humanos, porque al final la verdad nunca aparece de golpe, sino que va saliendo de a pedacitos. Y muchas personas que dicen "no he visto" o "no me ha pasado nada", no es porque sean malas personas, sino que ¡le tienen pánico a este caballero!».

El miedo va incluso más allá, según Hermosilla. «Creo que le tienen pánico a una cuestión simbólica que es la que él representa: la impunidad de hechos graves cometidos al interior de la Iglesia Católica, que indudablemente es atávica.»

«La maldad misma»

«Cuando me vinieron a ver los cuatro, me contaron que habían querido que operara primero la institucionalidad religiosa. Y me contaron de las denuncias efectuadas. Yo les he dicho que soy ateo, ex comunista, pero valoro la fe. Creo que es algo muy humano. Y les dije: «Ustedes tienen fe y a mí me parece increíble regalarle a este perverso, a este psicópata, la fe. Pierdan la fe por otras razones, pero no por este tipo que se les montó arriba de sus vidas». Sería el colmo del daño que alguien le puede hacer a otra persona. Quitarle su dignidad, producirle crisis biográficas, en su identidad sexual, en su mundo emocional y, además, quitarles la fe» —continúa Juan Pablo Hermosilla.

—¿Cómo describirías a Karadima? —pregunto.

—No encuentro otra forma de describir a este personaje que decir que es la maldad misma. Piensa en el caso de Jimmy, a quien no dejaba espacio para su relación de matrimonio, con tal de poder él descargar su erotismo en Jimmy. A uno se lo cuentan o lo ve en la televisión o en una película y dice «¡no, esto no puede ser, es una exageración!». Y todo esto lo aplica con distintas personas, con menores de edad, con gente que era un poco mayor, controlándolos de una forma tremenda y poniéndolos al servicio de lo que era su hedonismo perverso, y dañando y destruyendo a todo el mundo.

Sostiene Hermosilla que «hay algunos casos que hasta el día de hoy están atrapados. Son como Jimmy Hamilton antes de salir. Personas que están adentro, que aún están controlados, que no tienen salida, y que llevan veinte años...».

—Uno suele encontrarse con algunas personas que dicen que los abusos de curas siempre han existido... ¿Qué opinas?

—Mi impresión es que un caso como este puede haber existido antes en la historia de Chile, pero no con las características y la persistencia en el tiempo de este... es muy singular. Porque no es un abuso estrictamente puntual del cura que perdió el control. Es sistemático. Y vuelvo al tema de los derechos humanos, porque es una estructura de poder que se monta para realizar abusos...

El informe de Armendáriz

El fiscal regional Xavier Armendáriz Salamero tomó el caso personalmente el 21 de abril de 2010 y, tras una acuciosa e intensa investigación de casi tres meses, debió dejarlo el 15 de julio del mismo año.

Los antecedentes que entregó Armendáriz al juez de garantía implicaron un avance significativo en la investigación; tanto, que lo que después desarrolló el juez suplente Valdivieso fue simplemente ratificar las principales declaraciones. En el informe de

Armendáriz se leen una serie de conclusiones que forman parte del expediente que desde marzo ha sido analizado en detalle por la ministra en visita Jessica González.

Según el fiscal Armendáriz, «el referido sacerdote es una persona de carácter fuerte, carismático, de gran llegada e influencia hacia las personas jóvenes que concurrían a su parroquia, la cual dirigía y determinaba sus cursos de acción en los ámbitos pastorales y sociales en forma absoluta y exclusiva».

Indica Armendáriz que durante su permanencia en la parroquia «los cuatro denunciantes fueron objeto de reiteradas tocaciones de índole sexual en sus genitales y boca por parte del sacerdote Karadima, permitiéndose a través de sus relatos el configurar una forma característica y común en su forma de abordar a sus víctimas para someterlas a sus deseos».

«Estas acciones —afirma— se realizaron mientras el señor Batlle era menor de edad y posiblemente también el señor Cruz. Además, los afectados indican que sufrieron subyugación emocional y espiritual de parte del sacerdote denunciado.»

En otro párrafo, el fiscal advierte sobre la posibilidad de que estuvieran ocurriendo estos hechos en el momento en que se hacía la investigación: «Dado que el entorno y las características de la dinámica de la parroquia de El Bosque que les tocó vivir permanece inalterable hasta hoy, especialmente en cuanto a que su figura central y eje es el denunciado Karadima, es altamente probable que los actos que sufrieron se hayan repetido y se estén repitiendo hasta el día de hoy». Anota también que «la interacción sexual con el denunciante Hamilton se prolongó hasta principios de 2004, es decir, en fecha ya próxima a la entrada en vigencia en la Región Metropolitana de la Reforma Procesal Penal».

Conductas imitadas o repetidas

Agrega el fiscal Xavier Armendáriz en su informe: «Refuerzan la credibilidad de los dichos de los denunciantes los testimonios de numerosas personas, entre ellas cuatro sacerdotes formados en la parroquia de El Bosque (Hans Kast Rist, Andrés Gabriel Ferrada Moreira, Eugenio de la Fuente Lora y Fernando José Ferrada Moreira), que dan cuenta, en síntesis, de la efectividad que el imputado Karadima es la figura central y sin contrapeso alguno de dicha parroquia en cuanto fuente de decisiones y poder; con una muy fuerte personalidad, capaz de someter a sus designios a sus dirigidos y manipularlos a su antojo, además de mantener conductas invasivas en los espacios corporales de los jóvenes que asisten al recinto, impropias de un sacerdote».

El fiscal señala que «en esto debe hacerse presente que uno de los sacerdotes referidos, Hans Kast Rist, solicitó formalmente al Ministerio Público que al imputado se le aislase de personas menores de sesenta años y se adopten lo que llamó "medidas de protección" respecto de los jóvenes que asisten a la parroquia».

Armendáriz anotó también en su informe que, asimismo, «se ha establecido que una persona de nombre Óscar Osbén Moscoso ha solicitado y obtenido del sacerdote Diego Ossa Errázuriz una suma de dinero de entre ocho y diez millones de pesos sobre la base de recordarle una eventual interacción sexual con él en 2003. Este pago fue hecho en conocimiento del imputado [se refiere a Karadima]. Se hace presente que el sacerdote señor Ossa que expresamente declaró (en sus palabras) que no deseaba reclamar de esta situación, es una de las dos personas de mayor confianza del imputado y también está domiciliado en la parroquia de El Bosque».

En el párrafo siguiente, Armendáriz anota: «Lo anterior lleva a considerar que las conductas del imputado pueden estar siendo imitadas o repetidas por personas religiosas de su entorno más cercano, algunas de las cuales han recibido su influencia literalmente desde su primera juventud».

Por lo que se desprende de su informe, la intención de Armendáriz era avanzar más en la investigación, porque consideró necesario «establecer o descartar la efectiva ocurrencia actual o próxima en el tiempo pasado, de conductas de carácter sexual que podrían revestir visos de delito, respecto de menores o jóvenes en proceso de formación».

Según el fiscal, su conclusión se basa en que así «lo demuestra la experiencia común al respecto y expresamente es sostenido por varios testigos, en especial el señor Hans Kast Rist y las propias víctimas; es altamente posible que en lo que constituye un espacio de formación espiritual, la existencia de una figura central de autoridad, fuerte y dominante, pueda ser un foco inmediato de peligro para las personas menores de edad o jóvenes en etapas iniciales de desarrollo de la personalidad, si es que esa figura central adopta la costumbre de interactuar sexualmente con sus discípulos, todo lo cual es el caso observado en esta investigación».

La negativa de Bulnes Cerda

Tras emitir su informe, Armendáriz dio otro paso: solicitar al abogado y amigo del cura Juan Pablo Bulnes Cerda, «los documentos que el imputado Karadima expresamente indicó —en su declaración— no tener inconveniente en facilitar». Se refiere a los documentos por «la causa que lleva la Iglesia Católica en su contra». Armendáriz pidió «la copia de su declaración escrita, el documento de los cargos que se le presentaron y de los descargos respectivos».

Sin embargo —dice Armendáriz en una constancia adjunta al expediente—, «el señor Bulnes manifestó entender no poder entregar lo solicitado, pues le pareció que debía guardar secreto al respecto. Se le consultó secreto respecto de quién o quiénes, y su motivo, y mencionó a su representado en la causa eclesial Fernando Karadima; cuando se le representó que este dio su consentimiento expreso para la entrega y que se trataba de documentos de su cliente, el señor Bulnes indicó que era también un secreto hacia las víctimas; y al indicarle si, entonces, un acuerdo de estas permitía la entrega, señaló que también el secreto era por el Tribunal Eclesiástico, y quedó de contestar en forma definitiva el día viernes 2 de julio, lo que no hizo».

Relata Armendáriz que el viernes 5 de julio se presentó en persona Bulnes en su oficina. En esa oportunidad, indicó que «por un deber de secreto profesional definitivamente no podía hacer entrega de lo que se le había solicitado».

Estos documentos y el fallo del Vaticano están de nuevo en primer plano, tras la negativa del arzobispo de Santiago, Ricardo Ezzati, y del nuncio apostólico, Giusseppe Pinto, de facilitarlos a la justicia chilena, a solicitud de la ministra en visita Jessica González.

El 18 de julio de 2010, el fiscal Xavier Armendáriz Salamero se declaró incompetente «en atención al mérito de los antecedentes y lo resuelto por el Octavo Juzgado de Garantía con fecha 15 de julio último».

El juez de garantía de ese Juzgado de Garantía de Santiago, Fernando Antonio Valderrama Martínez, decidió que «de los antecedentes expuestos por el Ministerio Público en sus presentaciones aparece de manifiesto que los hechos investigados habrían tenido su principio de ejecución con anterioridad a la fecha de entrada en vigencia de la Reforma Procesal Penal en la Región Metropolitana», por lo que «el Ministerio Público carece de facultad para llevar adelante la investigación».

Tras declarar la incompetencia de ese tribunal, el propio Xavier Armendáriz tuvo que remitir los antecedentes al Décimo Juzgado del Crimen de Santiago. En ese momento se abrió una segunda causa y Armendáriz se quedó durante un tiempo únicamente con la referida a los pagos efectuados por el círculo de Karadima al personal de la parroquia y a Óscar Osbén, que habían ocurrido después de 2005, cuando empezó a aplicarse la reforma.

Con barba y delantal blanco

Ocho meses después de que presentara su denuncia ante la fiscalía en contra de Karadima, el 10 de diciembre de 2010, nos volvimos a encontrar con Jimmy en la Clínica Santa María. Ha bajado más de diez kilos sin proponérselo, como consecuencia —con seguridad—, de lo que ha vivido en estos meses. La barba que ahora luce y el pelo más corto contribuyen a hacer más delgadas sus facciones. Cubierto con su delantal blanco, el médico se instala detrás del escritorio en la sala de la consulta. Su ayudante nos interrumpe una vez mientras iniciamos la conversación sobre la situación ante la justicia. El juez suplente Leonardo Valdivieso había cerrado el caso sin efectuar careos ni avanzar en la investigación.

—¿Cómo ves el escenario? —le pregunto.

—Mi impresión es que desde un punto de vista legal la justicia tiene recursos para llegar a establecer la verdad. Y se empezaron realmente a utilizar todos esos recursos cuando el fiscal Xavier Armendáriz hizo una investigación seria, a fondo, en la cual se formó una clara opinión a través de los testimonios y también en conversaciones con los testigos. Y probablemente las conversaciones personales fueron aún más crudas e impactantes que lo que quedó por escrito de los testimonios de los testigos.

Según Jimmy Hamilton, hay «sacerdotes abusados por varios años que son párrocos y no se atrevieron a entregar su testimonio porque mencionaron que les podían destruir su carrera. Me impresiona, porque ser un Cristo en la Tierra es justamente morir por la verdad, morir por los otros, morir por el prójimo. Y destruir una carrera, si eso lleva a imitar a Cristo en el calvario y en la cruz, no debería importar...».

Sus palabras hablan de verdades ocultas, de compromisos y exigencias. «Me impresiona mucho que haya sacerdotes que no tienen idea lo que significa ser sacerdote, compenetrarse en Cristo y en lo que son los Evangelios... Espero que recapaciten, porque, si no, realmente creo que no van a poder dormir tranquilos.»

Con firmeza agrega: «Hay personas de las que sabemos, con las que hemos conversado incluso, pero que no se atreven, simplemente. Hay una especie de temor generalizado. Hay gente joven que también dio testimonios verbales que no quedaron registrados. Testimonios actuales de personas que habían visto los toqueteos y esas cosas, pero optaron por no dejar su firma».

Dos meses después, en pleno verano, pocos días antes de conocerse el fallo del Vaticano, la fiscal de la Corte de Apelaciones, Loreto Gutiérrez, estableció que no correspondía cerrar ese juicio. Su informe, que apunta en la línea de los antecedentes entregados por Armendáriz e incluso va más allá con la propuesta de líneas concretas de investigación, fue tenido en cuenta por la Cuarta Sala de la Corte de Apelaciones, que en marzo decidió reabrir el caso.

Al final, unas horas después de la intervención de Jimmy Hamilton en *Tolerancia Cero*, el lunes 21 de marzo, la Corte Suprema designó a la ministro en visita Jessica González, para hacerse cargo del proceso. Desde que lo asumió, no ha descansado. Y ha ido dando uno a uno los pasos sugeridos por la fiscal Gutiérrez.

Las «gestiones» de los Matte

En esa conversación en la Clínica Santa María, Jimmy Hamilton me señaló, asimismo, que le parecía «muy terrible ver que a gente con poder económico como Eliodoro Matte le dan una audiencia con el fiscal nacional, y que a las semanas se interrumpe la investigación del fiscal Armendáriz y esta llega a la justicia antigua». Alude a la reunión que Eliodoro Matte Larraín sostuvo con el fiscal Chahuán el 12 de mayo de 2010, y que casi un año después ha generado una fuerte polémica y hasta las inusitadas disculpas del hombre fuerte de uno de los principales grupos económicos del país.

—Armendáriz ha asegurado que no ha sido presionado —le planteo a Hamilton.

—Pero el hecho es que pasó a la justicia antigua y llegó la causa a un juez suplente de treinta y ocho años de edad, que aunque fuera buena persona no creo que haya tenido la experiencia ni la madurez para aquilatar este tipo de circunstancias.

Ni siquiera él nos tomó los testimonios. Nunca lo conocí, por lo menos a mí la actuaria me tomó el testimonio. Creo que la justicia tiene los instrumentos, pero no los ha utilizado. Solicitamos una serie de diligencias que el juez no permitió. Como por ejemplo los careos. Podría haber mandado a hacer un peritaje a Karadima sobre su salud y habría comprobado que podría tener careos. Todos sabíamos que podría tenerlos.

»El caso es difícil, duro para cualquiera, y personalmente creo que las influencias de Matte con el fiscal nacional pueden pesar, y que también esas presiones pueden influir en las decisiones del juez. Si me preguntan por la independencia del juez Valdivieso, debido a la falta de entrevista personal a los afectados, puedo decir con los hechos que me parece que sí ha habido influencias.»

—¿Valdivieso habría llevado ese proceso solo por cumplir, sin ponerle el interés que requería?

—Creo que para él este proceso es un problema. Para casos como este, la justicia debería tener preocupación y tratar de que sean llevados por personas idóneas. La justicia debería tener un poquito de delicadeza y haber puesto un ministro en visita o al menos una persona idónea.

Meses después y tras otros acontecimientos decisivos, la Corte Suprema acogió sus palabras.

Entretanto, no fue la reunión con el fiscal Chahuán el único intento de la familia Matte —amiga y benefactora de Karadima— por influir en este proceso. Otro miembro del clan de los dueños de la Compañía Manufacturera de Papeles y Cartones llamó después de la aparición de Hamilton en *Informe Especial* al doctor Juan Pablo Allamand, por entonces director de la Clínica Santa María. El motivo era indisponer a Hamilton con su jefe. Este episodio, que me contó Hamilton al día siguiente de haber ocurrido, en abril de 2010, lo relató también en *Tolerancia Cero* del 21 de marzo pasado. A la semana siguiente, el doctor Allamand envió una carta a ese programa en la que negaba haber sido presionado. Pero no decía que no lo habían llamado.

Las disculpas de «El Rucio»

Más atención periodística mereció la carta a *El Mercurio* del presidente de la Papelera Eliodoro Matte —«El Rucio», como le decían desde su juventud igual que a su padre—, publicada el 5 de abril de 2011. Allí pide disculpas públicas por haber solicitado la entrevista con el fiscal. «Se ha suscitado un debate respecto de una entrevista que le solicité al fiscal nacional señor Sabas Chahuán. Carlos Peña, en su columna del domingo 3 de abril, tiene razón al cuestionarla. Su línea de argumentación es correcta, lo cual no es efectivo porque se utilizó el mecanismo regular de audiencias. Solicitar dicha entrevista fue un error y aprovecho de pedirle disculpas al fiscal nacional», señaló Matte.

Más adelante, reconoció que como hombre influyente no debía haber hecho lo que hizo. Algo inusual, dentro de la sucesión de hechos que desencadenó el caso Karadima, pero donde a la vez Matte da cuenta pública de su conciencia de quién es: «Formulo mis excusas en perfecta conciencia de que los que ostentamos de una u otra forma alguna autoridad o poder, debemos ser extremadamente cuidadosos al ejercerlo». Nada dijo de Karadima y menos de las víctimas.

Ya las alusiones de James Hamilton al poderoso grupo en *Tolerancia Cero* habían incomodado con seguridad a la familia Matte. Pero la gota que rebasó el vaso de Eliodoro fue la citada columna de Carlos Peña en *El Mercurio* que, bajo el título «Matte y Chahuán», recordó el incidente de la visita del poderoso empresario al fiscal nacional en mayo de 2010.

Carlos Peña escribió que «Eliodoro Matte tomó el teléfono, pidió una entrevista con el fiscal nacional y le hizo saber que él y su familia estaban personalmente preocupados del procedimiento que se ejecutaba respecto de Karadima». Según el abogado, Matte «habría explicado que él y su señora tenían vínculos de amistad con Karadima, así que esperaba, por el bien de todos desde luego, que el asunto se tramitara con prontitud».

Sostiene Peña en su columna que Chahuán, «al recibir a Elio-doro Matte sin otra consideración que su nombre, lesionó los modales que se esperan de un funcionario a su altura». Agregó que «hay miles de ciudadanos que, con más razón que los amigos de Karadima, querrían entrevistarse con el fiscal, pero como su nombre no invoca nada, esperan en vano».

Balance de fin de año

Terminaba 2010 y Jimmy Hamilton me comentaba con cierta de-sazón ante lo que ocurría con la justicia y la incertidumbre sobre el veredicto del Vaticano, que aún no llegaba, que ya ellos —las víctimas— habían hecho su parte. Se sentía conforme con haber detenido a Karadima en El Bosque. «Al menos logramos frenarlo a él y a sus secuaces para evitar que nuevos jóvenes, nuevas víctimas, caigan en sus manos. Hemos tratado de crear conciencia en los padres, en los mismos jóvenes y niños que las personas que están investidas de poder no significa que sean perfectas. Que hay que tener prudencia ante ellos y la confianza se gana. No es algo que esté implícito porque sea un sacerdote o un profesional destacado.»

»La responsabilidad ahora es de la sociedad. Nosotros ya hi-cimos nuestra pega. El costo personal ha sido enorme y no hay cómo compensarlo. Y por lo menos yo tengo la esperanza de que esto haya servido para algo», señala.

Esta vez, no calculó la «pega» que vendría después con la re-apertura del caso, con el impacto de sus palabras y la ola que se ha desatado que no se sabe hasta dónde llegará. Tampoco se sabía en esos días de diciembre quién sería el nuevo arzobispo de Santiago. Su designación se había postergado durante el año como conse-cuencia —se especulaba— de lo ocurrido con Karadima.

Tuve la oportunidad también de conversar con Juan Carlos Cruz cuando vino a pasar la Navidad y el Año Nuevo con su familia. Recordamos lo que había vivido. «Cuando ya reventó todo, ver mi cara en los diarios y en las noticias fue muy fuerte.

Era algo que yo tenía muy compartimentalizado en una parte donde nadie me podía molestar ni nadie me lo podía sacar en cara. Había hecho mi vida de ejecutivo internacional. Me ocupo de cuidarle la reputación a las compañías más grandes del mundo. El hecho de que esto se pudiera poner en jaque, me complicaba. Y me decía: "A lo mejor Dios me eligió a mí, alguien nada espectacular, para decir esto y que a otra gente no le pase".»

»Ahora me siento contento de haber sido un faro y de haber puesto luz en algo tan oscuro y que tantos encubrían. Y ojalá que gente que no se atreve a hablar, lo haga, porque por no hablarlo no tienen herramientas para combatirlo. Creo que después de todo, quienes son abusadores van a pensarlo dos veces antes de hacerlo, porque ahora hay consecuencias, y los que eran jóvenes vulnerables como lo era yo se van a dar cuenta y van a decir "este tipo se está tratando de aprovechar de mí, ya sea sexual o psicológicamente"».

»Quizá mi caso ha ayudado a otros a evitar el infierno que yo viví. A pesar del costo que esto ha tenido», me comenta. Y eso le compensa —dice— los «dolores de estómago, las noches sin dormir, las idas al psiquiatra».

—¿Has sentido apoyo?

—Mucho… De todo tipo. El otro día, una señora en el Parque Arauco a quien no conocía, se me acercó, me dio un beso y me dijo «gracias, salvaste a mi hijo». Esto es el mejor premio que me pueden dar. El triunfo mayor: evitar que haya nuevos Karadimas.

»El que me manden e-mails contándome "a mí me abusó tal persona" significa que la gente empieza encarar este problema de otra manera. Por haber hablado de este tema la gente tiene más herramientas y más confianza, y sabe que habrá consecuencias y que los delitos no van a quedar impunes. Porque salvar aunque sea a una persona de Karadima, vale la pena.

En esa conversación hablamos del sentido de lo vivido por él junto a Jimmy Hamilton y José Andrés Murillo. «Cada uno tenemos historias tan distintas... Estoy orgulloso de ellos y que Dios nos haya juntado», dice Juan Carlos Cruz, quien reafirma que sigue siendo católico, a pesar de todo. «Ver a Jimmy, a José Andrés Murillo, cómo han afrontado todo esto... Nos hemos sentido muy apoyados entre nosotros. Y hemos logrado buscar la verdad, poner luz donde no la había. Desenterrar lo que tenían enterrado y exponer a los encubridores. Esto para mí ha sido lo mejor de todo este proceso, que tiene un costo tremendo, incluso si sale bien es muy fregado y difícil. Pero no me arrepiento de nada.»

Ola de e-mails

Durante los primeros días de marzo de 2011, mientras en tribunales de justicia se reabría el caso Karadima —antes incluso de que la Corte Suprema designara a la ministra en visita Jessica González—, en forma subterránea había movimientos que afectaban a la Pía Unión de El Bosque y a la jerarquía eclesiástica.

Por esas fechas, el periodista Juan Carlos Cruz recibió una serie de e-mails provenientes de sacerdotes que conocía del Seminario y con los que no se veía hacía años. Por el tenor de sus dichos, los remitentes trataban de retomar el contacto. El primero fue de su antiguo amigo, el vicario Cristián Precht, quien le pedía perdón por no haberlo «sabido acompañar en este tiempo».

Más sorprendentes le resultaron a Cruz otros dos mensajes que provenían directamente de connotados sacerdotes de la Pía Unión de El Bosque: Samuel Fernández, el ex decano de la Facultad de Teología de la Universidad Católica, donde ejerce como profesor y director del Centro de Estudios Alberto Hurtado; y el actual vicedecano de la misma facultad, Rodrigo Polanco, su antiguo formador en el Seminario, a quien Juan Carlos Cruz veía como el representante de Karadima[1].

---

[1] Ver capítulo V: «Juan Carlos y el tejado de vidrio».

Los e-mails de ambos discípulos del ex párroco de El Bosque, que reflejan un estilo común, estaban orientados a hacerse presentes y a manifestar aprecio, como si nada hubiera pasado. Fernández, quien fue compañero de Juan Carlos Cruz en el Seminario y desde agosto de 2010 quedó en la directiva de la Pía Unión tras la salida de Andrés Arteaga, se dirigió al periodista el 7 de marzo en estos términos: «Te escribo brevemente solo para decirte que después de todos estos años, en que no nos hemos visto, te sigo considerando mi amigo y te tengo presente en mi oración. Un abrazo en Cristo, Samuel».

Algo más elocuente es el mensaje de Rodrigo Polanco, fechado el 10 de marzo, dos días después de que el abogado Juan Pablo Hermosilla alegara ante la Cuarta Sala de la Corte de Apelaciones, solicitando la reapertura del proceso:

«Te escribo para saludarte y decirte que en todos estos meses te he tenido muy especialmente presente. En recuerdo de los años de amistad te mando un gran abrazo de cercanía y aprecio.

»Con los mejores deseos para ti y todos tus proyectos, te envío un abrazo de amistad, comprensión y unidad.

»Con afecto, Rodrigo Polanco.»

«Esto me dejó mal», me escribió Juan Carlos, comentando el saludo del vicedecano de Teología.

Lo curioso es que Polanco fue uno de los primeros en hacer fuertes declaraciones de apoyo a Karadima tras la denuncia pública en abril y después —durante casi un año— no se retractó de esos dichos en que descalificó en duros términos a las víctimas: «Es una calumnia sin fundamento y grosera», dijo en una entrevista para *El Mercurio*.[2]

Juan Carlos Cruz me comentó que esa noche le costó dormir. Al día siguiente, le contestó a Polanco en fuertes términos: «No sé si has estado al tanto de todo lo que ha pasado en los últimos años. No sé si te acuerdas de los años de tortura psicológica a la

---

[2] *El Mercurio*, 22 de abril de 2010. «Es una calumnia sin fundamento y grosera.» Más antecedentes en capítulo I: «Un e-mail inesperado».

que me sometiste. El año de tortura en el Propedéutico, cuando lo único que hacías era acusarme al "padre Fernando" para que él me retara, cuando lo único que hacías era retarme tú también y hacerme sufrir al punto de dejarme absolutamente quebrado», le respondió el periodista, tras manifestarle su sorpresa por el saludo.

Le planteó que «quizás algún día lograría perdonarlo a él y a varios que me hicieron sufrir lo indecible». Pero, según Juan Carlos Cruz, «es difícil cuando en sus mentes siguen siendo inocentes palomas; así que más que hacerme sentir bien con el e-mail que me envía, es casi un insulto».

El director de *Mensaje*, Antonio Delfau, también supo por Juan Carlos Cruz de este intercambio de e-mails. Conversando con él en su oficina de calle Cienfuegos, Delfau me comenta: «Estoy tratando de entender por qué Polanco le escribe este e-mail a Juan Carlos. Qué razón tiene para acercarse después de todos estos años con ese mensaje tan ambiguo. ¿Qué significa?».

Le comento a Delfau que Juan Carlos Cruz también recibió un e-mail de Samuel Fernández, y reflexiono:

—¿Será que están recibiendo instrucciones del arzobispo? ¿O tal vez están tratando de neutralizar a Juan Carlos, que tiene muchos contactos con medios internacionales o están pensando en el riesgo de que la justicia los considere encubridores?

—Al leer lo de Polanco me dije en qué forma alambicada está tratando de reconstruir una relación absolutamente enferma, que destruyó a Juan Carlos Cruz. ¿Qué significa esto ahora? ¿Habrá a lo mejor alguna implícita caída en la cuenta de que realmente actuaron mal? No lo sé —agrega Delfau.

—Porque las palabras de esas seis líneas no denotan arrepentimiento. ¿O puede haber algo? —le consulto.

—No pues, más bien rescatar alguna hipotética amistad pasada, como si nada hubiera ocurrido entremedio. Es como pasar por la Segunda Guerra Mundial y volver al año 39 como si no hubiera sucedido nada.

«Gente cubriéndole las espaldas»

Juan Pablo Hermosilla, durante la conversación del 25 de marzo, en su oficina, casi al cierre de este libro, manifiesta: «Tengo la impresión de que aquí hay una transacción flotando en el aire, donde se dice:"ok, nosotros entregamos a Karadima, lo sancionamos, pero a cambio de que no se persiga a los otros"».

Sostiene el abogado de las víctimas que «hay algo justo en eso, desde el punto de vista de que él es el principal responsable de todo este núcleo de actos perversos, pero también es injusto, por el lado de que no se puede explicar todo el daño sin que hubiese gente al lado cubriéndole las espaldas (...) Sobre todo, gente en la jerarquía —señala Hermosilla—. Sabemos de dos cardenales que tuvieron conocimiento de esto: Errázuriz y Fresno. Este último recibió las primeras denuncias a inicios de los años ochenta, efectuadas por algunos jóvenes de la época, y que terminaron en el tacho de la basura, según cuenta un testigo».

Con todo, Hermosilla cree que si existiera «esa transacción, no va a funcionar. Hay un problema cultural, además de jurídico». Porque aquí, dice, aparte de lo que puede estar pasando en la Iglesia, «hay dos fenómenos en marcha paralelos: uno en la parte jurídica, que a estas alturas creo que va a resultar bien, y otro en el ámbito social y cultural».

Escasez de vocaciones

De nuevo en la casa de Percival Cowley, junto al colegio Manquehue, la tarde del 11 de marzo, le pregunto al sacerdote de los Sagrados Corazones:

—¿Qué pasa en la Iglesia Católica como para que esto pudiera suceder?

—Ese es el tema de fondo. Un aspecto importante se relaciona «con los lugares que generan vocaciones ante la escasez». De repente surgen vocaciones y todos miran con admiración, porque faltan sacerdotes. Parece ser que la cantidad de vocaciones que provenían de El Bosque era una de las razones por las que aparentemente nadie intentaba meter mano.

—¿Cuál crees tú que era el objetivo final de Karadima con estas vocaciones? —le pregunto.

—Es un tema de poder, de una persona que quiere manejar la voluntad de otros —afirma Percival Cowley.

—Él mantenía el contacto directo y era guía espiritual de todos —le comento.

—De todos; todos tenían que llegar ahí a rendirle cuentas.

—¿Con qué objeto? —reitero mi pregunta.

—El tema de fondo está en un manejo del ministerio sacerdotal que no busca la libertad del otro, el desarrollo del otro como persona, sino que busca al otro como forma de manejar situaciones. Y eso es enfermo. Yo no me atrevería a juzgar la conciencia de Karadima ni de nadie; gracias a Dios, son esas dos cosas del Evangelio que son tan claras. Una, no juzgues para no ser juzgado; dos, por los frutos los conocerán.

—Algunos consideran las vocaciones como frutos positivos de Karadima —le señalo.

—Pero hay que ver cómo y con qué consecuencias. Y ahí entra todo el tema de las víctimas.

—Mucha gente señala que El Bosque y la Pía Unión tienen las características de una secta —agrego.

—Sí, claro. Yo estoy preocupado por los curas que vienen y vinieron de ahí; me preocupan como personas, qué ha pasado con ellos, qué han vivido, cómo lo han vivido. No tengo contacto con ninguno, pero uno quisiera poder acompañarlos, poder ayudarlos a ser libres, que hagan un discernimiento profundo de su fe, de su vida, de su encuentro con el Señor, no con Karadima, ni tampoco conmigo.

«Cuentas claras y chocolate espeso»

Para Percival Cowley es fundamental estar del lado de las víctimas. «Lo primero en este sentido es que no se puede culpar a alguien porque decide acusar», afirma.

Cuenta que la primera vez que lo fue a ver Jimmy Hamilton, le dijo: «"Aquí hay dos opciones. Y frente a ello no te voy a decir lo que tienes que hacer, eres tú el que tiene que tomar la decisión. Por un lado, está tu persona, tu profesión, tus hijos, tu familia, tu prestigio. Y esto se puede escapar. Por otro lado, está el bien común, porque si a ti te pasó esto, no hay por qué no pensar que no puede seguir ocurriendo. Tomar esta última opción es muy difícil, yo no la puedo tomar por ti, tienes que hacerlo tú mismo". Y en algún minuto Jimmy la tomó, fue a hablar ante notario, con los juramentos correspondientes».

Y revisando los pasos que le correspondería dar a quien recibe una denuncia de ese tipo, señala: «Si se produce algo de esa índole y hay personas que juran delante de Dios que lo que están diciendo es verdadero, ¿qué hace el obispo ante el cura concreto? Para empezar, llama al cura. Lo segundo, le dice: "Ha llegado esto, con juramento". Tercero: "Te voy a pedir algo, mientras esta cuestión no se aclare, tú deja el ejercicio ministerial como ejercicio libre y público, mientras aclaramos la figura. Entretanto, estamos cerca, cuenta conmigo"».

—Y nada de eso sucedió.

—Nada… Y junto a las víctimas, la Iglesia también ha sido tremendamente dañada. Mira cómo apareció la cuestión de Karadima porque no se hizo lo que había que hacer en el momento que había que hacerlo. Y el responsable de eso no es Karadima, sino la autoridad eclesiástica. Las cuentas claras y el chocolate espeso.

—Antonio Delfau me manifestaba su inquietud de que el fallo del Vaticano, pese a ser contundente e importante, tendiera a cerrar el caso, al estilo de los Legionarios de Cristo, sin investigar encubrimientos ni complicidades —le digo.

—Hay que esperar que venga el visitador de Roma. No tengo idea de qué va a pasar, pero sería fatal cerrar el caso con eso y decretar que se acabó el cuento. Por una razón muy simple: hay mucha gente que ha sufrido las consecuencias y hay que poner siempre primero a las víctimas. Y, por otro lado, está todo este lote de curas que también son seres humanos y que a lo mejor muchos de ellos —no todos, no sé— lo están pasando pésimo y no se los puede dejar botados.

Opinión fundada

—¿En qué pie ves el caso desde que partió en abril del año pasado hasta ahora? —le pregunto a Juan Pablo Hermosilla, en la citada conversación del 25 de marzo.

—Estamos en un buen momento, en que uno siente que las instituciones se han ido poniendo al día. Por un lado, la Iglesia en forma clara, con el fallo que salió en febrero, tan duro en contra de Karadima, en que lo acusa de las dos cosas que cometió: los abusos a menores y el abuso ministerial.

»Por otro lado, después de que tuvimos un momento muy oscuro, donde la justicia y un juez en particular habían decidido cerrar el caso sin investigar mayormente y aplicar la prescripción, se han logrado dos avances importantes: reabrir la investigación y el nombramiento por el pleno de la Corte Suprema de la ministra en visita Jessica González, que se hace cargo de esto en forma preferente. Y que ha dicho que va a revisarlo hasta el fondo, que efectuará las diligencias señaladas por la fiscal Loreto Gutiérrez.

Para Hermosilla, llegó el momento en que «el Estado cumpla con lo primordial, que es que se investiguen los hechos de verdad a fondo y se resuelvan las interrogantes: "¿Ocurrieron estos abusos? ¿Con qué gravedad y reiteración? ¿Cuántas personas fueron?"», plantea.

Y lo otro, dice el abogado, «es saber por qué se pudo hacer esto de esta forma». Tal como lo expresó en el alegato de principios de marzo, Hermosilla sostiene que «lo que se ha descubierto no son los abusos puntuales, aislados, como es la delincuencia normal. Aquí lo que hay es un patrón de conducta permanente durante los últimos cuarenta años, y eso es importante, porque es inimaginable que eso haya ocurrido sin que existiera una estructura que lo protegiera».

Esa estructura —señala Hermosilla— «va más allá de El Bosque, porque sin duda en la jerarquía de la Iglesia existía gente, que, poniéndolo en el mejor escenario para ellos, miraron para el lado. O si no, supieron y, con conocimiento, toleraron que siguiera ocurriendo».

En resumen, dice el abogado, «tenemos estas dos áreas: el saber cuántas personas hay, con qué profundidad fueron afectadas y, sobre todo, hasta cuándo ocurrieron los hechos más graves. Tengo antecedentes que indican que esto fue hasta hace muy poco tiempo atrás, pero eso hay que acreditarlo en el juicio, y para eso no hay que recibir información por el lado, sino que tiene que haber personas que estén dispuestas a declarar. Además, está el tema de la gente que lo ha protegido».

—La percepción que uno tiene es que hay más personas abusadas y que incluso habría casos por lo menos hasta 2010 —le comento.

—Esa es mi opinión también, pero lo importante aquí no es que valga mi opinión, sino que el Estado chileno, precisamente para que no quede entregado a cosas subjetivas, sea responsable y diga que investigó esto hasta el fondo, revisó todos los antecedentes, interrogó a todas las personas que tenía que interrogar y pudo concluir. Y que diga lo que tenga que decir. Yo tengo claro el tema, pero soy una persona, que me represento a mí mismo nomás.

—Y como persona, ¿qué piensas?

—Creo que estos abusos continuaron hasta la época del escándalo, quién sabe si después, pero al menos hasta comienzos de 2010. Esa es mi opinión fundada.

El abogado Hermosilla no da detalles.

Cambio cultural

Los trascendidos del informe del Vaticano señalan que hay más víctimas de abusos. Uno sería un sacerdote cuyo testimonio lo habría recogido el ex arzobispo Errázuriz. Otro, un profesional cuya experiencia de abuso sería de fines de los años setenta, consignado en el informe del promotor de justicia Fermín Donoso[3]. Se habla, asimismo, de otros jóvenes abusados por Karadima, incluso unos en su propia casa. En la «opinión fundada» de Hermosilla, en efecto habría más situaciones críticas. Pero hasta ahora esos casos no se han presentado a la justicia.

En la oficina del abogado, la conversación cambia de giro ante la imposibilidad de ahondar en identidades y circunstancias de nuevas víctimas. El secreto profesional asoma sobre la mesa.

Hermosilla destaca, entretanto, el papel jugado por los medios de comunicación y los periodistas en el transcurso del caso. «Tengo la sensación de que ya pasaron los tiempos en que los chilenos hablaban con eufemismos, porque nada de esto hubiera podido ocurrir si los medios, sus periodistas y editores no se hubieran alineado con su vocación de cuarto poder o de contrapoder... esto era inimaginable hace un tiempo atrás. Hace no mucho, cuando se tocaba a personas poderosas, se inhibían y esperaban las sentencias condenatorias, y mientras tanto no pasaba nada», indica.

Sostiene Hermosilla, que se está generando «un cambio cultural mayor». Y señala que también eso se expresa «en la sensación tras la entrevista de Jimmy Hamilton en *Tolerancia Cero*, con esta especie de *shock*, pero al mismo tiempo de catarsis colectiva; fue notable la cantidad de personas que se sintió interpretada por lo que él dice, por su actitud y su tono. Por esto de que fuera un ciudadano común y corriente, un ciudadano desarmado; no

---

[3] Cuando este libro ingresaba a imprenta, *La Tercera* revelaba el testimonio, sin entregar la identidad, de una víctima justamente de fines de los años setenta que hoy sería un profesional de más de cincuenta años. Más antecedentes en *La Tercera*, 11 de abril de 2011, «Caso Karadima: habla víctima menor de edad en fallo Vaticano».

tiene ningún cargo, no es un político, nada y se lanza contra personas con el máximo poder histórico en Chile, de la oligarquía tradicional chilena, y sale con un solo respaldo: su credibilidad».

—Se lanzó en cierto modo contra la oligarquía y contra el poder fáctico de la Iglesia. Por eso es que en términos de comunicación ya ha sido comparado con el efecto que produjo el dedo de Ricardo Lagos antes del Plebiscito de 1988...

—Creo que esto es incluso más poderoso, porque Lagos era un dirigente político importante y, además, no era el único que en ese momento estaba por el restablecimiento de la democracia. Acá ha habido un espectáculo de soledad de las víctimas que ha conmovido a muchas personas comunes y corrientes. Solas, estas cuatro personas salen a enfrentar a estos tremendos poderes con costo personal tras costo personal, sin ninguna ganancia. Costos familiares, profesionales, psicológicos, y creo que eso les ha dado una credibilidad grande.

Apunta Hermosilla que «no solo reclaman por los abusos, sino que en este gesto de prender la luz sobre lo que está ocurriendo señalan con el dedo a las instituciones que no están cumpliendo con su labor, y que en mi opinión, en esta área, no la han cumplido nunca».

La responsabilidad del «garante»

—Tú has hablado de «estructura de apoyo». ¿Puede derivar eso en problemas legales para quienes la integran?

—Es evidente que aquí no se trata de hechos aislados, sino que de un patrón de conducta permanente y persistente en el tiempo. Por lo tanto, aquí tiene que haber habido una estructura de apoyo. Desde el punto de vista técnico, esto puede tratarse de coautores, cómplices o encubridores. Depende; por ejemplo, si una persona le llevaba a un joven para ser abusado, eso sería coautor. Si, sin concierto previo, le presta el lugar para ser abusado, ese es un cómplice. Y si la persona no participa directamente en los abusos, pero ayuda a proporcionarle impunidad a esa persona, dolosamente, podemos estar frente a un caso de encubrimiento, a lo que se denomina en términos legales «favorecimiento personal».

—¿La figura del encubrimiento puede afectar a autoridades eclesiásticas?

—En mi opinión, y esto va a ser un tema jurídico relevante —aunque muy técnico—, los arzobispos de Santiago en relación con los sacerdotes están en posición de «garantes». Esto significa que ellos, al nombrar sacerdote a una persona le dan un poder sobre la comunidad; y ellos tienen que estar mirando que ese poder no sea mal usado. Porque los obispos tienen cómo desarticular el abuso de un sacerdote.

»Desde ese punto de vista, siempre el obispo tuvo la posibilidad de desactivarlo. Porque si lo suspendían no podía seguir cometiendo esos abusos. Parte de los abusos tuvieron lugar bajo la dirección espiritual o en la confesión. Eso es lo que queremos que se investigue, es un tema jurídicamente complejo, pero nosotros vamos a sostener que las autoridades de la Iglesia estaban en posición de garantes, no eran terceros ajenos, ellos tenían la responsabilidad y, por lo tanto, cuando omites puedes incurrir en delito. Pero en todo esto quiero ser bien responsable, hay que investigarlo.

—¿Podría haber coautores y cómplices también?

—Nosotros vamos a instar y a colaborar con la ministra en visita para que se investigue el ala de la coautoría, de la existencia de cómplices y si hubo posible encubrimiento. Todo esto no en un afán de persecución, pero uno necesita una explicación para entender cómo esto fue posible durante tanto tiempo, con tantas personas, con gestos muchas veces públicos, y que nadie haya dicho nada ni haya detenido esta cuestión. Si esto se hubiera detenido hace veinte años, la historia de muchas personas sería bastante más grata y menos dura de lo que es hoy.

Obispos píos desde la Asamblea

La queja hacia la falta de acogida por parte de la jerarquía es directa: «La Iglesia no ha tenido ningún gesto de acercamiento ni siquiera de preguntar cómo están nuestras familias, cómo están nuestros hijos que, además, están en colegios católicos. No ha habido ningún mecanismo ni siquiera de contención», me señalaba en una conversación en junio de 2010 Jimmy Hamilton. Y en esto «ha habido despreocupación, por llamarlo de una manera suave, que lo único que hace es confirmar el terror frente a la verdad de parte de la jerarquía, que es indesmentible».

—¿Hablas de cero apoyo de la Iglesia?

—De la jerarquía, cero. Pero hemos tenido apoyo de sacerdotes que han sido realmente importantes. Como te decía, Percival Cowley es tal vez el que más ha apoyado… Algún otro, a José Andrés, pero el resto, nada —señalaba Hamilton en esa oportunidad.

Y de los obispos de la Pía Unión solo recibieron descalificaciones, incluso públicas. Por eso, era esperable que las víctimas no reaccionaran positivamente frente a la tardía declaración que los cuatro obispos «creados» por Karadima emitieron desde la Asamblea de Punta de Tralca, el 7 de abril último. Ese comunicado surgió tres días después de la carta de quince sacerdotes de la Pía Unión que fue entregada al arzobispo de Santiago y presidente de la Conferencia Episcopal, Ricardo Ezzati, al inicio de la reunión de los obispos.

En su declaración, Andrés Arteaga, Juan Barros, Tomislav Koljatic y Horacio Valenzuela señalaron: «Con gran dolor hemos asumido la sentencia que declara su culpabilidad en graves faltas sancionadas por la Iglesia». Los cuatro obispos dan cuenta de que «como tantos, hemos conocido con profundo asombro y pena esta situación y sus diversos y múltiples efectos», en una nota que hace presente que fue emitida «en comunión con nuestros hermanos obispos de la Conferencia Episcopal de Chile».

Además, manifiestan su «filial, permanente y plena adhesión a todo lo que la Santa Sede ha dispuesto o pueda disponer en relación con el padre Fernando Karadima».

Dedicaron también un párrafo a las víctimas al expresar «solidaridad y cercanía con ellos, sus familias y con todas las personas que por estos tan tristes acontecimientos han sufrido y se han escandalizado».

Hacen ver, asimismo, que «cada uno de nosotros ha sido duramente impactado por esta tan lamentable situación y hemos también vivido jornadas muy tristes. Nos ha confortado la oración y el apoyo fraterno de muchos».

En otro de los párrafos expresan su más absoluto rechazo y dolor «por cualquier actitud impropia de un consagrado». Y piden «humildemente al Señor que nos ayude a sanar estas heridas tan dolorosas, especialmente para las víctimas y para tantos hermanos y hermanas afectados».

«No nos dejen fuera del Arca de Noé»

La declaración de Punta de Tralca del 7 de abril de 2011 puede interpretarse como parte de un estudiado plan comunicacional para enfrentar la crisis, que contó con la asesoría de expertos extranjeros que estuvieron presentes. Así lo entendió el periodista Juan Carlos Cruz, especialista en estas materias, quien reaccionó indignado desde Milwaukee, Estados Unidos, donde reside. «¿De qué sirve todo esto? Son expertos en darse vuelta con las palabras al más puro estilo de El Bosque», me dijo cuando lo llamé a las pocas horas de conocer la declaración de los obispos.

«Es una declaración en que pretenden blanquearse, pero no muestra arrepentimiento ni perdón», sostiene Cruz. «No reconocen haber visto nada y ellos estaban ahí y vieron lo que vimos nosotros, como se lo declaramos al fiscal. No manifiestan en ese escrito voluntad de colaborar con la justicia. Creo que no sacan nada con seguir haciendo declaraciones si no se ponen a disposición de la justicia», señala Cruz, porque «Tomás Koljatic, Andrés Arteaga y Juan Barros vieron las mismas cosas que yo vi. Toqueteos y besos», reitera Cruz.

Para él, los obispos de El Bosque «al menos son encubridores, e incluso podrían ser cómplices de los abusos de Karadima. Ellos eran parte de su red de protección. No pueden, por una simple declaración, blanquearse». Similares palabras expresó Cruz a Televisión Nacional el mismo día.

José Andrés Murillo, entretanto, manifestó a radio ADN: «Esa carta de los cuatro obispos no tenía como finalidad pedir perdón a las víctimas, sino que "salvarse y estar dentro de la Iglesia". Lo que quisieron hacer los cuatro obispos es decir "no nos dejen fuera del Arca de Noé", porque el Vaticano los había dejado absolutamente fuera». Según Murillo, ellos «buscan salvarse y estar dentro de la Iglesia». Indicó que la declaración era «un paso importante», sin embargo, manifestó que le gustaría «que en algún momento hubiera una declaración pública en la que pidan perdón no solo a la comunidad, sino a las personas con nombre concreto».

El obispo de San Bernardo, Juan Ignacio González Errázuriz, numerario del Opus Dei, salió al paso de Murillo: «Pedir cosas así, extralimitarse en peticiones, puede hacer mal a la gran causa que se quiere, que es evitar esto (los abusos) y que todos nosotros nos curemos de este mal, sobre todo ellos que han sido víctimas», indicó González a Radio Bío-Bío.

La defensa del obispo del Opus Dei estuvo en línea con la del arzobispo Ezzati, quien les tendió un salvavidas a los cuatro obispos de El Bosque. Al término de la reunión de Punta de Tralca, monseñor Ezzati puntualizó: «Cuando hay acusaciones, el que acusa tiene que probar también sus acusaciones y entonces yo quisiera pedirles a estas personas que acusan a estos hermanos obispos que no solamente lancen acusaciones, sino también que las prueben»[4].

---

[4] *El Mercurio*, 9 de abril de 2011. «Episcopado pidió perdón a víctimas, admitió errores e hizo nuevo protocolo para estos casos.»

Las palabras de Ezzati en esas oportunidades contrastan con el silencio que mantuvo ante los dichos a la revista *Caras* del cardenal Jorge Medina Estévez, quien días antes apareció calificando de «actos de homosexualidad» a los abusos de Karadima, porque «un muchacho de diecisiete años sabe lo que está haciendo»[5]. Aunque el octogenario cardenal se retractó en parte, su investidura no fue rozada con un llamado de atención público de las autoridades de la Iglesia.

«Actitud corporativa y militarizada»

Conversé también al cierre de estas páginas con Jimmy Hamilton. «Todo esto me deja un gran aprendizaje. Lo primero que veo es que la sociedad estaba viviendo en una época de oscurantismo, cegada, creyendo en que estas instituciones que parecían funcionar bien y acogernos en nuestras vulnerabilidades y sufrimientos como seres humanos, no lo estaban haciendo», dice refiriéndose a la Iglesia Católica chilena.

«Uno tiene su propia verdad, una verdad incontestable y que está entrelazada en la piel y el alma. Que la confirmen o no, solo cambia el vivirla acompañado o en soledad; la justicia, la Iglesia, la sociedad no cambian, ni el dolor ni el trauma; le dan un poco más de sentido, porque se puede compartir. Pero eso no logra el fin último que es la reparación…»

En particular critica la actitud de los obispos: «Que los obispos esperen las órdenes del Vaticano demuestra lo minúsculo de su actitud de andar solo preocupados de lo que dice el jefe de la "Sede Santa" —así entre comillas, precisa—. Muestran que no tienen una capacidad de ver y tomar una opción. El asunto es si creen o no en el ser humano».

Según Jimmy Hamilton, «el que esperasen que viniera una orden confirma una actitud corporativa, militarizada, completamen-

---

[5] Revista *Caras*, N° 600, 1 de abril de 2011, «El caso Karadima bajo la mirada del cardenal Jorge Medina: "Un muchacho de diecisiete años sabe lo que hace"».

te disonante del Evangelio de Cristo, que apunta a la persona humana... Cristo no esperaba que vinieran los sacerdotes o los fariseos a decirle lo que estaba bien o mal».

Reconoce, después de escuchar las voces que salieron a acatar después del fallo, «una actitud no solo lejana sino contraria al Evangelio, una actitud que no corresponde a la Iglesia de Cristo, el pueblo de Dios, bautizados o no, la Iglesia de Jesús. La Iglesia del camino comunitario y de la "salvación" comunitaria».

En este momento, que muchos han definido como la hora de las víctimas, Jimmy Hamilton en lo personal siente que «lo más importante es que cada uno tiene el deber de repararse». Y explica el alcance del concepto que utiliza: «Esto consiste en transformarse en una persona útil para la sociedad, rehabilitada en su corazón, en su autoestima, en condiciones de amar y ser amado. Porque esto que te reconfirmen —dice— no tiene tanta importancia. Lo que sí importa es que la persona se pueda sanar. Y eso es un proceso de años».

Agrega que él espera que estos «ciudadanos rehabilitados sean personas mejor plantadas ante la vida. En capacidad de acoger y ayudar al que sufre... porque han vivido en carne propia lo que esto significa».

Por eso, para él, «no solo se trata de establecer esa verdad, sino lograr la reparación que es el fin último de este proceso». Así, estima, se podrá «recuperar a un grupo de valor social inigualable y evitar que el abusado repita las conductas con sus semejantes». Al final —insiste— se trata de «velar por la salud de las víctimas, evitar más victimarios, porque eso significa salud para la sociedad».

«Caso de la Iglesia chilena»

Jimmy Hamilton, en una de las primeras conversaciones en abril de 2010, me dijo una frase de la que me he acordado en estos días de abril de 2011. Los hechos en estos momentos se han precipitado en una vorágine que parece no detenerse y sus palabras adquieren un sentido que un año atrás podría haber parecido exagerado: «El caso Karadima no es solo el caso Karadima. Es el caso Iglesia chilena», porque para que haya sido posible que esto ocurriera durante tanto tiempo, «han estado funcionando redes de protección».

Además, el mismo caso Karadima ha hecho detonar otras situaciones que complican por estos días a la Iglesia de Santiago. Por ejemplo, la referida a los abusos de diferente índole que habría perpetrado Isabel Margarita Lagos Droguett, la superiora de las Monjas Ursulinas, conocida como «Sor Paula». Aunque la monja no era dirigida espiritual de Karadima, comparte con el ex párroco de El Bosque algunos rasgos: su autoritarismo, el permanecer por años en el cargo y una estrictez en materias familiares y sexuales propias del conservadurismo religioso.

La cuestionada monja ursulina prohibía a las alumnas del colegio usar poleras con escotes y tirantes delgados; e impedía al ingreso a su establecimiento a hijas de padres separados. Curiosamente, el tradicional colegio de Vitacura cuenta entre sus alumnas a varias hijas de ex integrantes de la Acción Católica de El Bosque.

Cabría suponer, por lo tanto, que era uno de los establecimientos que Karadima consideraba adecuado para que sus discípulos pusieran a sus hijas. Y quizás escribió más de alguna carta de recomendación a la «madre Paula», a quien conoce.

El *mea culpa* de la Conferencia

La declaración de la Asamblea Episcopal en pleno, con sus anuncios del viernes 8 de abril, confirmó la importancia que le estaba dando la jerarquía al caso. De hecho, aunque originalmente esa no era la pauta previa, toda la semana la dedicaron los obispos a analizar y reflexionar sobre el crítico momento en que se encuentra la Iglesia chilena. En un documento que se ha considerado un «histórico mea culpa», el pleno de la Conferencia Episcopal reconoció «que no siempre hemos actuado con prontitud»; subrayó que la Iglesia debe estar en continua «purificación» para no cometer los «errores del pasado», y destacó que «entre lo más repudiable en la vida y ministerio de un sacerdote están el abuso de poder y el abuso sexual». A la vez, los obispos ofrecieron «humildemente nuestra petición de perdón y el apoyo que podamos darle» a las víctimas.

Los prelados anunciaron medidas que pondrían en práctica en los próximos meses: hacer más expeditos los procedimientos de investigación sobre abusos; otorgar atención psicológica y espiritual a los denunciantes; y crear un organismo dependiente de la Conferencia Episcopal para orientar las políticas de prevención de abusos sexuales. En esa línea se inserta el viaje que realizó en febrero a Estados Unidos el canciller del Arzobispado, Hans Kast, para estudiar la situación y las fórmulas para generar «ambientes sanos y seguros».

La «reformulación de los protocolos para enfrentar los casos de abusos» que implicaría acelerar las investigaciones quedó en manos de una «comisión jurídica» constituida a fines de 2010[6]. En esa instancia tienen importante presencia dos abogados del Opus Dei: Hernán Corral Calciani, profesor de la Universidad de Los Andes, y el obispo de San Bernardo, Juan Ignacio González. Los otros dos integrantes son Jorge Precht Pizarro y Ana María Celis, profesores de la Universidad Católica.

Pero el Opus Dei no ha estado presente únicamente en el ámbito jurídico en esta hora de tan profunda crisis de la Iglesia Católica chilena. La Asamblea Episcopal reciente contó con el aporte de especialistas comunicacionales españoles de la Obra de Dios. Uno de ellos, Juan Manuel Mora, vicerrector de Comunicación Institucional de la Universidad de Navarra del Opus Dei, fue el experto que estuvo a cargo de encarar la crisis que provocó en ese movimiento la película y el libro *El Código da Vinci*, de Dan Brown. Otro de los invitados es Diego Contreras,

---

[6] *La Tercera*, 10 de abril de 2011. «El día después del Episcopado y el destino de Arteaga.»

decano de Comunicación de la Universidad de la Santa Croce, entidad del Opus Dei en Roma, creada por José María Escrivá de Balaguer. El tercero, también miembro del Opus, es el sacerdote José María Gil Tamayo, director del secretariado de la comisión episcopal de medios de la Conferencia Episcopal Española.

El desafío para los expertos y para las máximas autoridades de la Iglesia es que esta vez —a diferencia del *El Código da Vinci*— no se trata de una obra de ficción, aunque a ratos lo parezca.

La puesta en escena de la lectura de las conclusiones de la Conferencia Episcopal vino acompañada de algunos gestos. El documento lo leyó uno de los obispos de la Pía Unión, Horacio Valenzuela.

Terminada la reunión, todos los obispos aparecieron con una actitud más abierta, hablando con los periodistas que querían entrevistarlos. Hasta Andrés Arteaga, en conversación con *La Tercera*, admitió su «responsabilidad», reconoció que estaba enfermo de Parkinson y anticipó que próximamente se iría a España a efectuar un tratamiento[7]. Se supo también que Arteaga cambió de domicilio; dejó la parroquia de Santa Marta, donde vivía con el párroco Javier Barros desde hace más de diez años, y se trasladó al centro de la ciudad, a la parroquia de El Sagrario, en la Plaza de Armas, junto a Francisco Javier Manterola, el sacerdote de la Pía Unión que retiró su firma de la carta de los quince.

Tomás Koljatic admitió haber sido portador de un sobre, pero solo eso, pero nada sabía de cheques, a propósito del pago a Óscar Osbén, del que fue portador. E invocó a Dios para asegurar que no tenía conocimiento de «actos indebidos graves que uno pudiese recordar». Juan Barros Madrid afirmó que «la Santa Sede ha dicho y yo he dicho que es culpable», refiriéndose a Karadima, pero aseguró que «no presencié actos indebidos». Hasta Felipe Bacarreza, actual obispo de Los Ángeles, sacó la voz para señalar que hace muchos años se había ido de El Bosque y

---

[7] *La Tercera*, 10 de abril de 2011. «El día después del Episcopado y el destino de Arteaga.»

ni siquiera reconoció haber sido alguna vez parte de la Pía Unión Sacerdotal. «Yo dejé de participar en el año 79», pero no dio las razones de su alejamiento[8].

En otra dimensión

El cierre de la Asamblea incluyó una fotografía oficial de todos los obispos de Chile vestidos con chaquetas negras o gris oscuras y pantalón.

Al ver la fotografía y los intentos por mejorar la imagen tras el impacto de la debacle generada por Karadima, recuerdo las palabras que me dijo Jimmy Hamilton hace unos meses en una de nuestras conversaciones: «La situación de la Iglesia Católica es sumamente compleja, llena de secretismos, de falta de transparencia, que hace ver que los grupos que están moviendo a la Iglesia en Chile la transforman en una organización llena de pecados ocultos, de daños, de gente afectada y de personas empoderadas que se sienten dueñas de la verdad y del perdón. Se perdonan entre ellos, se guardan secretos entre ellos en vez de estar acogiendo a posibles víctimas, como le dije a Fermín Donoso».

Puede ser muy positivo que los procesos eclesiales vayan en el futuro más rápido. Que se tomen las medidas para examinar mejor a quienes van al Seminario y que se cree el centro de atención de víctimas a partir de las investigaciones que el sacerdote Hans Kast y el director del Seminario, Fernando Ramos, hicieron en Estados Unidos en febrero. Pero nada de eso es suficiente en una crisis como la desatada por la acción de este «señor de los infiernos», que actuó a vista y paciencia de la jerarquía eclesiástica durante cuarenta años.

Hoy por hoy, parece indispensable la colaboración real y efectiva con la justicia. Mientras los obispos y sacerdotes de El Bosque no digan la verdad de lo que vieron y vivieron a la ministra

---

[8] *El Mercurio*, 9 de abril de 2011. «Episcopado pidió perdón a víctimas, admitió errores e hizo nuevo protocolo para estos casos.»

en visita Jessica González, todos sus otros intentos por mejorar la imagen ante la opinión pública quedarán solo en eso. O serán interpretados como acciones tendientes a un marketing eclesial para limpiar imagen.

La sociedad chilena, después de lo ocurrido en torno a Fernando Karadima, tras las denuncias de Jimmy Hamilton, Juan Carlos Cruz, José Andrés Murillo y Fernando Batlle, en abril de 2010, está viviendo en otra dimensión que parece necesario captar. El «cambio cultural» del que se empieza a hablar está en desarrollo. Es parte de «los signos de los tiempos» que tendrá que apreciar la Iglesia si quiere prevalecer.

«Ellos también hablan por mí»

Justo el día que terminaba de entregar este libro a la editorial, el mismo viernes en que la Conferencia Episcopal cerraba su reunión, viví un episodio que me hizo ver con especial nitidez el impacto que había tenido en personas muy diversas la valentía de las víctimas de Fernando Karadima.

Iba saliendo a la universidad y le conté a Carmen, quien trabaja en mi casa, que por fin esa tarde terminaría de escribir. Ella me ha visto en intensas jornadas frente al computador y algunas veces intercambió unas palabras con mis entrevistados. Mientras me despedía y le hacía los habituales encargos domésticos, le dije que por fin culminaba la entrega de los originales del libro. Tomó el diario que estaba sobre una silla, me comentó la nueva denuncia sobre la «madre Paula», la superiora de las Ursulinas, y a los pocos instantes, me miró y me dijo con una voz especial: «Que le vaya bien, señora, que le vaya muy bien con el libro».

Me extrañó un poco el tono algo enronquecido de Carmen, que suele ser una persona alegre. Levanté la vista y la miré. Vi sus ojos que se llenaban de lágrimas y rompió en llanto.

—¿Qué le pasa, Carmen? —le pregunté— ¿Tiene algún problema?

Sacó de nuevo la voz y me dijo emocionada:

—Es que yo estoy tan agradecida de don Jimmy, de don Juan Carlos y de los otros jóvenes que han sido tan valientes. Ellos también hablan por mí.

—¿Cómo? ¿Qué quiere decir?

—Señora, es que yo fui abusada por un familiar, cuando era una niña de nueve años; comprendo lo que les ha pasado a ellos. Pero yo nunca me atreví a denunciarlo. Por eso los admiro y estoy tan agradecida.

Escuché su relato. Estaba impactada. Percibí, de esa manera tan cercana de nuevo, que aquella historia que se inició —para mí— con ese e-mail de Jimmy Hamilton y con su confidencia en el living de mi casa hace un año, ha estremecido no solo a la Iglesia chilena, sino que a toda la sociedad.

ÍNDICE ONOMÁSTICO

A

Aguirre Cerda, Pedro, 131
Aguirre Ovalle, José Andrés, 26 n.
Ahumada, Vicente, 140, 146-147, 150-152
Aldunate, Eduardo, 29, 79
Aliste, Francisco, 469
Allamand, Juan Pablo, 206, 511
Allende Salazar, Paulina de, 30, 155, 228, 499
Allende, Salvador, 15, 64, 68 n., 296-297
Alvarado, Alfredo, 430
Álvarez, Jorge, 89, 103, 113-114, 121, 200
Álvarez, Toté, 200
Arancibia Lomberger, Samuel, 449
Arteaga Echeverría, Pablo, 457
Anrique, Carmen, 310-311
Aristegui, Carmen, 74 y n.
Ariztía, Andrés, 149, 246, 449
Armendáriz Salamero, Xavier, 19-20, 30, 35, 45, 63, 67 y n., 72-73 n.,
90 y n., 93 y n., 107, 119 y n., 121 y n., 122-123 y n., 141, 144 n., 162,
170, 174, 184 y n., 186 y n., 199, 202-203, 227-229, 239-240 y n., 241
y n.-243 y n., 244 y n., 251, 259-261, 264 y n.-265, 271-272, 288 y n.,
290 y n., 292, 301, 308 y n.-312 y n., 313 y n.-314, 315 n., 324, 328,
332 y n.-334, 347, 357 y n.-358, 359 n., 362, 368 y n.-369, 370 n.-373
y n., 374 n.-375, 380, 392, 399, 405, 445 n., 477 y n., 490, 503-510
Arteaga Echeverría, Pablo, 457
Arteaga Manieu, Andrés, 27, 33-34, 44, 66, 71, 87, 106, 111, 118, 125,
139, 141, 149, 151, 153, 171, 185, 198, 206, 264-265, 270-271, 273-
275, 307-308, 352 n., 361, 377, 414, 424, 431-433, 440, 443-445 y n.,
446-447, 453-454, 470, 473 y n.-474, 478-480, 486, 489, 516, 526, 528,
532 n. - 533 y n.

GRACIAS

A todos quienes me dieron entrevistas para este libro, en especial a las víctimas, que me entregaron su confianza y su tiempo para hacerlo posible.

En forma muy especial a James Hamilton, quien con su fuerte testimonio me ayudó a comprender lo sucedido y me destinó horas de conversación para que esta iniciativa resultara. A Juan Carlos Cruz, quien además de abrirme su intimidad, se transformó en un verdadero consultor permanente durante este año, entre viajes, teléfonos y e-mails. A José Andrés Murillo, por compartir sus vivencias y sus reflexivas interpretaciones.

A Melanie Jösch, directora editorial de Penguin Random House, y al editor Gonzalo Eltesch por todo el aporte y estímulo permanente que me dieron en el proceso de edición.

A mi hija María Olivia Browne Mönckeberg, lectora acuciosa e incansable de los primeros originales.

A las periodistas Andrea Domedel y Cecilia Vargas por su constante colaboración en tareas de recopilación de información.

A mis colegas del Instituto de la Comunicación e Imagen (ICEI) de la Universidad de Chile, por el apoyo y entusiasmo brindado durante el año de elaboración de este libro. En especial a Faride Zerán, Ximena Póo, José Miguel Labrín, Roxana Pey, María Eugenia Domínguez y María Cecilia Bravo, por las conversaciones y reflexiones que muchas veces tuvimos sobre este «Señor de los infiernos».

A Sergio Erlandsen, mi marido, y a mis hijas e hijos por su comprensión y apoyo en esta tarea. A mis diecisiete nietos que no han podido disponer de tiempo libre con la abuela desde hace ya varios meses. Cuando algún día lean estas líneas, comprenderán que pensando en ellos y ellas, tuve la fuerza y energía para escribirlas.